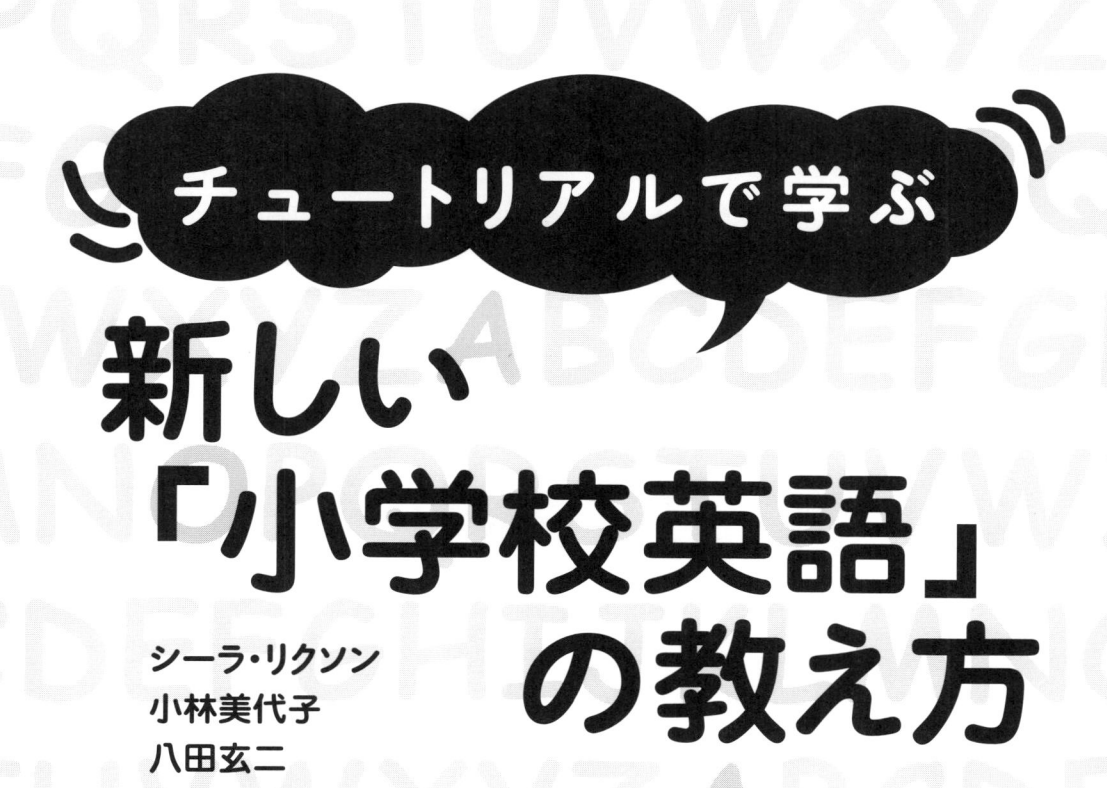

チュートリアルで学ぶ
新しい「小学校英語」の教え方

シーラ・リクソン
小林美代子
八田玄二
宮本　弦
山下千里 編著

玉川大学出版部

チュートリアルで学ぶ
新しい「小学校英語」の教え方

Message to Readers

I am honoured and delighted to be asked by my fellow-writers in this project to write a short message to readers as an introduction.

This book is intended for those who are interested in teaching English as a Foreign Language to young learners in Japan, a field which is growing very fast. You may find it easy to understand why the names of four Japanese experts and academic researchers in this area are on the cover of the book, but why the one English name—mine? The answer is that over the last 15 years we have worked together in various roles connected with the teaching of children English with associations with two major English Universities. These are the University of Warwick, where Miyoko Kobayashi and I were colleagues on the academic staff and Yuzuru Miyamoto undertook research work on Young Learners teaching, and the University of York, where Genji Hatta did his MA in TEYL. My role at Warwick as coordinator of the specialisation in Young Learners teaching gave me special opportunities to travel the world, both observing the practical responses that teachers of English in other countries have made to the particular needs and interests of children compared with older learners and also allowing me to visit schools and try out some of my own ideas as well as presenting them in seminars and at conferences.

In 2005 I was invited by Miyoko Kobayashi to undertake my first visit to Japan to take part in her research project, 'A study of English language teacher education for young learners in Japan', and this was repeated in early 2008. Through that, and through contacts with the Japanese students who have come to Warwick University to study the teaching of Young Learners at Masters and Doctoral level, my interest in the new developments in teaching children in Japan became both more intense and more informed.

I was delighted when my Japanese colleagues suggested that we might work together on a book in which the practical ideas that they and I had gathered from international travel and research and discussion together could be shared with teachers in the Japanese context. The intention of the book is to be very practical, to describe activities and ways of approaching the teaching of English which we are confident fit the Japanese context. We also hope you will find it fun to read in the format that has been created. However, we have also been careful to include references to research that will support the practical suggestions. We believe that the teaching of children can not only be a great pleasure and great fun, but that it is also a very important responsibility for anyone who chooses to take it on and the idea of 'principled fun' which ensures that learning goes hand in hand with enjoyment is one which runs throughout the book.

With best wishes to you all in your profession.

Shelagh Rixon

読者の皆様へ

　この本の共著者たちの勧めにより，日本の読者の皆様にご挨拶する機会を得ることができますことをたいへんうれしく，光栄に思っております。

　本書は，日本の子どもたちに「外国語としての英語」を教えることに関心を寄せるすべての人たちのために書かれたものです。この分野への関心が，近年急速な高まりを見せていることは，周知の事実であり，本書の表紙に早期英語教育に関わる4人の日本人研究者の名前が並んでいるのは，当然納得のいくところかと思います。でもよく見ると，その4人の名前と並んで，英語の名前が一つだけ交じっています。それが私の名前なのですが，これはどういうわけかと不思議に思われる方がいるかもしれません。それは，私たちが過去15年の間に，イギリスを代表する2つの大学において，子どもたちに英語を教える研究に携ったことがきっかけでした。そのうちの一つのウォーリック大学で，私は，同僚として小林美代子氏に出会いました。また，教え子の宮本弦氏に研究指導をしたのもこの大学でした。さらに，もう一方のヨーク大学では，八田玄二氏が早期英語教育の修士課程を修了しています。ウォーリック大学大学院における早期英語教育専攻課程の担当者として，私は世界の各国を訪問し，たくさんの先生たちが，中高生や成人の学習者とは違った，子どもたちならではのニーズや興味に応じながら指導している場面を観察する機会に恵まれました。さらに，それぞれの国の研修講座や学会で私の考えや活動例を発表したり，現地の学校で実際に試してみる経験をすることができました。

　私は，小林美代子氏の研究プロジェクト「早期英語教育の指導者養成及び研修の実態と将来像に関する総合的研究」の海外共同研究者として，2005年と2008年の二度にわたり，日本を訪れました。その際に経験したことや，ウォーリック大学の修士課程や博士課程で早期英語教育を研究する日本人留学生との触れ合いを通じて，日本についての私の知識は次第に深まり，日本で展開されている子どもたちへの英語教育の新たな動きに，強い関心を抱くようになりました。

　そのようなわけで，この本の共著者たちから，これまでいろいろな国を訪れ，研究をし，さまざまな人たちと意見を交換しながら蓄えてきた実践的なアイデアを一冊の本にまとめ，日本で子どもたちを教える先生方に伝えてはどうかという提案が持ちかけられたことは，とてもうれしいことでした。私たちは，この本が，教室での実践に直結するものとなることを願って執筆しました。ここで紹介する具体的な活動の進め方や，実際に子どもたちに英語を教えるときの考え方は，日本でもきっと役立つものと確信しています。さらに，イギリスの大学でのチュートリアルを疑似体験していただくという筋立てを読者の皆様が気に入ってくださされば，言うことはありません。しかし，同時に，実践的な指導上のヒントを裏付けるさまざまな研究についても，きちんと言及するように努めました。私たちは，子どもたちに英語を教えることを通して，大きな喜びと素晴らしい楽しみを味わうばかりではなく，重い責任を担うことになります。それだからこそ，楽しい活動と充実した学びの調和を目指す，「指導方針を持った遊び（principled fun）」とでも呼ぶべき概念が，この本全体の底に流れる根本的な考え方になっているのです。

　皆様が，子どもたちに英語を教える仕事を通して，最高の時を過ごされることを心より願っております。

シーラ・リクソン

はしがき

　我が国の小学校での外国語活動の本格的な実施は，まだスタートを切ったばかりです。2008年に告示された新小学校学習指導要領により，2年間の移行期間を経て，2011年度から小学校5，6年生を対象とする外国語活動が必修化されました。この必修化の実施に伴い，学習指導要領が示す方針の具現化を目指す教材として，文部科学省によって『英語ノート』が用意され，外国語活動の指導が初めての先生でも授業ができるように，指導資料と音声CD，さらに電子黒板用のデジタル教材などのサポートが提供されました。その後，文部科学省は，2012年4月に『英語ノート』に代わり"Hi, friends!"を配布し，それまでに出てきた課題の手当を行いました。

　このようにして始まった小学校の外国語活動ですが，「いったい誰が教えるのか？」というもっとも基本的な問いかけに対する実質的な答えは依然として出ていません。いま，私たちに求められているのは"Hi, friends!"の導入に伴い，小学校の教育現場が直面する困難点を見極め，相応の手当てを行うことと並行して，教員の養成と研修の充実という長期的な視野に立ち，導入期以降の外国語活動の展開へ向けての準備を着実に進めていくことです。

　その基盤となる要素の一つが，本格的な意味での「中核教員」と呼ぶべき層を形成し，全国の各地域，各学校における外国語活動の効率的な組織化を推進することです。「中核教員」とは，我が国をはじめとして，諸外国において，これまで蓄積されてきた子どもたちへの外国語教育の知見を基盤とし，次なる展開に向けて行動を起こすことのできる人たちのことです。このような人たちが，それぞれが置かれた教育現場で十分に力を発揮できるようにするためにも，早期英語の共通基盤が広く共有される必要があります。

　本書のタイトルの中にある「チュートリアル（tutorial）」とは，大学や大学院で，学生と指導教官の間で交わされる面談指導のことです。たとえば，本書で紹介するチュートリアルの舞台となっているイギリスのウォーリック大学の修士課程では，1年間のプログラム期間中，春休みや夏休みの時期も含め，ほぼ毎週1回程度の頻度でチュートリアルが実施され，学生が関心を寄せる話題に合わせた議論が指導教官との間で交わされます。

　この本の中では，日本人留学生のマナブが指導教官のシーラ・リクソン先生からチュートリアルを受けることになります。マナブは，日本の小学校での教員経験5年の青年教師です。過去5年間，小学校での外国語活動をひと通り経験してきたマナブですが，子どもたちと一緒に活動をしていると心から楽しいと思う一方で，「でも，それだけでよいのだろうか？」という気持ちをぬぐい去れずにいました。そして，30歳を目の前にし，一念発起，教員の仕事を1年間休職して，早期英語教育の研究のためにイギリスのウォーリック大学に留学中という設定になっています。この本を読まれる皆さんも，マナブと一緒にシーラ先生とのチュートリアルを疑似体験しながら，早期英語教育全般についての理解を深め，日本の子どもたちへの外国語教育の将来を担う「中核教員」および，その支援者となっていただくことが，筆者たちの願いとするところです。

　さて，ここで，本書の構成について概説しましょう。本書は，まず第1章で，「なぜ，子どもたちに外国語を教えるのか？」という問いかけを行い，ことばの学習の理論や学習者としての子どもたちの特徴について考え，子どもにやさしい外国語教育を目指す指導者としての基本的な姿勢にかかわる話からスタートします。続く第2章から第6章では，そのような基本的な姿

勢に沿って，実際の指導を進めるための教授法の問題を扱います。そして，語彙・文法・発音など，ことばの学習を構成するいわば一つひとつの「部品」を組み合わせて子どもたちへの指導を計画し，評価する具体的な方法について学び，子どもにやさしい教え方を理解します。さらに，最後の第7章では，実際に教室に入って，子どもにやさしい教え方を実行に移すための手段となるゲーム・物語・歌やチャンツ，そして，なぞなぞやパズルなどの「遊び」の中身をよく吟味して効果的に利用する指導技術を検討することになります。

このように，本書は，指導者としての基本的な姿勢を出発点に据え，皆さんが読み進むにつれて，しだいに実際の教室における活動場面に近づいていくという構成になっています。したがって，小学校の先生や民間の児童英語教室の指導者の方など，すでに子どもたちへの外国語指導を経験したことがある人は，第1章から順番に読み進めることで，これまでの実践を振り返ることができます。一方，学生の皆さんをはじめ，これから子どもたちへの指導を初めて経験することになる人は，まず第7章で実際の指導場面を「体験」した後に，第1章へ戻って，さまざまな楽しい活動の中に埋め込まれている「考え方」を理解していただくとよいでしょう。

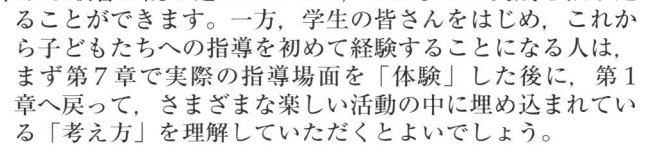

本書の執筆にあたっては，全体構成についての編集会議を経て，編著者の執筆担当「章」ないしは「節」を決定。それぞれの執筆担当者が「第1稿」を起こし，それに対してほかの編著者がコメントを付け，それを基に推敲をくり返して最終稿を作成した，いわば編著者全員で書き上げたものと言える形を採りました。

最後になりますが，本書の企画の段階から私たちの執筆グループをリードし，数々の助言を提示しながら編集に当たってくださった木田賀夫氏（K's counter），ならびに，本書の出版を引き受けてくださった玉川大学出版部の森貴志氏に，心よりお礼を申し上げます。

編著者一同

目　次

読者の皆様へ　iv
はしがき　vi

第1章　子どもたちに外国語を教えるということ　　3
1.1　なぜ，子どもたちに外国語を教えるのか？　4
1.2　外国語学習者としての子どもたち　17

第2章　子どもにやさしい外国語教育　　55
2.1　コミュニカティブ・ランゲージ・ティーチングとは？　57
2.2　子どもたちの4技能を伸ばす　70

第3章　子どもにやさしい教え方——語彙と文法　　109
3.1　語彙の指導　110
3.2　文法の指導　124

第4章　子どもたちへの発音指導　　141
4.1　英語発音のキーポイント　142
4.2　どのような発音モデルを目標にするのか？　144
4.3　ボトムアップの発音指導　145
4.4　トップダウンの発音指導　150

第5章　子どもたちへの指導を計画する　　159
5.1　市販の教材を理解し，選び，活用する　160
5.2　教科の垣根を越えて内容を中心に指導する　181
5.3　オリジナルの「指導プログラム」を作成する　195

第6章　子どものための評価　　213
6.1　評価とは？　214
6.2　評価の目的　215
6.3　指導と評価　221
6.4　筆記テストの問題点　230

第7章　子どもにやさしい素材を効果的に使う　　239
7.1　ゲームで学ぶ　240
7.2　物語と子どもたちの外国語学習　259
7.3　リズム，ライム，そしてメロディー　282
7.4　子どもたちの好奇心をかき立てるアイデア　302

資料　1　『英語ノート』vs "Hi, friends!"（改訂のポイント）　324
　　　2　小学校学習指導要領外国語活動　日本語・英語版　350
　　　3　中学校学習指導要領外国語（英語）日本語・英語版　356

参考文献・参考資料　371
キーワード解説　377
索引　392

チュートリアルで学ぶ
新しい「小学校英語」の教え方

第 1 章　子どもたちに外国語を教えるということ

　　1.1　なぜ，子どもたちに外国語を教えるのか？
　　1.2　外国語学習者としての子どもたち

　　　これから読者の皆さんと一緒に，シーラ・リクソン先生のチュートリアルを受ける日本人留学生のマナブは，日本の公立小学校で 5 年の経験を持つ青年教師です。「はじめに」で紹介したように，マナブは，いま，教員の仕事を一時休職して，「早期英語教育」の研修のためにイギリスの大学の修士課程に留学しています。先週，入学の手続きはすべて終え，いよいよ今日からシーラ先生とのチュートリアルが始まります。

この章を読む前に

1. あなたが教えている環境（国とか地域とか学校）で，子どもたちに英語を教えるのには，何か特別な理由があると思いますか？
2. 子どもの目には，英語の授業はどのように映っているでしょうか？　たとえば，子どもたちは，ほかの教科とは違って何か楽しいものだと思っていますか？　それとも，ほかの教科と同じように考えているでしょうか？　英語はとくに重要だと思っているでしょうか？
3. 皆さん自身は，小さい頃に英語を学習しましたか？　もし学習したとしたら，どんなことをとくに覚えていますか？　英語学習は楽しかったですか？　どんな先生でしたか？　どんな活動をしましたか？　もし学習していないとしたら，小さい頃から英語を学習したかったと思いますか？　なぜ，そう思いますか？
4. 中学校に入学してから英語学習を始める場合，遅く学習を始めることで，かえって小さい頃よりも容易に習得できることがあると思いますか？　中学校以降の英語学習は，もっと早く始めた場合と何か異なると思いますか？　もし異なるとしたら，それは，学習者の年齢によるものでしょうか？　教える先生の期待が異なっていたからだと思いますか？

この章のキーワード

本文の左の欄外には，
　□ 早期英語教育（Teaching English to Young Learners: TEYL）
などの「キーワード」が提示されています。まずこの「キーワード」を見て，わかる用語の□にチェックマーク（✓）を入れながら読み進めてください。わからない用語があったら巻末の「キーワード解説」で確認しましょう。

1.1 なぜ，子どもたちに外国語を教えるのか？

□早期英語教育

　新学期の第1回のチュートリアルでは，ちょうど空を飛ぶ鳥が高いところから地上を見下ろすように，「**早期英語教育（Teaching English to Young Learners: TEYL）**」の全体像（鳥瞰図）をごく大ざっぱに描くことから始めます。世界の子どもたちが，どのような状況で英語を学習しているか？　その目的は何か？　子どもたちは英語学習をどのように見ているか？などの，早期英語教育にかかわる基本的な問題点について，シーラ先生と一緒に考えていきましょう。

(1) なぜ，子どもたちに英語を教えるのか？

マナブ　先生，おはようございます。今日から早期英語教育についてのチュートリアルをお願いできるということで，とても楽しみです。どうぞよろしくお願いします。

シーラ　おはよう，マナブ。こちらこそ，日本の様子が聞けるのも楽しみよ。今日は最初のチュートリアルなので，早期英語教育を考えるうえで，もっとも基本となる考え方や原理についてお話ししましょう。早速，マナブに聞きたいのだけれど，「早期英語教育」って言うけど，どうして「早期」でないといけないと思う？

マナブ　そうですね。小さい子どもは，新しい環境で，苦労なくすぐにネイティブの発音が真似できるのに対して，大人は，そう簡単にはきれいな発音は身に付けられませんよね？　それに，学校の勉強として英語を習うよりも，ゲームなどをしながら楽しんでいるうちに，自然に英語の力が付くと思われているからではないでしょうか。

シーラ　そうかもしれないわね。小さいうちに外国語学習を始めることにはたくさんの利点があると思うけれど，「早く始めるほどよい」という言い方は，ちょっと気をつけないといけないのよ。この表現だけがひとり歩きしてスローガンのようになってしまう危険性があるわね。

マナブ　そういえば，子どもが生まれたらすぐにでも英語学習を始めないと手遅れになる，といった，親の気持ちをあおるような表現を見かけることがありますね。ある意味では，妄信と言ってもいいぐらいですね。

シーラ　そうね。たしかに，そういう考え方は，どんな国でも教育関係者が外国語教育の早期導入を考えるときに，よくその論拠になっているわね。また，行政にとっても，公立の小学校に外国語を導入しようとするときに，必要な予算を獲得するためには，こういう大義名分が必要なわけ。

マナブ　だから，親にしても，経済的な犠牲を払ってでも，子どもを塾に通わせて英語を学ばせるのですね。

シーラ　このことについては，また後でゆっくり議論したいと思うけれど，本当は外国語学習にはいろいろな要素がかかわっているのよ。大人になってから英語学習を始めても，ちゃんと使えるようになっている人はたくさんいるのに，そういったことは無視されてしまうのよね。外国語の学習には，年齢だけではなくて学習の質もとても大切なのに，その議論が忘れ去られて，年齢だけが重要な要素のように考えるのは間違っているわ。

> **マナブ** なるほど。
>
> **シーラ** つまり，どんな年齢の学習者を相手にしている場合でも，いつ始めるかということよりも，楽しい学習体験ができるようにすることのほうが大切なのよ。それと，子どもたちが外国語を学びたいと思うような理由を見つける必要があるわ。そこで，文化，認知的発達，動機付け，態度などの領域が意味を持ってくるの。
>
> **マナブ** たしかにそうですね。単純に早くから外国語を教えればよい，ということではないのですね。

ここで，先生は，早期英語教育の目的を，語学的な側面だけではなく，ことばの背景にある文化の学習，動機付け，子どもの認知面での発達や教育全体にかかわるさまざまな角度から整理し，それぞれの問題点を次のように指摘します。

① 早期英語教育の目的

a) **ことばの学習としての目的**
英語の運用力を育成したり，言語に対する意識を高める。

b) **文化の学習としての目的**
子どもたちの視野を広げ，広い世界に目を向けさせ，偏見をなくし，世界のほかの地域に暮らす人々の生活などについて学ぶ。

c) **動機付けの観点からの目的**
英語学習や将来のほかの外国語学習について，ことばを使って何かを「する」という積極的な態度を養う。

d) **子どもの認知的発達という見地からの目的**
母語とは異なる仕組みを持つことばがあることや，言語が異なると，同じ考え方を表すのに異なる表現方法があることなどについて理解を深める。

e) **教育全般の観点からの目的**
現在および将来の言語学習を助ける学習技能やストラテジー*を育む。

*「ストラテジー」については，第1章第2節の(9)「子どもたちの学習ストラテジー」を参照。

② さまざまな問題点

ここに挙げた目的の全部が，どんな状況にも，そのままあてはまるわけではありませんが，多くの国の政府が出している公文書や指導要領などは，多かれ少なかれ，これらに準拠して書かれています。とくに，教育全般の観点からの目的や，認知的・文化的な目的，小学校での英語教育の目的などは，教育政策の立案にかかわっている専門家や英語教師の間では，おおかたの共通理解ができているように思われます。

しかし，こうした高邁な理想や目的が，実際のシラバスやプログラムの内容，教材や教室活動などで，必ずしも具現化しているとは限りません。まさに，「仏を作って魂を入れず」ということわざ通り，目標を掲げるのは簡単だけれども，それを実行に移すのは難しいというのが，本当のところなのかもしれません。

そして，早期英語教育の目的論に関して，さらに難しいのは，掲げられた目標に合った教育が実行されているかどうかを確かめたり，評価する方法が

まだ確立されていないということです。動機付けの領域や，偏見をなくすといった文化的な領域は，正確に評価をすることはとくに難しいと思われます。誰も，こういった領域で良い成果を出すことを目標に掲げることに反対する人はいませんが，子どもたちが本当に文化的に広い心を持つようになり，英語学習に対する積極的な態度を身に付けたかどうかを正しく測定する方法を見つけるのは至難の技です。評価については，本書の第6章で考察しますが，このように簡単に評価できない領域は，指導者も学習者も，つい注意を向け損なってしまうことが多いということを覚えておくといいでしょう。

　マナブは，シーラ先生の話を聞きながら，日本でも，中学校や高校の英語の学習指導要領に掲げられている，学習に対する積極的な態度や意欲を育てるという項目について，どのように評価したらよいのか，多くの先生方が困っていることを思い出しました。子どもたちの学習の目標を立てるだけでは十分ではないということは，よく理解しましたが，では，実際にそれを行動に結び付けるためにはどうしたらよいのか，真剣に考えさせられたチュートリアルでした。

　先生は，第1回目のチュートリアルを以下のようなコメントで締めくくります。

シーラ　高い目標を実現するときの制約や困難点は挙げだしたら，いくらでもあるのではないかしら。たとえば，教材や資料を買うための予算が限られていることや，指導者不足や教員養成や研修の問題も緊急の課題ね。とくに，準備の期間をあまり置かずに小学校英語が導入されたような状況では，そうした傾向があるわ。

マナブ　日本は，まさにその問題で誰もが困ってますよ。

シーラ　ただ，このチュートリアルでは，マナブのような指導者が自分の力の範囲で取り組み，解決できるような問題をなるべく取り上げるようにするわね。そうでないと，どれもこれも，問題をすべて政府のせいにしてただ嘆くだけで，自分には何もできないとなると，何かむなしくなってしまうわ。実施上の困難点について，もっと興味があるようだったら，ブリティッシュ・カウンシルのホームページ*と私の書いた論文（Rixon, 1992）に早期英語教育についての調査結果が載っているので，参考にするといいわ。

マナブ　ありがとうございます。いままで，政府が決めることに対して批判的になったり，同意することはあっても，自分にもできることがある，ということなど考えたことさえありませんでしたが，先生のお話をお聞きして，何か意欲が湧いてきました。

(2)　さまざまな環境での早期英語教育と子どもたちのニーズ

シーラ　ひと口に早期英語教育といっても，じつにさまざまなスタイルで行われているのは知っているかしら？

マナブ　ええ，たとえば，公立小学校の正規の教科としての英語指導か，民間の教育機関における英語指導か，といったことですよね？

シーラ　そうね。いろいろな環境をリストにしてみたけれど，どうかしら？

* www.britishcouncil.org/english/eyl

> **早期英語教育が実施されているさまざまな学習環境**
> - 英語が正規の教科となっている公立小学校
> - 英語は正規の教科にはなっていないが，意欲のある一部の先生が中心になり英語クラブを運営している公立小学校
> - 英語が正規の教科であると同時に，他教科の一部を英語で教えているインターナショナル・スクール
> - 親が授業料を支払い，個人または少人数で指導を受ける私的な英語塾
> - 公立学校での英語教育が制度化されていない国における私的な英語学校・教室
> - 小学校の正式な教科として英語が導入されている国における私的な英語学校・教室

マナブ たしかに，いろいろな状況があって，ひと言では説明できませんね。日本では，2011 年度から，英語が小学校 5，6 年生の正課として必修になりましたが，正式の「教科」ではなく「領域」という区分なので，厳密にはこのリストの中のいずれの環境とも異なることになります。また，インターナショナル・スクールのように，他教科を英語で教える学校もあったり，私的な英語学校や英語教室もたくさんあって，そういった私塾に行っている子どもたちの学習状況もさまざまだと思います。

シーラ 過渡期には，本当にいろいろな状況が同時並行で存在することがあるのね。少なくとも，公立学校と私塾という両極に立った視点で考えると，多様な状況に対応できるように思うわ。[1]

注釈 1（p. 54 参照）

マナブ これだけ，いろいろな環境の中で英語が教えられているということは，つまり，子どもたちの英語学習に対するニーズも多様だということですね。しかし，実際，日本で子どもに英語を教えるときに難しいのは，多くの子どもにとって，英語を日常的に使うようなことがなくて，英語学習に対する明確なニーズがないことだと思うのですが，その点についてどう思われますか？

シーラ そう？　でも，最近は e メールやインターネットを通じて，国を超えてコミュニケーションをする機会がずいぶんと増えてきているのではないかと思うけれど。

マナブ 私が子どもだったときに比べると，インターネットなどで国を超えたコミュニケーションはたしかにずっと日常的になってきていて，そういう意味で，外国の友だちとコミュニケーションしたいという動機付けは強くなっていますね。

シーラ コンピュータを触っているうちに，ひとりでに英語を学んでしまう，という現象もしばしば見受けられるのよ。いわば，「活動しながら学習していく」自主学習と言えるわね。

マナブ 子どもたちが必要としている英語について，先生がうまく手助けしてあげたり，安全にインターネットを通じて友だち作りする指導をしてあげると，英語学習もすんなりいきそうですね。[2]

注釈 2（p. 54 参照）

シーラ どこの国の教育政策者たちも，早期英語教育が，長期的な視野で見たときに，将来の外国語学習の基礎作りになると考えることが多いものなの。

　　　　こういった観点から見ると，小学校での英語学習は，中学校以降の英語
　　　　学習の準備と見ることもできるし，英語学習の期間がその分長くなると
　　　　考えることもできるわけ。でも，実用的な観点を重視しすぎて，それだ
　　　　けで小学校での英語学習をとらえると，あまり効果がないものに見えて
　　　　しまうかもしれないわ。いますぐの効果を狙うよりも，もっと長い目で
　　　　見て，子どもの英語活動それ自体の楽しみや価値を認識すべきだと思う
　　　　わ。
マナブ　でも，もちろん，小学校で習うことと，将来中学校以降で習うことと関
　　　　連付けることは大切ですよね？
シーラ　それはそうね。あとは，中学校の先生たちが，小学校の学習内容を視野
　　　　に入れることね。子どもたちが中学校に入る前にできるようになってい
　　　　ることを無視しないで，その上に積み上げるような努力をしたほうがい
　　　　いわね。往々にして，そうでないことが多いのだけれど。基礎作りとし
　　　　て，早い時期にどんなことを学んだらよいのかは，まだまだ議論が分か
　　　　れるところなの。そのことをこれから話しましょう。

(3) 小学校における外国語教育の目的は，言語技能の熟達？　それとも，ことばに対する意識喚起？

マナブ　日本の小学校段階における英語活動は，言語技能の熟達というよりも，
　　　　言語学習に対する関心を持たせ，ことばに対する意識を高めるような動
　　　　きになってきていますが，ヨーロッパやイギリスの状況はどうなのでし
　　　　ょうか？
シーラ　これについては，スコットランドの状況が参考になると思うので，お話
　　　　ししましょう。

■シーラ先生のひと口メモ■
公立小学校における外国語教育の導入の経緯――スコットランドの事例
　　初等教育における外国語教育の目的を語るとき，スコットランドでも，「言
語技能の熟達（language proficiency）」を目指すべきか，「ことばへの気づ
き（language awareness）」*を高めるべきか，という議論がありました。
初等外国語教育の目的には，伝統的に二つの流れがありました。一つの見方
は，中等学校に行ってから始めることになる外国語教育の導入として「緩や
かに」準備をする，といった導入の仕方と，もう一つは，小学校段階でしっ
かりと言語能力の基礎を作り，中学校に進んでからは，その基礎の上に外
国語学習を築いていくという考え方でした。
　　当時，スコットランドで初等教育に外国語を導入する推進役だった教育部
門の調査官は，スコットランドの初等外国語教育を推進するにあたって，そ
の目的は，成果の評価が曖昧になりがちな「ことばへの気づき」ではなく，
進歩の度合いが具体的に測定できる「外国語能力の習得」とする，という決
定を下しました（Giovanazzi, 1998）。その理由は，すでにすしづめ状態の
小学校のカリキュラムに外国語が新たに導入された場合，上に述べた二つの
目的のいずれを採るにしても，膨大な数の先生たちが，研修を受けたり，公
私にわたって何かと影響を被ることになる。それにもかかわらず，もし小学

□ことばへの気づき
＊第3章第2節の(4)「子ども
のための文法指導と教授法
――『ことばへの気づき』を
どのように体験させるか？」
を参照。

校に外国語を導入したのに何も具体的な成果が得られないとしたら，政府としては，たいへんな時間と労力の無駄になると考えたのです。

マナブ　なるほど，この考え方には，一理ありますね。

シーラ　ええ，でも，小学校の段階で，子どもたちに，母語以外のことばがあることに気づかせておくことも，意味のあることだと思うわ。次の中学校で外国語学習を始めるのに，とてもいい準備にもなるわね。小学校を終えたとき，外国語そのものについての知識はそれほどなくても，中学校に上がって，とても効果的に学習を始められるかもしれないわ。公のガイドラインなどの文書を詳しく読んで，自分の国がどちらの立場を採っているかよく調べてみるといいわね。

マナブ　ただ，態度とか意識というのは測ることができないので，効果が上がっているかどうかを見極めるのは難しそうですね。

シーラ　そうね。だから，公の文書にはっきりと「気づきを目的にする」と書いてあることは少ないかもしれないわ。そうでないと，小学校の外国語教育の効果を期待している一般の人，とくに子どもたちの保護者が納得しないでしょうから。

マナブ　日本の学習指導要領の場合は，「外国語に対する興味・関心を築く」「コミュニケーション能力の素地を養う」ということで，外国語能力そのものよりも「気づき」のほうに重点を置いているようです。

シーラ　どちらに重きを置いているかを確かめるのには，授業時間のどのぐらいを英語に充てているかを見てみるのも一つの方法よ。もし時間数がとても少ないようだったら，気づきを目的としていると考えたほうがいいでしょうね。

マナブ　なるほど。日本の公立小学校の場合は，一週間に1時間，年間で35時間ですので，それだけの時間で英語運用能力を伸ばすのは，実際的ではないと言えるでしょうね。

シーラ　別の方法として，学習指導要領などに，具体的な言語項目などがはっきりと示されているか，それとも，概念的なことだけで終わっているかどうかを見てみるといいわ。

(4) 小学校と中学校の連携はいかにあるべきか？

マナブ　いま，日本で一番問題になっているのは，小学校と中学校の間の連携です。英語の運用能力を高めるような指導を行っている公立小学校がある一方で，別の小学校では，ことばへの関心・興味というだけで，とくに明確な到達目標もない英語指導を実施していたり，統一性がないため，中学校では，また最初から始めるといった状態が多く見受けられます。

シーラ　学校によってばらつきがあるのは困るわね。全部の小学校が，ことばへの気づきという立場で外国語を導入するのであれば，小学校と中学校の間のつながりは間接的で，緩やかなものでよいかもしれないけれど，運用能力を目的としている場合には，しっかりとした連携を考える必要があるわ。中学校に入って，またゼロからのスタートでは，子どもたちの

     やる気を削いでしまうことになりかねないのではないかしら。でもじつ
     は，日本と似たような状況の国は世界中にいくらでもあるの。小学校で
     習ったことを取り込むような形で，中学校の外国語教育プログラムを適
     応させることを本当に真剣に考えている国は少ないものなのよ。
マナブ じゃあ，日本だけではないのですね。
シーラ ええ，でも，立派な例外はあるわ。デンマークやオーストリアは，小学
     校での英語教育の歴史も長いのだけれど，小学校と中学校を合併させた
     ような英語プログラムを作っているの。アラビア半島にあるオマーンで
     は，6歳から16歳までの教材を一新して，その期間を通して一貫した
     言語能力育成のための仕組みが考えられているのよ。
マナブ そう言えば，つい数年前，ドイツでも，一部の地域で，小学校に英語が
     導入されたのを受けて，これまでの中等学校の教材を作り直していると
     いうことを聞きました。日本も，公立小学校での英語の授業が定着して
     くると，少しずつ変わっていくのでしょうね。[3]

注釈3（p.54参照）

(5) 文化的目標——外国語教育と異文化理解のバランスはいかにとるか

 シーラ先生は，次に，外国語教育と異文化理解という，とても興味のある話題を取り上げます。日本では，とくに，2002年度から小学校の3年生以上の児童に対し，「総合的な学習の時間」の枠内で，国際理解に関する学習の一環として外国語活動ができるようになり，そのほぼ10年後の2011年度からは，「外国語活動」として，正規に小学校のカリキュラムに組み込まれることになりました。「総合的な学習の時間」の中で行われた「英語活動」も，新学習指導要領の下で実施されることになった「外国語活動」も，ともに，英語のスキルの習得よりも，むしろ，異文化理解や「積極的にコミュニケーションを図ろうとする態度の育成」[4]により大きなウエイトが置かれています。

注釈4（p.54参照）

 イギリス留学を終えたあと，再び小学校の現場に戻り，新しい指導要領の下で編纂された『英語ノート』*を教えることになるマナブにとって，この文化と外国語教育との関係は，たいへん興味のある問題のようです。

* 平成21(2009)年度から移行期間を含め3年間にわたって使用された『英語ノート』に替わって，平成24(2012)年度から『英語ノート』の改訂版とも言える "Hi, friends!" が使用されることになった〔注釈5および巻末の「『英語ノート』vs "Hi, friends!"（改訂のポイント）」を参照〕。

マナブ 外国語教育と異文化理解というのは，切っても切れない関係のように思
     えますが，外国語教育における文化的目的というのは，具体的にはどう
     いうことでしょうか？
シーラ そうね，ひと口に，文化を教えるといっても，その内容は，じつに広範
     にわたっているのよ。世界のほかの国々の子どもたちと同じゲームをし
     たり，同じようなことに関心を持つこともそうだし，もちろん，英語を
     母語としている国々のお祭りとかそのほかの風俗習慣も含まれるわね。
     それだけではなく，目上の人に対する丁寧なことばの使い方とか，英語
     を話す国々の様子や地理について，直接，情報を手に入れることも，文
     化の学習ということになるの。

*「文化の定義」については第5章第1節を参照。

マナブ なるほど，文化の定義*というのは，結構，幅が広いんですね。
シーラ ところで，マナブ，日本の小学校の「総合的な学習の時間」というクラ
     スでは，文化とスキルの学習はどのように扱われていたのかしら？

注釈5（p. 54 参照）

マナブ そうですね，「総合的な学習の時間」では，英語の学習は「国際理解に関する学習の一環として外国語会話を行う」ということで，重点はあくまでも異文化理解にあったんですね。[5] ですから，英語国の文化や地理を教える場合でも，先生は必ずしも英語を使わなくてもよかったんです。

シーラ それはそれで，とても現実的な対応だったと言えるわね。

マナブ でも，これからは，従来の「総合的な学習の時間」の枠から一歩踏み出して，「外国語活動」として位置付けられたわけですから，事情はずいぶん変わってくるんでしょうね。ところで，先生，先週のチュートリアルで，小学校で習うことと，将来，中学校以降で習うことと関連付けることが大切だ，というお話がありましたが，英語の知識や技能だけでなく，同じことが文化の学習でも言えるのでしょうか？

シーラ マナブ，それはとてもいい点に気がついたわね。その通りよ。でも，その点は，残念だけど，少しないがしろにされているの。本当に文化理解が重要だと思うのなら，理論的には，小学校での経験や知識は中学・高校と継承されていくべきよね。

マナブ 先生，最後に，ちょっと基本的な質問ですが，英語を教えるときには，文化も絶対に教えなければいけないんでしょうか？

シーラ いいえ，そういうわけではないわ。たとえば，国によっては，英語そのものに付随している西洋社会の価値観が受け入れられないところもあるわ。そのような場合は，英語は，あくまでもコミュニケーションの手段だ，と割り切って，文化的な側面は必然的に，極力抑えられる，ということになるの。

(6) 早期英語教育における動機付けの重要性

およそ世の中のことは，どんなことでも，最初がうまくいけばとんとん拍子で最後までうまくいくものです。子どもの英語学習もこれと同じで，学習の始めをうまく切り抜けた子どもは，次のレベルに上がっても，英語学習に興味と自信を持って臨むことができます。逆に，英語の習い始めの段階ですでに飽きてしまい，興味を失っている子どもは，始める前から自分は落伍者だ，と決め付けて，英語そのものを嫌ってしまいがちです。そういう子どもたちが中学に上がってくると，中学の先生たちは，たいへん苦労をすることになります。せっかく，新しい教科として中学で勉強するのに，新鮮さを味わうことができないのです。

マナブ これは，日本でも深刻な問題になりかねませんね。というのは，小学校で『英語ノート』〔2012年度からは改訂版の"Hi, friends!"〕を学習してきた子どもたちが，中学に入っても，また同じようなことを教わるとすると，興味は自然に薄れますよね。この子たちをうまく次のレベルへつなげていけるように，彼らの動機付けをいかに行うかは，とても重要な問題ですね。

シーラ そうね，子どもたちが高いモチベーションを持ち，英語学習に対して肯定的で，前向きの態度で臨むようにすることは，指導要領などの公の文書に目標として高々と掲げられているけれど，実際に，それを実行する

のは本当は難しいことなの。
マナブ　では，先生，どうすればいいのでしょうか？
シーラ　好ましい状況を教室で創り出すには，いろいろな条件がそろうことが必要で，指導者自身のこれまでの経験によるところが大きいでしょうね。
マナブ　経験というと，具体的にはどんな？
シーラ　まず，授業そのものが楽しくて，子どもが興味を持つこと。それには，指導技術やどんなアクティビティをやらせるかも重要になるわ。何よりも，子どもたちが英語の先生を好きになるかどうかよね。
マナブ　じゃ，「僕，英語は好きだけど，先生は嫌い！」などと，子どもたちに言われないようにしなくては。
シーラ　そうよ。もうひとつ言語学習で大事なことは，先生が，一人ひとりの子どもたちのアイデンティティを認めてやり，それぞれの子どもが自尊（self-respect）の気持ちを持てるようにしてあげることね。そういう意味で，英語の授業は，子どもを支援するような雰囲気の中で行なわれるべきよね。だから，いいアクティビティは，うまくいけば，子どもたちは多くのことを学ぶことができるわけ。でも，活動の途中で，子どもたちが，何か成就感を味わえるような「満足ポイント」がないと，すぐ興味や熱意が失せてしまうことになるわね。
マナブ　本当にそうですね。だから，授業中に，うまく答えられなかった子どもたちをばかにしたり，精神的に緊張させたり，テストの結果を見て，ストレスや屈辱感を抱かせないように気を配ることが大切なんですね。

シーラ先生のひと口メモ
早期英語教育は，子どもたちの認知的発達と教育面においてどのような利点があるか？

　子どもの認知的な発達と教育的な利点は，学習指導要領などの公の文書では，通常，別個の問題として扱われています。外国語の授業を受けた結果，子どもが認知的に大きく成長したということは，母語とは著しく異なった言語的な手段を使って，自分の考えや意思を表現することができるということを意味しています。これができるようになると，次は，また別の新しい言語を学習するときに，そこで身に付けた知識や経験が活きて，知らないことばや規則に遭遇しても，じっくりと構えて，なんとか意味を推測し対応できるようになります。

　英語の「ことば遊びのゲーム（language games）*」でも，そのほかのアクティビティでも，子どもたちに知能を使わせて，思考力を伸ばすのに役立つものがあります。英語の教科以外でも，たとえば，いろいろなものをそれぞれのカテゴリーに分類したり，ある一つのことばから，ほかのいろいろなことばを連想させるようなゲームが，これに該当します。

　年長の子どもには，他教科ですでに身に付けているいろいろなスタディー・スキル（たとえば，ノートやメモを取ったり，文章の大意を把握するスキル）を新しい言語を学習するときに活用することができます。具体的な例としては，子ども用の辞書を使ったり，または自分たちで辞書を編集して，作成したり，自分たちの作品集（portfolio）を作らせることなどがあります。

* ゲームやクイズなどのいろいろな「ことば遊びのゲーム」の紹介は，第7章第1節および第4節で扱っている。

(7) 公教育と私学や私塾の早期英語教育のあり方

公教育における早期英語教育に続いて，今回のチュートリアルの話題は私立小学校や私塾における英語教育に移ります。

> **シーラ** 前回は，主として，公立小学校のことを話したけれど，今日は初等教育のもう一方の担い手である私学や民間の英語学校での英語教育について考えてみましょう。マナブ，公教育といわゆる私学や私塾の一番大きな違いは何だと思う？
>
> **マナブ** うーん，一般的な日本の私立小学校のことを考えると，やはり，私学や私塾は，公立の「一歩先」を行っていることではないでしょうか。とくに，英語教育に関しては，そういうことが言えると思います。
>
> **シーラ** そうね，「一歩，先を行く」ということは，英語の授業内容（シラバス）が，私学では，公立に比べてずっと内容が高度で，欲ばったものよね。言い換えると，私学では，前回の公立小学校のときに話したような，「異文化理解」vs「英語教育」とか，「ことばへの気づき」vs「スキルの習得」というように，両派に分かれて論争をするような悠長なことは言ってられないわけ。だって，私学は「市場原理」の影響を受けているわけだから，当然，スキルを磨いて，英語の運用能力を高めることを狙うでしょう？
>
> **マナブ** そうですよね。だからこそ，親は高い授業料を払ってまで，わざわざ私立小学校に子どもを行かせるんですよ。でも，先生，私塾や私立小学校と公立小学校では，同じように英語を教えているのに，どこが，どのように違うのですか？
>
> **シーラ** 教授法も違うし，各スキルの重点の置き方も違う場合が多いと思うわ。たとえば，公立の授業に比べて，オーラルな面ばかりでなく，リーディングやライティングもしっかり教えている学校が多いわね。それに，英語の私塾（街中の英語学校）に通わせれば，公立よりも，はるかに早い時期に英語を習うことができますからね。
>
> **マナブ** 確かに，チャンスに乗じて，一歩でも先にわが子に有利なスタートを切らせたい，という親の思いは，世界共通の心理かもしれませんね。

ここで，先生は，このような「先進的な」私学での英語教育の問題点を，次のように指摘します。

現実問題として，ひとりの子どもが昼間は公立の小学校へ行き，夕方からは（あるいは週末に）民間の塾や英語スクールに通うというように，異なる先生が同じ子どもを教えることになる場合もあります。しかし，これら両者は，必ずしも緊密な関係を保ちながら協調関係にあるのではなく，どちらかと言えば，お互いに不信感を抱いていることがあります。さらに悪いことには，私塾の中には，ほかの同業者との競争や子どもの保護者からのプレッシャーもあり，授業内容（シラバス）*も教授法も，ときには，行きすぎたものになる傾向があります。たとえば，台湾のような国では，「セールスポイント」を際立たせるために，4歳児や5歳児に読み書きを教えるようなとこ

* 第5章第3節を参照。

ろがあり，論議を呼んでいます。

　もうひとつ問題があります。たとえば，クラスの80％以上の子どもが，学校が終わってから塾に通っているような状況を考えてみましょう。これらの子どもたちは，学校の授業よりも，はるかに先のことを塾で学習してしまうため，授業に新鮮な興味を持つことができません。学校の先生にとって，彼らのモチベーションを持続させることがますます難しくなります。一方，子どもたちは，学校の授業は進度も遅く，退屈だ，という理由で，先生や学校に対する信頼を失うことになりかねません。

(8) 英語は好き？——英語学習に対する子どもたちの意識

　一般的に，英語の学習者としての子どもたちに関する研究や論考は，通常，大人の立場から子どもたちを観察し，慎重にデータを分析して，その結果をまとめたものです。しかし，その結論は，ともすると，子どもたちの生の声を聞いたうえで到達したものではありません。これはほかの分野でも同じことが言えますが，子どもは，こと教育に関しては，もっぱら受動的な立場にあり，比較的無力な存在であるということは避けられない事実のようです。そういうわけで，できるだけ，無力な子どもたちの「声なき声」に耳を傾けるように心がけることがとても大切です。それは，単に，子どもの権利への配慮ということばかりでなく，実際そうすることによって，子どもの英語教育がより望ましい形で行われるようになるのです。

マナブ　今日のチュートリアルのテーマは，「英語学習に対する子どもたちの意識調査の仕方」ということですが，自分は何のために英語を勉強するのか？とか，英語学習にどんな意味があるのか？などという抽象的なことを，まだ幼い子どもたちが考えられるのでしょうか？

シーラ　そうね，子どもが自分自身の外国語学習について，まともな考えなど持てるはずがない，というのが世間一般の常識よね。でも，マナブ，そう簡単に決め付けてはだめよ。たしかに，「あなたは，この英語の授業にどんなことを期待しますか？」とか，「あなたにとって，英語学習はどんな意味がありますか？」などという質問に，直接，自分のことばで考えを述べるなどということは，未熟で経験のない子どもたちにはできないことかもしれないわ。でも，大人だって，自分の外国語の学習観などについて，わかりやすく理論立てて話せない人が多いと思うけど。

マナブ　そうですね。質問をする人が，こちらをうまく答えられるように導いてくれないと，私でも自信がないですよね。

シーラ　そう。だから，相手が子どもの場合は，まず，子どもたちに討論をしてほしいことをどのように導入したらよいかを，私たちのほうで，あらかじめ慎重に考えてから，話し合いをさせることね。次に，子どもたちがいたずらに緊張したり，萎縮しないように，グループ分けをして安心感を持たせることが大切なの。

マナブ　なるほど，そこまで周到に準備すれば，子どもたちの本音が聞けるでしょうね。

シーラ　私も，これまでずいぶん多くの小学生たちにインタビューをしてきたけ

れど，7, 8歳の子どもでも，なぜ，英語を学習することが自分のためになるのか，実際，こちらが驚くほど，明快なことばで自分たちの考えを伝えることができるのよ。本当に，どきっとするような鋭い指摘をすることもあるわよ。

子どもたちにインタビューをしながら，彼らから，聞き手としてもっとも聞きたいことを引き出すことは，マナブとの対話で先生も言っているように，周到な準備と経験を必要とします。子どもたちの意見や考え方を効率的に探る方法について，先生の話を聞いてみましょう。

シーラ先生のひと口メモ
子どもを対象としたリサーチの仕方

この分野で参考になる書籍としては，*Researching Children's Perspectives.* (Lewis & Lindsay, 2000) があります。とくに，この本の第1部は，子どもを対象とした研究に伴う，いろいろな問題を倫理的，心理的，社会的な視点から考察をしている素晴らしい書物です。インタビューは，子どもたちの母語で行ってもかまいません。そのほうが，子どもたちは自分の考えを，余すところなく十分に表現できるかもしれません。この点，質問者が子どもたちの母語が話せない場合は，不利になります。逆に，子どもたちの母語が話せると，たいへん好都合で有利です。

イタリアの子どもたちとのインタビュー

次に紹介するのは，シーラ先生とイタリアの子どもたちとのインタビューの概要と先生の解説です。

私（シーラ）は，1998年にイタリアの小学校に通う児童にインタビュー調査を実施しました。そのときの様子は，本書のあちこちで，これからも紹介をするつもりです。子どもたちと話したとき，私は，バイリンガルとはほど遠いかも知れませんが，なんとか意思疎通が図れる程度のイタリア語でインタビューをしました。ときどき，私の使うことば使いが不自然で，子どもたちに笑われることもありましたが，子どもたちはそれを結構，楽しんでいるようでした。

私としては，この子どもたちのことも，また，彼らの学習環境なども十分知っていると思っていたのですが，このインタビューで，いまさらのように驚かされたり，啓発されるような事実がいくつもありました。これらの子どもたちとのインタビューで私が発見したことが，すべての子どもたちや学習環境にそのままあてはまるなどと思っているわけではありませんが，誰でも一定の時間をかけて，自分の教えている子どもたちの話にじっくりと耳を傾けてやれば，同じような感動と驚きがあるはずです。

「英語が好きですか？」「なぜ好きですか？」

「英語が好きですか？」という質問は，インタビューを始めるにあたって，いわば「挨拶代わり」のつもりで尋ねたことで，とくに"No!"という答えはないだろうと考えていました。実際，全員が声をそろえて"Yes!"と答えてくれました。これは，おそらく，はるばるイギリスから来た私に対して，子どもなりに儀礼の気持ちがあったからかもしれません。次に，私は，「そ

れはなぜですか？」と尋ねて，静かに彼らの反応を待つことにしました。
　子どもたちの反応を，次の3つのカテゴリーの分類してみましょう。

① 英語の授業の楽しさに対する考え方
　「英語が好きです！」とか「英語の授業は面白い！」という答えは，多くの子どもたちの口から発せられましたが，これは，子どもたちの教科の好き嫌いは，教えてくれる先生の授業の質や内容によって決まる，という説を裏付けています。多くの子どもたちが満足しているようでしたが，なかには，鋭い辛辣な観察をしている子どももいます。ひとりの子どもが，「いまの授業は楽しい！」(We like it now!) と答えました。この子どもによると，受け持ちの先生の交替があり，前の先生は嫌いだったけれど新しい先生は好きだ，ということでした。
　子どもたちが先生を観察する眼は，ときに，正確で洞察力があるということにいつもとても驚かされます。新しい受け持ちの先生は，子どもたちの間で評判がよく，彼らのコメントは「先生，大好き！」とのこと。続けて，「やはり，先生によるのかな？」と水を向けると，ひとりの子どもが，「僕は，先生の教え方が問題だと思う」と答え，前の先生について，「あの先生は，授業中に英語はぜんぜん使わなかったし，いつも黒板に何か書いてばかりいて，テストが多かったんだ」と，かなり辛辣な批判を口にしました。
　こういう子どもたちの批判を聞くと，もっぱら，大人の視点から作られている早期英語教育の目標の中に，英語の授業を楽しくて，やりがいのあるものにしてほしいという，子どもたちの強い希望を取り入れる必要があるということを痛感します。この子どもたちは，不幸にして，英語の習い始めの段階で，先生が原因で英語が嫌いになりかけていたところを，新しい素晴らしい先生のおかげで，再び，英語学習に積極的に取り組みたいというモチベーションが湧き上がってきたのです。

② 英語の重要性に対する考え方
　子どもたちにとって，教えてくれる先生がとても重要だ，ということは，当然なことだと思っていましたが，ある子どもの「英語は世界で一番使われていることばです」という発言にはとても驚きました。このような意味での英語の「有用性」への言及は，子どもたちが，教室の外の社会における英語の役割に関心や意識を持っているということで，通常，早期英語教育の書物でも書かれていないことです。私が，同じ学校の8歳から10歳の子どもたちと雑談をしているときにも，同じような意見を耳にしました。そのうちのひとつである，「英語はコンピュータを使うための一番大切な手段だ」という意見は，子どもたちが口にする「英語は世界語だ」というのが，けっして単に周囲の大人の受け売りではなく，子どもたち自身がこれを実感しており，彼らにとっては，「意味のあること」であるという証拠のように思います。このイタリアの学校にはコンピュータ・ルームが完備されており，子どもたちは普段，パソコンを使って韓国の小学生と交流をしていました。子どもたちの中には，家庭でもパソコンを持っている児童もいます。実際，多くの子どもたちが，将来にわたって英語は必要だと考えているようでした。

③ 英語の将来的な重要性に対する考え方

「将来，英語はあなたたちにとって重要だと思いますか？ それは，なぜ？」という質問に対しては，次のような回答がありました。

- 回答1：大きくなったら，僕の国のことば（イタリア語）が話せない人と英語で話せるから。〔男の子〕
- 回答2：将来，僕は電車の運転手になって，たくさんの外国の人と話をするんだ！〔男の子〕
- 回答3：私は，アメリカやイギリスに行って，向こうの人とお話がしたい。〔女の子〕

私（シーラ）が，この女の子に「それはいつ？」と聞くと，この子は，にっこりと笑って「それは，9年ぐらいたってからよ！」と答えました。

この子にとっての「将来」というのは，9年後の大学生になるころ，ということでしょうか。これからもわかるように，10歳前後の子どもでも，将来，英語がどのように役立つかということについて，かなり明確なイメージを持っているように思えます。ひょっとして，これは，周りの教育熱心な親や親戚，先生などが日頃言っていることを単にくり返しているだけだ，という意見もあるかも知れません。しかし，このような発言をすることによって，「英語が自分の将来にとって重要だ」ということばの意味が，子どもたちにとって，初めて「個人的な意味」を持ち，自分のものになるのです。

この節では，「早期英語教育」に関する基本的な事柄——その目的，その実施に伴うさまざまな状況，子どもたちの英語学習へのニーズ，異文化理解，ことばへの気づき，小・中の連携，動機付け，英語教育と子どもの認知的成長や教育面でメリット，公教育と民間の教育機関における英語教育のあり方，子どもの目線から見た英語教育の意味——などについてシーラ先生と一緒に考察してきました。ここでの議論が，これから「早期英語教育」について，さまざまな角度から考えていくための「枠組み（フレームワーク）」になります。

次回のシーラ先生のチュートリアルは，学習者としての子どもたちの特徴について行われます。

1.2 外国語学習者としての子どもたち

子どもの頃から外国語学習を始めれば，どのような成果が期待できるのでしょうか？ こういった議論をする際に大切なことは，たとえば，「英語を始めるのは早ければ早いほどよい」などといった宣伝文句に惑わされないようにすることです。そのようなキャッチ・フレーズを鵜呑みにして，ただ，幼いうちから英語学習を始めるだけで，ほかのさまざまな要因には一切関係なく，子どもたちは素晴らしい外国語習得能力を発揮するというような幻想を抱かないようにすることが肝心です。また反対に，大人の人が，子どものときに英語を始めなかったから，「もう手遅れだ」などと焦ったり，あきら

めたりする必要もまったくないのです。大人になってから外国語を始めた学習者には，成功の見込みはないと断言できるようなデータは見あたりません。開始年齢そのものよりも，子どもから大人へと成長する過程のそれぞれの段階で出会う学習経験の質こそが，実際には，問われなくてはならないところなのです。今回のチュートリアルでは，私たち大人の視点からの身勝手な期待や思い込みをいったん取り除き，「外国語学習者としての子どもたち」をできるだけ客観的に眺めてみることにしましょう。マナブは，まず，子どもは大人よりも外国語を容易に習得するという通説について，シーラ先生の解説を求めています。

(1) 子どもたちの「素質（gifts）」と大人の「能力（capacities）」

マナブ 子どもたちを見ていると，年齢の低いうちのほうが，ことばを学んだり使ったりするのが本当に上手なように見えますけれども。

シーラ そう見えるかもしれないけれども，ことばを習ったり，使ったりするときに，子どもたちがどんなことでも「万能」だというわけではないのよ。

マナブ つまり，子どもよりも，大人の学習者のほうが得意な分野もあるということですか？

シーラ そうなの。社会的なスキルやことばの発達，あるいは，学習面でのスキルの習得といったさまざまな側面について，子どもたちの外国語学習がうまくいくのは，彼らが母語ですでにできている事柄に限られるの。

マナブ それは，具体的には，どういったことなのですか？

シーラ たとえば，人とのやりとりの中で即座に反応することは，とても上手になるわ。でも，その一方では，ある場面で，どんなふうに表現するほうが望ましいかといった社会慣習にかかわることとか，微妙なことばの「あや」みたいな部分は，子どもたちの頭の中では優先順位はとても低いの。たとえば，小さな子どもが，"Do you want to come and play with me?"（一緒に遊ばない？）と友だちを誘っても少しも変ではないけれど，大人同士で，いきなり"Do you want to come and talk to me?"（僕と話したくない？）と言って相手を誘うかしら？

マナブ 日本語ならば「ちょっと，お茶でもどうですか？」とか言うのかな。

シーラ そうでしょ？ そういった社会慣習上のスキルみたいなものは，母語でもある程度年齢がいってから少しずつ覚えていくのが普通ね。家族以外のいろいろな人に出会うことによって，場面や相手に応じた適切な表現を覚えていくものなの。話しことばだけでなく，書きことばでも，子どもたちは，その年齢に合った読み物を読んだり，書いたりするものでしょう。

マナブ 一般的なのは，絵本などの物語でしょうか。あと，日常生活についてのものとか。

シーラ そうね。それに，子ども向けの詩もあるし，日記や簡単な手紙やはがき，そして，短いメモなどがあるかしら。それ以外のさまざまなタイプの読み物や書き物は，もう少し大きくなってから出会うことになると思うわ。

マナブ 「それ以外」とは，説明文とか，新聞や雑誌のニュース，難しい詩や本といったものでしょうか。たしかに，子どものとき読むものと，大人に

	なってから読むものは違いますよね。
シーラ	英語を学習するためのスキルというのも，大人になってから必要になるもののひとつね。もちろん，小さいときにも，簡単な辞書や子ども用の図鑑などの使い方を学んだり，アルファベット順に慣れていくといったこともあるけれど，10代や大人になると，ウェブサイトや百科事典など，もっと複雑な情報源をいろいろ駆使するようになるのよ。そして，複数の情報源の信憑性を判断したり，総合したりして，自分自身の議論を筋の通ったものとしてまとめていくことができるようになると思うの。
マナブ	そうですね。小さい頃に英語を勉強して，少しくらい早く何かを覚えても，それは子どものレベルでのことであって，大人になってから学ばなければいけないことが，まだまだたくさんあるということですね。
シーラ	そう。それと，もうひとつ忘れてはならないことは，認知的な発達段階とか，教育の程度や生活体験の違いよ。よく子どもは覚えるのが早いと言うけれども，学校で指導をしている先生たちが共通して言うのは，忘れるのも早くて，次の授業でかなり復習をしないといけないということね。それに比べると，もっと年齢が上の学習者になると，認知的に成熟していて，新しいことを覚えたり，前に学習したことを思い出したり，あるいは，新しい言語で意思疎通を図ったりするためのストラテジーを身に付けているようね。そういったストラテジーのおかげで，早くから学習を始めた人たちに簡単に追いついたり，ときには追い越したりすることもあるの。
マナブ	そうだとすると，本当に早くから外国語を学習することに意味があるのか，疑問になってきますね。
シーラ	あら，そんなことはないわ。子どものときに，素晴らしい外国語との出会いを体験することは，外国語学習の大切な第一歩になることは間違いないことよ。でも，外国語にせよ，母語にせよ，言語の習得の過程は，私たちの生涯を通じて続いていくの。だから，子どものときの学習体験は，そのあと大人へと成長していく過程で，そのときどきの必要に応じた外国語学習の目標を一つずつクリアーしていく長い道のりの，ほんの第一歩にすぎないことも十分に理解しておいてほしいところだわ。

　先生の話を聞くと，どうも，ただ単に学習者が低年齢であるという事実のみによって，言語習得面で何か特別な成果が期待されるという保障はないようです。それよりも，前の節（1.1）でも紹介した「**異文化に対する理解や外国語学習について積極的な態度を養う**」という動機付けの観点，あるいは，子どもたちの認知的な発達との関連など，より幅広い角度から，「なぜ，子どもたちに外国語を教えるのか？」という問いに対する答えを考えてみたほうがよいでしょう。結局のところ，外国語学習の開始年齢のみに，ことさらにこだわるよりも，どんな年齢であれ，それぞれの学習者が持っている素質と能力を十分に理解して，それらを最大限に引き出すように心がけることが大切なのです。

(2) ことばの自然な習得と教室での外国語学習の違い

□ 言語の「**学習**」

□ 言語の「**習得**」

ここでは，言語の「学習（learning）」と「習得（acquisition）」という二つの用語を区別して使うことにしましょう。一番目の「**学習**」とは，学校での授業のように，改まった環境で計画的に言語を学習することを指し，二番目の「**習得**」は，毎日の生活で実際に使うことを通して，体験的にことばを身に付ける過程を意味します。

マナブ 幼い子どもたちが，どこかよその国に移り住んだ場合に，あっという間に，その国で話されていることばを，自分のものにしてしまう様子を見聞きすることがありますが。

シーラ そうね。そのことを裏付ける研究結果も得られているわ。子どもたちは，新たに獲得することになる言語が身の回りでふんだんに飛び交い，何かほしいものを手に入れたいと思えば，そのことばをどうしても使わなくてはならないという環境で，目標言語に浸りきるようにしていると，素晴らしい言語習得能力を発揮する可能性があるの。

マナブ それならば，もし，ほとんどすべての科目の授業が英語で行われ，クラスメイトの多くが英語を使って生活しているような学校があれば，同じようなことを期待できるのですか？

シーラ 可能性はあるわね。そういった効果への期待から，インターナショナル・スクールに子どもを通わせる家庭もあるのではないかしら。あるいは，英語サマーキャンプのような短期プログラムで，スポーツや趣味や遊びを通して，ことばを習得する機会を子どもたちに体験させてあげることも，教室での外国語学習に劣らず意味があると思うわ。

政治家や教育政策の立案に携わる人たちが，子どもたちに外国語を学習させることの利点について語るときには，非常に恵まれた外国語習得の環境に置かれた子どもたちのことを議論の拠りどころとしていることがよくあります。これに対して，圧倒的多数の子どもたちは，小学校や民間の児童英語教室で，せいぜい週1回くらい，外国語に触れる程度にすぎません。

	学校での学習（School learning）	習得（Acquisition）
目標言語に触れる量	少ない——週に1～2時間程度か，それ以下。	多い——教室外の日常生活の場合も含まれる。
目標言語を使ってコミュニケーションを図る必要性	低い——新しい言語をどうしても使わなくてはならないという状況がない。	高い——個人的な必要と関心を満足させるため。
利用可能な目標言語モデル	限られている——普通は，教師と教材が提供するモデルのみ。	多種多様——学習者の日常生活の状況に応じてさまざま。
他人とやりとりをする機会	ほとんどない——教室で意図的に仕組まれなくてはならない。	ふんだんにある——個人的な必要と関心を満足させるため。

図表 1.1：Rixon, 2000（ブリティッシュ・カウンシル・ホームページ
http://www.britishcouncil.org/english/eyl を基に作成）

図表1.1は目標とする言語が実際に使われている社会で毎日暮らすことで，第二言語を習得している子どもたちと，学校での学習を通して外国語を

学ぶ子どもたちが置かれた環境とが，どれだけ違っているかを比べてみたものです。

マナブ とくに発音については，ある年齢に達してから学習を始めた大人には母語の影響が見られるのに対して，まだ幼いときに新たな言語を体験した子どもたちは，ネイティブ・スピーカー並みの発音を身に付けることができるなどとよく言われますが，本当にそうなのでしょうか？

シーラ 一般論として，よく言われていることだけれども，よく考えると，いくつかの疑問が湧いてこない？

マナブ 「疑問」と言いますと？

シーラ まず，第一に，新しい言語にどれくらいさらされれば，ネイティブ・スピーカー並みの発音を身に付けることができるのかということについて，きちんとした説明がなされていないわ。

マナブ ネイティブ・スピーカー並みの発音になるには，どれくらい英語にさらされる必要があるのですか？

シーラ 発音習得の研究は，多くの場合，たとえば，アメリカのような国に移り住んで，英語漬けの環境で暮らす子どもたちを被験者として調査が行われてきたの（例：Oyama, 1976）。つまり，そういった研究では，学校の授業を通して外国語を学ぶ子どもたちとはまったく違う条件の下で，大量の英語にさらされた子どもたちを対象としていたことを承知しておいたほうがよいと思うわ。

マナブ それは，そうですね。先ほど先生は「いくつかの疑問」と言われましたが？

シーラ 二番目の疑問は，発音モデルとなるネイティブ・スピーカーが，世界中のどこの教室にもいるわけではないという点ね。子どもたちが耳にして，真似ることとなる発音モデルは，必ずしもネイティブ・スピーカーではないかもしれないわ。

マナブ そのような状況では，仮に，子どもたちが，いかに優れた音声模倣能力を持っていたとしても，そのことが，「ネイティブ・スピーカー並みの発音」に結び付くことにはなりませんね。

シーラ さらに，もっとも大きな疑問は，数はそう多くはないかもしれないけれども，大人になってから外国語を学習し始めた学習者の中にも，目標とするモデルに近い発音の習得に成功した人がいる事実ね（Bongaerts, 1999）。このことは，どのように説明できるのかしら？

マナブ なるほど，よく考えてみると，「子どものときに外国語を始めれば，ネイティブ・スピーカー並みの発音を身に付けることができる」という議論には，「本当なのだろうか？」と首をかしげたくなることがいろいろとありますね。

シーラ でも，こうしたさまざまな問いかけをする以前に，もっと根本的な疑問があるわ。そもそも，子どもたちにネイティブ・スピーカー並みの発音を身に付けることを期待することは，それほど，意味のあることなのだろうかという点ね。これは，人によって大きく意見の分かれるところかもしれないので，また，今度，子どもたちへの発音指導について考えるときに，詳しく話しをするわ。*

* 第4章「子どもたちと発音指導」参照。

ここで先生が話していることは，学校での外国語学習は役に立たないとか，無駄であるということではありません。ただ，学校での外国語学習は，自然な環境での言語習得とはまったく性質の異なるものであることを，はっきりとさせておくべきだということです。つまり，ただ単に，早期に外国語の学習を開始するというだけで，放っておいても，何か素晴らしい効果が期待できるわけではないということなのです。学校のレッスンで，子どもたちに新しいことばとの有意義な出会いを体験させるためには，まずは，さまざまなレベルで周到に準備をして，先生たちが，教室の場で，豊かな想像力と現実的な工夫が発揮できるような環境を用意しなくてはなりません。そのうえで，一人ひとりの先生が，さまざまな活動や体験を計画的に組み上げて，子どもたちが，新しいことばに触れる機会を教室活動の中でなるべくたくさん作るようにすることが重要なのです。そのように入念な思考と準備の過程を経て，初めて，人とコミュニケーションを図ろうとする気持ちを子どもたちの内部から引き出し，実際にことばを使ってほかの人とやりとりをする場面を構成していくことが可能になるのです。

(3) 母語の習得と外国語学習のつながり
① 身近な現実

　母語の習得とほかの言語の学習の間には，いくつかの点で共通するところがあると言われています。応用言語学や言語心理学の分野の研究者たちは，第二，第三の言語を学習する場合にも，子どもたちが母語を習得するときの状況から適切な要因を抽出して，それらをなるべく忠実に再現してやるようにすれば，学習者に有利に働く可能性を指摘しています。そのような要因とは，いったいどのようなものなのでしょうか？　マナブの質問は，このことからスタートします。

マナブ	子どもたちが外国語を学習するときに，母語を習得する場合にしていることを応用できるところは，何かないのでしょうか？
シーラ	もちろんあるわ。たとえば，幼い子どもの耳には，大人が話しかけるたくさんのことばが流れ込んでくるでしょう。そのときに周りの大人は，どんな物事について子どもに語りかけていると思う？
マナブ	そうですね。私が，姉夫婦のところへ行って甥と遊ぶときには，一緒に遊んでいるおもちゃについて，「こうやって遊ぶんだよ」と教えてやったり，外に散歩に出かけて，近所の人がイヌを連れて歩いてくると，指をさして，「ほら，ワンワンが来るよ」というようなことを話しかけていますね。
シーラ	そういう場面での言語情報は，たいていは，すぐ目の前にある具体的な物事についてのものなので，聞いている子どもにも，意味が自然とわかるようになっているでしょ。
マナブ	別に意識していたわけではありませんが，言われてみれば，そうなっていますね。
シーラ	そんなふうに，その場の状況から自然と意味がわかるようにことばが使われることを，「身近な現実（here and now）」のタイプの言語使用と，

一般的には呼んでいるわ。

マナブ　なるほど，「いま（now），ここで（here）だけ，通じる」ということですね。

　このように，もっぱら「身近な現実（here and now）」に関する言語情報にさらされる**インプット**＊の時期を過ごした後，子どもたちが最初のことばを発するまでには，どのくらいの時間がかかるのでしょうか？　また，その間の子どもたちの様子は，どのようなものなのでしょうか？　次に，そのようなことについて考えてみましょう。

② 沈黙期（silent period）

　「身近な現実（here and now）」という時期を過ごした後，子どもたちが最初のことばを発するまでには，かなりの時間がかかります。その間，子どもたちは，たとえば，大人からの指示に正確に従ってみせることで，大人のことばを理解しているという合図を送ります。大人の側では，子どもたちの反応を見て，子どもたちがわかっているかどうかを判断することができます。そして，もし，子どもたちに意味が伝わっていないようであれば，さらに「身近な現実」の情報を付け加えて，子どもたちの理解をサポートしようとするわけです。ここで，子どもたちの実際の様子を見てみましょう。この節では，学習者としての子どもたちの特徴がよくわかる情景を「子どもたちの風景」と題して，いくつか紹介していきます。

□ インプット
＊第2章第2節「子どもたちの4技能を伸ばす」の(2)を参照。

子どもたちの風景 1
子どもたちからの理解のシグナル

　　お母さん：Can you get your little red shoes, dear?（そこの赤い靴を持ってきて）
　　子ども　：〔黙って，青い靴を取ろうとする〕
　　お母さん：No, no, not those. The red ones. Look there.（あ，それじゃないわ。赤いほうね。ほら，あそこにあるでしょ）
　　子ども　：〔黙って，お母さんが指さすほうを見て，赤い靴のほうへ向かう〕
　　お母さん：That's it. Good girl. The red ones. Bring me the red shoes.（そう，それ。よくわかったわね。それが赤い靴なの。ママのところに持ってきてちょうだい）

　このような時期が，母語を習得する子どもたちの間には一般的に見られます。このことは，外国語を学習する場面では，どのようなことを意味するのでしょうか？　先生の解説を聞いてみましょう。

シーラ　子どもが母語を習得するときに体験することで，二番目に大切なことは，黙っていることが許される時期，つまり，**沈黙期**（silent period）＊があるという点ね。

マナブ　そういった時期は，どれくらいの間続くのでしょう？

シーラ　子どもによっては，数日間かもしれないし，あるいは，数週間から数か月間続く場合もあるでしょう。一人ひとりの子によって違うものなのよ。

□ 沈黙期
＊第2章第2節「子どもたちの4技能を伸ばす」の(1)を参照。

1.2　外国語学習者としての子どもたち　23

マナブ　その間，子どもたちは，何も考えていないのですか？
シーラ　そんなことないわ。子どもたちは，自分からは何も言わなくても，その間，たくさんのことばを耳から取り込んで，頭の中で盛んに情報処理を行っているの。
マナブ　母語を習得するときの子どもたちに，このような時期があることは，外国語の学習の中ではどのような意味を持つのですか？
シーラ　たとえば，TPRのような外国語教授法では，母語を習得するときのこのような状況を意図的に再現しようとしているわ。
マナブ　'TPR'って何ですか？

□ 全身反応教授法
* 第2章第2節「子どもたちの4技能を伸ばす」の(2)を参照。

シーラ　'Total Physical Response'（**全身反応教授法***）の頭文字を取ったものよ。この教授法では，子どもが母語を獲得する過程を踏まえて，まず，ことばのインプットをふんだんに外国語学習者に与え，そこで得られた情報が，目には見えない形で，じっくりと時間をかけて内在化されていく過程が重要だという考え方を採っているの。学習者は，そのような準備期間を経て，ようやく，自分から発話をする準備ができるというものよ。このような考え方には，研究による十分な裏付けもあり，その示唆するところは，学習者に，最初から発話をし始めることを期待したり，たったいま，初めて聞いたばかりの表現をすぐに使って応答するように求めるようなやり方は，あまり，好ましいことではないということになるわね。

　先生が紹介しているTPR（Total Physical Response: 全身反応教授法）では，コース開始当初は，指導者が話す時間が圧倒的に多く，学習者は指導者の指示通りに身体を動かして反応することで，指示を理解していることを示します。これが，Total Physical Responseという名前の由来です。実際の授業風景を下に紹介しましょう。

子どもたちの風景2
TPR（全身反応教授法）

　　　先生：Yuzuru, can you stand up and come to the board please?
　　　　　　（ユズル，立って黒板のところまで来てくれる？）
　　　ユズル：〔黙って，立ち上がり，黒板のほうへ行く〕
　　　先生：That's right. Great! Now, pick up the green chalk ...（そうよ。いい調子ね。じゃあ，今度は，グリーンのチョークを取ってみて……）
　　　ユズル：〔一瞬，視線をさまよわせる〕
　　　先生：The green chalk. That's it. And draw a frog. You know: 'croak, croak'.（グリーンのチョークね。そう，それね。そうしたら，カエルを描いてみて。ほら，ケロケロって鳴くやつね）
　　　ユズル：〔カエルの絵を描く〕
　　　先生：That's it. A frog. Brilliant! Thank you. Go and sit down now.（そうよ。カエルよ。すごいじゃない！　じゃあ，戻って，席に着いて）
　　　Everyone! Let's give Yuzuru a big clap.（みんな，ユズルに大

きな拍手をお願い)
ほかの子どもたち:〔拍手をする〕

　幼い子どもたちの母語の習得を助ける,「身近な現実（here and now）」の原則は,外国語を学習する場合にも,とても大切なものとなります。これは,幼い子どもたちが参加する談話の話題は,時間的にも,空間的にも,すぐそこにある具体的な物や状況についてのものがほとんどだということを指しています。そして,その場の状況から意味が自然にわかるようになっているので,子どもたちへの外国語学習を導入する入り口としては,とても当を得たものだと言うことができるでしょう。しかし,学習が進むにつれて,どこかで,この「身近な現実」が織りなす恒常的な「現在」の世界から外へ足を一歩踏み出すことが可能ですし,また,そうなることが,望ましいのです。

　母語を習得しようとしている,よちよち歩きの子どもたちとは違って,小学校で外国語学習を始める6歳から12歳の子どもたちは,「現在」の世界に属さない物事のことも考え始め,すぐ目の前にはない物事についても想像したり,話し合ったりする力を発達させているのです。ハリー・ポッターが,世界中の子どもたちを夢中にさせていることからもよくわかるように,子どもたちが好む物語の多くは,奇想天外な筋書きと豊かな想像力に満ち溢れており,けっして「身近な現実」に限ったものではありません。子どもたちは,そのような物語の世界で,「身近な現実」とは違った領域の出来事を,登場人物と一緒になって体験しながら,次第に成長をしていくのです。

(4) 周囲の人とのやりとり
① 周りの人とのやりとりの大切さ

　周囲の人との**インタラクション**（interaction: やりとり）＊は,母語の習得の過程で決定的な役割を果たします。周りの大人からのことばかけを経験しない子どもたちは,母語が順調に発達しない場合があることを示す数々の研究例も報告されています（Wells, 1981; Bruner, 1984; Bernstein, 1964 他）。

□**インタラクション**
＊第2章第2節の(2)「4技能の指導法をどのようにするか？」の①a)を参照。

また，第二言語習得の分野でも，周りの人とのやりとりをしない学習者は，目標となることばをいかに多量に浴び続けようとも，あまり習得が進まないという議論が，説得力を持って展開されています（Swain, 1985; Krashen, 1981）。

マナブ　子どもが，周りの人たちと，やりとりし始めるのは何歳くらいなのですか？

シーラ　幼い子どもたちは，母語を獲得する過程の初期でも，実際のことばこそ発しはしないものの，両親やほかの庇護者とのやりとりをいつも経験していることは，よく知られているわ。

マナブ　まだ話ができない赤ちゃんも，周りの人とのやりとりをしているのですか？

シーラ　ひと言も話すことができない子どもたちだって，いろいろな方法でコミュニケーションを図っているのよ。アイ・コンタクト，身体の動き，笑い声や泣き声のような音声などは，みんな周りの大人へ向けられるメッセージなの。

マナブ　そう言われてみると，周りの大人たちも，実際にはことばを発しない子どもたちを，まるで，その場の会話に参加しているかのように扱うことがありますよね。

　確かに，マナブが言うように，まだ，ことばを発しない子どもとその子の成長を見守る大人の間には，一種の「会話」が成立していることがあるようです。次のお母さんと子どもの「会話」を見てください。

子どもたちの風景3
ことばによらないやりとり

　＜例1＞
　　子ども：〔マッシュ・ポテトのドロッとした塊を，壁に向かって投げつけている〕
　　母親：Oh, look! He's saying he doesn't want any more mashed potato. （見て！　マッシュポテトは，もう，いらないみたいよ）

　＜例2＞
　　母親：Say hello to Mummy then.（さあ，ママに「こんにちは」してちょうだい）
　　子ども：〔表情がぱっと明るくなる〕
　　母親：That's right. 'Hello, Mummy!'（そうよ，偉いわ。ママに「こんにちは」できたじゃない）

　ことばのやりとりの重要性については，教室での外国語学習の場面でも，詳しい研究がなされてきました（例：Long, 1983; Donato, 1994）。教師と生徒，あるいは生徒同士の間でやりとりをする場面がある授業のほうが，そうではない場合よりも，ことばの発達を促すという点では，優れていることがわかってきました。それにもかかわらず，早期英語教材の調査をしたり，

実際の授業の分析を行ってみると，そういう場面が，ほとんど見られないことがよくあります。子どもたちへの外国語教育を推進することの利点はいろいろと並べ立てられますが，どうも，実際にそれが効果を上げるために必要な条件は整えられていないようです。ここには大きな矛盾があると言ってよいでしょう。

② 相互理解のために意味の交渉を行う

外国語教育研究者たちの中には，相手の言っていることを理解するために努力を払うことが，深いレベルでの情報処理（deep processing）を促し，学習を促進することになると強く主張する人たちがいます（例：Doughty & Pica, 1986）。つまり，学習者同士がお互いに言っていることを理解し合うために，いろいろと骨を折ることが，ことばの形と意味の両方を記憶に定着させることにつながるというわけです。そして，そのような考え方から，外国語教育では，いろいろなタイプの「**インフォメーション・ギャップの活動（information gap activities）**」が工夫されています。マナブは，このタイプの活動が，子どもたちとのレッスンでもうまくいくかどうか知りたいようです。

□ インフォメーション・ギャップの活動

マナブ　大学生のころの英語の授業で，2枚で一組になった写真を使った活動をしたことがあります。この2枚の写真はよく似ているのですけれども，よく見ると微妙に違っているところがあるのです。私たち学生は，クラスメイトとペアになって，それぞれが，一組の写真の一方を持ち，相手には見せないで，被写体や背景の特徴を英語で説明し合うことによって，2枚の写真のどこに違いがあるのかを発見するのです。

シーラ　そのタイプの活動は，インフォメーション・ギャップ，つまり，「情報のずれ」[6] を利用した活動と呼ばれていて，大人の学習者への外国語レッスンでは，もう，かなり以前から，「定番」のひとつになっているわ。このタイプの活動は，学習者間で，それぞれが違った情報を持っている状況を意図的に創り出して，ペアやグループのメンバー間で**意味交渉**（negotiation of meaning）を行う必要性を創り出すというものなの。

注釈6（p. 54参照）

□ 意味交渉

マナブ　ちょっと，待ってください。'negotiation of meaning' とはどういうことですか？

シーラ　私たちは，日頃，ほかの人との会話の中で，互いにやりとりすることばの意味が，すぐには，はっきりとしないような場面に出くわすことがあるでしょう？

マナブ　はい。たとえば，いま先生が言われた 'negotiation of meaning' が，どういうことなのか，私にはよくわからなかったのです。

シーラ　その通りだったわね。それで，あなたはどうしたの？

マナブ　先生に説明を求めました。

シーラ　そうよね。あるいは，マナブの表情を見ていて，その用語の意味がよくわからなさそうな様子だったから，私のほうから先に，「'negotiation of meaning' とは，どういうことなのかわかる？」と尋ねてみて，あなたの理解を確認してもよかったわね。

マナブ　ええ。英語で，込み入った話をしているときには，少しでもわからない

シーラ　ことをいちいち尋ねていたのでは話が進まないので，わかったふりをしてやりすごしてしまうこともよくあります。ですから，相手のほうから，難しそうなことばの説明を付け加えてくれたら大助かりです。

シーラ　そんなふうにして，会話の中で，お互いの理解を確認するためにやりとりをすることを「意味交渉を行う」と言うの。たいていは，次の3つの方法のうちの，どれかのやり方で意味交渉を行うことになるわ。
　　1）自分の理解が正しいかどうかを，相手の人に尋ねて確かめる。
　　2）自分の言いたいことが，正しく相手の人に伝わっているかどうか確かめる。
　　3）相手の人に説明を求める。

マナブ　なるほど，インフォメーション・ギャップ活動の中でのやりとりは，実際のコミュニケーション場面で必要となる「意味交渉」のシミュレーションになっているわけですね。でも，子どもたちのレッスンで，そういった場面を創り出すのは，難しそうですね。

シーラ　たしかに，このような活動は，子どもたちは向いていないのではないかと考える人もいるわ。でも，私の教え子のアンナマリア・ピンター[7]の研究に参加した9歳から10歳の子どもたちは，かなり限られた英語の知識しか持っていないのに，インフォメーション・ギャップ・ゲームの中で，ちゃんと意味交渉をしているのよ。

注釈7（p.54参照）

　こう言って，先生はピンターの研究（Pinter, 1999）から，"Find the Differences（違うところはどこ？）"というインフォメーション・ギャップ・ゲームに取り組む子どもたちの様子を紹介します。

子どもたちの風景4
Find the Differences（違うところはどこ？）*――子どもたちのインフォメーション・ギャップ・ゲーム

＊第3章第2節の(5)「誤りへの対応と子どもにやさしい文法アクティビティ」も参照。

　二人の子どもたちが，それぞれ手に1枚の絵を持っています。一方の絵には，お父さんと女の子が描かれていて，二人の間に小さなエイリアンがいます。これに対して，もう一方の絵では，同じお父さんと女の子の間に双頭のドラゴンが描かれています。子どもたちは，絵を見せ合うのではなくて，お互いに質問をしながら，違っているところを見つけなくてはなりません。

　Child A: The father has got white shoes.（お父さんは，白い靴をはいているんだよね）
　Child B: What?（えっ，何？）
　Child A: Shoes. The father has got black and white shoes.（靴だよ。お父さんの靴の色は，黒と白だよね）
　Child B: Yes.（そうだよ）
　Child A: The dragon has got two heads.（ドラゴンには，頭が2つあるよね）
　Child B: No, no, the dragon has one head.（違うよ。ドラゴンの頭は1つだよ）

(Pinter, 1999: p. 10)

ピンターは，さらに，子どもたちがこのようなタスクの仕組みに慣れるにつれて，ことばをより効果的に使うようになり，その結果として，課題の解決の仕方がうまくなる様子を報告しています。もっと年齢の低い子どもたちに関して，同じような研究例はありませんが，少なくとも高学年の子どもたちについては，「違うところはどこ？（Find the Differences）」のようなインフォメーション・ギャップ・ゲームをやらせてみても大丈夫なようです。

(5) 子どもたちの次の一歩を手助けする——ブルーナーとヴィゴッツキー

　自分以外の誰かとかかわり合いを持ち，やりとり（interaction）をすることが，ことばを使う必要を生み出します。そうすることで，人は，ことばの使い方を確認する機会を持つと同時に，自分以外の人と楽しいひとときを共にすることになります。子どもの発達についての研究の権威とみなされている人たちは，皆，子どもたちによる学習や言語の習得を，社会におけるこうした人間関係を仲立ちとして構築される過程ととらえています。

　先ほど紹介したインフォメーション・ギャップ・ゲームでは，子どもたちは，お互いに相手の知らない情報を持っているという点で対等の関係に立っていましたが，たいていの学習環境では，やりとりを交わすペアのうちの一人が，相手よりも多くのことを知っている場合が普通で，多くの場合，大人がこの役割を果たします。子どもが進歩することができるように，大人がやさしく手を差し伸べることによって，「学習」が成り立つのです。そして，これがうまくいくためには，学習をする子どもの側に新しい情報を受け入れる準備が整っていなくてはならず，また，周りの大人が提供するサポートも，学習段階に応じた適切なものでなくてはなりません。よくある形は，「知識の持ち主（knower）」が，学習者のニーズや，抱える問題の性質に応じて，課題全体をいくつかの段階に細かく切り分けてあげるというものです。大人が子どもとやりとりをしながら，ことばの学習を手助けするときの具体的な様子を次の例で見てみましょう。

　ここに紹介してあるやりとりは，イギリスに移り住み，「移民の子どものための英語教育（EAL: English as an Additional Language）」[8]を受けて，母語に加えて，現地語としての英語の習得を目指す子どもたちとその手助けをするバイリンガル補助教員との間で交わされたものです。

注釈8（p. 54 参照）

子どもたちの風景 5
ひよこが飛べないのはなぜ？

補助教員：What's a chick?（ひよこって知ってる？）
子ども 1：It's like a—it's like a, um, a bird.（えーっと，小鳥みたいなのだよね）
A bird, yellow—.（小鳥。黄色い……）
補助教員：It is yellow, yes.（そうね。色は，黄色ね）
子ども 1：And they can't fly.（でも，飛べないよね）
補助教員：Why can't they fly?（なんで，飛べないのかしら？）
子ども 1：Because they haven't got *things*.（だって，**アレ**がないもの）
補助教員：Why haven't they got *things*?（どうして，**アレ**がないのかしら？）
子ども 1：Because—because—（それはね。えーっと……）
子ども 2：Because they got legs instead.（ひよこには，足があるからだよ）
補助教員：Mm, well.（ふーん，なるほどね）
子ども 3：They got hands.（ひよこには，手があるよ）
補助教員：No, chicks don't have hands, they have—（あら，ひよこには手はないわ。あるのは……）
They don't have hands, what do birds have, instead of hands?（鳥には，手はないけれども，その代わりにあるのは何かしら？）
子ども 4：Wings.（ああ，翼だ）
補助教員：They have wings.（そう，ひよこには翼があるわね）

上のやりとりについて，シーラ先生の解説を聞いてみましょう。

シーラ　このやりとりの中では，子どもたちは，語彙の知識が足らなくて，やむを得ず 'things'（アレ）と呼んでいたものを，具体的な名詞に置き換える作業の手助けを受けているわ。
マナブ　でも，同時に，「なぜ，ひよこは飛ぶことができないのか？」ということも考えていますよね。
シーラ　そうなの。つまり，言語の使用と概念の操作の両方のレベルで，先生からとても巧妙にサポートをしてもらっていることになるわ。このようなタイプのサポートをブルーナー（Bruner）[9]が，「**足場組み**（scaffolding）」と呼んでいるのを知っているかしら。

注釈 9（p. 54 参照）
☐ **足場組み**

マナブ　「足場」というのは，工事中の建物の周りに組み上げられて，その上を作業員が，空中渡り廊下のように行き来して工事を進めていく，あの「足場」のことですか？
シーラ　そうよ。ブルーナーは，子どもたちがことばを習得するときに，そばにいる大人が果たす役割を，工事中の建物を取り囲み，工事の進行を助ける「足場」にたとえているの。
マナブ　私には，どうも，ピンときませんが……？

	シーラ	「足場」というのは，建物が未完成のうちは，なくてはならないものでしょ。でも，工事が進んで，本体の建物がだんだんとでき上がっていくにつれて，不要になった部分から解体されて，取り外されていくことになるわね？
	マナブ	そうですね。
	シーラ	こうして，建物の工事の進行に従って，最初は必要だった「足場」が，少しずついらなくなっていく様子とちょうど同じように，大人たちは，子どもたちの発達段階に合わせたことばのやりとりを行って，うまくリードしてやり，子どもたちの言語習得が一歩ずつ進むのに合わせて，少しずつ不要となったサポートを引っ込めていくことになるというわけなの。
	マナブ	なるほど，なかなか，意味の深いたとえなのですね。
	シーラ	ブルーナーの「足場組み（scaffolding）」という用語は，その後，認知心理学や母語習得の研究分野で，たくさんの研究者たちによって引き継がれていくことになったのよ。
	マナブ	ということは，ブルーナーの考え方は，早期英語の分野にも大きな影響を与えているということになりますね？
注釈10（p. 54 参照）	シーラ	その通りよ。でも，子どもばかりでなく，ある技能を習得しようとする初心者が，自分より進んだ知識と経験を持ったベテランの導きによって，成長の過程の次の一歩を踏み出すという考え方は，じつは，それより半世紀以上も前に，ロシアの研究者のヴィゴッツキー（Vygotsky）[10]によって提唱されているの。
	マナブ	これでも，教員養成系の大学を出たので，ヴィゴッツキーの名前だけは，いろいろなところで耳にしてきましたが，彼の業績については，あまりよくは知りません。
□ 最近接発達領域	シーラ	ヴィゴッツキーの考えをロシア語から翻訳すると，'Zone of Proximal Development'（**最近接発達領域**），略して'ZPD'という英語になるの。
	マナブ	'Zone of Proximal Development'ですか。それは，また，えらく難しそうな用語ですね！
	シーラ	そうね。でも，ブルーナーの「足場組み」のたとえでもわかるように，かみ砕いて言えば，「誰か手伝ってくれる人がいれば，もう少しで僕ができそうなこと」といったほどの意味なの。
	マナブ	そういうことならば，私たちのような小学校の教員は，皆，ほとんど直感的に子どもたちが必要としていることを感じ取り，毎日，次の一歩のための「足場組み」をしてあげているとは言えないでしょうか？
	シーラ	その通りだわね。子どもたちの成長を，一番そばで見守り，助けるお母さんやお父さんについても，同じことが言えるわ。
	マナブ	そうですね。
	シーラ	でも，私たち大人は，子どもたちが必要としていることに，自分がどんなふうにして応じていけばよいのかということを，改めて意識して考えてみることで，さらに効果的な導きの手を差し伸べてあげることができるかもしれないのよ。

1.2 外国語学習者としての子どもたち　31

「足場組み（scaffolding）」や「最近接発達領域（Zone of Proximal Development）」といった概念について，シーラ先生のかみ砕いた解説を聞き，マナブも，大学生のころには，なんとなく聞き流していた用語の意味の深さがよくわかったようです。この日は，しきりにうなずきながら，先生の部屋を出て行きました。

(6) 「意味」のあるやりとりの大切さ

私たち大人は，外国語を学ぶときに，実質的な意味は何もない文が例文として並べ立てられているような外国語の授業に慣らされてしまっているのかもしれません。これに対して，子どもたちは，教室の中であっても，聞いたり話したりすることばには，何か，実際的な意味があるに違いないと考えます。つまり，ことばについて，あたり前の感覚を失ってはいないのです。

子どもの関心は，誰かが実際に発することばそのものより，ことばが持つ社会的な意味へと向かいます。つまり，子どもにとって一番大切なことは，ことばを発した人が，どんなことを伝えようとしているのか，自分にどうしてほしいと思っているのかといったことなのです。子どもたちは，人が伝えようとしているメッセージを受け止め，理解することに専念しているため，相手の人が話している実際のことばそのものには注意を払わないことがよくあります。彼らは大人が口にすることばを，何から何まで全部，理解しているわけではありません。あるいは，ひと言も理解していない場合もあります。それでも，その人の意図や言わんとするところをくみ取ることができるのです。

マーガレット・ドナルドソン（Margaret Donaldson）による *Children's Minds*（子どもたちの心）(1978) は，子どもたちとかかわりを持つすべての大人にとっての必読書と言ってもよい名著です。この本の中で，ドナルドソンは，たくさんの実例を引き合いに出して，子どもたちがメッセージを読み取る力の素晴らしさを説明しています。そして，そのうえで，どのようにして子どもたちに接したらよいのかを，私たちに教えてくれています。ドナルドソンの報告の中から，とても可愛いらしい例をひとつ紹介しましょう。

子どもたちの風景 6
子どもたちがメッセージを読み取る力——ドナルドソンの観察例

あるイギリス人の女性が，アラブ系の女性と一緒にいました。そのアラブ系の女性には2人の子どもがいて，一人は7歳の男の子と，もう一人は，まだ生後13か月で，立ち上がっても，やっと何歩か歩けるくらいの女の子でした。イギリス人の女性はアラビア語が話せず，アラブ系の女性と男の子は，英語を話すことができませんでした。

よちよち歩きの女の子が，イギリス人の女性とお母さんの間を行き来し始めます。そこで，イギリス人の女性は女の子にほほえみかけながら，男の子のほうを指さして，"Walk to your brother this time."（今度は，お兄ちゃんのほうへ行ってみて）と英語で話しかけます。すると，どうでしょう，それを聞いた男の子は，英語がまったくわからないはずなのに，両手を広げて，女の子に向かって「おいで，おいで」とでもいうような身振りをするで

はないですか。そして，女の子のほうも，ちゃんとわかったようで，ニッコリとほほえみ，くるりと向きを変えて，男の子のほうへ歩き始めました。
　　　　　　　　　　　　　　（Donaldson, 1978: p. 37 より〔編著者訳〕）

　ことばの奥にあるメッセージを要領よく受け取ることができるという特徴は，子どもたちが外国語を学習する場面では，どのような意味を持つことになるのでしょうか？　先生とマナブの話を聞いてみましょう。

シーラ　子どもたちは，周りの人が伝えようとするメッセージを読み取るときに，語彙とか文法などといった，言語的な要素だけを手がかりとしているわけではないのよ。

マナブ　「言語的な要素以外の手がかり」というと，どんなものがあるのですか？

シーラ　たとえば，話し手の声の調子や身振り，その場にいるのはどういう人なのかという場面観察や，以前に経験した同じような場面ではどのようなことが起こったのかといった記憶，そして，子どもなりの物事の見方などといった，さまざまな要素が，まさに総動員されることになるの。

マナブ　それが，子どもたちの強みなのでしょうね。大人の学習者の場合ですと，ひとつでも聞き取れないことばがあると，もう，それだけで，パニックに陥ってしまうことがよくありますよね。

シーラ　たしかに，そういうことはあるかもしれないわね。

マナブ　でも，そういった面での子どもたちの特徴を，外国語の学習の中で活かすためには，どうすればよいのでしょう？

シーラ　子どもたちが，社会的な人間関係や，ことば以外の手がかりをうまくとらえて状況を理解する感性に優れているからこそ，物語を使った指導プログラムやユニークなキャラクターがレッスンを展開していくタイプの教科書が，子どもたちの間で人気があるのではないかしら。

マナブ　そう言えば，こちらの大学に来て勉強を始めてから感じたのですけれども，ヨーロッパの早期英語の教科書に出てくるキャラクターは，個性が強烈ですよね。

シーラ　日本の子どもたちの教科書に出てくるキャラクターはどうなの？

注釈11（p. 54 参照）

マナブ　もちろん，すべての教科書を見たわけではありませんが，とくに，独自のキャラクターを登場させないものも多く，キャラクターがいたとしても，子どもたちと同じ年頃の，普通の男の子や女の子が案内役を務める形のものが多いような印象があります。先生が執筆された *Tip Top*[11] のように，「ちょっと間抜けな吸血鬼」がメイン・キャラクターなどという例は見たことがありません。

シーラ　あら，「ホラー伯爵（Count Horror）」は，日本の子どもたちを相手にしたら，人気は出ないかしら？

マナブ　出るかもしれませんね。最近のハリー・ポッター人気に便乗して，再版してみたらどうですか？

シーラ　まあ，それはともかく，ことば以外の手がかりをうまくとらえて，総合的にメッセージを理解することが得意だという，子どもたちに共通する特徴を教科書作りに活かす手が，もうひとつあるわ。

マナブ　まだ，あるのですか？
シーラ　ええ，まず，ちょっと考えてみて。たとえば，家で，お父さんやお母さんが子どもたちに，「学校の英語の時間でどんなことをやっているの？」と尋ねたとすると，子どもたちからは，どんな答えが返ってくると思う？
マナブ　そうですねえ。私が，やってきた授業の中で印象に残りそうなものを拾ってみると，たとえば，「〜ちゃんのバースデイ・パーティーをやったの」とか，「みんなで，外国のたこ（kite）を作ったんだ」というようなことを家の人に言ってそうな気がします。
シーラ　そうでしょ。そんな場面で，子どもたちから「パーティーへ人を招待するための言い方を練習したの」とか，「たこの設計図に書いてある数字の読み方を習ったよ」*といった，英語としての学習のポイントがはっきりとわかるような返事が返ってくることは，まず，ないと思うわ。
マナブ　そうですね，子どもたちが記憶する外国語活動の授業の姿というのは，「バースデイ・パーティー」であったり，「たこの工作」というようなものなのかもしれませんね。
シーラ　そうした子どもたちの特徴を考えに入れると，たとえば，「My Family（私の家族）」とか，「Our Body（みんなの身体）」や「Food（いろいろな食べ物）」といった，いろいろなトピックを切り口にして各ユニットを構成していくことが，今日の子ども向けの指導プログラム作りの主流になっていることも，うなずくことができるでしょう？*
マナブ　なるほど。そうやって教科書の執筆者たちは，子どもたちの特徴を実際の学習に結び付けていくのですね。
シーラ　でも，執筆者ができることは，そこまでで，私たちの考えたことがうまくいくかどうかは，現場の先生次第なの。
マナブ　それは，責任重大ですね。

　先生の話を聞き，学習者としての子どもたちの一般的特徴を分析することが，どのようにして実際の指導に活かされようとしているのかを知ったマナブは，改めて，現場の教師が果たす役割の大きさを意識したようです。この項では，学習者としての子どもたちが持つ特性の一つとして，子どもたちは，ことば以外の要素も総動員してメッセージを受け取ることが得意であるという特徴を紹介しました。しかし，子どもたちがメッセージを受け止めるときには，言語的な要素だけを拠りどころとしているわけではないからといって，子どもたちに英語を教えるときに，ことばにかかわる側面を無視してもよいということにはけっしてなりません。ことばの背後にあるメッセージに焦点を当てた活動を通して，子どもたちが出会うことになることばが豊かなものとなり，それでいて，行き当たりばったりにならないように，私たち指導者が，子どもたちには見えないところで，こっそりと，念入りな「仕込み」をすることも可能です。では，どうすれば，そのようなことが実際にできるのでしょうか？　それには，まず，子どもたちが，レッスンの中で出会うことばを慎重に選び，配列し，単純で機械的なくり返しではない形で反復できるように仕組まなくてはなりません。そうすることで，子どもたちが，将来，本格的に外国語を学ぶときに必要となる，学習者としての「核」にあたるよ

*『スーパーえいごリアン3』（NHKエデュケーショナル，2003年）の中で紹介されている活動。

*第5章第3節の(6)「マナブの『指導プログラム案』の展開」を参照。

うな部分を育てることができるのです。この本では，次の2章以降で多くのスペースを割いて，その具体的な方法を皆さんにお伝えしようと考えています。

(7) 子どもたちの認知発達

子どもたちを教えることについて勉強をした人なら，前項の(5)で出てきたヴィゴッツキーと並んで，ピアジェ（Piaget）[12]の名前を耳にしたことがあると思います。ピアジェは，スイス生まれの児童心理学者で，私たちが，学習者としての子どもたちの特徴を理解するうえで，とても重要な貢献をした研究者の一人です。この日のチュートリアルは，「ピアジェはどんなことを言った人なのか？」というマナブの質問から始まります。

注釈12（p. 54参照）

マナブ 先日，ヴィゴッツキーの話をしていただきましたが，昔，教員採用試験の勉強をしていたころ，ヴィゴッツキーと並んで，ピアジェの名前を，最重要項目として参考書のページで赤くマークしたのを思い出しました。

シーラ それは，採用試験の準備としては，妥当なところね。

マナブ ええ，でも，この前のヴィゴッツキーの場合と同じで，ピアジェがどのようなことを言った人だったかという肝心な点については，ほとんど覚えていないので，我ながら，がっかりしてしまいました。

シーラ あら，がっかりすることなんてないわ。本当に必要になったときに思い出して考えてもらうために，学生用の参考文献リストには，ピアジェの名前が必ず入っているわけだから。

マナブ ええ，それはもちろんですが，子どもたちに外国語を教えるときに，とくに関係することは，ピアジェの言っていることのうち，どのような部分なのでしょうか？

シーラ ピアジェは，子どもたちが，誕生してから大人へと成長するときにたどる過程（認知発達段階）を次の4つの段階に区分しているの。

---
1) 誕生から2歳ごろまでの「感覚運動期（sensory-motor period）」
2) 2歳前後から6〜7歳くらいまでの「前操作期（preoperational period）」
3) 7歳から11〜12歳くらいまでの「具体的操作期（concrete operational period）」
4) 12歳以降の「形式的操作期（formal operational period）」

この4つの時期のうち，まず，一つ目の「感覚運動期」では，生まれたばかりの子どもは，周囲の環境からの刺激に反応して，反射的な動作をくり返すの。次に，2歳を過ぎて「前操作期」に入った子どもは，身の回りのものを感性的に理解して，「ごっこ遊び」などを楽しむようになるけれども，思考は，まだ自己中心的で，ほかの人の視点から物事をとらえることはできないわ。続いて，7歳前後からの「具体的操作期」では，目で見たり，手で触れたりできる具体的なものについて，違いや類似点を見出して分類をしたり（classification），いくつかのものを組

> み合わせたり（combining）するといった基礎的な「操作（operation）」，つまり論理思考ができるようになるの。そして，12歳以降の「形式的操作期」になると，目の前にある実際の状況を離れても，ある前提から結論を導き出すといった「形式的な操作（formal operation）」，つまり，抽象的な論理を展開することができるようになるというわけ。どう？　思い出したかしら？

先生の流暢な説明に，一瞬，あっけにとられた面持ちのマナブでしたが，気を取り直して質問をします。

マナブ　確かに，「感覚運動期」とか，「具体的操作期」という用語を必死に覚えた記憶はありますが，このように，子どもたちの発達に段階を設けて区分すること自体には，どのような意味があるのですか？

シーラ　ピアジェの認知発達段階の理論は，子どもたちが物事をとらえる力には，年齢に応じた段階があって，そのときどきの子どもの認知的な発達の度合いに合わせて，新しい知識や概念を紹介していくようにしなくてはならないことを，私たちに教えてくれるの。

マナブ　つまり，子どもたちの発達段階を考えに入れなくては，いくら物事を教え込もうとしても，うまくいかないということになりますね。

シーラ　そういうことね。たとえば，多くの国の学校制度の中では，言語の形式面に対する関心を促すのは，ピアジェが「形式的操作期」と呼んでいる時期に対応する中学校以上のレベルの役割だと考えられているの。

マナブ　なるほど，もし，子どもたちへの英語教育に熱心になるあまり，小学校で形式的な文法の指導を前倒しして始めるように求める親や教師たちがいたとしたら，それは，子どもたちの発達段階にそぐわないことを押し付けることになるわけですね。

シーラ　その通りだわ。

マナブ　でも，子どもたちへのレッスンでは，ことばの形式面には絶対に触れてはいけないのでしょうか？　高学年の子どもたちは，ことばの形や使い方のルールに興味を示して，質問をしてくることもあるのですが。

シーラ　実際には，単語や文がどのように組み立てられているのかといったことに関心を持ち，ことばが持ついろいろな側面を意識するようになる子どもを見かけることもあるわね。

マナブ　それでは，そういった子どもには，ことばの形や使い方のルールを教えてもよいということになりますか？

シーラ　その質問に対する答えは，イエスでもあり，ノーでもあるといったところだわ。

マナブ　それは，どういうことですか？

シーラ　つまり，指導者の側に，子どもたちの認知発達の段階に対する十分な理解と，ことばの仕組みについての深い洞察があって，形式的な操作に日常的な意味を持たせることができれば，子どもたちに，ことばの形や使い方のルールを教えてもよいということになるわ。[13]

注釈13（p. 54 参照）

マナブ　どうも，私のような普通の教師は，やはり，そこまで踏み込むことについては慎重になったほうがよいようですね。

先生の説明を聞いて，マナブも，子どもたちとの外国語活動の中では，文法のルールなどを扱うことには慎重になったほうがよいという，一般的な議論の根拠がよくわかったようです。しかし，子どもたちに，ことばについての気づきを促すという視点からは，「形式的な操作に日常的な意味を持たせる」という，先生が使った謎めいた表現には，何かひっかかるところがあるようです。その点については，第3章第2節の「文法の指導」のところで，関連した話を聞くことができるでしょう。

(8) チャンクの役割

　母語の習得，および，第二言語習得の研究の分野で，行動主義者たち（behaviourists）とチョムスキー（Chomsky）[14] の間でとても激しい議論が交わされたことは，よく知られているところです。今回のチュートリアルは，この話題からスタートです。

注釈14（p.54参照）

マナブ　子どもたちの母語や第二言語の習得について，基本的なことを知るために，何か良い本はありませんか？

シーラ　そのあたりのことを英語で読もうと思ったら，Patsy Lightbown と Nina Spada が書いた *How Language Are Learned*（ことばはどのようにして学習されるか）の第1章と第2章にうまくまとめられているわよ。オックスフォード大学出版局から出ていて，2006年には第3版が出版されているわ。

マナブ　ありがとうございます。早速，図書館で借りて読んでみます。でも，ちょっとだけ，映画の「予告編」みたいに，さわりの部分を教えてもらえませんか。

シーラ　そうねえ，映画の予告編のように話を盛り上げると，「20世紀の半ばに，チョムスキーが，言語の習得の議論に衝撃を与えた！　それが，この分野の急展開の始まりだった！」といった感じかしら。

マナブ　いいですね！　それで，どうなったのですか？

シーラ　あとは，本を読みなさい。

マナブ　そんなこと言わずに，もう少しお願いしますよ。

注釈15（p.54参照）

シーラ　しょうがないわね。まあ，ひと言で言えば，それまで，スキナー（Skinner）[15] に代表される行動主義者たちが，母語と第二言語の習得を適切な習慣を形成する過程と見たのに対して，チョムスキーと彼の共同研究者たちは，ことばの発達は，ヒトが生まれつき持っている潜在的な能力の枠組みによって導かれると考えたの。

マナブ　行動主義者たちの考え方は，現在では，まったく妥当性を失ってしまったのですか？　言語の習得を習慣形成の過程と見る見方も，教師の立場からは捨てがたいものがあるのですが。

□ オーディオリンガル・メソッド

シーラ　行動主義者たちの見方は，**オーディオリンガル・メソッド**（Audio-Lingual Method）の中に忠実に反映されていて，この教授法は，今日では，あまり顧みられることがないものとなっているわね。でも，オーディオリンガル・メソッドほど徹底した反復練習ではなくても，私たち教師は，なんらかの形で，くり返しと習慣形成につながるような活動を

		教室の中で行っているのではないかしら。
	マナブ	たしかに，気がついたら，子どもたちに注意を払ってもらいたい単語や表現を，くり返し言わせていたというようなことがあります。
	シーラ	子どもたちの側に注目をすると，Chesterfield & Chesterfield（1985）が報告しているように，幼い子どもたちが，耳から入ってきたことばを，思わず小声でくり返している光景を目にすることがよくあるわ。
	マナブ	私が教えた授業の中でも，子どもたちは "Here it is!"（ああ，ここにあった！）とか "Your turn."（君の番だよ）といった表現を，そのまま丸ごとくり返すことがありました。
□チャンク	シーラ	そのように，全体としてひとまとまりになっていて，一つひとつの構成要素に切り分けて処理されることがない，ひと続きのことばの塊は「**チャンク（chunk）**」と呼ばれるの。ときには，'formulaic utterance'（定型発話）あるいは，'pre-fabricated utterance'（規格発話），略して 'pre-fab' など，いろいろな名前で呼ばれることもあるわ。
	マナブ	「チャンク」ということばは聞いたことがありますが，「決まり文句」程度のことであろうと大ざっぱに考えてきました。
	シーラ	たしかに，「決まり文句」には違いないのだけれども，よく見ると，チャンクにはいくつかのタイプがあることに気がつくはずよ。

　それでは，ここで話題に出た「チャンク」のタイプについて見てみましょう。

① 固定型

　チャンクには，いろいろなタイプがあり，次のように，1語でもほかのことばに替えることができないものもあります。

　　How do you do?（はじめまして）
　　Once upon a time ...（むかし，むかし，あるところに……）
　　And they all lived happily ever after.（それから，みんなずっと幸せに
　　　暮らしましたとさ）

② 場面順応型

　これに対して，全体としてひとまとまりになってはいるものの，100パーセント固定されてはおらず，その構成要素の一部を置き換えることができるタイプのものもあります。たとえば，チュートリアルの中でマナブが言っている "Here it is!" は，真ん中の 'it' を人に置き換えて，"Here you/they/we are!" のように使うことができるし，"Your turn." のようなチャンクは，場面に合わせて，"My turn."（私の番）とか "Mummy's turn."（ママの番）などと，応用して使うことが可能です。

　しかし，学習者自身は，これらのチャンクを分解できることには気がつかないようで，場面が変わってもおかまいなしで，必要な変換操作を行わずに，まるっきりそのままの形で使い続けることがあります。たとえば，"Here it is!" は，人や物を見つけたとき，あるいは，誰かが遅れてきたときなどといった場面の，すべてに共通する万能表現として利用されがちです。また "Your turn." は，ゲームの中で，次の順番の人が「私」でも，「彼」や「彼

女」でも，誰であろうと，ともかくプレーヤーが交替するときの万能の合図として使われる傾向があります。

③ 適語補充型

さらに別のタイプのチャンクでは，たとえば，"I want a ＿＿＿＿＿."（＿＿＿＿＿がほしい）とか，"I have a ＿＿＿＿＿."（＿＿＿＿＿を持っている）のように，あるスペースが用意されていて，学習者は，そのスペースにいろいろなことばをはめ込むことができるようになっています。このタイプのチャンクは，日常的な表現の一部となっていることがとても多く，学習者は，覚えた表現を丸ごとくり返しているのか，それとも，その場面に合わせて自分で考えて作り出した発話をしているのかを，見分けることが難しいかもしれません。しかし，ときおり，前に覚えたチャンクに新しいことばをはめ込もうとして，うまくいっていない場面を目撃することがあります。たとえば，先ほどの "I have a ＿＿＿＿＿." などというチャンクは，"I have a brother." のように，適語補充スペースにあてはめることばが単数名詞であれば，うまく置き換え操作が成り立ちます。でも，もし，子どもたちが，I have a six cats." などのような言い方をするようであれば，この "I have a ＿＿＿＿＿." というチャンクの分析には，まだ成功していないと見て取ることができます。つまり，'a' があってはまずいときには，その部分を切り離して使うことができることに，まだ気がついていないのです。

ここで，先生は，上の3番目の「適語補充型」のチャンクが，子どもたちによって実際に使われている場面を，教え子のアンナマリア・ピンターの研究（Pinter, 1999）から紹介しています。

子どもたちの風景7
チャンクを活用する子どもたち

ペアになった二人の子どもたちが，インフォメーション・ギャップ（information gap）活動を楽しんでいます。活動は，ひとりの子が，それぞれ特徴のある3つのタイプのモンスターが描かれた絵を持ち，ペアになった相手にその絵を見せずに，英語で説明をしてなるべく原画に近い絵を描かせようとするものです。

Child A: <u>The monster *is*</u> green. <u>The monster *is*</u> big mouth. <u>The monster *is*</u> red teeth. <u>The monster *is*</u> green. Three eyes. （モンスターは緑色だ。モンスターは大きい口だ。モンスターは赤い歯だ。モンスターは緑色だ。目は3つだ）

Child B: 〔母語で〕それでいいの？

Child A: <u>The monster *is*</u> big blue, big blue and big nose. <u>The monster *is*</u> short legs. <u>The monster *is*</u> short, short hands. <u>The monster *is*</u> big tongue. <u>The monster *is*</u> ... （もう一体のモンスターは大きい青だ。大きい青で，大きい鼻だ。このモンスターは短い脚だ。このモンスターは短い，短い手だ。このモンスターは大きい舌だ。このモンスターは……）

(Pinter, 1999: p. 13)

この活動風景について，シーラ先生の解説を聞いてみましょう。

シーラ　モンスターの絵を説明する役に回っている子(A)は，'The monster is ＋ 色を表す形容詞（＋ 体のパーツを表す名詞）' というチャンクをくり返し使って，相手の子(B)にモンスターの特徴を伝えているでしょう。

マナブ　この子どもたちは，「～を持っている」という意味の have〔has〕は，まだ，知らないのですね。

シーラ　それが，一応学習をしてはいるの。でも，この活動の目的を達成するためには，'The monster is ＋ 色を表す形容詞（＋ 体のパーツを表す名詞）' というチャンクで，十分に用が足りてしまっているわけなの。

マナブ　このような場面では，どうやって，have〔has〕を使ったほうがよいことを，子どもたちに気づかせたらよいのでしょうか？

シーラ　それは，とても難しい問題ね。なにしろ，子どもたちは，使い慣れたチャンクでやりくりをして，必要な情報を伝え合うことに見事に成功してしまっているのだから。

マナブ　それでは，この子は，'have〔has〕～' の代わりに 'is ～' と言い続けることになってしまうのでしょうか？

シーラ　そんなことはないわ。この子も，英語の学習を続けていくうちに，'have' という動詞を使う文脈と 'be 動詞' が必要な文脈を間違えずに区別することができるようになっていくわ。そして，**談話**（discourse）のレベルでも，成長とともに，少しずつ**結束性**（cohesion）を持った発話を産出することができるようになるの。

□ 談話
□ 結束性

マナブ　すみません。「結束性（cohesion）を持った発話を産出する」とはどういう意味ですか？

シーラ　たとえば，'The monster' という語をくり返す代わりに，代名詞を使い始め，言っていることにつながりが出てきて，結果として，"<u>The monster</u> is green. <u>He</u> has a big mouth. <u>He</u> has red teeth."（<u>モンスター</u>は緑色で，<u>それ</u>は，大きな口と赤い歯を持っている）というように，意味のうえでのつながりを持った話ができるようになるということね。

マナブ　それは，素晴らしいことですね。でも，そのような進歩は，短期間には望めそうもありませんから，要するに，子どもたちの成長を見守る私た

　　　　ち大人が，辛抱強くならなくてはいけないようですね。
シーラ　その通りだわ。

　子どもたちばかりではなく，成人の学習者も，学習の初期の段階ではチャンクを利用します。成人の場合には，実際のコミュニケーション場面で，オリジナルの発話をタイミングよくくり出すことができるようになるまでは，チャンクを使うことでなんとか切り抜けます。そして，学習初期を過ぎても，比較的長い発話を組み立てるためのつなぎの部品として，チャンクの力を借りる場合が多いようです。そうしているうちに，次第に，チャンクの中の適語補充スペースに入れることばをうまく調節して，文法的に適切で，しかも，談話の流れにうまくあてはまるような形で，チャンクを使うことができるようになっていきます。この過程は，母語話者の場合も同じです。母語話者たちも，チャンクを利用することで時間とエネルギーを節約するからこそ，自分が本当に言いたいことを，自分なりの表現方法で話すことができるのです。このように，言語の習得の過程においてチャンクを使用することは，ある意味では，避けられないことなのです。学習者は，たくさんのことばの流れにさらされると，チャンクの形で言語情報を自然にすくい上げるのです。ということは，子どもたちに，ことばをチャンクの形で何度もくり返し言わせて，教え込むことがよいということになるのでしょうか？　実際に，そのようなやり方を採っている教科書もありますが，おそらくは，同時に，一つひとつの文の単位を超えた長い談話を扱う経験をさせる必要もあります。そうしないと，前ページの「モンスターを描く」の活動の中で，'The monster is ...' というチャンクをくり返していた子どもと同じような段階で，習得がストップしてしまう可能性があります。

(9)　子どもたちの学習ストラテジー
① コミュニケーションと学習ストラテジー

□ **学習方略**　　ストラテジー (strategy) は，日本語では「**方略**」と訳されますが，一般的には，「学習者が，困難な状況を克服したり，あらかじめ問題を察知して回避するために採用するテクニック」というほどの意味で使われます。これまでに，さまざまな研究者がストラテジーを分類するために独自の体系を構築し，また，個々のストラテジー・タイプにもいろいろな名前が付けられてきました（例：Bialystok, 1985; Oxford, 1990; O'Malley, Chamot, Stewner-Manzanares, Kupper and Russo, 1985; Wenden, 1985）。しかし，本書では，そのような議論にはあまり深入りせず，ことばを学習する子どもたちに直接関係する問題に絞って，この話題を紹介しましょう。

　まず，ストラテジーの具体例を上げると，次のようなものがあります。

- チャンクを利用して，もっと長い発話を構成する。
- 言いたいことを，どのように表現すればよいのか，プランを立て，実際に口に出して言う前に頭の中でリハーサルを行う。
- 的確なことばを知らない内容を，身振りや動作を利用したり，別のことばで置き換えたりして，なんとか表現しようとする。
- 英語ではうまく表現できそうにない話題を避ける。

- 何を言われているかわからない場面を切り抜ける方法の例：
  a) 思いきって推測する。
  b) 話し手に説明を求める。
  c) わからないことがあっても気にせず，なんとか切り抜ける。
- 単語や表現を覚える方法の例：
  a) 口に出して，何度もくり返して言う。
  b) 英語と（日本語）訳を一緒に言うようにする。

　上に挙げたいろいろなストラテジーを，学習者が意識して使っているかどうかという点については，研究者の間でも意見が分かれています。学習ストラテジーについて，マナブの質問は，まずこの点から始まります。

マナブ　私たちは，普段，自分がどのようなストラテジーを採っているのか，あまり，意識をすることはないように思うのですが。

シーラ　そうね，頻繁に利用されるストラテジーは，だんだんと自動的に使われるようになっていき，学習者自身も，ほとんど意識しなくなってしまうということがありそうね。でも，学習者が「自然に」使うようになるストラテジーの種類は，人によってかなりの違いがあることがわかってきているの。

マナブ　とくに，学習のプラスになると考えられているストラテジーはありますか？

シーラ　まあ，それは一概には言えないのだけれども，たとえば，「危険を冒してみる」タイプのストラテジーは，外国語の習得を促進するという考え方もあるわ。

マナブ　「危険を冒してみる」というのは，何か危ないことをするのですか？

シーラ　いいえ，この場合の「危険」というのは物理的な危険ではなくて，学習者が，日常生活の最低限の必要を満たすレベル以上のことに，あえてチャレンジをしてみることを意味しているの。

マナブ　具体的には，どのような「チャレンジ」なのですか？

シーラ　たとえば，「話し手に説明を求める」「別のことばで置き換える」などといったストラテジーを採る場合，学習者は，コミュニケーション場面で，自らが話の内容をよく理解していないという事実を暴露することになるので，一定の危険を冒していることになるわ。

マナブ　そうですね。私などは，相手の言っていることの細かいところまでわからなくても，わかっているふりをしてしまうことがしょっちゅうです。

シーラ　そのようにして，「わからないことがあっても気にせず，なんとか切り抜ける」というストラテジーは，その場の話の流れを優先するという見方に立てば，賢明な選択かもしれないわ。でも，外国語学習の観点からは，もっとも効果的なストラテジーとは言えないことになるの。

マナブ　そうかも知れませんね。でも，大人の場合は，わからないことは質問するように，意識して努力をすることが可能かもしれませんが，子どもたちの場合はどうなのでしょう？

シーラ　それは，良い質問ね。私たちが知りたいのは，「子どもと大人は，同じようなストラテジーを利用するのだろうか？」とか，「どのくらいの年

マナブ　齢で，ストラテジーの使用が始まるのか？」といった問いかけに対する答えよね。
マナブ　研究者たちは，どう言っているのですか？
シーラ　それが，学習ストラテジーについての研究は，これまでのところ，ほかのトピックについての研究に比べると，とても数が少ないの。
マナブ　それには，何かわけがあるのですか？
シーラ　ストラテジー使用の大半は，頭の中で行われるもので，目には見えず，外から直接，観察することができないという大きな壁が立ちはだかることになるの。
マナブ　それは，そうですね。では，どうするのですか？
シーラ　一般的なやり方は，学習者に活動を振り返らせて，自分が実際に行ったことを正確に説明させるのよ。
マナブ　それは，子どもには無理なのではないですか？
シーラ　そうなの。まず，自分の活動を振り返り，具体的にどのようなストラテジーを使っているのかを意識し，さらに，それをうまくことばで説明することは，大人にだって難しいわ。まして，子どもたちにそれを求めることは，かなり無理があるというわけなの。
マナブ　なるほど。この分野での研究が比較的少ないのも納得がいきますね。でも，まったくないというわけではないのでしょう？
シーラ　それは，もちろんよ。たとえば，前にも話した Chesterfield & Chesterfield（1985）は，アメリカで2か国語を使用して学習が行われる学校に通う，4歳から6歳のメキシコ系の子どもたちが用いるリスニングとスピーキングのストラテジーを調査しているの。
マナブ　それで，何がわかったのですか？
シーラ　彼らの研究によると，子どもたちがいろいろなストラテジーを発達させる際には，一定の順序があるようだということが確認されたの。
マナブ　具体的には，どういったことですか？
シーラ　たとえば，「チャンクを記憶するために，くり返して言ってみたりする」というようなストラテジーは，比較的早い時期に使われ始めるとか，「子どもたち同士でかかわり合い，やりとりを交わす」といったストラテジーは，もっと後になって現れるなどといったことが報告されているわ。
マナブ　ふーん，日本に帰ったら，私も，授業中の子どもたちの様子をよく見てみるようにします。

　子どもたちのストラテジー使用にかかわる研究を，もうひとつ紹介しましょう。

□ イマージョン（教育）

子どもたちの風景 8
子どもたちによる学び方についてのコメント

　シャモーとエルディナリーによる研究（Chamot & El-Dinary, 1999）では，アメリカに住み，日本語やフランス語やスペイン語などの外国語を学習する子どもたちが対象となりました。その子どもたちが通う小学校では，**イマージョン（immersion）プログラム**を実施しており，授業のすべて，あるいは大半を，学習中の外国語を使って行う形を採っていました。そして，こ

1.2　外国語学習者としての子どもたち　43

の研究では，成績の良い子どもとそうでない子どもの間で，ストラテジーの利用の仕方に差があることがわかりました。子どもたちとのインタビューから得られたコメントの具体例は，次のようなものでした。

- 児童1：僕は両方（のことば）で考えているんだと思う。頭の中に，何か絵のようなもの浮かんできて……，そこのところはフランス語で考えているのだけれども……，知っている単語は英語なんで……，英語に直して言うことになるんだ。
- 児童2：私は，わからない日本語のことばがあると，初まりのところがどうなっているのかを見るの。この場合には，「アゲ」だから，「アゲマス」の最初と同じだわ。
- 児童3：〔物語の挿絵を見ながら〕この本は，ファンタジーかもしれないよ。とても面白そうだし，何か不思議なことが起こりそうだよね。

□ メタ認知意識

ここに紹介したような研究はたいへん意味があります。なぜかと言えば，自分がどのようにして学習しているのかを意識している子どもたち，つまり，**メタ認知意識**（metacognitive awareness）を持っている子どもたちもいるのだということを，私たちに教えてくれているからです。シャモーとエルディナリーは，「……1年生の子どもたちですら，自分の考えていることをとても詳しく説明することができた」（Chamot & El-Dinary, 1999: p. 331）と報告しています。

シーラ先生は，さらに，もうひとつ，子どもたちにメタ認知能力が備わっていることを例証する研究について，マナブに話し始めます。

シーラ	マナブは，イギリスの首相だったトニー・ブレア氏を覚えているかしら？
マナブ	それは，覚えていますよ。彼は，結構長い間，首相の座にいましたからね。若くて颯爽としていたから，国民にも人気があったのではないですか。
シーラ	さあ，イギリス国内での評価はいろいろだけれども，海外では，人気があったようね。Ellis (1999) は，ブレア首相が，パリのブリティッシュ・カウンシルを訪問した際に，子どもたちにインタビュー活動をさせたときのことを報告しているわ。
マナブ	英語を話すゲストにインタビューをするという活動は，日本の小学校でも行われますが，ブレア首相とはビッグゲストですね。きっと，パリの子どもたちも大張りきりだったでしょうね。
シーラ	そうね。子どもたちは事前によく準備をして，一生懸命にインタビューをしたようだわ。でも，この子どもたちの素晴らしいところは，後で，このインタビュー活動のいろいろな場面を振り返り，それぞれの場面で，自分たちがどのくらいうまくできたかをきちんと評価をしているところなの。
マナブ	つまり，子どもたちに「メタ認知能力」が，十分に備わっているということですね。

シーラ　ええ，エリスが引用している子どもたちコメントの中には，それを示唆するものがたくさんあるわ。

　ここで，先生が紹介した活動は，「計画（PLAN）→ 実行（DO）→ 振り返り（REVIEW）」という指導サイクルを形成しています。つまり，子どもたちは，事前にインタビューを計画し（PLAN），実際にインタビューを行い（DO），そして，活動後にその振り返り（REVIEW）を行いました。このような学習サイクルの過程で，子どもたちに3つの段階のそれぞれについて意識をさせることも可能です。

　まず，「計画（PLAN）」の段階では，子どもたちが夢中でチャレンジしたくなるような活動を紹介して，"How are we going to tackle this?"（みんな，これは，どうやってやるのがいいと思う？）とか，"What preparations do we need?"（どんなふうに準備をしたらいいのかな？）などと，英語でも日本語でも，子どもたちに問いかけるとよいでしょう。そして，その活動を，実際に体験した後の「振り返り（REVIEW）」の段階では，「振り返りシート」を用意して，"How well did I do!"（どのくらいうまくできたかな？），"What did I learn?"（何を習ったのかな？），"What did I personally get out of this?"（何か，自分のものにすることができたかな？）などといった問いかけを，子どもたちが，自らに対して行うように仕向けることもできます。

　ここまで紹介した研究例の中で，子どもたちが見せているような，自らの学習活動を振り返り，評価をする力は，学習ストラテジーを発達させる能力と密接にかかわっており，これからの早期英語教育では大きな可能性を秘めた領域となるでしょう。

② 子どもたちによる課題の理解と取り組み

　レッスンの中では，指導者が意図していることが，なかなか子どもたちに伝わらないことがあります。マナブは，自分の失敗談を先生に披露します。

マナブ　子どもたちに，ゲームのルールを説明してわかってもらうのは，とても難しいことがありますよね。

シーラ　マナブは，何か，そういうことでうまくいかなかったことがあるの？

マナブ　その手の失敗例なら，たくさんありますよ。

シーラ　ぜひ，具体的な話を聞いてみたいわ。

マナブ　あるレッスンで，まず，"Old MacDonald's Farm"＊（マクドナルド爺さんの農場）の歌を子どもたちと歌って，その歌を題材にした活動に入ったんです。

シーラ　あの歌には，農場に住むいろいろな動物とその動物たちの鳴き声が出てくるから，やはり，動物にちなんだ活動をしたのかしら？

マナブ　ええ，でも，それだけではなくて，いろいろな野菜や果物の名前も一緒に扱いました。

シーラ　なるほど，「農場」という話題についてマインド・マップ＊を作ってみれば，飼われている動物だけではなくて，農場で採れる野菜や果物も連想の網の目に引っかかってくるというわけね。

マナブ　そうです。その活動では，私は，まず，英語活動ルームの真ん中に広い

＊この歌には，いろいろな動物の名前と鳴き声を表す擬声語が含まれており，たとえば，アヒルの「ガーガー」という鳴き声が，英語では'quack-quack'と表現されるなど，日本語と英語では，音声の認識の仕方に違いがあることを気づかせることができる。

＊「マインド・マップ」については第5章第3節の(6)「マナブの『指導プログラム案』の展開」を参照。

スペースを設けて，そこに，農場で目にする，いろいろな動物や野菜や果物が描かれた絵カードをたくさん並べました。次に，子どもたち一人ひとりに，用意した封筒を渡しました。その封筒には3つのタイプがあって，ある封筒には農場の動物たちの代表として，ブタ（pig）とウシ（cow）とアヒル（duck）の絵が描いてあり，別の封筒には農場で採れる典型的な野菜として，ジャガイモ（potato）とニンジン（carrot）とキャベツ（cabbage）の絵が描いてあります。そして，さらにもうひとつのタイプの封筒には，ブドウ（grape）とナシ（pear）とレモン（lemon）が果物の代表として描いてあるという具合です。

シーラ なるほど，動物の封筒を持った子どもは動物のカードを集め，野菜の封筒を割りあてられた子は野菜のカードを集めるというわけね。

マナブ その通りです。子どもたちは，私の指示をよく聞いて，すぐに活動を始めました。それぞれの子が，床の上に置かれたカードを見渡し，自分が担当するタイプのカードを見つけては，封筒の中へ入れ始めました。

シーラ すごいじゃない。そのような活動を，子どもたちによくわかるように伝えるのは，なかなか難しいことだと思うわ。

マナブ それが，実際，その通りだったんです。一見したところ，子どもたちは，ちゃんと，私の計画通りに動いてくれているように見えたのですが，それは見かけだけのことだったのです。

シーラ というのは？

マナブ しばらく見ていると，子どもたちは，封筒の絵が示している動物や野菜や果物，そのものを集めていることがわかったのです。

シーラ それで，よいのではないの？

マナブ いいえ。私は，床の上に並べられたたくさんのカードを，動物・野菜・果物の3つのグループに分ける分類活動をさせているつもりだったのに，実際には，子どもたちは，それぞれの封筒の上に描かれた3つの動物，3つの野菜，そして，3つの果物だけを集めていたのです。

シーラ つまり，子どもたちが行っていたことは，分類活動ではなくて，封筒の

絵とぴったり一致したカードだけを集めるマッチング活動になってしまっていたというわけね。子どもたちは何歳くらいだったの？ 「分類」という概念を，十分に理解できる年齢だったのかしたら？

マナブ　たしか，2年生の最初のころの子どもたちだったと思います。私には，自分が計画した通りに，子どもたちが分類活動をやってくれているという思い込みがあったので，子どもたちの様子を間近に見ていても，その場で実際に進行しているのは，別の意味を持った活動だったことになかなか気づくことができなかったのです。

シーラ　それは，とても，よい経験をしたわね。前に紹介した，ドナルドソン*（Donaldson, 1978）が発した警告を，まさに地でいくような体験談ね。

＊ 本節の(6)参照。

マナブ　ドナルドソンは，どんなことを言っているのですか？

シーラ　彼女は，人が，あることについて知識を持てば持つほど，その分野のことについて語るときに自己中心的になってしまうことを指摘して，子どもたちに物事を教えることの難しさを説明しているの。

マナブ　つまり，知識の量と質の点で，学習者と教師の隔たりが大きくなればなるほど，それだけ，教師が，子どもの視点に立って学習の過程を見ることが困難になるというわけですね。

□ 脱中心化

シーラ　その通り。彼女は，子どもたちの教育にあたる者は，「脱中心化（de-centering）」*をする必要があるという言い方をしているわ。

＊ 第7章第2節の(1)「なぜ，物語〔絵本〕を使うのか？」を参照。

マナブ　なるほど。子どもたちには，子どもたちなりの理解の仕方があることを，考えに入れておかなくてはなりませんね。

　子どもたちは，「このゲームの英語学習上の本来の目的は，……」などといった，指導者側での思惑には，まったくおかまいなしということが普通なようです。そして，教師から与えられる課題を，自分たちが思った通りに理解し，自分たちなりに取り組みます。その様子は，私たち大人が，同じようなタイプの課題を与えられたときとは，だいぶ違っていることがあります。シーラ先生は，この節ですでに紹介した，教え子のアンナマリア・ピンターの論文（Pinter, 2001）の中から具体的な場面を紹介します。

シーラ　もうひとつ興味深い例を紹介するわね。私の教え子のアンナマリアは，一軒の家の中で探し物をするという設定でインフォメーション・ギャップを仕組んだパズルを，一方では，英語学習を始めたばかりの子どもたちのグループで，もう一方は，英語を始めたばかりの大人の学習者の2つのグループにやらせてみたの。

マナブ　それは，おもしろい研究ですね。それで，子どもと大人では，だいぶ違いが見られたのですか？

シーラ　ええ，まず，大人の学習者のほうは，パズルの絵の右隅から始めて，左へ向かって少しずつ，質問の対象となる場所を移動していったり，あるいは，上から下へ順番に調べていくという具合で，一定のストラテジーを持って課題解決に取り組んだの。これに対して，子どもたちのグループは，絵の中をむやみにあちこちと行ったり来たりしていて，一向に，答えにたどり着くことができないでいたの。

マナブ　なるほど。ということは，何かの課題を与えて，その達成や解決を目指

しながらことばの学習をするときには，子どもたちに課題への「正しい」取り組み方を示して，訓練をしたほうがよいということなのでしょうか？

シーラ　そうねえ……。そうすれば，外国語活動を通して，英語ばかりではなくて，子どもたちの認知面での発達に貢献できるのだという議論を展開することができるわね。あるいは，とくに，トレーニングをしなくても，課題に取り組む過程で，子どもたちは，しだいに系統的な取り組みができるようになっていくのかもしれないわ。

マナブ　私には，もっと単純なことのように思われるのですが。

シーラ　と言うと？

マナブ　つまり，私たち教師が，課題の絵の構成や描き方を工夫するなどして，課題が要求する活動を，もっと子どもの視点に立ち，子どもたちにもわかりやすい形で示してやればよいことではないのですか？

シーラ　それは，良い意見だわ。現場の先生たちよりも，教材を開発する執筆者や出版社の人たちに聞かせたいところね。

(10) 子どもたちの注意力と教室運営

地域に住む英語の堪能な人や，中学・高校の英語の先生など，もともと小学校の先生ではない人が，外国語活動の指導のために小学校の教室へ入っていく場合に，子どもたちは，いったい，教室でどんなふうに振る舞うのだろうかと考えると，とても不安になるかもしれません。今日のチュートリアルの話題は，教室運営，つまり子どもたちに対する「しつけ」の問題です。

① 子どもたちに話を聞かせる方法

シーラ　子どもたちへの「しつけ」の問題は，現役の先生のマナブのほうがよくわかっているはずだわ。あなたが，外国語活動の授業で，子どもたちを相手にするときに心がけているのはどんなこと？

マナブ　教室運営の問題で気をつけていることは，ほかの教科の授業も外国語活動の時間も，とくに変わりはありません。

シーラ　具体的には，どんなことかしら？

マナブ　いろいろありますが，たとえば，子どもたちに嘘をつかないこと。しっかりと子どもたちの目を見て話しかけること。それから，何か指示をするときには，段階を踏んで，わかりやすい指示を与えるといったことなどですね。

シーラ　子どもたちが，興奮してやかましくなってしまったときは，どうするの？

マナブ　私は，授業中の声は大きいほうなので，子どもたちに負けないくらいの大声で，"Listen to me!" とか "Stop talking, please!" などと叫んでいます。

シーラ　それで，子どもたちは静かになるの？

マナブ　いいえ，一度では無理ですね。たいていは，3回くらいはくり返さないとだめですね。ひどいときには，おしゃべりが収まらないので，私が声をもっと張り上げると，それだけ，子どもたちの騒ぎも大きなものとなるという悪循環に陥ってしまうこともあります。

シーラ 私が，この前，3年生の授業を見学させてもらった小学校の先生は，黙って腕をさっと上に挙げてぐるっと大きく回すという動作で，子供たちの注意を引き付けていたわ。

マナブ そんなことで，子どもたちが静かになるのですか？

シーラ まず，年度や学期の始めに，子どもたちと一緒に教室でのルール作りをきちんとすることが大切ね。そして，いったん子どもたちが慣れてしまえば，"Listen to me!" とか "Stop talking, please!" などと大声を張り上げるよりもずっと効果があるわ。

マナブ なるほど。でも，私の場合は，"Listen to me!" とか "Stop talking, please!" というような英語を，子どもたちに聞かせることも目的のひとつなのですが。

シーラ それならば，なおさら，あなたの声が子どもたちの耳に達しなくては意味がないわ。

マナブ では，まず，腕を上に挙げる動作で，子どもたちがシーンとなったところで，おもむろに "Listen to me!" と言うのはどうですか。

シーラ なるほど，それならば，"Listen to me!" という英語を，意味を伴った場面で実際に聞かせることができるわね。

② 活動の質と組み合わせ

　教室での授業運営上の問題についてのマナブの質問は，さらに続きます。

マナブ 早期英語教育入門書のページをめくってみると，よく，「子どもたちが注意力を持続できる時間は短いので，次々と矢継ぎ早に活動をくり出して，目先を変えていかなくてはいけない」といった趣旨のことが書いてありますよね。

シーラ そうね。早期英語をめぐるいわゆる「常識」の中でも，代表的なものね。一般論としてはその通りかもしれないけれども，実際の授業の中でそのような「常識」を働かせるときには，目の前の子どもたちの様子をよく観察したほうがよい場合もあるわ。

マナブ 「子どもたちは注意力を持続することができない」という言い方は，間違っているのですか？

シーラ それは，子どもたちに注意を集中するように求める活動の内容によると思うの。中学生や高校生以上の学習者の場合ならば，「学習するうえで必要だから」ということで，退屈で興味の持てないことであっても，が

>　んばって集中して取り組むように説得をすることも可能でしょう。でも，子どもの場合にはそのようなやり方は通用しないわ。
>
> マナブ　では，子どもたちの場合にはどうすればよいのでしょう？
> シーラ　身近にいる子どもたちのことを思い出してみるといいわ。子どもが，長い時間，一心不乱に何かに取り組んでいる光景を見たことはないかしら？
> マナブ　そうですね。いつか，先輩の家にお邪魔したときには，小学校低学年の男の子がいて，かなり複雑な恐竜の模型作りにずっと取り組んでいましたね。
> シーラ　なるほどね。私には姪がいて，私がその子の家に行くと，いつも，じっとポケモン図鑑を見ているの。そして，彼女は400近くもあるポケモンの仲間たちの名前を全部知っているのよ。
> マナブ　へえー，ポケモンは，イギリスの子どもたちの間でも人気があるのですか？
> シーラ　ええ，大人気よ。
> マナブ　そういうときの，子どもたちの集中力ってすごいですよね。
> シーラ　そうなの。子どもたちにはそういった側面もあるので，必ずしも，入門書の解説通りに，猛烈な勢いで次々と盛りだくさんの活動をくり出せばよいというものではないの。私が見た授業の中には，子どもたちが，ある活動を気に入って，本当はもっとやりたいと思っているのに，次から次へと新しい活動へ無理やり引っ張り回されているような感じのするものもあったわ。
> マナブ　つまり，子どもたちが集中して取り組みたくなるような活動を用意しなくてはいけないということですね。
> シーラ　そうね。一つひとつの活動が，子どもたちを心から引き付ける，中身のあるものになるように工夫をしたうえで，一回の授業あたりの活動の種類をもっと精選したほうが，かえって，子どもたちの注意力を持続させることができるのではないかしら。

　「いろいろな活動を次々と矢継ぎ早にくり出して，目先を変えていかなくてはいけない」という，早期英語の「常識」も，そのまま鵜呑みにするのではなくて，目の前にいる子どもたちの様子をよく見て，選択的に適用をしていったほうがよいようです。さらに，さまざまな活動を，授業の中で組み合わせていく方法については，Susan Halliwell の著書 *Teaching English in the Primary Classroom*（小学校における英語指導）(Longman, 1992) は，たくさんの貴重なアドバイスを提供してくれます。その中のひとつとして，活動のタイプを「動きのある活動 (stirrer)」と「落ち着かせる活動 (settler)」の2つに分けて考えることを紹介しています。

　「動きのある活動」とは，子どもたちの関心をかき立て，やる気にさせるようなタイプの活動で，子どもたちは元気に大はしゃぎをします。そして，ときには，はしゃぎすぎて興奮してしまうこともあります。そこで，もうひとつのタイプの「落ち着かせる活動」の出番となるわけです。このタイプの活動は，比較的静かで，何かについてじっくりと考えてみたり，学習事項の

まとめを行ったりするもので，教室内の秩序を取り戻すためにひと役買います。よく見られる例としては，まず，アクション・ソング（振り付け動作付きの歌）を，音楽に合わせて跳んだりはねたりして楽しみます。その後，席に着き，先生の指示を耳をすましてよく聞いて，歌の内容にちなんだ絵に色を塗っていくといった形態です。歌なしの，単なる色塗りリスニングだけでは，盛り上がりに欠ける活動に終わってしまうところですが，それを歌と組み合わせることで，「動」→「静」→「動」→「静」という授業全体のリズムの流れができていきます。

(11) 子どもたちの英語学習観：イタリアの子どもたちとのインタビューの続き

　子どもたち自身は，英語学習をどのように見ているのでしょうか？　この章の第1節の(8)の「英語は好き？」で紹介した，シーラ先生によるイタリアの子どもたちとのインタビューの続きを見てみましょう。ここでは，先生の「小学生のときに英語を始めるのは，よいことだと思う？」という質問に対して，子どもたちからさまざまな回答が返ってきました。

- 回答1：いま，英語を習っておいたほうがいいと思うな。だって，大人になってから，たくさんのことばを覚えるのはたいへんだもの。〔男の子〕

　同じようなタイプの回答をした子が，ほかにも2人いました。世間では，よく，「子どもには，苦労をしないで言語を吸収する能力があるので，始めるのが早ければ，早いほどよい」というようなことが言われることがありますが，子どもたち自身もそんなふうに思っているのでしょうか？

- 回答2：いま，英語を習っておいたほうがよいと思います。そうすれば，大きくなって考える力が付いたときに，もっとできるようになるからです。〔男の子〕

　この子はかなりしっかりとした，考え深いタイプのようで，第1節の(3)の「小学校での外国語教育の目的」のところで紹介した「小学校段階で言語能力の基礎を作り，中等学校に進んでからは，その基礎の上に外国語学習を築いていく」という立場にも通じる意見を述べています。まだ，9歳から10歳の子どもたちが，このような意識を持っていて，それをはっきりと口にすることができることには感心してしまいます。でも，この子は，自分の体験を通して，このような意見を持つようになったのでしょうか？　それとも，大人たちの間で，盛んに取り交わされている早期外国語教育をめぐる議論を，小耳にはさんだものなのでしょうか？　いずれにしても，この意見はとくに準備をしたものではなくて，インタビューの場で，子どもたちの口から自然に出てきたものなのです。

- 回答3：（いま，習ってしまうのは，）よいことだと思うわ。大きくなったら，もっと難しいことを習わなくてはいけないから。〔女の子〕
- 回答4：そうだね。上の学校へ行ったら，ほかにいろいろたいへんなこ

とがあるよ。高校生になったら，ラテン語をやらなくてはいけないしね。〔男の子〕
- 回答5：そうだね。だいたい10歳くらいで，英語はできるようになると思うな。〔男の子〕

この子たちは，英語を学ぶということを，いくつかのルールを覚えれば完成する程度のこととらえているようです。そして，次の回答には，シーラ先生も思わずニンマリとしてしまいました。

- 回答6：「早く始めれば始めるほど，それだけ早く終わりにできるよね」(!!!!!)〔女の子〕

このようなコメントを聞くと，子どもたちは，自分たちの英語の知識が非常に限られたものであること，そして，また，母語以外の外国語を習得するために膨大な時間とエネルギーが必要なことについては，まったく想像が及んでいないようです。まだ，これから外国語学習を始めようとする子どもたちが，そのような意識を持っていても驚くにはあたりません。しかし，私たち教師は，子どもたちの成長とともに次第に深まりを見せる外国語学習について，明確な見通しと緻密なプランを用意して，外国語への取り組みがスムーズに進むように万全の配慮をめぐらせなくてなりません。つまり，小学校，中学校，そして，高等学校の各段階において，それぞれ，生徒の発達段階と学習経験に応じて，外国語学習に対する違ったアプローチをとる必要があります。そうすれば，小学校の外国語活動においては，小学校段階に応じた，独自の目標が設定されることになるのですから，「中学英語の前倒しはよくない」などと心配する必要はなくなるはずです。[16]

注釈16（p. 54参照）

(12) 指導者に求められること

それでは，この章のまとめに入りましょう。まず，優雅に湖面を進む白鳥の姿を思い浮かべてみてください。その白鳥の姿こそが，外国語活動の授業の中で，子どもたちが目にし，体験してもらいたいものなのです。つまり，とくに目立って大げさな仕掛けはないけれども，スムーズに，優雅に進行する魅力的な英語のレッスン。子どもたちの満ち足りた様子。しかし，子どもたちが目にしているのは，白鳥の水面から上に出ている部分だけなのです。水面下ではどんなことが起こっているのでしょう？　そうです。白鳥の脚は，猛烈な勢いで水を蹴っているのです。この水面下での猛烈な脚の動きこそが，子どもにやさしい外国語教育を展開するために，指導者が払わなくてはならない努力なのです。

教室の中で行われる外国語学習は，たとえ，それがいかに早期に実施されようとも，目指す言語が，日常的に使用される環境での自然な言語習得とは，まったく性質を異にするものだということを，私たちは再認識すべきでしょう。教室という人工的な環境が，外国語の「学習（learning）」だけに終わらず，言語の「習得（acquisition）」に結び付くためには，次のようなことが望まれます。

① 子どもたちの興味を引き付け，十分なやりとり（interaction）の機会

を与え，安心して授業に参加できるような，なごやかな雰囲気の教室環境を整える。
② 聞くこと・話すこと・読むこと・書くことの，いずれの側面においても，子どもたちが発達段階に応じた形で，できるだけたくさんのことばに触れるように仕組みながらも，子どもたちとことばとの出会いが，けっして行き当たりばったりのものにはならないように，周到に計画をする。

　歌や物語，そして，ゲームといった，早期英語の楽しげなパッケージの中身をのぞいてみると，こうした高い理想と，それを実現するための周到な配慮がいっぱいにつまっています。そして，その一つひとつが，子どもたちへの外国語教育に深さと奥行きを与えるために，一定の役割を担っているのです。続く第2章以降では，このような基本的な考え方を，実際の教授法と関連付けながら，子どもにやさしい教え方を学びます。

注　釈

1. 学校での外国語教育の意義と役割については、イギリスの状況が参考になるだろう。イギリスの小学校におけるフランス語やドイツ語教育に関する情報であるが、外国語としての英語教育にあてはまることがたくさんある。言語教育研究情報センター（Centre for Information on Language Teaching and Research (CILT)）が運営する国立早期言語教育センター（National Advisory Centre on Early Language Learning (NACELL)）のウェブサイトは、言語教育についてのアドバイスやヒントを提供するだけでなく、実際の言語教育の場面をビデオクリップで見ることができる（http://www.nacell.org.uk/index.htm を参照のこと）。
2. インターネット経由で、世界のほかの国の子どもたちと英語を使ってコミュニケーションするキーパル（Key Pal）プロジェクトなどもある。
3. 日本でも、広島市のように「ことばについての知的な気付きを大切にする指導」を目的として、小学校5年生から中学校3年生までの5年間の連続プログラムを構築している例も見られる（広島市教育委員会、2010年）。
4. 『小学校新学習指導要領』(2008a) の「第4章 外国語活動の第2内容2」では、次のように記述してある。
    (2)　日本と外国との生活、習慣、行事などの違いを知り、多様なものの見方や考え方があることに気付くこと。
    (3)　異なる文化をもつ人々との交流などを体験し、文化等に対する理解を深めること。
5. 「総合的な学習」については、『小学校学習指導要領』(1998) の「総則 第3の5」を参照のこと。
6. 『英語教育用語辞典・改訂版』（大修館、2009年）の訳語による。
7. Annamaria Pinter: シーラ・リクソンの教え子のひとり。現在、リクソンの後を受け、ウォーリック大学の早期英語教育修士課程を担当している。著書に *Teaching Young Language Learners*（2006）、*Children Learning Second Languages*（2011）などがある。
8. イギリスでは、外国語・第二言語・継承語（heritage language）・地域言語など、学習者にとっての母語以外の言語を総称して additional languages と呼ぶ。
9. Jerome Bruner: アメリカを代表する認知発達心理学者。ヴィゴッツキー、フロイト、ピアジェらの理論の総合を図った。主な著書には *The Process of Education*（教育の過程）(1960) などがある。
10. Lev Vygotsky: 旧ソビエト連邦の心理学者。37歳の若さで世を去る。*Thought and Language*（思考と言語）(1962) を始めとする多くの著作は、彼の死後、しばらくしてから英語やそのほかの各国語に翻訳され、その思想は多方面に強い影響力を持つに至った。なお「最近接発達領域」の定義は *Mind in Society: The Development of Higher Psychological Processes* (1978) の p.85 において紹介されている。
11. シーラ・リクソンが執筆した早期英語教科書（Macmillan Publishers, 1990）。残念ながらすでに絶版となっているが、このテキストでは、ちょっと間抜けな吸血鬼の「ホラー伯爵（Count Horror）」が、子どもたちを楽しませながらシラバスの展開を案内している。
12. Jean Piaget: スイスの児童心理学者。*The Language and Thought of the Child*（児童の言語と思考）(1926) の執筆に始まり、20世紀における子どもの思考と学習についての議論に支配的な影響力を持った。第3章第2節の注釈11も参照のこと。
13. このくだりの説明は、Donaldson (1978) に基づいたものである。
14. Noam Chomsky: アメリカの言語学者・思想家。ユダヤ系の家庭に生まれ、ヘブライ語の文法を研究する父の影響で、早くから言語への関心を持ち始めた。言語学ばかりでなく、社会思想家としても、政治や教育のあり方について活発な言論活動を行っている。
15. Burrhus Skinner: アメリカの心理学者。動物を使っての試行錯誤学習の研究によって得られた行動分析の理論（オペラント条件付け）を、教育にも応用し、学習における報酬の効果を強調した。
16. 日本の『小学校学習指導要領』(2008a) が示す「小学校外国語活動」の目標は、以下の通りである。
    外国語を通じて、言語や文化について体験的に理解を深め、積極的にコミュニケーションを図ろうとする態度の育成を図り、外国語の音声や基本的な表現に慣れ親しませながら、コミュニケーション能力の素地を養う。（平成20 (2008) 年3月28日告示『小学校学習指導要領』第4章第1目標）

第2章 子どもにやさしい外国語教育

2.1 コミュニカティブ・ランゲージ・ティーチングとは？
2.2 子どもたちの4技能を伸ばす

　語彙や文法が，英語学習者にとって最大の関心事であるように，教授法は，教師にとっては授業の成否を決める，まさに，生命線であると言えます。この章では，まず第1節で，伝統的な「文法・訳読式教授法（Grammar-Translation Method）」や「オーディオリンガル・メソッド（Audio-Lingual Method）」に代わって，世界の英語教育を席巻したと言っても過言ではない「コミュニカティブ・ランゲージ・ティーチング（Communicative Language Teaching: CLT）」について，その歴史や特徴などを概観し，指導例を挙げながら，子どもの英語教育との接点を探ります。

　続いて，第2節では，リスニング・スピーキング・リーディング・ライティングの4技能について，CLTの指導原理に基づき，その指導手順，指導上の留意点，活動例などを提示し，子どもにやさしい言語活動のあり方を考察します。

この章を読む前に

1. あなたは学生時代に，英語の授業は，どのような指導法で教えられていましたか？　自分が教えられた教授法は，効果的だった〔効果的でなかった〕と思いますか？　その理由は何ですか？
2. コミュニカティブ・ランゲージ・ティーチング（CLT）は，子どもに英語を教えるのに有効な教授法だと思いますか？　その理由は何ですか？
3. 子どもに英語を教える場合，リスニング・スピーキング・リーディング・ライティングの4技能は，どのように扱われていますか？
   次のa）～f）の中で該当する項目はどれですか？　答えは1つでなくてもよいですが，ほかの項目があれば挙げてください。
   a) リーディングとライティングは，最初から導入している。
   b) リーディングとライティングは，リスニングとスピーキングの基礎をしっかりと教えてから導入している。
   c) スピーキングが，もっとも重要なスキルであると考えられている。
   d) 必要な情報を聞き取るためのリスニングが，もっとも重要だと考えられている。
   e) ライティングは，文法の知識を強化するために教えられている。
   f) ダイアログやそのほかの音声教材は，通常，文字（ライティング）を媒体として教えられている。

4. 前ページの a)～f) の方法について，あなた自身はどのように思いますか？　賛成しますか，それとも反対ですか？

この章の🔑ワード

本文の左の欄外には，
　□ **コミュニカティブ・ランゲージ・ティーチング**
　　（Communicative Language Teaching: CLT）
などの「キーワード」が提示されています。まずこの「キーワード」を見て，わかる用語の□にチェックマーク（✓）を入れながら読み進めてください。わからない用語があったら巻末の「キーワード解説」で確認しましょう。

2.1 コミュニカティブ・ランゲージ・ティーチングとは？

□ コミュニカティブ・ランゲージ・ティーチング

最近では，英語教育といえば，子どもから成人に至るまで，**コミュニカティブ・ランゲージ・ティーチング**（Communicative Language Teaching: CLT）抜きでは，成り立たないという感じさえします。今週のチュートリアルは，マナブからの「先生，そもそも CLT とは，ひと口で言うと，いったい何ですか？」という素朴な質問から始まりました。

マナブ 先生，コミュニカティブ・ランゲージ・ティーチング（CLT）という用語は，私たち英語教師の間では，いまや，すっかり定着したように思いますが，CLT とは，ひと口で言うとどういったもので，いつ頃から始まったものなのでしょうか？

シーラ そうね，CLT が英語教師の間で話題にのぼり始めたのが，1970 年代の後半のことだから，ずいぶん，長い歴史を持っているのよね。CLT が，なかなか根付かなかった国もあったし，その土壌がいまだに十分できていないところもあるのよ。でも，CLT はどんな環境にも適応できる，じつに生命力の強い植物のようなもので，**オーディオリンガル・メソッド**（Audio-Lingual Method）や**文法・訳読式教授法**（Grammar-Translation Method）のような，一世代前の限定的で創造性に欠ける教授法に比べると，外からのさまざまな新しい影響を受け入れる素地は，はるかに整っているのではないかしら。

□ オーディオリンガル・メソッド
□ 文法・訳読式教授法

マナブ ということは，CLT そのものが，70 年代のころの草創期と現在では，ずいぶん様変わりしているということでしょうか？

シーラ そうね，それ自体成長しながら，いくつかの新しい特徴を身に付けてきたと言ってもいいのではないかしら。だから，いまでは，世界中にいろいろ異なった種類の CLT があるのよ。でもね，マナブ，逆にそのおかげで，CLT は，いまのようにバラエティーに富み柔軟性があるアプローチに成長したということだと思うわ。

マナブ なるほど，そこで，私が最初に質問した「コミュニカティブ・ランゲージ・ティーチングとは，いったい何か？」という問題に突き当たるわけですね。

シーラ そうね，実際，CLT の定義があまりにも多くありすぎて，その全体像がしっかりととらえきれない，ということじゃないかしら。でね，マナブ，CLT の理念と指導上の特徴やほかの教授法との違いなどを，私なりに次のようにまとめてみたのよ。CLT が，私たちの関心事である「子どもにやさしい英語教育」とどのようにかかわっているか，一緒に考えてみましょう。

CLT の理念	CLT の指導上の特徴	ほかの教授法の特徴
1. 形式（form）よりも意味（meaning）を重視する。	・表示質問（display questions）よりも，情報を知るための情報質問（information questions）[1] を重視する。	・文構造の分析や，文法的に正しい文の生成に重点が置かれている。 ・教師の指導は，学習者の英語が

注釈 1（p.106 参照）

	□ 学習方略		・文法的に正しい文を作ることより，意味を相手に伝えることを重視する。 ・学習方略 (strategies) を習得し，未知の語彙や表現に遭遇しても，なんとかコミュニケーションが図れるようにする。	文法的に正しいかどうかに中心が置かれ，意味は軽視されている。 ・言語能力 (language competence) は，言語についての知識の有無であり，そのことばをいかに効果的に使用できるか (strategies) ではない。
	2. 実際に目標言語を学習者間で使用すること (interpersonal use of language) を重視する。	・CLT の典型的な教授法は，学習者間で行われる意味のある相互交流 (real interaction) である。 ・その手段として，インフォメーション・ギャップ・タスク (information gap task)，ペアやグループ活動などが使われる。 ・教科書では，場面や目的に合った適切な言語使用が重視される。	・学習者には，教師の問いかけや，指示に応答することが要求されるが，ほかの学習者との相互交流をすることは求められない。
	3. それぞれの学習者に特有のニーズ (learners' needs) を重視する。	・英語全般を学ばせるのではなく，必要度に応じて，優先順位が高いものを学ぶ。 ・4技能についても，学習者のニーズに合ったもの——たとえば，必要に応じて，リーディングとライティングのみ——を学ぶ。 ・「成人のための特定の目的のための英語 (English for Specific Purposes: ESP)」[2] は，詳細なニーズ分析に基づいて行う。	・「文法・訳読式」のような伝統的な教授法では，学習者の到達目標を冒頭に明示するが，実際はそれを完全に達成することは難しいこともある。
注釈2（p. 106 参照）	4. 本物の教材 (authentic materials) を，自然な状況の中で使用することを重視する。	・リスニングとリーディングにおいては，本物の教材が重視される。 ・厳正な立場に立ったCLT (strong form varieties of CLT) では，すべての教材は本物の英語のみを使用するが，自然さが損なわれなければ，教室用に書かれた英語でも可とする場合もある。	・CLT 以外の教授法では，人工的に書かれた教材も可とする傾向がある（たとえば，文法の演習問題として，その項目を含んだ例文を作ることもある）。
	5. 個々の文よりも，談話 (discourse)〔文と文の間のつながり〕を重視する。	・学習者は，学習の初期の段階からスピーキングとライティングにおいて，発話や文章に結束性 (cohesion) や統括性 (coherence) を持たせるように指導を受ける。 ・学習者は，初期の段階から，結束性や統括性のある発話や文章に慣れ親しむように指導される。	・伝統的な教授法では，個別の単文レベルの文を扱う。 ・複数の文からなる文章は人工的に作られたもので，なかには，パラグラフとしての結束性や意味的な統括性に欠けるものがある。 ・応答する際に，自然な対話では，省略した形でも許される場合でも，つねに完全な文章で応答することを要求する。
注釈3（p. 106 参照）	6. 学習者の情動面を重視し，ストレスや心配のない教室環境を整える。	・CLT では，人間性中心のアプローチ (humanistic approach)[3] がとられ，学習者の心をリラックスさせたり，音楽を聴きながら場面を想像させたりするテクニックが用いられることもある。	・学習は全人格的 (whole-person) な活動ではなく，単純に頭脳の問題ととらえられている。 ・オーディオリンガル・メソッドでは習慣形成 (habit formation)，

		・学習者の間では，競争（competition）よりも協力（cooperation）が奨励される。	文法・訳読式では規則（rules）の学習と適用のように，それぞれ教授法によって重点が異なっている。 ・いずれの教授法においても，学習者の間の競争が重視される。
7.	教師中心よりも，自立した学習者（learner independence）を目指す。	・CLTでは，学習方略（learning strategies）が特別に教えられる。 ・自主学習のための設備（self-access learning facilities）を整える。 ・自主学習の施設がない場合は，子どもたちが自分の力で問題解決にあたれるように，教師が間接的に援助する態勢を整える。	・教師が授業の中心であり，知識を学習者に「授ける」役目を果たす。 ・学習の仕方についても，教師の指示に従わなければならない。

図表 2.1：CLT の理念と指導上の特徴とほかの教授法との違い

マナブ CLT と従来の教授法の違いをこういう形で対比すると，CLT が学習者中心であり，ことばを実際に使うことに重点を置いていることがよくわかりますね。コミュニカティブ・ランゲージ・ティーチングと言えば，いまではあたり前のことのように思えますが，実際，私の中学・高校時代の英語の授業を振り返ってみると，残念ながら，上の表の右側にある「従来型」そのものでしたね。CLT が始まったのが 70 年代とすると，私が中学生のときには，すでに日本の英語教育界に CLT という新しい波が押し寄せてきていたはずなんですが，……。

シーラ でもね，今日のチュートリアルの冒頭で言ったように，CLT はどんな環境にも適応できる，とても生命力の強い植物のようなものだから，いろいろな国の事情に合わせて独自の発展を遂げているのよ。

マナブ 先生のおっしゃる通りですね。私も，イギリスに留学する前は日本の小学校で教えていましたが，正直，私の教え方は限りなく CLT に近かったと思います。その点，私は，「自分が教えられたように教える」という教師が陥りやすい「落とし穴」には落ちていないと，ひそかに自負していたのですが，私は間違ってはいなかったんですね。安心しました。ところで，先生，上の表にある CLT のさまざまな特徴は，大人にも子どもにも，同じようにあてはまるのでしょうか？

シーラ その通りよ，マナブ。これまで成人の学習者に CLT で英語を教えた経験のある人ならば，子どもにも同じようにコミュニカティブに教えることができるはずね。むしろ，子ども相手のほうが，コミュニカティブな授業がやりやすいんじゃないかしら。もちろん，成人向けの授業と，子ども対象の授業がまったく同じというわけではないから，授業の手順など，とくに子どもに適したものもあるので，そこは，十分に注意する必要があるわ。場合によっては，まったく新しい授業方法を採り入れなければならないこともあるの。でも，基本的には，CLT は子どもにやさしい英語教育のコアになる教授法であることは事実よ。

ここで先生は，図表 2.1 の左側にある CLT の理念が，早期英語教育とどのようにかかわっているかを，7 つの理念ごとにその接点を整理して提示します。

(1) CLT の理念と早期英語教育との接点

- 理念 1：形式（form）よりも意味（meaning）を重視する。

  子どもはあらゆる手がかりを使って，周囲の文脈（context）から「意味」，ことに人の意図することを敏感に感じ取ることができる。

- 理念 2：実際に，目標言語を学習者間で（interpersonal）使用することを重視する。

  子どもの言語使用の実態は，かなり人間関係に依存している部分が大きい。本来，子どもは周囲の人と関係を持つことに強い関心を持っている。

- 理念 3：それぞれの学習者の持つ特有のニーズ（learners' needs）を重視する。

注釈 4（p. 106 参照）

  子どもの英語学習の動機は，短期的には「道具的（instrumental）」[4] であるが，教師は成人の学習者の場合と同様に，子どもの興味や欲求に注意を払わなければならない。

- 理念 4：本物の教材（authentic materials）を，自然な状況の中で使用することを重視する。

  成人の学習者の場合と同様に，子どもも成長段階に合った，できるだけ本物の英語に触れさせなければならない。

- 理念 5：個々の文よりも，談話（discourse），つまり「文と文の間のつながり」を重視する。

  子どもは会話や物語を好む。これらはともに，長い談話（extended discourse）であるが，このような形の談話は，すでに母語で経験しているので，英語学習においても有効である。

- 理念 6：学習者の情動面を重視し，ストレスや心配のない教室環境を整える。

  ときには，教師は「しつけ」のために子どもたちを叱ったり，わざとストレスや負荷を与えたりすることはあるが，効果的な学習という見地から見ると，愛情を持って接してやることが必要である。英語の授業で，子どもの持っている想像力を一層伸ばすためには，音楽や芸術の授業も重要な役割を果たす。子どもの英語教育では，「視覚的（visual）」「聴覚的（auditory）」「運動的（kinaesthetic）」な要素（VAK）[5] を考慮に入れなければならない。

注釈 5（p. 106 参照）

- 理念 7：教師中心よりも，学習者の自立（learner independence）を目指す。

  子どもは，周りの大人に指示を求めることが多いが，大人が援助の手を差し伸べてやりさえすれば（足場組み：scaffolding），自分たちの力で十分学習ができるし，同時にある程度自分たちで計画的に学習をすることができる。

先生から提示された CLT の 7 つの理念は，いずれも，私たちがいつも心に留めておかなければならないことばかりです。私たちが日頃行っている授業や使用している教材を，一つひとつ丹念に，これらの理念と照らし合わせて，客観的に評価し直してみることは，英語教師にとってとても大切なことなのです。

(2) 小学校教育と早期英語教育――学級担任が英語を教えることはできるのか？

先生のチュートリアルの次の話題は，これまでに述べた教授法よりも，さらに「根源的な」問題，つまり「誰が教えるか？」に移ります。

シーラ　さっき，早期英語教育では，CLTがとても有効な教授法だということを話したけれど，もうひとつ，教授法以前の問題として「誰が教えるか？」ということも，忘れてはいけないわね。

マナブ　そうですね。日本でも，2011年度から，すべての公立小学校において，英語の授業が取り入れられましたが，実際，小学校英語の専科の先生の養成という点では，日本はまったく手が付いていないという現状で，好むと好まざるとにかかわらず，当面，地域の人々の協力を得ながらでも，やはり，担任の先生が主導的な役割を果たさなければならないということなんです。[6]

注釈6（p. 106参照）

シーラ　このことについては，学級担任か英語の専科の教師のいずれか，というように，必ずしも二者択一の問題ではないと思うの。学級担任の先生は，英語の教授法の勉強から得るものは大きいし，一方，英語専科の先生も，認知面でも社会性の面でも，また情緒面でも，発達途上にある小学生を教えるためには，英語教育という狭い枠を超えてもっと幅広い教育的視野を持つ必要があるわね。いずれにしても，結局，子どもを教えるという共通の基盤があるということを忘れてはいけないと思うわ。

マナブ　まったく同感ですね。私も，小学校の教員として日ごろから思っていることは，英語に限らず，教師の果たすべき役割や機能はいろいろあると思います。[7] やはり，担任は毎日，子どもに接していますから，子どものことは一番よくわかっているんですよね。今日の先生のお話を聞いて，私も少し自信を持つことができました。

注釈7（p. 106参照）

シーラ　それは，よかったわ。ところで，マナブ，ちょっと違う角度から，先生方の日常の授業活動を見てみようと思うのだけれど，あなたは「**ティーチャー・トーク**（teacher talk）」とか，「ティーチャー・ランゲージ（教師ことば）」ということばを聞いたことがあるかしら？

□ ティーチャー・トーク

マナブ　いいえ，初めて耳にしますが，それは，どんな「トーク」なんですか？ いわゆる，「余談」「雑談」のことですか？ それなら，私は得意なんですが。

シーラ　そうじゃないわ。子どもが言語を習得するためには，周囲の大人が，その環境を整えてやらなければならないの。だって，先生なら誰でも，普段の授業の中で，子どもの言語習得が容易になるように，自分たちが子どもに話しかける方法をいろいろ工夫しているわよね。こういうのを「ティーチャー・トーク」というのよ。たとえば，子どもたちに話しかけるスピードを，わざと遅くしたり，話の途中でポーズを入れたり，大きな声ではっきりと発音してあげたり，重要なことを反復したりすることって，私たちが，日頃の授業でやっていることじゃないかしら。

マナブ　なるほど，そういったことは，多くの教師がたいてい無意識のうちにやっていることですね。私も5年ほど教師をしていましたから，多分，そ

ういうふうにしていただろうと思いますが，いま，先生にそれを言われて初めて気づきました。

(3) 子どもにやさしい「ティーチャー・トーク」はいかにあるべきか？
——効果的な「ティーチャー・トーク」を行うためのガイドライン

　先生は，今日のチュートリアルのまとめとして，「子どもにやさしいティーチャー・トーク」の例を提示しますが，これと対比するために，伝統的な教授法での「機械的」で「紋切り型」の応答の例も挙げています。しかし，一方では，このような機械的で伝統的な授業法も，文法項目を定着させるような場合には，有効な場合もあるということを忘れてはなりません（「事例3」を参照）。いずれの場合も大切なことは，子どもたちとのやりとりがあまり形式にとらわれないように臨機応変な応答ができるようにすることです。

　ここに挙げる例は，イギリスにおける「移民の子どものための英語教育（English as an Additional Language: EAL)」*の事例からの抜粋です。日本とは事情が異なるので，これらの事例が，日本の子どもたちへの指導において，すぐにそのまま使うことはできないかもしれませんが，重要なことは，教師が子どもたちとのやりとりの中で，簡単な英語を使っているということばかりでなく，子どもの発話に対して，単に"Yes", "No"というように，ストレートで単純な評価を下さずに，丁寧に子どもたちに応えようとする姿勢です。ここに登場する先生は，子どもからの発言をさらにふくらませてやり，そこからさらに何かを引き出し，場合によっては言い換えさせたりして，子どもの発言を最大限に活かす努力をしています。

* 第1章注釈8も参照。

- **事例1**：学習者は英語を学ぶ過程で，たえず周りの人と交流して，相互に影響を与え合います。発言をして貢献ができることは，最初のうちはあまりないかもしれませんが，徐々に対話に参加し始めます。子どものこういう貢献は，評価してあげなければなりません。

　この事例は，私（シーラ）が，『王様とネズミとチーズ』*を読み聞かせする前のウォーム・アップで行ったことです。絵などの自作の視覚教材とスーパーマーケットで購入したチーズを用意して，"Who likes cheese?"（チーズの好きな子は誰？）と聞きました。

　一人の女の子が，私の質問はしっかりと理解はできたのですが，発言はしませんでした。私と目が合って，ちょっと恥ずかしそうに，頭を横に振って"No."（いいえ）という素振りをしました。ほかの子どもたちも，この女の子のほうを見ていたので，"Aha! You don't like cheese."（あ，そうなの，チーズは嫌いなんだ！）と言いました。女の子は，相変わらず困惑したような顔つきをしていたので，私もその真似をして，しかめっ面をしてやると，皆，一斉に笑い出しました。そうすると，女の子は"No, I don't like cheese."（はい，チーズは好きではありません）と答え，同時に，ほかの男の子が"I like cheese."（僕は，好きだよ）と応えました。

　女の子は，ことば数こそきわめて少なかったけれども，この，私とのやりとりは本物のインタラクション（interaction）でした。私はかねがね，この少女に，もう少し積極的に発言してほしいと願っていましたが，彼女が，こ

* *The King, The Mice, and the Cheese* by Nancy and Eric Gurney, 1966, Harper Collins. 第7章第2節「物語と子どもたちの外国語学習」も参照。

のような形で授業に参加してくれたことは，私にとってとてもうれしかったし，彼女にとっても，たいへん大きな進歩だったと思います。

- **事例2：質疑応答の連鎖を，できるだけ持続させましょう。**

通常，教師から子どもへの質問のパターンは「閉鎖的」で，まず質問をして，子どもからの応答を待ち，その正誤をただちに判断して，次の質問に移るという形を取ります。

  教師：What's this?（これは何？）〔子ども1を指さす〕
子ども1：A ball.（ボールです）
  教師：Yes, good. And this?（そうですね。それでは，これは？）〔子ども2を指さす〕
子ども2：A bat.（バットです）
  教師：Yes, right, a bat. What is the bat made of?（そう，その通り。バットは何からできていますか？）〔子ども3を指さす〕
子ども3：It's made of wood.（木からできています）
  教師：Yes. Very good. It's made of wood and ...（そうですね。たいへんよくできました。木からですね，……）

このような単調なやりとりは，文法項目を徹底させたり，知識の確認をするというような，特別な目的がある場合には許されるでしょう。しかし，これだけでは，子どもたちにとっては，きわめて退屈でやさしさに欠ける教え方と言わざるを得ません。その代わりに，一人の子どもを複数回にわたって指名したり，または，ある児童の発言に対して，さらに，ほかの児童を指名して，内容を補充させる機会を与えることによって，「教師―子ども」間のインタラクションのパターンに変化を付けることができます。

次の事例では，教師が子どもたちに，イースターの卵の絵を見せながら，卵の裏紙にどんな色紙を使ったと思うかと聞いています。

  教師：Do you know what colour paper I used?（〔この卵の裏紙に，〕先生がどんな色紙を使ったかわかりますか？）
子ども1：Red.（赤です）
子ども2：Yellow.（黄色）
子ども3：White.（白です）
  教師：〔卵の裏側（緑色）を見せながら〕
   I actually used green, didn't I? But could you tell what colour paper I used from ...?（じつを言うと，私は緑を使ったのね。でも，どんな色紙を使ったかわかる？）
全員の子ども：Green! / The same colour! / No!（緑です！／同じ色です！／わかりません！）
  教師：Can you see that colour on my egg?（卵の中に，その色はありますか？）〔子ども1を指名して〕
子ども1：No.（いいえ，見えません）
  教師：Why can't you see that colour on my egg?（なぜ，見えないのでしょう？）
子ども1：Because you ...（それは……）

子ども2：Because you cut it all out.（先生が，それを切り取ってしまったからでしょう）

教師：Because I've coloured it all in, haven't I?（それはね，私がその上から色を塗り込んでしまったからよ）

　このインタラクションでは，教師は，子どもたちからの答えの正誤をただちに伝えずに，子どもたち全員が色紙の色を想像して，それぞれの答えを一斉に口に出す「瞬間」まで待って，それから正解を与えています。さらに，最初に答えた「子ども1」を再び指名して，なぜ，もとの色が卵に現れていないかというフォローアップもしています。そして，「子ども2」も，このやりとりに参加したのを見届けてから，正解を教えています。

- 事例3：目的のはっきりとした質問に集中しましょう。

　クラス全員に見えるように，雲の写真を高だかと掲げて，"What colour is this?"（この雲の色は何色でしょうか？）と問いかけるのは，明らかに，子どもたちが，色彩を表す英単語を知っているかどうかを聞くことに目的があります。これは，「事例2」で紹介した，イースターの卵の裏側の色は何色が使ってあるかという，「本当に答えが知りたい」質問とは次元が違います。実際，教師が卵の裏側を見せない限りは，子どもたちには答えはわからないのです。

　同様に，授業が始まる前に，毎回，〔わかっているのに〕一人ひとりの子どもたちの名前を聞いたという伝説的な教師〔おそらくこれは作り話でしょうが〕のことを聞いたことがあります。このたぐいの質問，つまり，あらかじめ答えがわかっているような質問を「表示質問（display questions）」*と言います。学校での学習，ことに，言語の学習では必然的にこの「表示質問」が多くなります。まだ学習していない言語材料の提示や練習，そしてクラス全員が理解したかどうかのチェックには，これらの「表示質問」は欠かせないものです。

　教師が，「赤ちゃんのヤギ」を表す 'kid' という新語を教えた後，子どもの一人を指名して，単語の定着度と理解度のチェックをしている，次の例を見てみましょう。

教師：そう，これらは 'kids' と言います。お母さんヤギとお父さんヤギがいますね。そして，赤ちゃんヤギがいます。赤ちゃんヤギは何と言うんだっけ？

子ども：'kids' です。

　このタイプの質問の仕方は，場合によっては許されることもありますが，そもそも英語の知識を問うものであり，英語を通して，何か新しい発見をさせようとするものではありません。もし，英語は，人が普通に使う「生きたことば」なのだ，ということを子どもたちに教えたいならば，「子どもにやさしい英語教育」の立場からすれば，できるだけ多く「本当の質問（real questions）」を，子どもたちに投げかけるように心がけるべきです。こういう質問こそが，質問者が，本当に知りたがっている情報なのです。そして，これが「インフォメーション・ギャップ（information gap）」の原理なのです。このように「本当の質問」と「インフォメーション・ギャップ」という2つ

*注釈1（p.106）参照。

□ インフォメーション・ギャップ

の原則を意識して、これら2つの間のバランスを考えながら授業をすることが、指導者の重要な役割のひとつなのです。

Display question
（表示質問）

Real question
（本当の質問）

聞き手と話し手の間で、「インフォメーション・ギャップ」〔両者の一方のみが情報を知っており、片方が知らないという情報格差〕が実際にないのに質問をする場合、話し手の意図することは、疑問を問いただすことではなく、相手が何か間違っていることを指摘するということにあります。したがって、教室で子どもを注意するときによく使う、"What are you doing?"（あなたは何をしているのですか？）という表現の本当の意味は、「そんなことはやめなさい！」ということなのです。[8]

注釈8（p. 106参照）

次の、教師と子どもとの応答で、"What colour is it?"（その色は何ですか？）と教師が子どもに聞いていますが、この教師の目的は、色の「名称」を聞くことではなく、もともと赤色のイースターの卵の上に、同じような「ピンク系の色を使ってはだめですよ」と子どもに教えてあげることなのです。

子ども：I'm going to do Godzilla.（僕はゴジラの色を塗りたいよ）〔絵の背景はすべて赤く塗ってある〕

教師：This time, I don't want you to use the same crayon.（でも同じ色を塗ってはだめよ）

子ども：〔ピンクのクレヨンを手に取ろうとしている〕

教師：What colour is it?（それは何色なの？）〔ピンク以外のクレヨンを使ったらどう？という言外の意味が含まれている〕

子ども：Red-pink.（ピンクのクレヨンです）

教師：You've got lots and lots of different colours here.（ほかにもクレヨンがいっぱいあるでしょう）

子ども：I'm going to use that after.（じゃ、それはあとから使うよ）

教師：What?（何色のあとからなの？）

子ども：Silver and gold.（金色と銀色を塗ったあとだよ）

* **事例4**：トピックについては、子どもたちの「身近な現実（here and now）」[*]に直結し、文脈から明らかにわかるように、教師が十分なインプットを施すと学習効果が上がります。

* 第1章第2節の(3)①「身近な現実」を参照。

子どもたちの目の前で、何かが実際に起こっているような場合に、この指導法は効果的です。絵を描いたり、物を作ったり、体を動かす活動が「子ど

□ **全身反応教授法**
＊ 本章第2節の(2)「4技能の指導法をどのようにするか？」を参照。

もにやさしい（child-friendly）」活動と言われる理由はここにあるのです。ことばと行動は不可分で，お互いに密接な関係を持っています。Total Physical Response（**全身反応教授法**）＊は，そのことを如実に示しています。子どもたちは，教師の指示に従うことによって，その指示の内容を理解していることを伝えることができます。なかには，はっきりと理解できなくて，こっそりと隣の人の動きを見て，真似をしている子どももいるかもしれません。しかし，特別なことをしなくても，通常の授業で，教師が十分準備をしたうえで上手に指導をすれば，この目的を達成することができます。次の教師と子どもとの応答では，教師が新しいゲームのやり方を説明しようとしています。一人の子ども〔Raoul〕に，ゲームで使用する絵カードを持たせ，ほかの二人の児童〔Said と Omar〕は聞き役です。

> 教師：OK? Right, now I want you to close that book, and now we're going to do the next bit. Now, this is something you haven't done before. It's a special game.〔と言いながら，ゲームで使う絵カードを見せる〕Now I would like Raoul to tuck the chair in. Stand up and tuck your chair in. And I just want you to sit down there.（はい，いいですね？ じゃあ，ここで本を閉じてね。さあ，いまからゲームよ！ これはまだやったことのないゲームよ。じゃあね，Raoul，あなたは椅子を机の下にしまって，ここに立ってみて。それから，Said と Omar，あなたとあなたは，そこに座ってみてね〔と言いながら，二人の子どもに命令をする〕）
>
> 子ども〔Raoul〕：Here?（ここでいいですか？）
>
> 教師：Yeah. And put all these cards out in front of you. Now. Said and Omar, you have a special job to do. Now, this game's called the Lost Property Game. OK? Now, I've got two sets of pictures ...（そうね，そこね。ここにある絵カードを全部，ほかの二人が見えるように机の上に並べてくれる。で，Said と Omar，あなたたちにも仕事があるわ。このゲームは「落し物ゲーム」というのよ。さあ，いいですか？ 私は，ここに絵カードを2セット持っていますよね，……）

教師の最初の発話のように，子どもたちは，かなりの量の情報を「一気に」聞くことになります。これは長い発話についていくための，「耳のスタミナ（listening stamina）」を付けるのに役立ちます。多少，ことばは子どもたちには難しくても，「目の前で起こっていること（here and now）」なので，十分理解できるのです。教師も，子どもたちの動作を見れば，彼らが英語を理解しているかどうかがわかります。難しすぎるようなら，動作を示しながらやさしく言い直したり，命令をくり返してやればよいのです。しかし，授業での教師の指示は，目的を持っていなければなりません。こうすることによって，子どもたちは，英語は普通の状況で普通の人が使うものだという「あたり前の」事実が理解できるのです。

- 事例5：児童が必要なのは，足場組み（scaffolding），小刻みの前進（small

steps），丹念なチェック（plenty of checks），そして再チャレンジのチャンスです。

「事例4」の応答では，教師が子どもたちに，"Now!"（じゃ，それでは！）や"OK?"（はい，いいですね？）というような，明確な「合図になるようなことば（signaling words）」とか，「注意を引くようなことば（attention-drawing words）」を使用しています。最初の授業では，子どもへの指示を簡単な表現から始めて，徐々に回を追うごとに複雑にしていくように心がけることによって，授業の本体以外のところでも，「理解可能なインプット（comprehensible input）」[9]の量も豊かになり，着実に増やしていくことができます。また，通常の授業でよく行われている単発の質疑応答では，多くの子どもが理解をしないまま置き去りにされがちですが，教師が子どもの理解を深めることができるように，少し時間を使って「足場組み（scaffolding）」を施してあげると，時間的には，結局，節約になります。

注釈9（p.106参照）

次の例では，イギリスに住む移民の子どもたちに，教師が赤ちゃんの動物や鳥の絵本を見せながら，ひよこ（chicks）の切り抜きをつるしたモビール（人形）を作る話し合いをしています。

教師：I've got a goose and goslings, OK? And if you have a look at the little goslings, what do they remind you of?（ここにガチョウとその子どもがいますね？ このガチョウの子どもたちを見ると，何を思い出しますか？）

子ども1〔Samir〕：Chicks!（ひよこ！）

教師：They remind you of chicks, that's right. How do they remind you of chicks?（ひよこですね，そうです。どうして，ひよこって，思ったの？）

子ども1〔Samir〕：Because they're little.（小さいからだよ）

教師：No, you're calling out. Samir, how does it remind you of chicks?（いいえ，Samir，あなたがさっき，「ひよこ！」って，大きな声で言っていたけど，どうして，ひよこって，思ったの？

子ども1〔Samir〕：Because they look like chicks.（ひよこのように見えたからだよ）

教師：How?（どうして，そう見えるの？）

子ども1〔Samir〕：Um, they got the beak.（それはね，くちばしがあるからだよ）

教師：Yearh …（そうね。それで，……）

子ども1〔Samir〕：They got the beak. And they've got legs.（くちばしがあるし，それと，脚もあるよ）

教師：Yeah, how else do they …? What else reminds you? There's something else.（そうね。で，ほかに何かヒントになったことある？ 何か，ないかな？）

子ども1〔Samir〕：They've got …（えーと，……）

教師：Look at … Look at the colour.（そのひよこの羽の色を見てごらんなさい）

子ども1〔Samir〕：Yellow.（黄色だ）

2.1　コミュニカティブ・ランゲージ・ティーチングとは？　67

この応答を見てわかるように，この先生は，子ども1〔Samir〕が，ガチョウの子ども（gosling）とニワトリのひよこ（chick）の類似性が類推できるように，「足場組み」としてのさまざまなヒントを与えながら，丁寧に誘導している様子がよくわかります。

- **事例6**：子どもの「なにげない」発言を取り上げて，それを丁寧に深めてあげましょう。
　次の例では，教師と子どもたちが，カボチャの絵を見ながら話をしています。先生が，「カボチャはどこでできるか？」と聞きます。すると，一人の子どもが，たったひと言「畑！」と答えます。先生は，そのひと言を取り上げて，それをさらに拡げてクラス全体に投げ返します。

　　子ども1：Field!（畑！）
　　　　教師：Field. OK. And so I think they might be in a field. The pumpkins might be growing in a field. What do you think?（そう，畑ね。先生も，カボチャは畑でなっていると思うわ。カボチャは畑でなっている。みんなは，どう思う？）
　　子ども2：Yeah.（そうだよ）
　　子ども1：I think they're in a field.（僕も，カボチャは畑でなっていると思う）
　　　　教師：Yeah?（みんな，それでいいですか？）

　次に，教師は，子どもたちにきれいなイースターの卵を見せて，何かそれについて話させようとしています。

　　　　教師：What can you tell me about this egg?（この卵について，先生に何か話してくれる？）
　　子ども1：You can't break this egg.（この卵は割れないよ）
　　　　教師：You can't break this egg. Why can't you break this egg?（この卵は割れない。どうして，割れないの？）
　　子ども2：'Cos it's not real.（なぜって，本物の卵ではないから）
　　　　教師：What is it, then?（じゃ，これって，何？）
　　子ども2：It's pretend.（それは，にせものだから）
　　　　教師：How is it pretend? Tell me.（どういうふうに，にせものなの，先生に教えてくれる？）
　　子ども3：It's made of wood.（木で，できてるんだよ）
　　　　教師：It's made of wood. So, it's a wooden egg, isn't it? How do you know it's made of wood?（木で，できているんだ。じゃ，これは木の卵なんだ。どうして，それがわかるの？）

　このように，子どもの発言を「取り上げて，深めてゆく」タイプの授業は，発言している子どもにも，それを聞いている子どもたちにも役に立ちます。発言した子どもには，自分の貢献が，教師に認められるのはうれしいことであり，それ以外の子どもたちにとっても，教師が丁寧に文をくり返してくれるので，よくわかるようになります。上の例の「畑」のやりとりでは，"Field!"（畑！）という，たったひと言の答えが教師に取り上げられたので，この子どもは勇気付けられて，次にはもっと長い文（I think they're in a field.) で答えることができたのです。

　2番目の例でも,「子ども3」が発言した "It's made of wood."（それは木でできています）という返事が完全な文になっていたので, 先生にほめられたのです。先生は終わりのほうで "It's a wooden egg."（これは木の卵です）と応答しましたが, このような変形した表現でも, 理解できる子どもは何人もいるでしょう。

- 事例7：子どもの不完全な応答は, ただ修正するのではなく, 別の表現に置き換えることによりフィードバックをしてあげましょう。

　次の授業では, 子どもたちが space travel（宇宙旅行）ということばから連想することについて, いろいろ自由に話し合っています。教師が, それぞれの子どもからいろいろなアイデアを聞いているところです。

　　子ども1：Solar system.（太陽系）
　　　教師：Solar system, OK.（太陽系。いいですね）
　　子ども2：Not air.（空気がない）
　　　教師：〔ちょっとポーズを置いて〕Not air. Uhu. Airless. OK.（"Not air." ではなく, "Airless." だね）

　これは, たいへん面白い応答です。子どもは, 正確な英語の単語が思い付かないので, なんとか考えて, ほかの表現で表そうとしています。しばらく間を置いて, 教師が子どもの言おうとしていることを察して, とりあえず, 間違っていても意味は通じるということを子どもに伝えるために, "Not air." とくり返してやっています。その後で, "Airless." という正しい表現を教えています。しかも, このようなフィードバックをするときの, この教師の口調は, 子どもに,「君の言いたいことは十分, わかりますよ。けっして, 間違いではないですよ。でもね, こういう場合は "Airless." と言うんだよ」ということを, やさしく悟らせるように, 子どもを安心させるような低いトーンで話しているのです。

　子どもの誤りをただ修正することは, それを受け入れるだけの素地ができていないうちはあまり効果がないということが, これまでの研究で明らかになっています。したがって, 誤りをことごとく修正することは無駄であるばかりでなく, 子どもにとっても不愉快なことなのです。

シーラ　ちょっと長くなったけれど, マナブも CLT について, 少しは具体的なイメージを持つことができるようになったかしら？

マナブ　はい, とてもすっきりとした気分です。先生の言われるように, 教室で使う「ティーチャー・トーク（教師ことば）」は, 正しく使うと本当に効果があるんだ, ということがよくわかりました。

シーラ　それはよかったわ。それでは, 次のチュートリアルでは, 今日まとめた CLT の指導原理を念頭に置きながら, リスニング・スピーキング・リーディング・ライティングの4つの技能の指導手順と指導上の留意点, 活動例などについて, いろいろ考えてみましょうね。

マナブ　来週のチュートリアルが楽しみです。それでは, 先生, よい週末をお過ごしください。

2.2 子どもたちの4技能を伸ばす

(1) 4技能をバランスよく教えるにはどうすべきか？

前節 (2.1) では，「子どもにやさしい英語教育」の根幹を成すCLT（コミュニカティブ・ランゲージ・ティーチング）の原理と方法が主要なテーマでした。コミュニカティブな授業を実現するためには，「形式」よりも「意味」を優先し，個別の「文」よりもまとまりのある「談話」を重視し，学習者のニーズに沿うような「本物の教材」を使い，さらに，子どもたちが安心して臨めるような学習環境を整え，適度に「足場組み」を施しながらも，自立した学習者を養成することを目指すことなどが，とても重要であるということを学びました。

この節では，リスニング・スピーキング・リーディング・ライティングの4技能を，CLTの原理に基づいて教えるための具体的なアイデアが提示されます。シーラ先生のチュートリアルは，まず，「話しことば」と「書きことば」の説明から始まります。

① 話しことば（oral language）と書きことば（written language）のどちらを先に教えるか？

マナブ 「聞く」→「話す」→「読む」→「書く」という，いわゆる4技能を教える順番は，なんとなく，世界中の多くの英語の先生が共通認識として持っているような印象なんですが，実際，私が日本の中学や高校で英語を教わった経験でいえば，必ずしもそうではなく，耳からというより，文字から入ったというのが本音なんです。実際はどうなんでしょうか？

シーラ よく，4技能と言うわよね。この4つの技能は，大きく2つに分類できるの。一つは「話しことば（oral language）」で，もう一つは「書きことば（written language）」ね。この2つのうち，どちらが先かといえば，もちろん「話しことば」が先なの。これは，人類の歴史から見ても，個々の人間の成長の過程から見ても明らかでしょう。

マナブ えっ，人類の歴史とか，人間の成長の過程と関係があるんですか？ そんなことは，考えたこともありませんでした。

シーラ だって，そうでしょう，マナブ。人類が始まって以来，文字が使われるようになるまで，何十万年にもわたって人類はもっぱら聞くことと話すことしかしなかったのよ。でも，文字の発明が，人類にとって新しい歴史の幕開けとなったの。つまり，時間と空間を超えて，他人とコミュニケーションができるようになったの。これはすごいことだと思わない？ たとえば，古代の公文書などでも，粘土の板に文字を刻めば，あちらこちらに持ち運ぶことができるのよ。また碑文として残せば，世代を超えて後世まで伝えることができるのね。エジプトで発見されたパピルスに書き込まれた手紙の断片からわかるように，古代人も，私たちと同じように，私的なメッセージを友人に送り付けたり，自分たちの感情を表現していたの。きっと，「愛してるよ！」などと，恋人同士がラブレターを交換していたかもしれないわね。このように，文字が出現してから，ことばを文学的・芸術的に使うことが新しいジャンルとして発展してき

	たということなのよ。
マナブ	なるほど，エジプト文明については高校時代に世界史で勉強しましたが，そういう観点から，改めて英語の教室での文字指導を見直してみると，とても面白いですね。先生，もうひとつの，人間の成長のプロセスとはどんな関係なんでしょうか？
シーラ	それは，文字の読み書きができると，「話しことば」だけではできないことができるようになるということを子どもが実感するのね。これは，古代人による文字の発明と同じように，子どもにとっては素晴らしい世界の発見なのよ。
マナブ	そうですね。そう考えると，子どもたち一人ひとりが人類の発展のプロセスを忠実になぞっているようで，深遠で，ロマンがありますね。本当に感動的です。
シーラ	私たちは誰でも，生まれて間もない頃は，ただ周囲の人の話し声を聞いているだけで，もちろん，すぐ話せるようになるわけではないわよね。同じように「書きことば」も，あとになってから習得するものよ。でも，子どもは，やがてコミュニケーションの目的によって，「話しことば」と「書きことば」の使い分けをしなくてはいけないんだ，ということを理解するようになるの。
マナブ	たしかに，それはごく自然なことだとは思うんですが，英語教育ということになると，子どもも親も，読み書きが早くできないと，なんとなく不安になる傾向があるように思うんですが。
シーラ	マナブの言う通りよ。とくに，学校というところは，英語が読めたり書けたりすることがどんなに素晴らしいことかということを，子どもたちが自ら気づく前に，ただ，強制的に文字を覚えさせたりするけれど，これは子どもにとってはとても迷惑な話なのよ。

　このように，世界のどこの国の学校でも，いろいろな方法で母語の「読み書き」を教えています。しかし，どのように教えられていても，その大前提は，文字を扱う前にすでに学習者は「話しことば」に十分習熟しているという事実です。外国語の習得でも，この原則は成り立つのです。つまり，文字を導入する前に，リスニングとスピーキングの基礎をしっかりと固めておかなければならないということです。たとえば，オーストリアのような国では，小学校の英語の教師は，授業で文字を使うことが禁じられていて，文字を使わずに授業ができるように特別なトレーニングを受けているほどです。一方，これとは別の見方もあります。子どもは，母語での読み書きに習熟していれば，外国語で読み書きを習うことは，それほど大きな負担にはならないという考え方です。この見解によれば，母語で読み書きが十分できれば，比較的スムーズに英語の文字の学習に移行できるということです。

マナブ	ちょっと，頭が混乱してきたんですが，子どもに英語を教えるときに，文字の導入はそれ自体が目的になるのか，それとも，文字の導入を通して，何かほかのことを子どもに覚えさせるための手段なのか，いったいどちらなのでしょうか？
シーラ	そうね，「目的論」に立てば，教師にとっては，子どもたちが流暢に読

んだり，書いたりできるようにするのが授業の目的なので，そのためには，読み書きをしっかりと系統立てて教えなければならないわね。でも一方の「手段論」に立てば，文字の導入は，先生が教えやすくなるように，そして，子どもたちが学びやすくなるための手段にすぎないわけだから，たとえば，先生は新語を黒板に書いて導入し，子どもはそれをノートに写してひたすら暗記すればいいのよね。

マナブ　そう言えば，最初の「目的論」で言われていることは，教科書やシラバスでよく見かけることですね。

シーラ　そうね。でも，名目上はそのように言っていても，実際は，後者の「手段論」に立って，もっぱら，子どもたちに文字を暗記させているような教え方や教材が多いのも事実ね。こういう教え方は子どもにとっても退屈じゃないかしら。それに，もっと深刻な問題は，その考え方自体が，大きな誤解の上に成り立っているという気がするのよね。

マナブ　誤解というのは，……？

シーラ　それは，文字を使うと，外国語学習の近道になると思い込んでしまうことね。でも，こういう考え方は，大部分の子どもの学習者にはあてはまらないことなの。

マナブ　実際，小学校で英語を教えるようになったときに，とてもとまどった経験があります。子どもたちは当然，初めから教科書や黒板の文字が読めて，ノートも書けると思い込んでいたんですね。文字の助けがあれば，それだけ，子どもたちの学習ははかどるものだと信じていました。

シーラ　子どもはそうではないのよね。だから，先生は，文字の助けがなくても授業ができるような方法を編み出さないといけないの。これは，中高生や成人しか教えたことのない先生には，実際，なかなかたいへんなことなのね。だって，黒板にたくさん文字を書いても，子どもにはまったく意味を成さないわけだから。

マナブ　まったく，その通りですね。私も最初は，授業の前に深呼吸をして，気合を入れて教室に入ったことを，いまでも覚えています。そのときに，何か良いテキストがないかなと思って，ずいぶん探したんですが，どのテキストも第1課から文字が入っているものばかりでした。

シーラ　テキストというものは，そもそも文字が付きものだから，ある程度仕方のないことかもしれないわね。でも，なかには，「あまり急いで，あまり多くの文字を使わない」という素晴らしい本もあるのよ。

　ここで先生は，子どもの音声と文字の習得に関して，学習が進展するのに伴って，子どもたちが，それぞれの学習の段階で，音声言語から文字言語の習得に移行していくプロセスを時系列で示した表をマナブに示します。

学習段階	音声言語	音声と文字との関係	読み書きの目的を理解すること	英語の読み書きに堪能になること
初級レベルの学習者	多くの語彙を知っているので，リスニングとスピーキングのしっかりと			

	した基礎ができている。			
↓	↓	知っている音声言語が、テキストに書かれている文字言語との間に関係があるということがわかる。	母語と英語の両方において、読んだり、書いたりすることの目的は何かという意識が芽生え始める。	
				読み書きのスキルを伸ばす。
上級レベルの学習者	↓	↓	↓	英語が自主的に、しかも、かなりの分量が読めるようになる——読むことを楽しむようになる。

図表2.2：音声言語から文字言語の習得に移行していくプロセス

　先生は、この表について次のように説明しています。
　この表からわかることが、3つあります。一つは、音声言語の基礎作りが、まず先行すること。二番目に、音声と文字の学習の関連性をいつも考慮しておく必要があること。そして、最後に、それぞれのプロセスは、いったん始まると継続していくということです。
　しかし、こういう論点とは異なって、ほとんどの子どもは母語の習得を通して、読み書きの目的はすでにわかっているという説もあります。また、子どもは、読み書きのスキルを、文字と音声の関係を理解するときに、同時に習得してしまうということを主張している学者もいます。
　先生の考えは、上の図表でわかるように、すこし時間差があるという立場に立っています。結論的に言うと、子どもには文字よりも前に、音声を導入すべきであるということです。口頭のみの授業をどのくらい続けるかということは、学習者の年齢や子どもの母語などによって異なりますが、音声優先という原則は、たとえ、それが教師にとってやりにくいことがあっても、どうしても守らなければならないことなのです。

マナブ　なるほど、同じ現象でも、見方によってはいろいろ違うものですね。でも、「話しことば（oral language）」と「書きことば（written language）」の習得の順番は、基本的には、母語も外国語の場合も同じなんでしょうか？

シーラ　当然、そうよ。赤ちゃんは、生後何か月もの間ただ聞いているだけで、周りの人の動作とかボディー・ランゲージやアイ・コンタクトなどによって、自分たちに向かって言われていることに反応しているの。自分たちのことばを発するのは、それからずいぶん経ってからのことなの。このような「沈黙の期間」のことを「silent period（沈黙期）」と言うのよ。

☐ 沈黙期

マナブ　前のチュートリアルでも「silent period（沈黙期）」のお話は伺いましたが、面白い表現ですね。

シーラ　このことについては，次の2つの見解があるの。一つは，その期間の長さは個人差があるということ，もう一つは，「沈黙期」といっても，けっして活動を止めている期間ではないということね。黙っていても，子どもは，耳から入ってくる情報をちゃんと処理しているの。その証拠に，「沈黙期」が過ぎると一気に話し出す子どもが多いのよ。

マナブ　そう言えば，私の母親も，私がなかなかことばを話し出さなかったので，とても心配していたそうです。外国語を学習する場合でも，同じような「沈黙期」が存在するのでしょうか？

シーラ　外国語学習は，母語とは異なった環境で行われるので，まったく同じ現象が起きるとは一概に言えないわね。問題なのは，外国語教育に携わる人や親の考え方だと，私は思うわ。親も先生も，子どもが外国語で何かを話し出すと，勉強の成果が上がっていると思いがちなの。子どもが英語を勉強し始めたら，すぐ話し出すことを期待してしまうのよね。これは，さっき説明した，言語習得の自然なプロセスに反しているでしょう。そればかりか，子どもの心を傷付けたり，やる気を削いでしまうことになりかねないの。でも，実際は，早い段階からしゃべるように追い立てられているのよね。しかも，こういう傾向に追い討ちをかけているのが，子ども用の教材で，初めから対話文や実際に発言をさせるような練習問題が入っているものもあるわ。「まず，英語は耳から」とよく言うけれど，多くの人が，英語を聞いて，わずか数秒後にはもう話し出さないといけないというように誤解しているのよ。

マナブ　つまり，リスニングの役割は，単に，スピーキングのためのインプットにすぎないということなんですね。

シーラ　もちろん，そういう考え方もあるかもしれないわね。でも，子どもに英語を教える場合は，英語をふんだんに聞かせたら，すぐ話し出すなどと期待しないことが大切なのよ。そういう点で，先生は，毅然とした態度で，親や教育界に対して自分たちの信念をぶつけて説得するべきだと思うわ。

② 「受容スキル」と「産出スキル」——バランスをどのようにとるか？

　ここで，シーラ先生のトピックは，「受容スキル」と「産出スキル」に移ります。これは，リスニング・スピーキング・リーディング・ライティングの4つのスキル（技能）を，「理解する目的」と「発表する目的」の2つに大別したものです。

□ 受容スキル
□ 産出スキル

シーラ　「話しことば（oral language）」の中身は，もちろん，リスニングとスピーキングで，「書きことば（written language）」の中身はリーディングとライティングだけど，この4つのスキル（技能）は，**受容スキル**（receptive skills）と**産出スキル**（productive skills）に分けることができるのよ。

マナブ　そうすると，リスニングとリーディングが「受容スキル」で，スピーキングとライティングが「産出スキル」ということですか？

シーラ　そうね。この2つのグループは，「理解（understanding）」と「産出（production）」ということで，切っても切れないものなの。いまから，

「受容スキル」と「産出スキル」とは何かを一緒に考えていきましょう。

a)「受容スキル」は,「産出スキル」よりも「守備範囲」が広い

　外国語学習者は,リスニングとリーディングという「受容スキル」のほうが,スピーキングやライティングの「産出スキル」よりも柔軟に,言語のさまざまな側面に対応することができます。これは母語でも外国語でも,また,年齢にかかわりなく,すべての学習者について言えることです。語彙についても同じことが言え,「**受容語（receptive words/vocabulary）**」と「**産出語（productive words/vocabulary）**」という,2つのグループに分けられています。*

□ 受容語
□ 産出語

* 第3章第1節の(1)「子どもが学習する語彙をどのように分類するか？」の②を参照。

　「受容スキル」と「産出スキル」の区別は,文法やディスコース（談話）も同様です。過去30年間に発展を遂げてきた,さまざまな教授法やシラバス・デザインばかりでなく,とくにリーディングやリスニングに重点を置いた教授法においても,この事実は認められています。また,スピーキングであれ,ライティングであれ,学習者の力を超えた難解で複雑な内容（テクスト）を理解するためのストラテジー（方略）を教えることも大切です。

　これとは対象的に,伝統的な教授法では,履修項目を学習者が対応できる範囲内の事柄だけに限定してしまう傾向があります。したがって,たとえばストーリー・テリングのように一度に大量の言語材料に学習者を「晒（さら）す」ようなアプローチは,従来のオーディオリンガル・メソッドに慣れている教師には,とても難しいと思うことがあるかもしれません。学習者は,教室で学習することを産出（produce）できなければならないと信じ込んでいる教師にとっては,ストーリー・テリングのような手法は,自信を持って取り組むことはできないものでしょう。とくに,長くて複雑なストーリーは,オーディオリンガル・メソッドには,もともと適していないのです。

b)「産出スキル」には,モデル文を産出する能力と新しい文を創造する2つの能力が含まれる

　スピーキングやライティングの産出面（productive side）では,子どもたちに,どの程度の量の英語を書かせたり,話させるかとか,どの程度創造的な産出をさせるかという問題について,教師は,子どもたちの置かれている現実をしっかり見て考える必要があります。ここで言う「創造性」とは,学習者がインプットとして入力したことを,そのまま産出するのではなく,それを必要に応じて変形して産出できる能力を意味しています。もちろん,「想像力を働かす」意味での「創造性」も,これに含まれています。これまでの研究によっても,チャンスさえ与えれば,子どもたちは本当にいろいろなことができるということが明らかになっているのです。子どもたちが内面に持っているものを引き出し,さらに「足場組み（scaffolding）」をしてやり,できるだけ多くの発話ができるような機会を与えてやれば,小学校を卒業するころには,簡単なことばを使って筋道の通った会話をしたり,ある程度まとまった量の英語を書いたり,話したりすることができるようになります。このような機会とサポートがないと,話しことばでも書きことばでも,あらかじめ決められている形の英語を,「チャンク（ことばの塊）」*で産出することだけで終わってしまうでしょう。しかし,これは子どもたちにその

* 第1章第2節の(8)「チャンクの役割」を参照。

能力がないからではなく，なんらかの理由で，それ以上のことができるように指導されていないからなのです。

マナブ 基本的な質問ですが，4技能を教える順番は，「リスニング」→「スピーキング」→「リーディング」→「ライティング」というように，どんな場合でも固定されていると考えていいのでしょうか？　というのは，私たち教師の頭の中では，この順番はしっかりと理解しているんですが，実際の授業では，必ずしもそれを守っていないことがあるんですけれど。

シーラ 普通，子どもの英語教育では，リスニングとスピーキングの基礎の上に，リーディングとライティングを教えるというのが鉄則よね。でも，だからと言って，子どもにとって，リーディングとライティングが重要でないということではないのよ。たとえば，インターナショナル・スクールというような特殊な環境では，授業はすべて英語で行われることが多いので，たとえ低学年の子どもでも，読んで書けることはとても大切なの。でも，こういう特殊なケース以外は，だいたいリスニングとスピーキングが優先されるのよ。とくに，国の方針で「読み・書き」は，子どもが中学校に入学するまで教えないところも多くあるけれど，そういうところでは，当然，オーラルが優先になるの。

マナブ 日本もそうですね。2002年の4月から実施された小学校の旧「学習指導要領」によって，新設の「総合的な学習の時間」などを活用して英語活動ができるようになりましたが，そこでも，文字は導入せずに音声中心に行うことになっていました。さらに，2011年度から実施された新「学習指導要領」では，英語活動が「外国語活動」として，正式に小学校に組み込まれましたが，そこでも音声が中心で文字の「読み・書き」はアルファベットの大文字と小文字の導入程度にとどまり，本格的に教えられるということではないのです。[10]

注釈10（p. 106参照）

シーラ おそらく日本でもそうでしょうけれど，国によって文字の導入が禁止されると，私立の学校や塾で，公立小学校の一歩先を行こうとして，文字を積極的に教えるところが出てくるわね。これは，必ずしも好ましい傾向とは言えないかもしれないけど，たしかに，現実なのよね。だから，国によっては，公立小学校でも，多くの子どもたちが私塾などですでに文字に接しているということで，正式なカリキュラムに加えて，補助的に文字を導入しているところも，実際あるのよ。

(2) 4技能の指導法をどのようにするか？

先週のチュートリアルは，いわゆる「4技能」についての概略的な説明が中心でしたが，いよいよ今週は，リスニング・スピーキング・リーディング・ライティングの4技能を，1つひとつ取り上げて，それぞれの具体的な指導法や，授業ですぐ使えるアイデアなどが示されます。まず，リスニングについて考えてみましょう。

① リスニングの指導——子どもに，何を聞かせるか？　その理由は？　その方法は？

シーラ　先週のチュートリアルでは、4技能の指導について、主に理論的なことを説明したけれど、今日からは、それぞれのスキルに焦点を当てて、少し詳しく見ていきましょうね。まず、リスニングだけれど、マナブ、その目的って、いったい何だと思う？

マナブ　えっ？　リスニングを教える目的ですか？　いわゆる「耳を鍛える」ため、ですよね。ほかにもあるんですか？

シーラ　もちろん、それも目的のひとつよ。でも、もう少し広く考えると、次の2つの点にまとめることができるの。一つは、マナブがいま言ったように「耳を鍛える」こと、つまり、聞いて理解するための「スキル（listening comprehension skills）」を身に付けることね。もう一つには、英語に関する「知識・情報（language input）」を入手するという目的もあるの。つまり、英語を聞くことによって、話すための土台を作るということなのよ。

マナブ　それでは、先生、それぞれの目的に合った指導というのも、当然、あるわけですよね。

　ここで、先生は、いろいろな目的に応じたリスニングの指導法をマナブに提示します。

a）耳を鍛えるためのリスニングの主な指導法——TPR（全身反応教授法）とストーリーに基づいたアプローチ

□ 全身反応教授法

　「トータル・フィジカル・レスポンス（TPR: 全身反応教授法）」は、学習者のリスニングの指導に焦点を当てたもので、口頭による指示に対して、動作などの非言語的な反応（non-verbal responses）をさせるものです。これは、子どもが自然な環境の中で、母語を習得するプロセスの観察からヒントを得た指導法です。「まず、耳から」という TPR の原則を、どんな状況でも堅持することは、普通の英語の授業ではかなり難しいことかもしれません。実際、TPR は、子どもを教えるときに多く使われていますが、注意すべきことは、これは子ども向けの英語教育の中核を成すものではなく、数あるアクティビティのひとつにすぎないということです。

　もうひとつの「まず、耳から」の原則に忠実な教授法が、「ストーリーに基づいたアプローチ」で、通常、私立の小学校や英語学校でとても活用されています。それは、私立小学校や民間の児童英語教室には、この教授法の理論と実践の経験を積んだスタッフがそろっているからだと思われます。一方、公立小学校の環境では、先生も教育委員会も、この教授法を中心にして全体の英語のプログラム組むことは難しいと考えているようです。とはいえ、ストーリー・テリングが、子どもの学習を支援する点ではたいへん優れた手段であるという認識は、いまや、世界中の多くの英語の教師が持っています。それは、このアプローチが、子どもにとってやさしいばかりでなく、背後に理論的な裏付けがあるからです。たとえ、ストーリー中心に組み立てられている授業でなくても、子どもの英語教育では、多くの場合、ストーリーを聞かせるだけでも価値があると考えられています。教える時間が、十分保証されるという条件下で、TPR とストーリーを使った教授法を併用すれば、本当の意味でリスニングが最優先される授業が実現できます。

子どもたちに，聞いたことに動作で応答させたり，重要な情報を引き出させたり，または，単に聞いている内容を楽しませるような場合には，聞かせる英語のスピードは，不自然でわざとらしく聞こえるほど遅くてはいけません。むしろ，自然なスピードのほうがよい場合もあります。子どもたちには，適度に早いスピードに慣れさせる必要もあるからです。すべての単語を聞き取れなくても，概要を理解しているということさえわかれば，それでよいということです。（例：英語の指示を聞いて，絵や図を描くことができる／絵に色付けができる／正しい情報を得ることができる／ジョークを聞いて笑うことができる，など）

> **シーラ**　要するに，ストーリーを読み聞かせたり，指示を与えたり，絵本に出てくる動物の紙人形を作らせたり，実際に，子どもたちを動かすようなアクティビティを行うときには，できる限り，教師が自分の英語でやることが大切なの。必要なら，自分が英語で言うことの概略をメモしておいてもいいのだけれど，その場合は，子どもたちからの「飛び入り」の発言に対して柔軟に対応できるように，台本に多少，ゆとりを持たせておいたほうがいいわね。
>
> **マナブ**　そうですね。そうすれば，子どもたちが先生の話すことばに反応ができるし，「もう一回言って！」とか，「もう一度，見せて！」というように，先生に頼むこともできますね。

b）情報を得るためのリスニングの指導法

　子どもにやさしい英語教育では，学習者同士のインタラクションが重視されます。インタラクションとは，二人ないしはそれ以上の人の間でメッセージを交換する一連のプロセスのことで，リスニングとスピーキングは必然的に一対となっています。しかし，もっとも大切なことは，お互いの間で交わされる応答（response）です。実際の生活でも，相手の人が言っていることを聞いていないと，対話が成立しなくなってしまい，その結果，相手に正しく応答できなくなります。これと同じことが，インタラクションによる英語学習にも言えるのです。

　インタラクションは，英語学習には必要不可欠なことですが，とくに，子どもの英語学習には，次の3つの理由でとても重要なのです。

- 理由1：インタラクション・アクティビティは，人と人との触れ合いに基づいている。これは，とくに子どもには重要なことです。
- 理由2：インタラクション・アクティビティは，子どもの社会的成長の手助け（scaffolding）ができる，とても価値のある理論に裏付けされた方法です。これによって，子どもたちは対話における発言の順番を待ったり，または自分が発言する術を学び，他人の発言に耳を傾ける習慣も身に付けることができます。
- 理由3：インタラクション・アクティビティはとても楽しいので，子どもたちは，楽しみながら英語を学習することができます。

> **シーラ**　このように，質問に答えたり，必要な情報を集めるというような，インタラクションをさせるタイプのアクティビティは，先生自身の声でやる

シーラ　場合もあるし，あるいは，録音教材を使ってもいいのよ。とくに，それは年長の学習者には向いているんじゃないかしら。

マナブ　たとえば，中学や高校の英語の授業でよく行われている典型的なアクティビティに，友だちから情報を収集して，ワークシートに印刷されている表を完成させたり，英文を聞きながら地図をたどらせたり，キーワードを入れて不完全な文を完成させるというのがありますね。

シーラ　そうね，そういうアクティビティは，対象が10歳から11歳児ならば適しているものもあるわ。でも，学習者の年齢がもっと低い場合は，正解を出すまでの手順がやや抽象的で複雑なので，結局，子どもたちの注意を引くことができなくなってしまうのよ。それに，年少の子どもの場合は，情報があまりにも詳細でぎっしりと詰まっていると興味を失ってしまうので，こういうアクティビティは適当ではないわね。

マナブ　たしかに，長い質問を声に出して読んだり，答えを筆記するようなアクティビティは，読み・書きを教えるのが目的でないならまったく不適切ですね。

シーラ　教師は，中学生以上の生徒を教えた経験を，そのまま，年少の子どもを教える教室に持ち込むことだけは避けるべきね。むしろ，質問の数を絞り込んだり，タスクを一つだけにして，子どもたちがリスニングを始める前にどんな点に注意して聞くべきか，そのポイントをあらかじめ教えておくといいわね。そうでないと，ことばのスキルを教えるのではなく，記憶力テストになってしまうわ。あらかじめ，ポイントを教えておくことが，子どもたちのリスニングの上達の支えになるのよ。

□ **インプット**　c）インプット（input）のためのリスニング

　リスニングの目的が，英語の表現を覚えたり，発音の練習をすることにある場合は，どの単語もはっきりと聞き取らなければなりません。したがって，英文は自然さを保ちながら，同時に，少し遅めの速さで丁寧に聞かせてやることになります。もし，音声CDなどの録音教材ではなく，教師自身が読む場合は，スピードとか発音の仕方は自分でコントロールすることができますが，録音教材の場合は，教師は，その速さが適当かどうかをチェックする必要があります。市販のテキストの中には，不適切なものもあるので注意しなければなりません。

　リスニング教材は，年少の子どもには市販のものではなく，できるだけ先生自身の声を聞かせるべきです。英語を話すのが苦手な人にとっては，録音教材は魅力的ではありますが，子どもにとっては，先生の「地声」のほうが機械の声よりもはるかによいのです。さらに，聞きながら，先生の口の動きやジェスチャー，身振り手振りなどの言語以外のサポートも得られるのです。

　市販されている録音教材を使う場合は，人が対話しているようなものではなく，子どもたちが，スピーカーや放送を通して情報を聞く場面が与えられるような教材を選ぶように心がけることが大切です。たとえば，ポップソングや模擬ラジオ中継とか，遊園地の館内放送のようなものが適しています。これは音読されたメッセージを聞いて，質問に答えるだけというような教材よりも，子どもたちにとってはるかに現実的であり，それだけ，子どもたち

の動機付けにもなります。ビデオ教材も，本物の子ども向けのテレビ番組のように作れば，いろいろな視覚的な手がかりを組み込むことができるので，子ども用のリスニングに適しています。ここで，その具体的なアクティビティの例（Describe and Draw）を紹介しましょう。

アクティビティの例
Describe and Draw（説明を聞いて，絵を描きなさい）

　先生から，直接聞く話でないと，本当に英語を聞いたような気がしないと考えている子どもも多くいますが，先生だけでなく，ほかの人の話す英語も聞かせる必要があります。たとえば，CDの音声や先生の声だけでなく，子ども同士の会話を聞かせることもできます。その一例が「Describe and Draw（説明を聞いて，絵を描きなさい）」というアクティビティです。

　ゲームの方法：
　まず，先生が「子ども」役になって，クラスにお手本を示します。
① 一枚の絵を子どもたちには見えないように描き，その絵について英語で説明をします。
② 子どもたちは，説明を聞きながら，それに合うような絵を描きます。
③ 一人の子どもを指名して，自分が描いた絵をクラスに見せながら，英語で説明をさせます。ほかの子どもたちには，もし，その説明がわからなかったら，積極的に英語で質問をするように伝えます。

　次に，二人の子どもをペアにしてゲームに入ります。
①「子どもA」が，ほかの子どもには見えないようにして，一枚の絵を描き，何の絵か「子どもB」に英語で説明をします。
②「子どもB」は，その説明を聞いて，それに合うような絵を描きます。描きながら質問をすることもできますが，主に，聞くことに集中させます。
③「子どもB」が絵を描き終わったら，二人の絵を比較させます。
④ 次に役を交替させて，別の絵に取りかかります。

シーラ　このアクティビティでは，もうひとつ大切なことがあるのよ。それは，子どもたちに，自分の意見がはっきりと言えるような聞き手（assertive listener）になってほしいということなの。思春期を過ぎると，わからなくても，ただ，じっと座っているだけというような子どもをときどき見かけるわよね。そういう子どもたちも，自己主張ができるようなると，教室だけではなく，普通の生活の中でも自信が持てるようになると思うの。

マナブ　ですから，ストーリーや説明を聞いているときにわからないことがあったら，遠慮せずに，"I'm sorry, could you repeat that, please?"（すみません，もう一度，言ってくれませんか？）とか，"Can you show me again?"（もう一度，見せてくれませんか？）などと言えるように指導しなければなりませんね。

シーラ　そうね。先生がストーリーを読んでいる間でも，リスナーとして積極的にストーリーに参加して，指示がわからなかったら「先生，わかりませ

ん！」と堂々と言ったり，また，先生がストーリーに関連して，自分の経験などを話すのを聞いて「おー，すごい！」などと，素直に反応できるような子どもになってほしいわね。

　最後に，シーラ先生は，教室の中で子どもたちが，自然にリスニングができるような機会をいかに作るかという，私たちにもっとも関心の高い問題について，次のようなアドバイスと情報を与えてくれました。

シーラ先生のアドバイス

　英語の授業を英語で行う場合，授業の指示などをするときに，少しずつ「教室英語（classroom English）」を増やしていくと，子どもたちは，知らないうちにかなりの量の英語に触れることになり，ごく自然な形で，英語に反応するようになります。こうすることによって，新しい語彙ややさしい表現が増強できるし，リスニングの練習としてではなく，きわめて自然で普通のやり方で英語を聞くことに慣れることができるのです。

　自然な形のリスニングのもうひとつの方法は，授業の始まりや終わりに，教師が，子どもたちの様子を聞いたり，その日の出来事やその週に体験したことなどについて，日常的なやりとりを子どもたちと交わすことです。

　教室英語に少し自信のない人には，素晴らしい参考書があります。たとえば，多くのテキストの教師用指導書には，「教室英語集」なども掲載されていますし，実用向けに音声 CD などが付いているものもあります。たとえば，*English for Primary Teachers* (Slattery and Willis, Oxford University Press, 2001)* という本は，教師が必要とする教室英語に焦点を合わせたもので，たいへん参考になります。

* 日本語版『子ども英語指導ハンドブック』（2003 年，オックスフォード大学出版局・旺文社）も出版されている。

② スピーキングの指導

　日本のように，教室の外では日常的に英語に触れる機会のない環境（EFL: English as a Foreign Language）では，ともすると，リスニングの指導はできても，子どもたちから自発的な発話を引き出す段階まで指導をすることは不可能だと考えている先生が多いのではないでしょうか。このような先生たちの不安を解消する目的で，今週のチュートリアルは「スピーキングの指導法」に焦点を当てて，展開していきます。

a) 授業中に英語を使わせる 3 つの理由

マナブ　私の印象では，リスニングの指導は，なんとかできるような気がするんですが，実際，教室で子どもたちに話させるのはとても難しいように思うんです。その点，先生はどう思われますか？

シーラ　そうかもしれないわね。リスニングは，前にも言ったように，受動的なスキルだから，どちらかというと，先生や友だちの言っていることを聞いてその意味がわかればいいのだけれど，スピーキングの場合は，ただ，意味がわかればいいということではなくて，相手の言うことを聞いて，それに対して反応しなければならないのよね。

マナブ　そうなんですよね。ちょっと基本的な質問なんですが，子どもたちに，授業中，英語を話させるのには，どんな「教育的な」理由があるのでし

ょうか？

シーラ　そうね，いろいろあると思うけど，私は，次の3つの理由が一番大切だと思うわ。まず，いわゆる「教室英語（classroom English）」として，先生が授業を進めていく中で，子どもたちに英語を使わせることがあるわよね。もうひとつ，先生が，日常的に子どもたちに英語でしゃべらせるのは，新しい構文を暗誦させるためという場合もあるわよね。最後に，たとえばインフォメーション・ギャップの活動のように，コミュニケーションを目指したスピーキング・アクティビティの場合ね。

マナブ　なるほど。このごろ，日本でも，英語の授業は英語で*という声もありますが，とくに，子どもに英語を教える場合は，これは必要かもしれませんね。英語は，実際にコミュニケーションの道具として使えるんだ，ということがよくわかりますからね。でも，そうするためには，必要な語彙や表現などを徹底的に子どもたちに訓練しておかないとだめでしょうね。

シーラ　マナブ，そんなに大げさに考えなくてもいいんじゃないかしら。まず，毎朝，子どもたちの出席を取るときに，英語でやればいいんじゃないこと？　それに，簡単な問題の答え合わせなども，母語ではなくて英語でやればいいんじゃない？

マナブ　タスクなどをやらせながら，「どう，楽しいかい？」――「うん，楽しいよ！」などという会話なら，英語でも十分できますよね。なんだか，英語で授業！となると，思わず緊張してしまうんですが，この程度のことなら，私でも自信を持ってできそうですね。

　ここで先生は，さらに2つの理由――新しい構文を覚えさせる場合と，英会話を上達させる目的――について，詳しく説明してくれます。

b）文や単語を覚えるための口頭練習（スピーキング・アクティビティ）

シーラ　マナブは，"controlled practice techniques"（制限練習法）*ということばを聞いたことがある？

マナブ　いいえ，初めて聞くことばですが，どんな練習のことですか？

シーラ　それはね，子どもたちに学習させる語句や表現をあらかじめ決めておいて，それを徹底的に口頭練習させるものなの。マナブも，中学生や高校生の頃，ひたすら，英語の表現を大声で暗誦させられたようなことがあるんじゃないかしら？　話し相手が目の前にいたり，とくに何か目的があって話しているということではなかったと思うけど。

マナブ　うーん，そういう授業風景は，私にとっても懐かしいですね。中学の英語の授業は，だいたいそんな感じでしたね。

シーラ　こういうタイプの授業の典型的なアクティビティは，「くり返し（repetition）」と「置換ドリル（substitution drills）」[11]なのね。子どもたちは，先生の質問や合図に，既習の語彙や表現の一部をほかのことばで言い換えて答えたり，選択肢を2つ与えておいて正しいほうを選ばせる場合もあるの。たとえば，こういうようなドリルよ。

　　["OK, I'll tell you some news and you say, 'Oh what a pity!' or 'Oh that was nice!'"]

---

* 高等学校の新『学習指導要領』（文部科学省，2009d）では，「英語の授業は英語で行うことを基本に」という方針が示された。

* 第7章第1節の(3)「正しい言語操作を要求するゲームとコミュニケーションを促すゲーム」を参照。

注釈11（p. 106参照）

　　　　　　（さあ，先生が，これからあなたたちにあることを教えてあげるわね。そうしたら，「なあんだ，残念！」と言うか，「万歳，やった！」のどちらかで答えてくださいね）

マナブ　でも，そういう授業だと，子どもたちが，すぐにあきてしまうのではないでしょうか？

シーラ　マナブの言う通りよ。このようなドリルの最大の欠点は，「意味（meaning）」と「文脈（context）」が，ないがしろにされることなの。そのために，子どもの興味を削いでしまったり，あげくのはては，ことばの使い方は完璧なのに，自分が何を言いたいのか，何のためにそれを言っているのかさえ自覚していない，などということもあるのよ。だから，成人や子どもの言語習得の最近の理論から見ると，ちょっと時代遅れという感じがするわね。でもね，大人用，子ども用を問わず，英語の教材にはこういうパターン・プラクティスを多用したものが，依然としてよく見受けられるのも事実ね。

　これまでの話によると，子どもの英語教育では，形式〔文法〕は一切無視してもよいということになるのでしょうか？　答えは，必ずしも，そうとは限らないということです。シーラ先生によると，制限練習法でも，意味のないドリルはできるだけ排除する必要があるということです。先生が提案する方法は，教師が子どもたちに指示（インプット）を与え，自分たちで問題解決に向けてチャレンジさせる。その間，教師は，子どもたちの反応を見ながら，適宜，手助け〔足場組み〕をして，できるだけ正解（desired form）を導くようにするというものです。このようなサポート付きの口頭練習は，子どもの英語学習には，十分，理にかなった有効な方法であると言えます。これは，単調な機械的なドリルとは基本的に異なるもので，ドリルで子どもたちに与えるキュー（stimulus material）やトピックなどは，たいへん注意深く選択されているのです。

　次の例は，従来通りの典型的なパターン・プラクティスに基づいた制限練習法と，足場組みに基づいた口頭練習を対比して示したものです。

口頭練習の例

制限練習法に基づいた口頭練習：

　先生：動詞を過去形に替えて，文を yesterday で始めなさい。

　　I **GO** to the cinema.　　Yesterday I went to the cinema.（昨日，私は映画に行きました）

　　I **MEET** my friend.　　Yesterday I met my friend.（昨日，私は友だちに会いました）

　　I **ASK** ...　　　　　　Yesterday I asked ...（昨日，私は…を尋ねました）

　〔子どもたちが全員，眠ってしまうまで，延々と続く？〕

足場組みに基づいた口頭練習：

　次ページの練習では，子どもたちは，あまり大きな間違いをせずに，すでに学習した物語*を復唱しています。

---

*『*Chicken Licken*（ひよこのリキン）』イギリスで有名な童話（小さなひよこの冒険ストーリー）。

先生：OK. What did Chicken Licken do first?（はい，ひよこのリキンは，最初に何をしましたか？）

子ども1：He do ... no. He went down the road.（道を歩いて……，いえ，歩いて行きました）

先生：Yes! He went down the road. And then?（そう，歩いて行ったんだね。それから？）

子ども2：He met his friend er Cocky Locky.（友だちの，えーと，そう，おんどりのロッキーに会いました）

先生：Yes! And what did Cocky Locky say?（そうだね。それから，おんどりのロッキーは，何と言ったかな？）

子ども2：He say 'Hello'.（彼は，おはようと言う）

先生：Hmmm. He say? He said ...（ふーん，おはようと言う？）

子ども3：He said 'Hello'.（彼は，おはようと言いました）

先生：OK everybody. Let's say that part again all together. So what did he do?（そうだね。みんな，一緒に言いましょう。ひよこのリキンは，何をしたかな？）

クラス：He went down the road.（道を歩いて行きました）

先生：Then?（それから？）

クラス：He met his friend.（それから，友だちに会いました）

---

c）コミュニケーションを目指したスピーキング・アクティビティ

今週のチュートリアルでは，教室で，子どもたちに英語を使わせる2つの事例を見てきましたが，ここでは，3番目の英語で意思疎通ができるように子どもたちを指導するためのガイドラインを紹介します。

シーラ　これまで紹介した口頭練習（スピーキング・アクティビティ）は，いずれも，意味の伝達よりも，英語の語彙や構文を機械的に覚えることを重視したものだったけれど，今日は，コミュニケーションを中心としたアクティビティについて取り上げることにしましょうね。

マナブ　コミュニケーション中心ということは，文法の扱いはどうなるんでしょうか？　文法の学習などは，軽視してもかまわないということですか？

シーラ　いいえ，マナブ，そういうことではないわ。文法そのものの学習ではなく，どんなことを相手に伝えたいか，より効果的にそれを伝えるにはどうしたらよいか，ということに重点が置かれていることで，子どもは，文法をしっかりと覚えることはできないとか，その必要もないということではないのよ。

マナブ　自分が伝えたいメッセージの内容とか，それを効果的に伝える方法というのは，具体的にはどういうことでしょうか？

シーラ　そうね。たとえば，自分の言いたいことを整理して，それをどういう順番で言うのがもっとも効果的かとか，声の調子とか，うまく伝わりそうでないときに，どういうストラテジー（方略）を採ったらいいかというようなことが含まれるのよ。

マナブ　でも，こういうことは，教えるのがとても難しそうですね。

> **シーラ** そうね。そういうスキルを身に付けさせるためには、あまりいろいろな制限を付けずに自由に挑戦させる必要があるし、なんと言っても話し相手がいることなのよね。これからいろいろなアクティビティを紹介するから、マナブも日本で試してみてはどうかしら？　でも、これには、必ず、話し相手と話すトピックがいるということだけは忘れないでね

　続いて、シーラ先生は3種類の「子どもの話す能力を伸ばすためのガイドライン」を紹介しますが、その前に、次のような留意事項を補足します。

　普通の授業の中で、子ども同士で、何か特別な話題を設けて話し合う場面はあまりありません。とくに、子どもたちが、ただ話しているようなふりをしているだけで、本当の意味でのコミュニケーションを経験していない場合は、このアクティビティは、ことさら難しくなります。たとえば、「違うところはどこ？（Find the Differences）」*というゲームを、子どもたちがやっているときによく見かける光景は、とくに、ゲームを始めたばかりの頃は、二人の子どもが、自分たちが持っているカードの絵に描かれているものを楽しそうに言い合っていても、相手の言うことを注意深く聞いていないために、じつは、それぞれの絵の違いを理解していないということがあります。だからと言って、子どもたちには、このようなゲームが手に負えないということではなく、むしろ、先生が子どもの活動をモニターしてサポートをしてあげることが大切です。そうすることによって、子どもたちは自然にゲームを楽しむことができるのです。

　Pinter（2001）は、ペアを組んでいる二人の子どもが、ゲームをくり返しやって経験を重ねるにつれて、たとえ数週間という短い期間でもゲームの要領をつかみ、効率的なゲーム運びができるようになったと報告しています。Pinter以外にも、子どもたちが、ゲームの中で、友だちとのインタラクションを通して体験する数多くの出来事が、ことばの習得のうえで大きな助けになると指摘している研究者がいます。

* 第1章第2節の(4)「周囲の人とのやりとり」を参照。

子どものコミュニケーション能力を伸ばす3つのガイドライン

1) お互いの意見を聞きながら、自分の意見がしっかりと言えるように指導しましょう。"Your turn."（今度は君の番だよ）とか、"Sorry, what is that?"（すみません、それ、どういうこと？）、"Can you repeat that please?"（もう一度言ってくれる？）などの表現を使って、会話が進むように貢献できるようにします。相手の発言の意味がわからないときには、くり返し（repetition）や説明（clarification）を求めたり、"Is that OK?"（いいですか？）とか"Do you understand?"（わかりますか？）などと言って、相手が、自分の言っていることがわかっているかどうかチェックできるようにします。これは、10歳から12歳になるころまでには、母語であれ外国語であれ、子どもたちに身に付けさせたい能力のひとつです。このように、先生のサポートの下で、会話をしながらゲームをしたり、パズルの解決に挑戦することによって、子どもたちは楽しく、しかも大きなリスクを冒さずに、コミュニケーション能力を身に付けることができるのです。

2）子どもたちは，自分の言いたいことを表現する語彙がない場合でも，ジェスチャーなどのコミュニケーション方略[12]を駆使して，難しい状況を乗り越え，相手が考えていることをなんとか推測することができるのです。

注釈12（p.106 参照）

例：A : It's very ...（それはね，とっても，うんと……）
　　B : Fat?（太っているの？）
　　C : Yes, fat. It's very fat.（そう，とても太っているの）

また，子どもたちは，まだ知らないことばや微妙なニュアンスを持ったことばでも，その意味を説明したり，遠回しの表現を使って相手に伝えようとします。

例：A : It's like a gattopardo, but it isn't a gattopardo. It has ... black and white. It can go very ... fast.（それは，ガトパルド（gattopardo）〔ヒョウを表すイタリア語〕のようなものかな。でも，違うな。白と黒の……，とても脚が速いんだ）
　　B : Ah, I know.（あ，わかった）

子どもは，二人とも，それぞれの頭の中に「チータ」を思い描いているので，お互いにコミュニケーションはできるのですが，"cheetah"（チータ）ということばを知っているわけではないので，あとから先生に尋ねることになります。

このような方略（ストラテジー）は，あまり手の込んだものではなく，必ずしも，「ずばり」そのものの単語にたどり着くわけではありませんが，大切なことは，子どもたちが困難に直面してもあきらめないということです。子どもたちを，多少のリスクを冒してでも「思いきってやってみる」気持ちにさせることによって，自信と独立心を培うことになります。ひいては，それが，彼らが話すときの流暢さと臨機応変の融通性につながるのです。

3）子どもたちは，お互いにインタラクションをしながら，ごく自然にことばを習い合ったり，忘れていたことばを思い出すものです。しかし，子どもたちが「自分たちだけのことばの世界」にどっぷりと浸かってしまい，お互いの誤りも一緒に覚えてしまうようなことになると問題ですが，最近の研究では，たとえこのようなことが起きても，かつての行動主義の言語習得の理論が主流であった頃のように，子どもたちがこの段階で犯す誤りについては，それほど神経質になる必要はないようです。子どもたちが，お互いに「なれあい」になってしまい，誤った英語を話してしまう可能性は十分ありますが，そのような状態がずっと続くわけではないのです。

---

d）長く話すことを心がける

先週のチュートリアルでは，子どもたちが自立した話し手（speaker）になるまでの3つの段階について学びました。マナブにも，教室で子どもたちを励ましながら，「自立した話し手」のレベルまで指導することの難しさがよく理解できたようです。先生は，さらに，子どもたちに，ゲームに参加したり，聞き取った物語の内容を自分の口から話すときには，できるだけ長

く話すように心がけさせることの意味について話します。

マナブ　この前，先生から，子どもの話す能力を伸ばすためのガイドラインについて教えていただきましたが，小学生でも，「チャンク（ことばの塊）」で覚える決まった表現だけでなく，ある程度の長さの文が言えるようになるのでしょうか？

シーラ　そうね，自分が話す番がきたら長く話せるというのも，スピーキングで上達するための重要な条件のひとつなのよね。だから，「Describe and Draw（説明を聞いて，絵を描く）」ゲームでも，自分の「持ち場」で少しでも長く話せれば，それが一番ね。絵本を読んだり，絵本で聞いたことをクラスで発表する（re-telling a story）ときも，同じなのよ。

マナブ　でも，先生。私が教えていた小学生のことを考えると，自分の母語の日本語ならばできるだろうと思いますが，英語でもできるのかちょっと疑問ですね。

シーラ　マナブ，子どもは長く話せないものだなどと，そんなに簡単に決め付けてはだめよ。まず，そのチャンスを与えなければ，できるようになるわけがないじゃない？

マナブ　たしかに，おっしゃる通りですが，具体的にはどういう方法があるんでしょうか？

シーラ　たとえば，さっき話した，クラスの前で物語を話させたり，「説明を聞いて，絵を描く」ゲームなんかがいい方法だと思うわ。子ども一人ひとりに，先生が手助け（scaffolding）をしながら，少しずつ分担させて，何人か分を一緒にすると，ひとつの物語が終わるというようにするのも子どもたちの負担が軽くなるし，同時に，それなりの成就感が味わえるという意味では良い方法だと思わない？

マナブ　なるほど，言ってみれば，クラス全員による共同作業になるわけですね。

シーラ　そうよ。それで，もっと話したい子がいたらやらせてみることね。こうして自信が付いてきたら，週末や休日にやったことなど，自分のことが少しずつ話せるようになるのよ。

マナブ　そこまでできるようになれば，本当にいいですね。

シーラ　マナブ，心に留めておいてほしいのは，強制的にクラスの前に立たせて，無理やりやらせないことね。一人ひとりの子どもの性格などを考えて，慎重に判断しなければならないことよ。最後に，こういうアクティビティを一層楽しくするには，どうしたらいいと思う？

マナブ　えーと，それは何でしょうか？

シーラ　子どもは，とても物真似が好きだし上手なのよね。だから，物語に出てくる登場人物をいろいろな声色を使ってやらせると，子どもたちは喜ぶわよ。楽しみながら，簡単な語句や表現なんかもついでに覚えてしまうのよ。

マナブ　なるほど。子どもたちに，表現力の豊かなパフォーマンスをさせることは，とても効果があるんでしょうね。

e）口頭練習のための足場組みと誤りの訂正の仕方

　最後に先生は，口頭練習で，子どもたちの犯す誤りの効果的な訂正の仕方

について，次のように説明してくれました。

　子どもの間違いの訂正の仕方は，スピーキング・アクティビティの種類によって違います。ですから，先生は，自分がどんなことをやらせようとしているかを，いつも自覚して，同時に，子どもたちにも，先生が正しい言い方を教えてくれるということを意識させておくことが大切です。

　前に紹介した86ページの2）のガイドラインの中では，子どもたちは，まだ知らないことばや微妙なニュアンスを持ったことばでも，その意味を説明したり遠回しの表現を使って相手に伝えようとしました。そこでは，子どもたちが"cheetah"（チータ）という語彙を思い出すことができなくて，あとから先生に質問をしました。このように，先生が訂正を試みる時期は，足場組みをして，子どもたちに援助を与えながらやらせる練習のときが最適です。こういう場合には，子どもたちの発話の中の文法・語彙・発音などの間違いなどを注意しながら聞いて，アドバイスを与えたり，正しい見本を示します。

　これに対して，コミュニケーション・ゲームやインタラクションをさせる場合には，文の正確さではなく，むしろ，子どもたちがいろいろなストラテジーを使って，なんとか会話を続けようとする態度が重要になります。物語を自分なりに話したり，その内容を劇にしてクラスで発表する場合には，子どもたちがつまずいたり，話の筋を途中で忘れてしまったときなどは，先生は手助けをして話を先に進めてやらなければなりません。ここで，注意しなければならないことは，訂正をするために，先生が一方的に割り込んで，子どもたちの話の流れを削いでしまわないようにすることです。こういう場合には，その場で誤りを正すのではなく，子どもたちの発言に注意深く耳を傾け，アクティビティが終わってから訂正をするように心がけましょう。子どもの間違いを訂正するのが第一の目的ではなく，むしろ，子どもたちが協力し合って，話が途切れないようにいろいろ努力している姿勢をほめてやることが大切なのです。次の例を参考にしてください。

　　例：Well done! You couldn't remember the word 'ugly' so you said 'not beautiful'. That was a very good idea.（よくできましたね。最初，あなたたちは'ugly'（見苦しい）という単語がわからなかったけれど，それを，'not beautiful'（きれいでない）と言い換えましたね。それは，本当に良い考えでしたね）

③　リーディングの指導

a）「文字の解読」から「読むことの喜び」へ

　いよいよ，ここから，音声媒体の英語から文字の導入に入ります。ともすると，子どもの英語のクラスでは，書きことばの導入は，多くの子どもたちが絶対に乗り越えられない高い障害になるという考えがあります。でも，そういうふうに考えるのは間違いです。母語なら，結局は，読み書きができるようになるのです。とは言っても，英語の文字体系は，母語話者にとってもそんなに簡単に克服できるわけではありません。外国語の話者にとっては，その難しさは言うに及びません。ここでは，まず，文字を「読むこと」とはどんなことかについて考えてみましょう。

シーラ マナブ。もし，私が「読むこと」というのは，いったいどういうこと？と尋ねたら，あなたならどのように答える？ ちょっと，乱暴な質問かな？

マナブ うーん，困りますね。「読む」といえば，子どもなら教科書を読んだり，私たち大人なら，新聞を読んだり，本を読んだりすることですよね。ほかに何かあるんですか？ 意地悪な質問ですね，先生！

シーラ ごめんなさいね，マナブ。私の期待通りの答えよ，安心して。でもね，マナブの言ったことは，「読むこと」の最終のゴールなの。問題は，そこにたどり着くまでには，子どもたちは，まだいろいろなことを学ばなければならないのよ。

マナブ そうなんですか。「読むこと」の出発点は，どこから始まるんですか？

シーラ 「読むこと」では，いわゆる「良い読み手（good readers）」になるには，子どもたちは，さまざまな段階を経なければならないの。そういうものをすべてクリアして，やっと，マナブがさっき言ったように，教科書や新聞が楽に読めるようになるのよ。

マナブ そうなんですか！ 興味深々ですね。

シーラ それはね，まず，英語の文字を"decoding"（解読）することよ。

マナブ 「ディコーディング」って，何か，暗号の解読みたいですね。

シーラ マナブ，スパイ小説の世界ではないのよ。今日のチュートリアルのテーマは，「文字の解読」から「読むことの喜び」へということだから，これから，その道筋を一緒にたどってみましょうね。

b)「読むこと」とは？

「ディコーディング（解読）」という用語は，文字記号〔たとえば，英語のアルファベット〕を活用して，ことばの「意味」を理解できる能力のことです。しかし，それだけで「読める」ようになるわけではありません。そのためには，子どもたちを「文字の解読」というレベルを超えて，「読み手（readers）」になるように導いていかなければなりません。ここで言う「読み手」というのは，読んでいるものの「意味」が理解できる人ということです。しかし，この「字面（じづら）」だけで文を読むレベルは，「良い読み手（good reader）」になる道程では，まだ，その入り口に立っているにすぎません。「良い読み手」とは，文章の核心がわかる人，つまり，文章に込められているもろもろの感情，書き手の目的，読者を楽しませるつもりなのか悲しくさせる目的なのかなどを，「読み取る」ことのできる人を指します。「良い読み手」はまた，読んでいるものの内容に没頭し，読むことを楽しむことができる人のことです。これが，前ページのa)のタイトルにあるように，「読むことの喜び」ということなのです。もし，私たちの「読み」の指導が，子どもたちをこのレベルまで導くことを目指すなら，子どもたちに，たとえやさしいものでも読ませる価値のある読み物を与え，やりがいのあるアクティビティを用意することが大切です。

c) 初期段階の文字指導

初期段階での児童対象の文字指導は，その理論と実践のトレーニングを受けた教師には，取り組むことの多い分野ですが，必ずしも，多くの教師がそ

のような訓練を受けているわけではありません。とりあえず，初期段階での文字指導に関するガイドブックを手に入れることから始めましょう。ここでは，文字指導を実際に行ったり，文字指導に関する本などを評価する際に役立つような事柄について概観します。

シーラ 子どもの学習者に文字を導入する場合には，成人対象の場合と違って特別な配慮がいるのよ。

マナブ 特別な配慮というのは，どういうことですか？

シーラ それはね，あまり性急に，子どもたちに「読み書き」を覚えるように強制してはいけないということよ。子どもにとっては，母語と異なる英語の文字体系を新たに習うことは大きな負担になるの。

マナブ そうですね。普段，ひらがなや漢字を使っている日本の子どもにとっては，アルファベットを使って文字を書く英語は，まるで別世界のことばのように思えますからね。

シーラ でもね，マナブ。いくら言語の体系が違う場合でも，母語での「読み書き」がしっかりできる子どもは，まるで違う英語の文字体系にかえって新鮮な魅力を感じるものよ。だから，多くの人が心配するように，そのために子どもたちがやる気をなくしたり，まごつくとは限らないの。だから，文字を初めて教えるときは，子どもたちのレベルとか状況をいつも考えることが大切なのよ。

ここで先生は，世界の主な言語の文字体系を分類した一覧表をマナブに提示します。

表語文字（例：漢字）を用いる言語 〔文字は語の意味を表す〕	音節文字を用いる言語 〔文字は音節を表す〕	単音文字（例：アルファベット）を用いる言語 〔文字は音節を表す〕
例：中国語（，日本語）	例：韓国語，日本語のかな，シンハラ語（スリランカの公用語）	例：ギリシア語，ロシア語，英語，イタリア語，ハンガリー語など

図版2.3：世界の主な言語の文字体系

これらの言語の文字体系の難易度には差があり，あるものは，ほかの言語よりも学習するのにやさしいこともあります。これまでの研究で，母語が何であれ，すべての子どもはある単語に含まれる**音素**（phonemes），つまり，個々の子音や母音が聞き分けられるようになる前に，音節（syllables），つまり，子音と母音が一体化した固まりを識別できるということがわかっています。言い換えれば，文字を覚えるということに関しては，音節を用いる韓国語や日本語のほうが，アルファベットを用いる英語よりも「子どもにやさしい」言語だと言えます。

□ 音素

実際，英語を母語とする国々での初期段階の文字教育では，子どもたちが個々の音素が認識できるように，シラブル（音節）をさらに細かく分解し，音素のレベルで認識できるように努めています。

シーラ イギリスでは，小学校の先生の一番重要な仕事が，子どもたちに「読み書き」を教えることなの。時間と労力のいることだし，イギリスの小学

　　　　校には，「識字教育（initial literacy）」の専門的な知識を持った先生が
　　　　配属されているのよ。
マナブ　そうなんですか。でも，日本では，このことはイギリスほど深刻ではな
　　　　いと思いますね。大多数の子どもが，小学校入学前にひらがなぐらいは
　　　　「読み書き」ができるようになっていると思います。しかし，法律（学
　　　　習指導要領）では，「読み書き」は小学校で教えることになっているん
　　　　ですが，家庭で親が教えたり，幼稚園や保育園でも教えているんです。
シーラ　韓国も日本と同じようね。小学校入学前に「読み書き」をできるように
　　　　するのは，学校教育ではなく，むしろ，家庭教育の範疇なのね。それに，
　　　　さっき言ったように，日本語も韓国語も，文字体系がシラブル（音節）
　　　　から構成されているのが，識字教育が容易になる原因かもしれないわね。
マナブ　識字教育が難しいのは，英語のように，ローマ字のアルファベットを使
　　　　っている国に共通する問題なんですか？
シーラ　いいえ，必ずしもそうとは限らないのよ。たとえば，ハンガリー語，ス
　　　　ペイン語，イタリア語などは，英語と同じようにローマ字のアルファベ
　　　　ットを使っているけれど，文字と発音がほぼ規則的に対応しているので，
　　　　それほど深刻ではないようね。それらの国の小学校での識字教育は，イ
　　　　ギリスのように長い時間をかけなくてもよくて，せいぜい数か月で覚え
　　　　てしまうようよ。
マナブ　母語の識字教育はともかくとして，日本の小学生が英語の文字を覚える
　　　　のは，やはりたいへんですね。まるで，違うわけですから。
シーラ　そうね。ギリシア語やロシア語は，ローマ字のアルファベットとは違っ
　　　　ているけれど，日本や韓国の子どもたちに比べたら，英語の勉強ははる
　　　　かにやさしいでしょうね。といっても，ギリシアやロシアの子どもたち
　　　　でも，いざ英語の勉強を始めると，英語の文字と発音の関係に一貫性が
　　　　ないのでかなり混乱するのよ。

d）英語の発音とつづりの関係——小・中の連携の観点から

□ 容認発音

　イギリスで，英語を学ぶ外国人学習者に一番広く教えられている英語は，イギリスの標準的な発音とされている「**容認発音**（Received Pronunciation: RP）」と言われているものですが，その RP には 44 個の別個の音素（phonemes）があります。しかし，一方で，英語の文字（アルファベット）は 26 個しかありません。では，いったいどうしたら 44 個もある音を，たった 26 個の文字で書き表すことができるのでしょうか？　ひとつの解決方法が，たとえば，'shoe'（靴）の /ʃ/ の音には 's' と 'h' の 2 つの文字を組み合わせて表すというような仕組みになっていることです。これ以外にも，'station' の真ん中の音である 't' の /ʃ/ も，'shoe' の最初の音の /ʃ/ とまったく同じですが，これは 't' という 1 文字で表します。つまり，同じ音でも，異なるアルファベットで表記されるものもあるのです。一方では，まったく同じアルファベットや，いくつかのアルファベットを組み合わせた文字でも，その発音はいろいろ異なっている場合もあります。次の 'ea' などはよい例です。同じ 'ea' という文字の組み合わせが 4 通りに発音されるのです。

  b<u>ea</u>r, p<u>ea</u>r　/eə/
  <u>ea</u>r, h<u>ea</u>r, d<u>ea</u>r　/iə/
  l<u>ear</u>n, <u>ear</u>n　/ə:/
  p<u>ea</u>ch, b<u>ea</u>ch, t<u>ea</u>ch　/i:/

　これらの例からわかるように，英語では，とくに母音の発音が紛らわしいのです。'ea' の発音などは，その一例にすぎません。RP の場合，全部で20個の母音があり，この数はほかの言語に比べると多く，いく通りかのつづり（spellings）で書き表されるのです。'learn' と 'earn' の /ə/ の音を例にとっても，ほかに，'turn'，'burn' のように 'ur' で表し，また 'word' の 'or'，'third' では 'ir' で表されています。

シーラ　英語を母語としている人たちは，長い間，英語は論理的でないとか，英語のつづり自体を変えようという運動を起こしてきたのよ。もちろん，いつも失敗に終わっていますけどね。どちらにしても，私たちは，現実から逃げるわけにもいかないし，付き合っていくしかないのね。

マナブ　それはたいへんですね。英語教育の専門家として，先生ご自身は，この問題にどのように対処すべきだとお考えですか？

シーラ　そうね，難しい問題だけど，小学校と中学校の連携という観点からの私の考えは，こうなのよ。つまりね，小学校段階で，子どもたちは，すでにたくさんのことばを耳で覚えているのね。で，中学校では，耳で知っている単語が，どういうコンテクスト（文脈）で使われているかを考えさせて，さらに，本などの活字のつづりとよく見比べさせることね。

マナブ　なるほど。でも，実際，なかなか難しそうですね。

シーラ　だからこそ，子どもたちに，耳を通して覚えた単語のデータバンクをしっかりと持たせ，そして，単語の音と活字やコンピュータのキーボード上で見る文字のつづりの間に，なんらかの関連性があるかどうかを注意深く探らせることだと思うわ。もっとも，その関連性というのが，つかみどころがなく，子どもには理解しにくいのが問題ね。中学生になってからも，音をベースにしてつづり字を覚えるのであって，その逆の，つづり字から音を連想させることは，学習者をいたずらに混乱させるだけなのよ。

e）リーディングのいろいろな指導法

　リーディング指導を，教師が口頭でどのように行うかが，初期段階ではもっとも重要なポイントです。しかし，これといった有効な方法が確定しているわけではなく，現在でも，いくつかの意見に分かれています。これから説明する教授法は，母語でのリーディング指導のさまざまな伝統に根ざしたものですが，これらの多くは，外国語としての英語教育の分野でも十分応用ができるものです。子どもが教わる語彙は，最初から意味のあるもの（meaningful）でなければならないとするグループと，必ずしもそうではないと主張するグループがありますが，意味への関心の度合いは，それぞれの指導法の伝統によって異なっています。

　今週のチュートリアルでは，シーラ先生は，いろいろある初期段階でのリ

ーディングの指導法のうち，次の3つの流れを取り上げます。

① フォニックスに基づいた指導法

□ フォニックス　このフォニックスに基づいた指導法は，文字記号（symbol）と音（sound）の一対一の対応関係を教え，それに基づいて，子どもたちにその単語の発音を類推させるものです。

② 単語／キーワードの形を，視覚的に認識させることを重視する指導法

単語／キーワードを認識させる指導法は，子どもたちが目にする語を個々の文字記号に分解して理解させるのではなく，語彙を「丸ごと」形として視覚的にとらえさせる指導法です。

③ ことば全体／本物の本を使った指導法

この文章全体を単位として理解させる指導法は，前の2つの指導法とは違って，もっと「大局的」な立場に立ち，子どもたちに，本を読むということはいったいどういうことか，本とはどのようなものか，さらに，本に書かれていることやイラストから，自分たちが見ている文章全体（テクスト）を理解させようとする指導法です。

これらの指導法には，それぞれに長所はありますが，あまり極端に走りすぎると，ほかの方法を排除して独善的になる恐れがあり，かえって弊害が出てきます。最近では，初期段階の識字教育に携わっている多くの教師が，子どもたちの様子を見ながらいろいろな指導法を組み合わせて使っています。

効率的に読める子ども（effective readers）は，読むときに，自分たちが持っているあらゆる方略や技術をうまく使うことができます。また，読みながら，何か問題が生じた場合は，読んでいるもののトピックに関連する背景的知識を総動員して乗りきることができます。一般的に言って，こういう能力を持った子どもは，中学校以降の学習過程に入っても単語を構成する記号（文字）を1つひとつ分解せずに，単語の全体像を視覚的に見て，「ひと目」で，ひと続きの単語の連なりも識別することができます。単語の個々の文字を分解して理解しようとするのは，知らない単語に出会ったときだけで，そういう場合は，知っている接頭語や接尾語を頼りに意味を探ったり，フォニックスの知識を活用して発音の仕方を推測するのです。

シーラ先生のひと口メモ

「読むこと（reading）」は「音読（reading aloud）」とは違う！

私たちは，学習者が，文字を読めるようになったかどうかをチェックするために，「音読」をさせることがよくありますが，「音読（reading aloud）」は，本当の意味での「読むこと（reading）」とは違うということを覚えておく必要があります。本当に効率的に読める学習者は，実生活の中で，単語を1つひとつ音声化せずに黙読をしているのです。単語をいちいち音に出して読むと，文を読み通すときにスピードが遅くなります。そればかりか，たえず音読ばかりさせて，黙読によって速く読む訓練をさせないと，母語，外国語を問わず，成人になってから必要となる効率的に文章を読むための能力を伸ばす妨げとなるのです。

これで，シーラ先生の理論面での解説は終わり，いよいよ，リーディングの指導法についての具体的な説明に入ります。

f）フォニックスと早期英語教育——ABC 順だけがフォニックスではない！

マナブ　フォニックスは，日本では，文科省としては小学校では正式に扱っていません。でも，それを実践している先生はいます。フォニックスについて，教師として心得ていなければならないことは，何かありますか？

シーラ　そうね，さっきも言ったことなんだけど，フォニックスに熱心な先生方は，ともすると，子どもに発音を教えるにはこれしかないと考えがちなんだけれど，実際は，そうではないということね。

マナブ　と，言いますと？

シーラ　たしかに，フォニックスは，子どもたちに文字の発音を教えるには効果的だけど，それは，いろいろあるうちの「ひとつの方法」ということなの。でも，このごろ，とくに英語を母語としない国々の子どもへの英語教育で，フォニックスが熱心に教えられているわね。これは，意味のあることだと思うの。と言うのは，子どもたちが，漢字やハングルのような文字体系から，アルファベットというまったく異なった文字に触れて，世の中には，自分とは違う文字を使っている人がいるんだということを実感するわけですからね。

マナブ　なるほど，ことばについての気づきを促すためにフォニックスを利用するというわけですね。ところで，先生，イギリスの小学校の識字教育で教えられているフォニックスと，外国のフォニックスは，まったく同じものなんでしょうか？

シーラ　それが，違うのよね。外国で教えられているフォニックスは，どちらかというと，不完全で簡略化された形で導入されている場合が多いわね。たとえば，単語の最初の音や文字だけに注意が向いていて，残りの文字が無視されていることが多いの。それに，いつも，a, b, c, … というように，アルファベット順に教えるのも問題ね。

マナブ　え！　それは，よくないんですか？　私は，何の疑いも持たずにそうしていましたが，……。

シーラ　ほとんどのフォニックスの教科書が，第１課が 'a' for apple，第２課が 'b' for boy というように進んでいって，最後が 'z' for zebra で終わるのよね。つまり，単語の最初の文字以外は，まったく無視されている場合もあるの。

　ここで，先生は，このような「ABC 順」のフォニックス指導の問題点を，次のように整理して提示します。

① 「ABC 順」の指導では，英語のすべての音素（phonemes）を扱うことができません。

② 正しいフォニックス指導では，単語の最初の文字だけではなく，単語全体を見て，それらを各構成要素に分解し分析をして，子どもたちが学習しやすくしなければなりません。子音で始まる１音節の単語（one-syllable word）を，例にとって考えてみましょう。研究によると，sat というよう

□ ライム
* 末尾部分の音が同一で，その直前の子音〔語頭子音 (onset)〕が異なるもの。

な1音節語では，子どもたちは，単語の最後の '-at' の部分（専門用語では「ライム（rhyme〔rime〕）」と言う）に注目して，bat/cat/fat/hat/mat/rat/sat/ のように，異なる子音で始まる韻（rhyme）を踏む単語*を，皆で声をそろえて唱和します。また，韻を踏む部分が，上の例のように，同じようにそろっていたほうが，子どもたちにはやさしくなると言われています。逆に，bat/bay/boy/bit/boat の 'b-' のように，同じ子音（onsets）で始まっていても，それに続く母音と子音の組み合わせ（rime）が異なるのは，子どもはあまり好まないという研究もあります。

イギリスの子どもたちが，最初に読むことが多い『The Cat in the Hat（帽子の中のネコ）』や『The Fox in Socks（靴下の中のキツネ）』などの物語は，押韻が多く使われていて，これが，子どもの英語教育で好まれるひとつの理由でもあります。

③「ABC順」によるフォニックス指導の3番目の問題点は，BDFG のような子音と AEIOU の母音を混同して教えることです。「ABC 順」に従うと，異なった形態の単語を矢継ぎ早に，子どもに提示することになります。たとえば，1つないしは2つ以上の子音が伴う 'A' で始まる単語（例：ant）のすぐ後に，子音 'B' で始まる単語（例：bat）がきて，続いて，語形がさらに複雑な 'C' で始まる語がきます。'C' は，cinema（映画）のように /s/ の音で始まる一方で，cat（ネコ）では /k/ の音で始まります。アルファベットの最後のほうにくる 'Y' は，子どもにもなじみ深い yacht（ヨット）では /y/ という子音で始まりますが，sky（空），funny（おかしい），mystery（ミステリー）では母音として発音されています。

| マナブ | なるほど。こうして見ると，いままで，何の疑問も持たずやってきたことにも，いろいろな問題があるものですね。 |
| シーラ | そうね。私が言いたかったことは，フォニックスを教えるなら，「本物の」フォニックスを教えなければならないということなの。母語話者の子ども向けのフォニックスの指導書も多く出ているのよ。* 次に，「ABC 順」以外のフォニックス指導法の例を紹介するわね。 |

* このような本の書評などは，Hinson and Smith (1993) に詳しい。

「ABC 順」以外のフォニックス指導法の例

子音：
1. b, d, g, h, j, m, n, p, t, w
2. f, l, r, s
3. c, g
4. x, y, z
5. 単音の子音で始まる単語を最初に出す。
    例：**b**at, **h**at, **m**at
6. 続いて，単音の子音で終わる単語を出す。
    例：pa**t**, ta**p**

母音：
7. 短母音の単語（短母音は文字とつづりの関係がもっとも安定している）
    例：b**a**t, h**a**t, m**a**t / b**i**t, k**i**t, s**i**t

8. 単母音の単語に 'e' を付けると，二重母音（diphthong）に変わるもの（この 'e' を「魔法の 'e'」と言う）
   例：m<u>a</u>t + <u>e</u> = m<u>ate</u> / b<u>i</u>t + <u>e</u> = b<u>ite</u>
9. 最後が子音ではなく（open syllables），長母音と二重母音で終わる単語
   例：m<u>e</u>, s<u>ee</u>, b<u>uy</u>

このリストにはさらに，次の2つの例も加わります。
   i) 連続子音（blends）と呼ばれるもの：'<u>i</u>nk', '<u>sk</u>in' のように，2つないしはそれ以上の子音が語尾と語頭にくるもの
   ii) 二重音字（digraph）と呼ばれるもの：shoe の 'sh' と 'oe' のように，連続の2字で1音を表すもの

シーラ　この例のポイントは，まず，子音群から始めているということと，その子音の順番も，あまり不規則なものは後回しにしているということね。母音は，子音の後に扱うけれど，これも，できるだけ，文字と音の対応が規則的なものを最初に教えるようにしているわ。でも，誤解しないでね。子どもに教える語彙の選択の基準は，フォニックスでなければならないということではないのよ。

マナブ　わかりました。何ごとも，正しい理論に従って教えることが大切なんですね。いたずらに簡素化したりすると，かえって，子どもたちを混乱させることになりかねませんね。

シーラ　そうね，それに，先生が正しいフォニックスの指導法を知っていたら，子どもたちに文字への気づきを与えるために大きな助けになることは間違いないわ。

g）単語全体を視覚的に認識すること（Whole word recognition）

フォニックスの話に続き，マナブは次に 'Whole word recognition' について，先生の説明を求めます。

マナブ　'Whole word recognition' というのは，ちょっと，わかりにくい用語だと思うんですが。

シーラ　そうね，英語で言うと，たしかにわかりにくいわね。簡単に言うと，フラッシュ・カードなんかに書かれた単語や語句を，ぱっと，ひと目で見て覚えるってことね。

マナブ　なーんだ，フラッシュ・カードなら，私はいつも使っていましたよ。

シーラ　フラッシュ（flash）というのは，稲妻のせん光のように点滅することなの。だから，文字通り，カードに書いた単語などを，1文字1文字解読して，音声にする時間を与えずに，ひと目で，ぱっとわからせるものなのよ。

マナブ　私は同じカードを使って，教室の中にある，たとえば机とか黒板などに対応するカードを，子どもたちに貼らせたりして，語彙の復習にも使いました。これ以外でも，子どもたちを小グループに分けて座らせて，いくつかのカードを表を上にしてテーブルに置き，私が単語を読み上げて，

	子どもたちにそのカードを取らせるというゲームもやりました。
シーラ	それは，良いアイデアね。でもね，これについては批判もあるのよ。つまり，子どもたちが，あらかじめ知っている単語だけに限定されてしまって，知らない単語に出会ったときに，たとえば，フォニックスの知識を使って新しい単語の読み方を類推しようとしないわけよね。
マナブ	こういう「絵を見て，英語で言おう（Look and say approach）」というのは，単独では，あまりよくないということですか？
シーラ	そう，そういうことね。でも，単語によっては，この方法が適しているのもあるのよ。

　ここで先生は，単語カードの使用が有効な事例について，次のような説明をします。

　つづりと音の関係が不規則で，フォニックスでは扱いにくいような単語（one, says, laugh, through, two など）は，視覚的に覚えさせるほうが効果的です。これは，たとえば，漢字を使う中国語を母語とする子どもたちの場合は，文字の形と意味を視覚的に把握することに慣れているので適していると言われています。中国と同じ漢字文化圏に属する日本の子どもたちにも，あてはまるかもしれませんが，これらの子どもたちにも，フォニックスを教えることはやはり重要です。この分野で，さらに研究が進むことが期待されます。

h）ことばを総体的に認識すること（Whole language approach）

　このアプローチは，「読解力（reading comprehension）」を伸ばしたり，子どもたちが「良い読み手（good readers）」になるように手助けすることの両方に役立ちます。これは，子どもたちに，「読むこと」とは，どういう行為か，なぜ読むのか，本とは何か，文脈がどれほど重要かなどを，しっかりと理解させるということです。この立場は，しばしばフォニックスに基づいた指導法とは対立するものです。フォニックスは，意味を軽視していると思われているからです。フォニックスとは異なり，このアプローチでは，教科書ではない「**本物の本**（real books）」を好んで使い，英語教育の目的で書かれている本はできるだけ遠ざける傾向があります。そして，最初はわからない単語の意味でも，なんとか推理する力やストラテジー（方略）を身に付けるように促します。

☐ **本物の本**

　子どもへの英語教育では，このアプローチは，どちらかというと間接的な形で導入されています。それは，物語の授業では，「本物の絵本（real picture story books）」を選ぶ場合が多いということです。こういう授業では，本を読んで聞かせるのは教師の役目で，子どもたちが実際，本を手に取って読むことはありませんが，読み聞かせの後，教室の片隅に設置したブック・コーナーや学校の図書館で，子どもたちが自由にそれらの本を読めるようにしておくこともできます。

　子ども向けの適切な「本物の本（real books）」を選ぶ作業では，英語のレベルだけではなく，イラストや文化的な背景などにも細心の注意を払う必要があります。とくに文化については，英語を母語としない国の子どもたちにも，多少とも理解しやすいものを選ぶことが大切です。

この分野の情報については，Opal Dunn氏[*]が提供している"Real Books Newsletter"とホームページ（www.realbooks.co.uk）が参考になります。

i) やりがいのある活動と意味のある読み物の大切さ

シーラ　今日，話題にしている指導法の一番大切なポイントは，子どもたちに，ただ文章を「解読」させるのではなく，本当の意味での「読み手」になるようにすることなの。イギリスの専門家は，母語が英語の場合は，小学校の初年度から本物の教材を使い始めるべきだと言っているのよ。

マナブ　それは，日本でも同じですね。この数年，小学校の国語の授業でも，大人の読むような文学作品の「さわり」の部分を，子どもに暗誦させるのがはやっています。子どもたちは，個々のことばの意味はしっかりとはわからなくても，だいたいの雰囲気は理解しているようですね。

シーラ　そうなの？「外国語としての英語教育」の場合は，母語での経験をそのまま使うことは無理かもしれないけれど。でもね，ちょっと変えるだけでも十分使えるのよ。大切なことは，たとえ短くて簡単な読み物でも，子どもたちにとって読みがいのあるものならいいのよ。最初は，必ずしも，本物の教材でなくてもかまわないのよ。

マナブ　特別に，英語の授業用に書かれたものでも，いいんですか？

シーラ　ええ，かまわないと思うわ。もし，子どもたちが，いずれ本物の読み物が読めるようになれば，もちろん，それに越したことはないわ。でもね，そこまで望むのは，それぞれの国の状況やそのほかの事情を考えると，必ずしも現実的とは言えないわね。だから，せめて，子どもたちに与える読み物が，彼らの想像力をかき立て，やる気を起こさせるものなら，いつも「本物（real）」でなければならないということではないのよ。

シーラ先生のひと口メモ

どのような読み物を選ぶか？

　市販の読み物の教材には，短い詩・ライム・物語などがあり，それらはリスニング用にも使うことができます。子どもたちが，興味を持って取り組むためには，面白いだけはなく，英語のレベルも自分たちに合っていなければなりません。つまり，話の内容がそれほど無理をしなくても理解でき，文法や語彙も，子どもたちがすでに知っているものを含んでいることが必要です。読んだ後のタスク（課題）も付いていないほうがいいかもしれません。子どもたちが，ただ読んで，そこに書かれていることを楽しんでくれれば，それでいいのです。多くの読み物には，必ずと言っていいほどタスクが付いています。実際，英語の先生はタスクが好きですが，タスクのない教材も，子どもたちに自信を付けさせ，読む習慣を身に付けさせるのにはとても大切なのです。

---

j)「読解力（reading comprehension skills）」を伸ばすには？

　今回のチュートリアルでは，シーラ先生は，「良い読み手」の3つの資質を挙げます。「良い読み手」は，次のことができます。

---

[*] Mrs. Opal Dunnは，1970年代半ばに，ブリティッシュ・カウンシルの役員として東京に赴任した夫に同伴し，日本滞在中に「だんだん文庫」およびICBA（International Children's Bunko Association: 国際児童文庫協会）を創設。現在はICBA名誉会長。子どもの英語教育とバイリンガル教育の専門家であり，絵本作家でもある。第7章第2節の(8)「子どもの目に触れさせたい良書」も参照。

①「良い読み手」は，自分たちが読んでいる文章の種類――物語・ジョーク（笑い話）・説明書・お知らせ文など――に関心を持ち，それらに応じて，ある程度内容を予測して書かれていることを理解できる。

②「良い読み手」は，多少，不確かなわからないことがあっても，それを我慢できる。つまり，読んでいる途中で，知らない単語や表現に出会っても読むことを止めずに，いずれ後になればわかるようになると信じて，そのまま読み進むことができる。

③「良い読み手」は，理解できない部分があっても，ほかのところを読んだり，イラストや自分たちの持っている常識などを頼りにして，おおよその内容を予想することができる。

> **マナブ** 先生，本当に子どもでも，こんなことができるんですか？ 日本の現状では，中学校以降の外国語教育についての話のように聞こえるのですが，……。
>
> **シーラ** これまでいろいろな国で教えた経験から，私は，優れた子どもの読み手は，成人の読み手のできることはすべてできると信じてるのよ。でも，残念なのは，こういう方法で，本当に子どもの読解力を伸ばそうという本格的な試みが，多くの国で，まだなされていないということね。
>
> **マナブ** そうでしょうね。いったい，どうしたらいいのでしょうか？
>
> **シーラ** 子どもたちの，こういう面での能力を伸ばすには，ちょっと難しいことにチャレンジさせることと，周りの大人がサポートをしてあげることね。子どもに与える読み物は，彼らの英語のレベルに合っていて，面白いものというだけでなく，ちょっと，矛盾した言い方かもしれないけれど，同時に，子どもにチャレンジさせるような読み物がいいのよ。何もかも，最初からわかりきっているようなものは，もちろんだめなの。

k) 大切なのは，やはり教える先生

　それでは，シーラ先生の今日の授業のまとめのことばを聞いてみましょう。

　いくら使う教材がよくできていても，それだけでは不十分です。それを教える先生が重要なのです。子どもたちを励まして，難しいことでも，思いきって「やらせてみる」ことができる先生でなければなりません。そういう先生なら，子どもたちをうまく指導して，まず，自分の意見を他人の意見と比較させ，それから，どのようなプロセスでそのような結論に至ったかなどについて，クラスでディスカッションをさせることができるのです。そのディスカッションは，母語で行われることもあるかもしれませんが，それでもやってみる価値はあります。というのは，こうして，先生も子どもも，かなり複雑な思考の世界をきわめて簡単に「探訪」できるからです。

　こういう授業で行われていることは，先生も子どもも，外国語でのリーディングのプロセスと，それをいかにうまく成し遂げるかということにかかわっています。これは，中学校以降の英語教育において，普通，よく見かけるリーディングの授業――あらかじめ，履修する新しい単語や表現のリストが与えられ，習うべき構文がぎっしりつまったもの――とは著しく異なっています。こういう授業は，語彙や文法の学習の目的でリーディングを取り入れています。実際，世界のいたるところで行われているものですが，「英語で

読めるようにする」こととは，無縁であると言ってもけっして過言ではありません。

いよいよ来週で，シーラ先生のこの章のチュートリアルも最終回を迎えることになります。最後のチュートリアルのトピックはライティングの指導です。

④ ライティングの指導

ライティングの指導は，4技能を扱うこの章では，もっとも短いものです。それは，子どもの学習者の場合，自分の名前を書いたり，バースデーカードに文字を記入すること以外には，英語で文章が書けるようになる必要性はないからです。それでも，世界のいろいろな国では，小学校段階から文字指導は導入されています。まず，子どもにライティングを教える理由は何でしょうか？　先生の講義を聞いてみましょう。

マナブ	前にもお話ししましたが，日本の小学校の英語教育では，原則として文字の導入は行われないことになっています。文字を導入している国では，どういう理由でライティングを教えるのでしょうか？
シーラ	スピーキングの場合と同じように，3つあるのよ。最初は，ノートに文字を書くことね。いわゆるハンドライティング（手書き）で，これは世界の多くの小学生が習っていることなの。2番目の理由は，新しい語彙や文法を定着させるために書かせることがあるわね。授業で習う英語の構文をノートに写して覚えるのね。でも，ライティングの目的は，これだけではないのよ。究極の目的って言うのかしら，自分が表現したいことを，理路整然とした正確な英語で書くということね。たとえば，人に手紙を書いたり，いろいろなことについて書くことね。
マナブ	日本で言えば，中学校でやっと2番目の段階といったところで，3番目は，高校に行ってからですね。しかし，先生，いまのようにコンピュータの時代になると，文章などはキーボード上で作ってしまうので，あまり，手で文字を書くということをしなくなりましたよね。このままいくと，将来，文字を書くことは教えなくてもいいというようなことが起こるかもしれませんね。
シーラ	それは，そうかもね。仮にそういうときがくるにしても，それまでは，とにかく子どもたちには，自分の学習している英語を表記する文字を教える必要は絶対あるのよ。でも，同じ文字を覚えるにしても，フランス語やイタリア語のように, 英語のような「Roman alphabet（ローマ字）」を使っている国の子どもたちには，比較的簡単かもしれないけれど，たとえば，マナブの教えている子どもたちのように，まるで，英語とは違った文字を持つ日本の子どもにとっては，ずいぶんたいへんなことに違いないわね。
マナブ	そうですよ。しかし私の場合，振り返ってみると，自分たちとはまるで違う文字を学ぶというのは，かえって，子ども心にも好奇心が刺激されたような記憶がありますね。
シーラ	ところで，マナブ。日本では，中学校から正式に文字が導入されているということだったけれど，文字は，「活字体（printing）」を最初に教え

マナブ　るの？　それとも「筆記体（cursive handwriting）」を教えているの？　私が中学生の頃は，活字体と筆記体の両方を教わりましたが，このごろでは筆記体は教えていないんです。大きな理由は，子どもへの負担を軽くするということですが，問題はパスポートなどのサインができないんですね。ちょっと，信じられないような話なんですが，事実なんです。イギリスやアメリカでは，どうでしょうか？

シーラ　イギリスやアメリカでは両方を教えるけれど，どちらを先に教えるかと言えば，もちろん活字体よ。理由はいたって簡単で，教科書の書体が活字体だからということね。スリランカでは，活字体と筆記体の「書き順」を，小学生が最初に習うテキストで丁寧に教えているのよ。

マナブ　そう言えば数年前に，私は，テレビで，ベトナムの小学校の英語の授業風景を見たことがあるんですが，初めて英語を学習する3年生の子どもたちが，ノートに上手に筆記体で書いているのを見て，感心したことがあります。

シーラ　いずれにしても，それは，それぞれの国の方針で決めればいいんじゃないかしら。

a）制限付きのライティングと自由英作文の指導

　いよいよ先生の話は，ライティングの指導の仕方という本論に入ります。先生の講義をまとめると，次のようになります。ただし，ここで紹介される世界の早期英語教育についての情報は，現在の日本では，国語の作文の時間や中学校や高等学校での英語の授業も視野に入れて考察するとよいでしょう。

　イギリスでの英語教育では，ライティングの指導は，通常，一定の制限の中で行われることが多く，最初から自分で英文を作らせるということはあまり行われません。そして，その場合でも，新しい語彙や構文を定着させる目的のライティングと，使用する表現・語彙や書く話題などを提示して，学習者を「誘導」しながら書かせる「誘導英作文（guided composition）」を区別しておく必要があります。

　前者のタイプのライティング・アクティビティは，いわゆる「穴埋め問題（gap-filling）」や，重要語句をノートなどに書き取らせることが中心になります。これらの練習問題では，文脈のないばらばらの文が使われます。

　一方，「誘導英作文」では，文法を覚えるためのライティングに比べると，はるかに大きな自由が与えられます。依然として，一定の枠はあるにしても，単に文法の規則を覚えるためのフレーズ〔たとえば，現在完了形の「have＋過去分詞」〕を書かせるのではなく，自分の言いたいことや，人に伝えたいアイデアを盛り込むことができます。たとえば，次の「メル友（key pal：メール友だち）」への自己紹介のメッセージを見てください。「メル友へのメール」ということで，子どもたちに，自分が伝えたいことを自分の英語で書かせようとしていて，単なる文法練習ではないことがわかります。

Dear ....
Hello. I am your new key pal. Here is some information about me.
（はじめまして。私は，あなたの新しいメル友です。私の紹介を簡単にします）

My name is .... and I am .... years old. I live in ....
(私の名前は .... で，私は .... 歳になります。私は .... に住んでいて，
with my family who are ....
家族は...です）
My interests are .... and my favourite .... is ....
(私の趣味は.................で，そして，私のお気に入りの.................は.................です）
How about you? Let me know all about yourself.
(あなたはどうですか？　あなたのことを教えてください）
I look forward to hearing from you.
(お返事を待っています）
Best wishes,
(さようなら）

マナブ　こういうメル友へのメールや，ペンパルへの手紙というのは，日本では中学や高校の教科書では一般的になっていますが，普通の小学校ではちょっと無理かもしれませんね。でも，書かせるのは無理としても，口頭練習としては面白いと思います。

シーラ　そうね，必ずしも文字で書かせなくても，スピーキングのレベルなら小学生でもやれると思うわ。この「メル友」へのライティングは，かなり制限がきつくて，子どもたちが「創作する」余地はあまりなさそうに見えるけれど，もっと制限を緩めて，子どもの自由な発想を引き出す方法もあるのよ。

マナブ　それは，どんな方法ですか？

シーラ　やさしい英文の詩のモデルを見せて，子どもたちに一部の語句を変えさせるの。「替え歌」を作るようなものね。子どもたちは，モデルの詩の中の名詞や形容詞などを替えて，自分で短い詩を作るのよ。

Spring（春）

Green leaves, green leaves（緑の木の葉）
Everywhere green leaves.（あっちも，こっちも，緑の葉っぱ）
Blue skies, yellow sun.（青い空，明るい太陽）
Everywhere, green leaves.（あっちも，こっちも緑の葉っぱ）
さあ，皆さんもこの詩の形をまねて，自分で春の詩を作ってみましょう。
春の詩だけでなく，秋や冬の詩も書いてみましょう。

マナブ　これも面白いですね。前にも言いましたが，こういう創作的なことは，小学生には無理だと頭から決めてかかりがちですが，必ずしもそうとは限らないかもしれませんね。

シーラ　そうよ，マナブ。子どもの力をみくびってはだめよ。このミニポエムは，制限はあるといっても創作的な要素があって，かなり複雑なことばの操作が必要だけれど，10歳以上の子どもならできるかもしれないわね。

マナブ　自由英作文（free composition）は，どうでしょうか？

シーラ　そうね，実際，子どもの場合は，インターナショナル・スクールとか一部の私立小学校や特別なサマーコース以外では，おそらく無理でしょうね。そういうところでは，たとえば，グループでプロジェクトなどの課題を与えて，興味のあることについてレポートをさせることもできるわね。修学旅行とか夏休みの家族旅行とか，何か特別な経験をした子どもがクラスにいたら，その子たちに簡単なジャーナル（日記）を書かせるのも良いアイデアね。

b）子どもたちの書いた作文の誤りは，どのように訂正するか？

マナブ　スピーキングの指導でも，子どもたちの誤りの訂正の仕方について勉強しましたが，ライティングの場合，とくに注意することはあるのでしょうか？

シーラ　ライティングの訂正については，以前から2つの対立した意見があるのよ。子どもたちの犯す誤りは，ことごとく訂正すべきだと主張している人たちと，反対に，あまり細かく訂正してしまうと，子どもたちが気落ちしたりやる気を失ってしまい，かえってマイナスの効果しかないと言っている人もいるの。でもね，結局，焦点をしっかりと決めて訂正をすることが，一番効果があるということね。

マナブ　子どもがライティングの作業をしている間に，先生がきめ細かく指導をすれば，間違いも比較的少なくなるのではないでしょうか？

シーラ　そうなのよ。それに，誘導作文にしても，ミニポエムのような創作的な作文にしても，間違いを訂正することは，それほどダメージを与えることはないのよ。問題は，むしろ，子どもの書いた作文に成績を付けるときなの。

マナブ　そうですね。訂正の赤字がいっぱいあると，どうしても，子どもたちは，ほかの教科の場合と同じように，学期末の評価が悪くなってしまうのではないかと考えがちですよね。

シーラ　だから，先生としては，作文を書かせる前に，訂正や評価の仕方などについて，しっかりした情報を与えておく必要があるわ。そうしないと，先生と子どもとの信頼関係が崩れてしまいますからね。

c）プロセス・ライティングとは？

注釈13（p. 107参照）

　　Hedge（1988, 2000）は，80年代に始まった，新しいライティング指導の理論であるプロセス・ライティングの指導法[13]は，子ども向けの英語教育でも効果的に利用できる場合が多いと言っています。プロセス・ライティングの指導理論によると，ライティングは次のようなステップを踏みます。

① グループでいろいろなアイデアを持ち寄る。
② 書く前に構想を練るためのブレイン・ストーミングを行う。
③ 自分の作文に盛り込むアイデアをメモする。
④ ライティングは，次のようないくつかの段階を経て完成させる。
　　第1稿（draft writing）→ 内省と修正（reflection and modification）
　　→ 第2稿 → 内省と修正 → 第3稿 → 内省と修正……

このプロセスは，円（circle）を描くように，書き手が満足するまで続く。

マナブ　まるで円を描くように，満足するまで推敲するというのは，結構，難しいでしょうね。

シーラ　そうね。宿題の作文なんかでも，だいたい，最初にできたもの（first draft）を，結局，最終稿として提出すれば，それでいいわけですからね。普通，もう一度，チャレンジする機会なんかないわよね。

マナブ　現実的に考えると，クラスの人数が多かったり，先生は雑用で忙しいし，なかなか，そこまで丁寧に，子どもの作文を読むゆとりはないですよね。

シーラ　だから，もろもろの状況が許せば，ということになるわね。でも，やるだけの価値は十分あると思うの。

マナブ　プロセス・ライティングを，子どもの英語の授業で実践するには，どうしたらいいんでしょうか？

シーラ　まず，それぞれの子どもたちが「第1稿（first draft）」を書き終えた段階で，ペアを作らせて，作文を交換し，どこを直したらもっとよくなるか相談させるのよ。

マナブ　先生，でも，子どもたち同士でそんなことができるんでしょうか？

シーラ　それが，うまくいくのよ。子どもというのはね，自分が指導的な立場に立つことが好きなのよね。それに，ペア・ワークで，相手のために役立ちたいと思ったり，ほかのクラスメイトよりも「一枚上をいきたい」という気持ちが働いて，結構，厳しい目でチェックするのよ。自分の作文では気づかないような細かいことまで指摘することがあるの。

マナブ　成人の場合と同じように，子ども同士でも，相手の英語を読むと，文法とか表現の仕方などについて意識するようになるんでしょうね。日本に「人の振り見て，わが振り直せ」ということわざがありますが，英語のライティングでも同じなんですね。ところで，子ども同士のペア・ワークでは，先生の役割は何でしょうか？

シーラ　こういうやり方のいいところはね，マナブ，先生は，この段階では，あまり口を挟まなくてもいい，ということなの。子どもに任せておけば，いいのよ。その代わり，あとになって，子どもたちが最終稿を仕上げる段階で，浮いた時間とエネルギーを使って先生としての助言をするのね。

マナブ　今日，先生からお聞きした「プロセス・ライティング」を，そのまま日本の小学校で実施することは難しいかもしれませんが，日本語の作文の授業で，一度やってみたいですね。

チュートリアルの終わりに，先生は，このプロセス・ライティングによるアプローチは，ポートフォリオ*を利用した評価と合わせて使うと効果的である，ということを付け加えました。ポートフォリオによる評価の詳細については，本書の第6章でも扱いますが，プロセス・ライティングとポートフォリオの共通点は，両方とも，子どもたちが自分の書いたものを，最終稿とは見ないで，再度，振り返り（reflection），見直し，何度も修正を加えることにあります。

この章では，リスニング・スピーキング・リーディング・ライティングの4技能に関して考察しましたが，それぞれの記述は，子どもたちへの英語教育という観点から，重要度の高いものを優先してより詳しく説明しました。

* 学習者一人ひとりが，日常の英語活動を通じて作成した形あるものを，すべて保存するための，個々の学習者専用の「書類ばさみ」のこと。袋や箱でもよい。英語活動の成果を記録する方法の一つとして，「ポートフォリオ」が有効である。（『児童英語キーワードハンドブック』大久保洋子（監修），ピアソン・エデュケーション，2003年を参照のこと）

しかし，それらは独立して教えるものではなく，L→S→R→Wと進むにつれて，さまざまなスキルを積み上げて指導する必要があります。本書のほかの章で扱っているいろいろなアクティビティも，子どもの外国語学習を進めるのに役立つものです。そういう意味で，読者の皆さんが，本書の全体の記述を相互に参照していただき，子どもにやさしい英語活動のレパートリーを広げてくださることを祈っています。

注　釈

1 「表示質問（display questions）」と情報を知るための「参照質問（information〔referential〕questions）」：「表示質問」とは，教師が答えをあらかじめ知っていて，練習のために学習者に尋ねる質問。たとえば，授業の冒頭のウォーム・アップで「今日は何曜日？」（"What day of the week is it today?"）と尋ねるのが典型的な「表示質問」である。一方，相手がどう答えるか知らずに尋ねる質問は，「参照質問」と呼ばれる。一人の生徒に，「君は昨夜，何時に寝たの？」（"What time did you go to bed last night?"）と尋ねるのが「参照質問」である。

2 たとえば，工業英語や商業英語（ビジネス英語）がこれに該当する。

3 たとえば，典型的な「人間性中心のアプローチ（humanistic approach）」の一つに，ブルガリアの心理学者 Lazanov が提唱した「サジェストペディア（Suggestopedia）」がある。この教授法では，教材の最大の定着を図るために，リラックスした心の状態を利用する学習法で，その原理は，① リラックスして楽しいこと，② 学習者の潜在能力を暗示により引き出すことである。一例として，バロックの音楽を流しながら授業を行うことなどもある。

4 道具的動機（instrumental motivation）：英語を学習することによって，功利的目的（例：社会的成功・大学入試での合格）を達成したいと思う心理的欲求のことである。この動機付けによって英語を学習する人は，英語自体，英語母語話者，英語話者の持つ文化的背景などに必ずしも関心があるわけではない。（『英語教育用語辞典・改訂版』大修館書店，2009 年）

5 たとえば，視覚に依存するタイプの学習スタイル（visual learning style）では，主として，目から入る情報に依存して学習するが，聴覚的学習スタイル（auditory learning style）の人は，聴覚にリンクした学習を好み，一方，運動感覚学習スタイル（kinesthetic learning style）は体を動かしたり，物に直接触れて学習すると効果が上がるとされている。複合的知能（multiple intelligences）の中に含まれる。（『「小学校英語」指導法ハンドブック』玉川大学出版部，2005 年）

6 2011 年度からの実施に先立ち，2008 年 12 月に，文部科学省は『小学校新学習指導要領』を公示し，その「第 4 章 外国語活動の第 3 の 1(5)」で，「指導計画の作成や授業の実施については，学級担任の教師又は外国語活動を担当する教師が行うこととし，授業の実施に当たっては，ネイティブ・スピーカーの活用に努めるとともに，地域の実態に応じて，外国語に堪能な地域の人々の協力を得ることなど，指導体制を充実すること」としている。

7 松川（2004）は，子どもの興味に沿って，英語を使う場をどう設定するかというマネジメント機能や，子どもの反応をとらえて適切に反応する反応・評価機能に関しては，小学校の学級担任は ALT や英語専科の日本人教師よりも優れていると述べている。（「小学校英語活動の現在から考える」『小学校での英語教育は必要か』慶應義塾大学出版会，2004 年）

8 こういうことばの働きを「発話行為（speech act）」と言う。

9 「理解可能なインプット（comprehensible input）」は S. Krashen の用語で，学習者の持つ現在の言語能力（competence）をわずかに超える言語項目（i＋1）を含む入力（input）言語をいう。クラッシェンは，「i＋1」が言語習得を促進するのに不可欠であると主張した。（『新学習指導要領に基づく英語科教育法』大修館書店，2001 年）

10 厳密に言えば，『英語ノート』では，「読む導入」としてテキストに名前や単語，短い文を英語で示したり，「書く導入」としては自分の名前をローマ字で書いたり，アルファベットの書き写しを行っていた。また "Hi, friends!" でも，5 年生用①の Lesson 6（What do you want? アルファベットをさがそう）でアルファベットの大文字に，6 年生用②の Lesson 1（That's right. アルファベットを作ろう）では大文字と小文字に触れさせ，街の絵からアルファベットの文字を探させたり，書き写させるなどの活動を取り入れている。

11 置換ドリル（substitution drills）：「オーディオリンガル・メソッド（口頭教授法）」の代表的な指導技術である「パターン・プラクティス（文型練習）」では，学習者に目標とする文型を覚えさせるために，その文の一部をほかのことばに置き換えて，自動的に言えるようになるまで，スピーディに何度もくり返して覚えさせる。

　例：先生：I went to Tokyo yesterday. *He.*
　　　生徒：*He* went to Tokyo yesterday.
　　　先生：*She.*
　　　生徒：*She* went to Tokyo yesterday.

12 コミュニケーション方略（communication strategy）：コミュニケーションを円滑にするため，自分に欠けている能力を補完しようとする能力を「方略的能力」と言い，この能力を用いて，もっとも効果的にコミュニケーションを行う方法をコミュニケーション・ストラテジーと呼ぶ。たとえば，「言い換え（paraphrase）」の方法として，「水仙」の英語がわからないときに，a kind of flower と言ったり，「遠

回し表現（circumlocution）」で言い表そうとする。（『改訂版 新学習指導要領にもとづく英語科教育法』大修館書店，2001年）

[13] プロセス・ライティング（process writing approaches）：書くプロセスを重視するライティング指導。実際に文章を書き始める前に，ブレイン・ストーミングによって，書こうとする内容を思いつくままに書き留めさせ，その後，それを整理・分類してパラグラフの構成を考えさせる指導法。推敲・編集などのプロセスを重視して指導を行う。

第 3 章　子どもにやさしい教え方——語彙と文法

3.1　語彙の指導
3.2　文法の指導

　語彙と文法と言えば，英語学習のまさに中核を成すものですが，高校時代に，おびただしい数の英単語を単語カードに書き写して電車の中で暗記したことや，ひたすら，動詞の活用や複雑な構文を覚えさせられた記憶など，どちらかと言えば，私たちの印象はけっしてよいとは言えません。しかし，これだけが英語の語彙と文法の教え方でもなく，学び方でもありません。本章では，「子どもにやさしい英語の授業」という観点から，指導計画の作成にあたって必要な知識と技能，語彙と文法項目の選択と配列の仕方，導入方法などを具体的な活動例を交えながら紹介します。

この章を読む前に

1. 新学期で導入する新語の数を決めるときの判断材料は何ですか？
   a) 子どもたちの年齢。
   b) 子どもたちのこれまでの英語学習歴。
   c) 自分が受け持つ予定の英語の授業数。
2. 子どもが学習する語彙のうち，ほぼ何パーセントの語彙が実際に使えるようになればよいと思いますか？
   a) 履修した語彙の全部（100%）が使えるようにするべき。
   b) 語彙の大半（70%～90%）が使えるようになればよい。
   c) 語彙の半分程度（30%～60%）が使えるようになればよい。
   d) 履修した語彙の一部（10%～30%）が使えるようになればよい。
3. 「文法」とは何ですか？　このことばから何を連想しますか？
4. 英語教育という観点から見て，「文法」ということばに肯定的な印象を持ちますか，それとも，何か否定的な意味合いを感じますか？

この章のキーワード

本文の左の欄外には，
　□ **内容語**（content words）
などの「キーワード」が提示されています。まずこの「キーワード」を見て，わかる用語の□にチェックマーク（✓）を入れながら読み進めてください。わからない用語があったら巻末の「キーワード解説」で確認しましょう。

3.1　語彙の指導

「あの人のボキャブラリー（vocabulary）は，豊富だ」というようなことを耳にすることがよくあります。この「ボキャブラリー」という単語を日本語に訳すと「語彙」ということですが，英英辞典で引くと次のような定義が書いてあります——'All the words that someone knows or uses' (*Longman Dictionary of Contemporary English*)。つまり，人の持っている語彙は，その人が知っていたり，使ったりするすべてのことばということになります。これではあまりにも漠然としているので，英語教育の分野ではこれをいろいろな方法で分類しています。この節では，まず「内容語」と「機能語」，「受容語」と「産出語」のように分けて説明をします。次に，これらの語彙を学習者のレベルや学習の目的によって，どのような基準で選び，どのように子どもたちに提示するかなどについて考えます。

(1)　子どもが学習する語彙をどのように分類するか？
① 内容語と機能語

マナブ　お恥ずかしい話ですが，私は大学生になってからでも，英語の勉強で一番大切なことは単語を覚えることだと思い込んでいたんですが，これは誤った考えでしょうか？

シーラ　そうね，もちろん単語だけということはないわよね。でも，以前，私がイタリアで子どもたちにインタビューをしていたときに，「僕は，英語はいま覚えてしまったほうがいいと思うな。だって，大きくなればなるほど，覚えなければならない単語の数が増えるから」なんて言った子どももいたのよ。*

* 第1章第2節の(11)「子どもたちの英語学習観」を参照。

マナブ　いかにも子どもらしくて，面白いですね。

シーラ　たしかに，子どもというのは，自分たちが興味を抱くものの名前は，何でもすぐ覚えてしまうものよね。恐竜の名前とかもそうでしょう？

マナブ　以前のチュートリアルで，先生は，日本で子どもたちにすごい人気のある「ポケモン」が，イギリスでも大人気だとおっしゃっていましたが，小さな子どもたちが登場するキャラクターたちの名前をみごとに全部覚えているのを見ると，本当に驚きますね。

シーラ　そうなのよ。単語はとても重要で，実際，私たちがコミュニケーションを通して伝えたいと思う大部分の情報が語彙の中に含まれているのよね。もちろん，「イヌ」「ネコ」「ビスケット」とか「ティラノザウルス」というような名詞だけではなく，動詞・形容詞・副詞なども同じくらい重要よ。でも，子ども向けの英語のテキストを見ると，名詞をもっとも重要視している傾向はたしかにあるわね。

マナブ　昔，学生時代に，「母語の習得」のプロセスについて勉強したことがあるのですが，たとえば，ことばを覚え始めの幼児が "Mummy, cup NOW!"（ママ，カップ，いますぐ！）というような，いわゆる2語発話[1]の段階でも，単語を羅列して意味を伝えようとしているし，また英語学習者の場合でも，外国に行くと習いたてのカタコト英語で，"Station?"（駅？〔駅はどこですか？〕）とか "Bank open today?"（銀

注釈1（p. 139 参照）

行，今日，オープン？〔銀行は今日，開いていますか？〕）というように，単語を並べて意味を伝えようとしますね。

シーラ　そう。英語の文法の知識はあまりなくても，語彙さえ知っていればなんとかなると思うものよね。ところで，マナブ，こういう意味を持った語彙を，専門用語では「**内容語**（content words）」と言うのよ。たとえば，次の文を見てみると，大文字で書かれた語が「内容語」だけど，比較的はっきりと発音されるのがわかるでしょう？　だいたい，こういう「意味を持ったことば」は，ほかよりも強く発音されるの。

□ 内容語

　　The <u>BIG BAD WOLF SUDDENLY APPEARED</u> from the <u>MIDDLE</u> of the <u>FOREST</u>.
　　（<u>突然</u>，森の中から，<u>大きな悪者のオオカミ</u>が現れました）

マナブ　なるほど，多くの人が単語，単語と言っている理由がよくわかりました。つまり，内容語は，子どもだけではなくすべての学習者にとって重要な意味を持っていて，それは，もともと音声的にも，私たちの耳に入りやすくなっているということですね。

□ 文法語
□ 機能語

シーラ　そうなの。この文の中で，小文字で書かれている語彙は，「**文法語**（grammar words）」とか「**機能語**（functional words）」と呼ばれていて，内容語のような意味は持たないけれど，内容語が文の中でどのような働きをするかを表しているの。発音するときも，内容語は，ほかのことばよりはっきりと聞こえるように強調して発音されるから，よく聞くと，どの内容語も必ず強く発音される音節（stressed syllable）が1つずつ含まれていることがわかるのよ。[2]

注釈2（p.139参照）

マナブ　先生はこれまで，たくさん子ども向けの教材を執筆していらっしゃいますが，内容語にせよ，機能語にせよ，子どもたちが学習する語彙はどのように決めるのでしょうか？

シーラ　履修語彙は，たとえば，国が定める学習指導要領やそれぞれのプログラムで，レベルごとにあらかじめ決められている場合が多いけれど，最近は，幅広い語彙を取り入れている教材が増えてきているんじゃないかしら。あるトピックに関連する語彙をまず選び出して，それらを意味や形状，種類などでグループ分けして整理し，次ページのような「クモの巣図（topic web）」を作る方法もあるのよ。あとの教授法のチュートリアルでもっと詳しく説明するけれど，「話題（トピック）に基づいた教授法（topic-based teaching）」*にはこういうやり方が適しているように思うわ。

＊第5章第3節の(6)「マナブの『指導プログラム案』の展開」参照。

マナブ　でも，先生，こういう語彙を中心にした教材では，文法はどのように扱われているのでしょうか？

シーラ　語彙が中心の教材では，当然，文法項目の数は比較的少なく抑えられているわ。一方で，これとはまったく異なるアプローチを採っているのが，「オーディオリンガル・メソッド」に基づいた教授法ね。この場合は，主眼が構造にあるので，逆に語彙はかなり控えめになっているの。でも，マナブ，表向きは「コミュニカティブ」という看板を掲げていても，中身は依然としてオーディオリンガル色が強く，文法の占める割合が高くて語彙は故意に少なくしてあるものもあるのよ。*

＊第2章第1節参照。

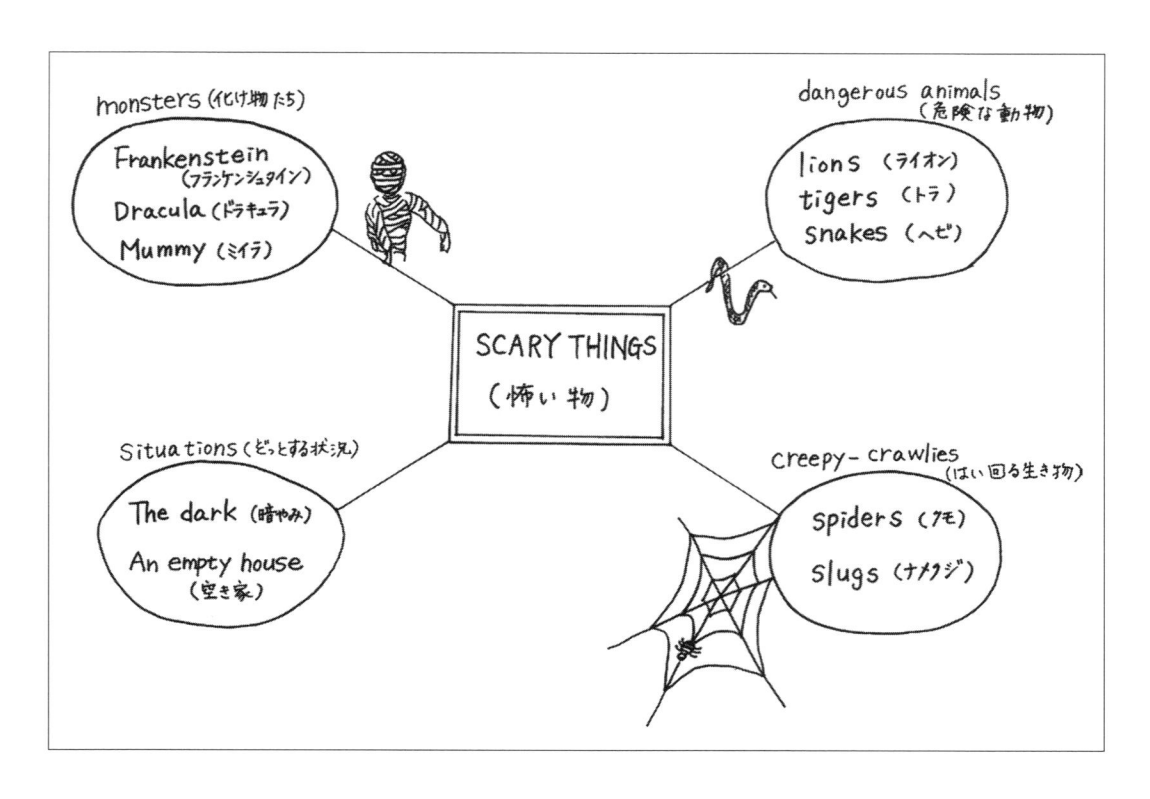

```
monsters (化け物たち)                    dangerous animals
  ┌─────────────┐                           (危険な動物)
  │Frankenstein │                         ┌──────────┐
  │(フランケンシュタイン)│                    │lions (ライオン)│
  │Dracula (ドラキュラ)│                    │tigers (トラ)│
  │Mummy (ミイラ)│                          │snakes (ヘビ)│
  └─────────────┘                         └──────────┘
                    ┌──────────────┐
                    │ SCARY THINGS │
                    │  (怖い物)     │
                    └──────────────┘
  Situations (どっとする状況)              creepy-crawlies
  ┌─────────────┐                           (はい回る生き物)
  │The dark (暗やみ)│                      ┌──────────┐
  │An empty house│                         │spiders (クモ)│
  │ (空き家)      │                         │slugs (ナメクジ)│
  └─────────────┘                         └──────────┘
```

② 受容語と産出語

シーラ 先週のチュートリアルでは,「内容語」と「機能語」の話をしたけれど,語彙の区分の仕方には,ほかに「**受容語**(receptive words/vocabulary)」と「**産出語**(productive words/vocabulary)」という区分の仕方もあるのよ。

□ 受容語
□ 産出語

マナブ つまり,主として聞いたり読んだりするのに使うことばと,話したり書いたりするときに必要な語彙ということでしょうか?

シーラ その通りよ。「受容語」というのは難しく言うと,あるコンテクストの中で私たちが目や耳にすることを認識し,理解するためだけに使われるたぐいの語彙のことね。簡単に言うと,読んだらわかる,聞いたらわかるという語彙をさし,一方で,「産出語」は単語を発音して,実際に使用するレベルの語彙のことよ。マナブ,あなた自身の持っている英語の語彙で考えると,受容語と産出語ではどちらがたくさんあると思う?

マナブ そうですね。圧倒的に,受容語のほうが多いと思いますが,……。

シーラ そうね。一般的に,外国語学習者の場合は,受容語の数は産出語に比べるとはるかに多いけれど,母語についてもこれと同じことが言えるのよ。それに,たとえば,アメリカに住みながら英語を学習する移民の子どもたちのような場合でも,語彙によっては,学習者が必要に迫られて使い始めるまで,長い間,受容語としてのみ機能していることばもあるわ。

マナブ 市販されている子ども向けの教材では,これらの受容語や産出語はどのように扱われているのですか?

シーラ そうね,扱い方はいろいろあるけれど。たとえば,語彙に「R(受容語)」

と「P（産出語）」の区別を付けているテキストもあれば，まったく無視しているものもあるし，かなり神経質に区分けしているものもあるのよ。なかには，生徒用の教科書ではとくに触れずに，教師用の指導書の中でその扱い方を説明していることもあるわ。

マナブ 教師としては，こういう情報が得られると，自分の使っているテキストの著者の意図がどのように教材に表れているかがわかって，都合がいいかも知れませんね。

シーラ そうよね。とは言っても，実際，受容語と産出語の関係はどのようになっているか厳密にはわかっていないの。それに，どんな語彙が子どもの頭の中に残って，実際に使われるようになるかなどという予測も，そんなに簡単にはできないのよ。でも，教師としては，少なくとも語彙導入の方針とかプランを自分で持っていることは大切なことだわ。

ここで先生は，子どもたちが日常生活で実際に使うレベルの語彙と，そうでない語彙を，次のように「目玉焼き」の卵の例を使って説明します。

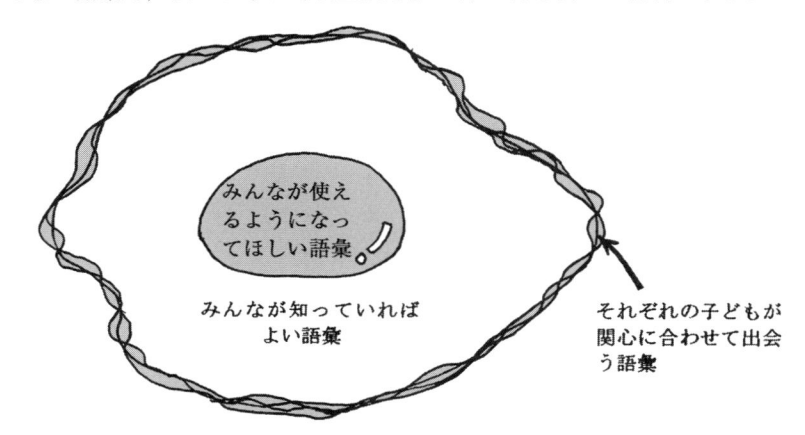

（図：目玉焼きの形の図。中央の黄身部分に「みんなが使えるようになってほしい語彙」，その周囲の白身部分に「みんなが知っていればよい語彙」，外側のこげた部分に矢印で「それぞれの子どもが関心に合わせて出会う語彙」と記されている）

真ん中の黄味の部分には，「子どもたちが自由に使えるようになってほしい語彙」がきて，それを取り囲む白身のところには，「子どもたちに意味を知っていてほしいけれども，必ずしも使う必要のない語彙」がきます。目玉焼きの周辺のパリパリとした「こげた部分」は，「子どもたちが興味を持ち，面白いと思って，特別に記憶したり，使用するような語彙群」がきます。

(2) 子どもに与える新しい語彙の提示の仕方と選択の基準

先生の「目玉焼き」の説明でわかるように，子どもたちに与える語彙は，彼らの関心・興味に応じてその重要性や扱い方に違いが出てきます。これから，それらの語彙をどういう基準で選択し，どのように提示するかなどの問題について考察しましょう。年間の授業計画を通じて，子どもたちが語彙を過不足なく習得できるようにするために，教科書〔出版されているものに限らず，出版されていない教材も含む〕の中に履修語彙を配置する方法には，次のようなものがあります。

① 配分（Dosing）

□配分　これは，履修する語彙を適正な「分量」に分けて，教科書全体に**配分**する

ことです。語彙の配分の仕方は，教科書の著者や指導計画作成者によって異なります。たとえば，教科書によっては，単元（Unit）の最初の課（第1課）ですべての新語をまとめて紹介してしまい，残りの課ではそれらの単語の練習と強化だけを行うものもあります。あるいは，ある単元が終了してしまうと，そこで履修した語彙については，その後はまったく扱わないというような極端な例もあります。しかし，大部分の教科書は，もっと緩やかな形で指導計画全体に均等に語彙を配置するようなアプローチを採っています。新語は一度に2～3語に限定し，導入のために豊かなコンテクスト（文脈）を用意して，新語を既習の語彙の中に「ちりばめる」ようなきめ細かい配慮をしています。

② 言語材料の反復／再利用（Recycling）

□ **言語材料の反復／再利用**

この2番目のアプローチは，教科書のすべての課にわたって語彙を**反復**し，**再利用**するため，最初に紹介したアプローチに比べて緻密さと慎重さを必要とします。リサイクルというのは，言語材料〔この場合は語彙〕をある単一の課の中で集中的に扱うのではなく，一度履修した語彙を教科書のほかの課でも再利用することを意味しています。この方法では，緩やかに段階を追って新語が導入されるので，学習者は自然な形でそれらを既習の語彙のネットワークの中に取り込み，さらに多くの異なった文脈の中で身近な語彙に触れることになるので，それぞれのことばが持つ意味をいっそう深く理解することができるようになるのです。

③ グループ分け（Grouping）

学習者にとっては，共通の意味を持つ語彙がグループとしてまとまっているほうが，ばらばらに提示されるよりも理解しやすいということは一般的に認められています。「話題（トピック）に基づいた授業」では，それぞれの語彙の間に明確な関連性を持たせることができます。しかし，このようなタイプの授業では，語彙の再利用という点で問題が生じます。たとえば，ある課で「動物」のトピックを教えた後で，どこか別のところで，再び動物に関する語彙を出すかどうか，それとも，1回限りでそれは二度と扱うことはないのでしょうか？　実際は，そのトピック以外のところで，同じ語彙を扱うことは難しいと思われます。たとえば，あとから学習する「食べ物」のトピックの中に，あえて「キリンやゾウやライオンの食べ物」というレッスンを挿入するような工夫をする必要がありますし，「家族」のトピックを教えた後の「衣服」のトピックで，「お父さんやおじいさんのお気に入りの衣服」について，子どもたちに話させることも一つの方法ですが，実行することはなかなか難しいことです。

また，子ども向けの教科書で扱われているトピックについて，世界の国々の教科書を比較してみると，多くのものがかなり似かよっています。主な話題は，家庭や家族，動物や食べ物，天気，乗り物などですが，ここで注意しなければならないことは，これらの話題に，本当に子どもたちが興味を持っているのかどうかを慎重に吟味する必要があるということです。なかには，子どもたちの興味とは関係なく，教師や教科書の執筆者が，ただ，ほかの教材の真似をしているだけということもあり得ます。さらに，教科書によって

は，子どもたちがまったく興味を示さないトピックが含まれている可能性もあります。したがって，新しく子ども向けの英語プログラムを作る場合は，使う教科書・教材などを，あらためて新鮮な目で見直してみることがとても大切です。

(3) 子どもに与える語彙の選択基準は何か？

シーラ ちょっと余談になるけれど，毎年，新学期が始まる前になると，新しく採用する教科書を選ばなくてはならないわよね。マナブは，そういうときにどんなことを基準にしているのかしら？

マナブ うーん，これは結構難しくて，どちらかというと，行き当たりばったりのところが正直言ってありますね。

シーラ それは困るわね。語彙数について，誰でもできるような簡単な規準を教えるわね。

シーラ先生のひと口メモ

1課あたりの新語の導入は何語ぐらいが適正か？

　自分が，いま使用しているテキストの語彙のレベルを調べたり，新規採用のためにいくつかのテキストの語彙数を比較しようとするとき，次のような簡単な数式を使うことによって，1課あたりの新語の数を計算することができます。たとえば，年間90時間のコースで，全体の新語数が181語の「テキストA」と459語の「テキストB」の1時間あたりに導入する新語は，次のようになります。

　テキストA：181 ÷ 90 ＝ 2.0語
　テキストB：459 ÷ 90 ＝ 5.1語

　90時間の年間授業数の中には，子どもたちが学習したことを理解し吸収するための時間（digestion time）なども含まれます。たとえば，子どもたちに教師の計算通りに，毎時間必ず2つずつ機械的に新語を習得させるなどということは，きわめて非現実的です。「産出語」にまでもっていくには，それなりの作業や練習も必要になります。その時間を考えると，このような計算式はきわめて「大雑把」なものですが，テキストの選定や同僚と相談するときなどには参考になるでしょう。

マナブ 私は，普段教えている教科書で，語彙がどのように提示されているのかなどということは，これまで考えたこともありませんでした。また日本に戻ったら，私も自分の使っている教科書をこういう視点から，あらためて見直してみたいと思います。ところで，先生，「内容語」と「機能語」のところでもお尋ねしましたが，教科書の著者や指導計画作成者は，どういう規準で履修語彙を決めているのでしょうか？

シーラ 語彙の選択にかかわる要件としては，次のようなことが考えられるわ。まず「**ニーズ分析**（needs analysis）」だけれど，学習者が子どもの場合は，外国に旅行したり外国の人に会うというようなことがない限りは，彼らの外国語学習のニーズを特定することは不可能ね。

マナブ ニーズ分析といえば，子どもたちがもっとも関心のある事柄なども，語

□ ニーズ分析

注釈3（p. 139 参照）	シーラ そう，子どもたちの興味と関心が一番大切なことよ。[3] でも，子どもたちに直接，授業で取り上げてほしいと思うようなトピックは何ですか？と聞くことはめったにしないわね。ただ，もし時間があれば，たとえばサマースクールの短期プログラムの準備として，事前にそのような調査をすれば，子どもたちが関心を持っているトピックや語彙などについて有益な情報を得ることができるはずよ。その場合の問題は，プログラムの内容が，こうした子どもたちの希望に合っているかどうかを急いでチェックしないといけないことと，場合によっては，授業前には予期しなかったようなトピックに教師側が柔軟に対応できるかどうかについても，一応，確認しておく必要があることね。
＊改訂版の "Hi, friends!" も「準テキスト」であることには変わりはない。巻末の「『英語ノート』vs "Hi, friends!"（改訂のポイント）」も参照。	マナブ 日本の『英語ノート』＊の場合は，一応「準テキスト」ということですから，語彙の選択などはすべて国〔文部科学省〕で決められていて，先生が子どもたちの希望を聞いて，それをシラバスに反映させるようなことはあまりないと思います。でも，そこで扱われている語彙は，たしかに先生の言われるように子どもの興味が主体となっているように思います。[4]
注釈4（p. 139 参照）	シーラ いま話した「ニーズ」と「関心」以外にも，教える語彙を選択するときには，次のようなことも考えないといけないの。ちょっと長くなるけど，メモしておくといいわね。

シーラ先生のひと口メモ

語彙の使用頻度（frequency）と適用範囲（coverage）

□ **使用頻度** □ **コーパス** ＊実社会で実際に話されたり，書かれたりしているさまざまなタイプの言語資料。言語を使用しているままの状態で，誤りも訂正しないで保存してある。詳しくは「キーワード解説」を参照。	「**使用頻度（frequency）**」とは，ある単語がどれほど頻繁に使用されているかということです。これは，最近では，膨大な**コーパス（corpus）**＊を利用して判断されることが多いのですが，成人向けの英語のコーパスは，子どもにはそのまま使うことはできません。しかし，近ごろでは，大人ではなく，子どもの言語使用に基づいたコーパスもいくつかできています。 　語彙によっては一般的には使用頻度が低いものでも，子どもの関心事に適合したものもあるのです。たとえば，成人の学習者にとっては，thing（物事）という名詞は頻度が高く，hamster（ハムスター）ということばは thing に比べたらはるかに低いものです。したがって，hamster は子ども向けの教材では使用頻度の高い重要な語彙と言えます。同様に，soap（石鹸）とか toilet paper（トイレット・ペーパー）などの日用品の名前も，子どもにとってはそれほど多く使われることはないので，使用頻度のリストではあまり上位にあるわけではありませんが，生活をしていくうえでいつかは覚えなければならないことばです。
□ **適用範囲**	「**適用範囲（coverage）**」とは，一つの単語で，どれくらい多くの異なったものをさし示すことができるかということで，言い換えれば「汎用性」ということです。たとえば，clothes という「衣服という範疇に属する語」を総称する語（category words）を知っていても swimsuit（水着）という下位レベルの語彙を知らない場合，clothes for swimming（泳ぐための衣服）というように，遠回しの表現（circumlocution）で言い表すことがで

きます。多少不自然に聞こえますが，ネイティブ・スピーカーでも，その場に居合わせていれば理解ができます。逆に，swimsuit を知っていても clothes を知らないと，コミュニケーションには不都合をもたらします。

マナブ　なるほど。そういう「汎用性」の高い語句には，ほかにどのようなものがありますか？

シーラ　さっき例に挙げた thing とか，person や place などね。でも，実際に子ども向けのテキストを詳しく分析して驚くことは，意外にもこういう汎用性が高くて適用範囲の広い語句が使われていないことなの。* 同じように，a type of ～〔a sort of ～〕（一種の～）とか，It's used for ～（それは～に使われている）とか It's like ～（それは～のようなものです）というような，そのものずばりの単語を知らなくてもなんとか相手に意味を伝えることができる表現は，初級の学習者にとって汎用性が高いと思うのだけど，子ども向けの教材ではあまり出てこないのよね。ともすると，語彙だけを教えることに関心が向いていて，単語がわからないときに，どのように相手に通じさせるかという方略（ストラテジー）を教えることを忘れているのね。これはとても残念なことだと思うわ。

*詳しくは Rixon（1999）を参照。

マナブ　たしかに，子どもでもそういう「strategies（方略）」*を教えることは大切なのですね。

*第1章第2節の(9)「子どもたちと学習ストラテジー」を参照。

シーラ　語彙選択のひとつの条件として，言語的な規準（linguistic criteria）というものがあるの。ある語彙をどのように発音してどのようにつづるかとか，またはどのぐらいの長さかということで，これは，語彙選択の主要な条件ではないけれど，大切なチェックポイントにはなるわ。たとえば，子どもの母語を考慮して，とくに難しそうな発音の語彙だけを選んで語彙リストに入れておくとか，またはあらかじめ除外しておくということね。

マナブ　そうですね。私たち日本人についてよく言われる 'r' と 'l' の区別とか 's' と 'th' の音の区別は，日本語ではその区別がないので本当に難しいんです。ですから，そういう難しいものを，まとめて集中的に教えると効果的かも知れませんね。もうひとつ，私たちのような英語の非母語話者にとって難しいのは，発音とつづりの「ズレ」という問題があります。*

*第2章第2節の(2)③「リーディングの指導」を参照。

シーラ　これは，たしかに英語学習の大きな障害だわね。だから，子どもに教える場合は，つづりと発音に規則性があるような，いわば「行儀のよい」語句のストックを用意しておくといいのよ。たとえば，bat（コウモリ，〔野球の〕バット），mat（マット），cat（ネコ）などは母音が同じで，発音もつづりと同じでしょ？　でも，これは例外で，使用頻度の高い語彙の多くが，たとえば，who, laugh, two のように発音とつづりは，ばらばらで一貫性がないの。だからといって，これらの語彙を除外することはできないわ。結局，小・中連携の観点からも，教師にとって大切なことは，発音とつづりの規則性や不規則性を教えるときに，それらのもっとも適切な具体例がいつでも出せるようにしておくことだと思うの。次のようにまとめみると，参考になるかもしれないわね。

シーラ先生のひと口メモ
動物の名前と発音とつづり
1) つづりと発音に規則性がある動物の名前：
   cat（ネコ），rat（ネズミ），bat（コウモリ）
   dog（イヌ），frog（カエル）
2) つづりと発音に規則性がない動物の名前：
   bear（クマ）：ear（耳），hear（聞く）とは母音の発音が異なるが，pear（ナシ）とは同じ。
   lamb（ヒツジ）：'b' を発音しない。
   elephant（ゾウ）：つづりと発音は規則的であるが，/f/ と発音される 'ph' の音は telephone や alphabet などの語彙と一緒に教えることができる。
   chicken（ニワトリ）：'ch' と 'ck' の発音が異なる。
   monkey（サル），donkey（ロバ）：'o' の文字に対応する母音の発音が異なる。

マナブ　なるほど，私の経験でも，こういう動物などに子どもはとても興味があるので，たとえば，動物の名前と絵カードを発音させながら合致させるような活動などは，みんな喜んでやりますね。

シーラ　そうなのよ。でもね，語彙の学習って，どうしても単調で機械的な活動になりがちでしょう？　子どもたちが，楽しみながら語彙を身に付けるような方法を考えるのが，先生のとても大事な仕事なの。たとえば，次のような方法を一度試してみるといいわ。

というわけで，次の項の (4) では，シーラ先生が，語彙指導の具体的な方法を教えてくれることになります。

(4) 語彙はどのように指導するか？

先生は，マナブに語彙指導のための簡単なアクティビティの例として，次の4つの方法を提示します。

① 教師の英語を聞いて，それに該当する絵をさし示す。
② 絵にラベルを貼る（たとえば，ライオンの絵の下に lion とつづられたカードを貼る）。
③ 絵と単語を線で結ぶ。
④ 文中の抜けている部分に適当な語を入れる。

シーラ　語彙指導をするときに，先生にとっていちばん大事なことは，何だと思う，マナブ？

マナブ　そうですね。やっぱり，子どもたちに，単語の意味がすぐわかるようにしてあげることかな？

シーラ　そうね。あまり，子どもたちに負担をかけずに，音から意味を連想させることを心がけることね。

マナブ　先ほど先生が提示された方法のように，子どもたちが音を聞いて，それがさすものを指でさし示したり，絵と単語を線で結んだり，絵カードを

注釈5（p.139参照）

　　　　　貼ったりするような方法なら，日本のように文字を正式には教えないようような場合でも，なんとかできそうですね。実際，日本で出版されている児童英語関係の本でも，こういう「子どもにやさしい」方法で語彙を導入するようなアイデアを紹介しているものは多くあります。[5]

シーラ　でもね，こういう方法にも欠点はあって，どうしても名詞偏重になりがちでほかの品詞がおろそかになるのよ。それだけでなく，もっと注意しなければならないことは，語彙を文脈から切り離してしまうことね。単語とそれがさし示すものとの対応関係だけで，語彙を習得したと思ってしまうのはよくないことよ。大切なことは，子どもたちが，語彙の意味を個々に理解するのではなく，全体の文脈の中でとらえるように指導することだと思うわ。

　ここで，先生は，次のような単語を相互に意味的なつながりがあるものでまとめさせる活動を紹介します。

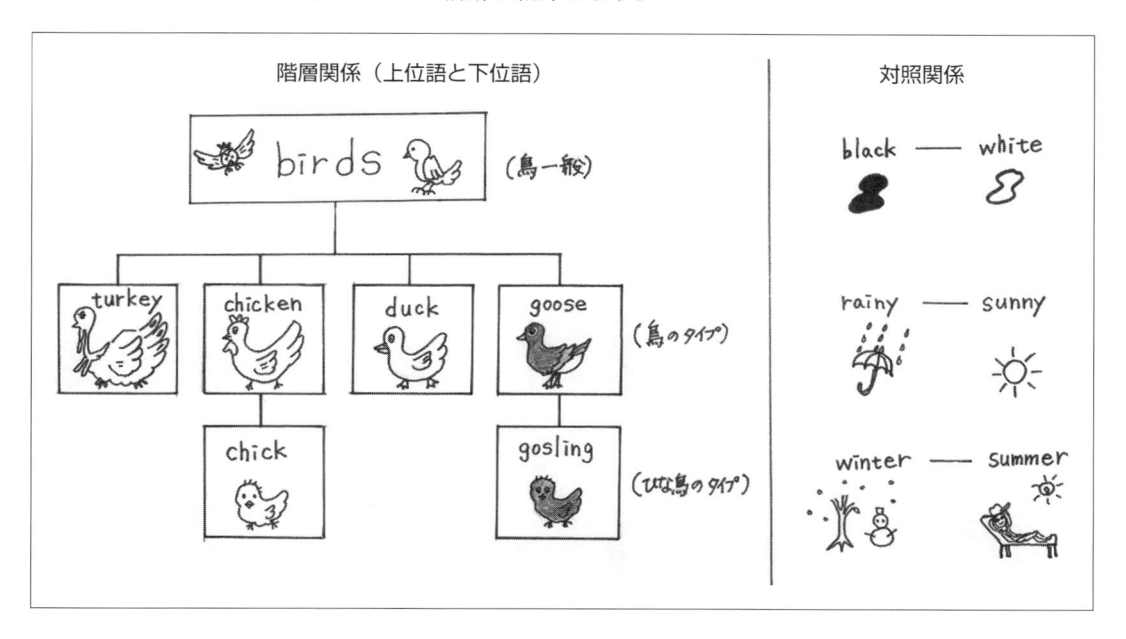

階層関係（上位語と下位語）	対照関係
birds（鳥一般） └ turkey, chicken, duck, goose（鳥のタイプ） 　　　　　　　　　　　　└ chick, gosling（ひな鳥のタイプ）	black ― white rainy ― sunny winter ― summer

　このように，子どもたちに単語間の意味的な関連性や，それらの単語が属する範疇（categories）を発見させるようなアクティビティは，単語とその意味を言語体系の中で考えさせるのにとても役立ちます。先生は，さらに子どもにやさしい語彙指導の活動例をいくつか紹介してくれます。

≪活動例1≫　Twenty Questions

★ ゲームの手順

① ゲームには，挑戦者一人と質問をするグループ（グループは大きくても小さくてもよい）が参加する。

② 挑戦者は質問者には告げずに，ある人物・品物・生き物などを想定し，質問者にわからないように正しい答えの絵や単語を紙に書

3.1　語彙の指導　119

いて伏せておく。先生がテキストを見せ，挑戦者に既習の単語から1つ選ばせてもよい。
③ 質問者は答えを見つけるために，次に紹介するような質問〔このゲームで使う表現〕をいくつか練習する。
④ 正答できた人がポイントをもらったり，挑戦者になる資格を得るなどの「ごほうび」がもらえる。

★ このゲームで使う表現

　Yes/No Questions の例:Is it dangerous?（それは危険ですか?），Can we eat it?（それは食べられますか?），Is it grey〔gray〕?（それは灰色ですか?），Does it live in the sea?（それは海に住んでいますか?），など。

　子どもたちには，正答の可能性を徐々に絞り込んでいくタイプの質問のほうが，「あてずっぽう」に聞くよりも，成功の確率は高いということを教えなければなりません。したがって，最初の質問は，"Is it a rabbit?"—"No."（それはウサギですか?——いいえ），"Is it a dog?"—"No."（それはイヌですか?——いいえ），"Is it a crocodile?"—"No."（それはワニですか?——いいえ）などというような，単純な質問よりも，"Is it an animal?"—"Yes."（それは動物ですか?——はい），"Does it live on land?"—"Yes."（それは陸に住んでいますか?——はい），"Is it big?"—"No."（それは大きいですか?——いいえ）のように，発展的に考えさせる要素のある質問のほうがよいでしょう。

≪活動例2≫　単語を並べ替えよう

★ ゲームの手順
① 制限時間は5分。
② 子どもたちへの指示：次のいくつかの単語を，それぞれのグループに分ける。〔誰が一番たくさんできたでしょうか？　なかには，いろいろなグループに入るものもあります〕

★ このゲームで使用する単語

　bed, bus, car, cat, chair, cheese, chick, chicken, cow, crow, cupboard, desk, dog, duck, egg, elephant, fire engine, fish, frog, lion, monkey, mouse, owl, pasta, seagull, sofa, swan, table, truck, turkey, van

グループを代表することば：あてはまる単語

Furniture: _____ _____ _____
Animals: _____ _____ _____
Birds: _____ _____ _____
Food: _____ _____ _____

Cars:	_____	_____	_____

★ ゲームのいろいろな遊び方

① この活動では，タスクを早くすませてしまった子どもたちにはワークシートのような形で別の課題を与えて，一人で作業させることもできる。

② 小さなグループに単語カードを渡す。2つ以上のカテゴリーに入る場合も考えて，1つの単語について2枚以上のカードを用意する。次に Furniture, Animals, Birds などの見出し語を書いた大きな用紙を各グループに配布し，単語をそれぞれの異なった種類に分類する作業をさせる。

③ ①や②よりもすこし複雑にするには，どこにも属さない語彙のために，例として挙げられている見出し語に，さらに，たとえば Cars（車）というようなカテゴリーを追加する。

④ さらに発展的なゲームとして，複数のカテゴリーに入りそうな単語やどこにも入らない単語を織り交ぜて提示し，それらの単語の割り振りがやりやすくなる見出し語を2,3個新たに作らせる。

　ゲームの「答え合わせ」はフォローアップ活動の中でやらせてもよい。「答え合わせ」は日本語でもよいが，使用言語にかかわらず子ども同士で話し合うことが大切です。

★ このゲームの特徴

　子どもたちにとっては，このように語彙を分類したり，単語を見つけ出す簡単な活動をすることによって，単語に集中的に接する機会にもなり，これはそれらをあとから思い出すときに役立ちます。また，個々の単語をほかの語彙や，さらに広い意味範疇に属することばと関連付けることができるようになります。chicken（ニワトリ）という語は，たった1つのカテゴリーではなく，考え方によっては3つくらいのリストに入るかもしれません。たとえば，chicken は「食べ物」「生きた鳥」「ペット」という3つの分類が可能です。fish という単語は，「ペット」なのか「食べ物」なのか，あるいは「動物」なのかが曖昧ですが，あえてゲームでの使用語彙に入れてあります。ここに挙げてある単語はすべて，子どもたちにとっては既習語彙で，子どもたちはある程度知っているものばかりです。新出語は使わないほうがよいでしょう。

　このように個々の単語に焦点を当てたアクティビティであっても，"What's this?"（これって，何？）—"I think it's a pet."（pet だと思う）—"How do you read this?"（そうね，で，何て読むの？）などの，子どもたちが活動中に使用できるような表現を取り入れて，実践的なアクティビティにすると，ややもすれば単調に流れがちな単語の学習をよりコミュニカティブな作業に近づけることもできます。

(5) 授業中に即興的に出てくる語彙

通常，授業で扱う語彙は指導計画の中であらかじめ決められているものですが，ときには，子どもたちとの「やりとり」の中で突然出てくるものもあります。このような，「即興的に飛び出てくる語彙（emerging vocabulary）」には，どのように対処したらいいのでしょうか？　シーラ先生の話を聞いてみましょう。

マナブ	履修語彙があらかじめ決められている場合には，教師が授業中に子どもたちに与える語彙も，それに関連するアクティビティなども，テキストの中にすでに織り込まれているわけですが，これらとは違って，授業中に「即興的に」出てくる語彙はどのように扱ったらいいのでしょうか？
シーラ	そうね，授業の前は予想もしなかったのに，子どもたちがアクティビティを展開していく中で頻繁に使われるようになる語彙はとても大切なので，丁寧に扱わなければならないわね。次の先生と子どもたちの会話を見てみましょう。

先生と子どもたちの会話

先生：Do you know what a chick is?（chick って，何だかわかる？）

子ども１：A bird.（トリのことだよ）

先生：Well done. What sort of a bird?（そうね。どんなトリのこと？）
〔ここで教師と子どもたちの間で，「ひよこって何？」「あなたたちは，どこでひよこを抱っこしたの？」「去年，遠足で農場に行ったとき，ひよこ以外のトリを抱っこしましたか？」とか，「ひよこって，何の赤ちゃん？」というような会話が続く。そして「子ども２」の次の発言が飛び出してくることになる〕

子ども２：Chicks are baby—baby chickens.（chicks というのは，赤ちゃんのことだよ。赤ちゃんのニワトリのことだよ）

先生：Right, OK, so ... Chickens have little chicks.（そう，その通りね。ニワトリには赤ちゃんがいますね。What about goats?（じゃ，ヤギさんはどう？〔子どもは沈黙〕What do goats have?（ヤギさんには何がいるかな？）What are little baby goats called?（赤ちゃんヤギさんは何と言うのかな？）

子ども２：Kids.（kids〔子ヤギ〕だよ）

先生：Kids. They're called kids, OK?（kids か。kids と呼ばれているんだね。わかった？）There's the mummy goat and there's the baby goat and baby goats are called ...?（お母さんヤギさんがいて，赤ちゃんヤギさんがいるんだね。赤ちゃんヤギは何て言うんだっけ？）

子ども（全員）：Kids.（kids だよ）

先生：Kids. Now what about ... what about a donkey?（じゃ，

ロバさんはどう？）

　通常の履修語彙が決まっているような授業では，もし，子どもたちがchick（ひよこ）と発音できたり書けたり，または，「ひよこ」の絵を指すことができたり，少なくとも「ひよこ」と認識できれば，その授業はとりあえず成功であったとみなすことができます。このこと自体にとくに問題はないのですが，そのような授業は，前ページで紹介した先生と子どもたちの間でくり広げられている会話に比べると，きわめて内容が浅薄であるように思われます。この授業の目的は，「ひよこ」のモビール（動く人形）を作るために，その絵を描いたり色を塗ったり，切り絵を作ったりすることにあったので，子どもたちはすでにchickは何のことか単語としては十分理解しているのです。

　しかし，この先生の主たる関心事は，子どもたちが本当に「ひよこ」とは何かを理解しているかどうかということにあったのです。つまり，「ひよこ」は「赤ちゃん」であり，単に黄色の毛をしたかわいいトリではないこと，それがどんな種類の赤ちゃんなのか，お母さんは誰か〔たとえば，アヒルではないというように〕，さらに，実際に農園を訪れて「ひよこ」を腕に抱き上げた記憶などというような深いレベルで，子どもたちが「ひよこ」を理解しているかどうかに関心があったのです。こういうレベルからスタートして，動物の子ども全般について探求を始めて，最後にはgosling（ガチョウのひな），kid（子ヤギ），foal（ロバの子）というような「赤ちゃん」をさすほかの語彙にも関心が向いていくのです。

シーラ　先生と子どもたちの間で交わされるこうした会話こそが，この授業の重要な特徴になるのよ。そう思わない，マナブ？　前のチュートリアルで説明したように，いろいろな語彙とか事物をそれらの意味や特徴を考えて，それぞれ異なった範疇に分類できるような「ことば使い」を教えることが重要なの。thing, person, place という単語とか，a sort of ～ や a type of ～という語句は，こういう授業では自然な対話の流れの中に出てくることになるわ。*

マナブ　たしかに，英語の授業では，子どもたちがこのような形で語彙について深く探索をするようなことはめったにありませんが，図画工作やそのほかの教科の時間の中で，こういう「探索的な授業」が実際にできるかどうか，一度考えてみる値打ちがありそうですね。

シーラ　そうよ，マナブ，ぜひ一度挑戦してみて。これが不可能な場合には，「単語を並べ替えよう」のようなゲームやパズルでも十分チャレンジしてみる値打ちがあると思うわ。要するに，語彙指導で肝心なことは，単に，単語とそれがさすものとの1対1の関係だけで教えるのではなく，子どもたちがそれぞれの語彙と意味との関連性を理解して，語彙のネットワークを作り上げるのを先生が手伝ってあげるということなのよ。

＊ p. 116 の「シーラ先生のひと口メモ」を参照。

3.2　文法の指導

前節（3.1）の「語彙の指導」では，単語を，それがさすものとの1対1の関係で教えるのではなく，それぞれの語彙が文脈（コンテクスト）の中で持つ意味の重要性が強調されました。同様に，文法の指導においても，単に文の形式だけでなく，その文が子どもにとって身近な文脈の中で持つ意味と機能を重視しなければなりません。今週のシーラ先生のチュートリアルでは，子どもたちがさまざまなアクティビティを通して，新しい発話を作り出すための指導計画と授業方法が提示されます。

(1)　文法（Grammar）とは？

シーラ　マナブ。週末は楽しく過ごせた？　今日のチュートリアルは，「文法と子どもたち」というとても面白いテーマについて話しましょうね。

マナブ　それはとても興味あるトピックですね。文法というのは，とかく「諸悪の根源」と見られがちですが，よく考えてみると，文法とは何ぞや？と改めて聞かれると，じつはよくわかっていないというのが実情でしょうね。

シーラ　そうね。「文法」というと，難しいルールをたくさん覚えなければならないといって敬遠されがちだわ。敬遠されついでに（？）（笑），「文法」の定義を言うので，まずノートにとっておいてね。

シーラ先生のひと口メモ

「文法」の4つの定義

□ 統語（論）

1) 文法は，ことばとことばがある特有の語順で結び付き，文型（sentence patterns），つまり構文（structures）を作り出すことで「統語（syntax）」を意味する。

2) 文法は，in, on, the や関係代名詞の which, that に代表されるような「文法語（grammar words）」，または「機能語（functional words）」と言われるものをさす。これらは cat, dog, red, quickly, run などの「内容語」とは区別される。*

* 前節(3.1)の(1)①「内容語と機能語」を参照。

□ 形態論

3) 文法とは「形態論（morphology）」，つまり「語形論」のことで，動詞の活用（規則変化）で -ed が付いたり，名詞の複数形で -e, -es が付くことを意味する。

4) 文法という用語は，「正しい文法」とか「間違った文法」などと呼ばれるように，ある言語の「文法的な正しさ（correctness in form）」を意味する。

シーラ　堅苦しい用語が並んでしまったけど，わからないことがあったら遠慮しないで質問してね。大事なことは，学習者のニーズ・レベル・年齢などによって，それぞれ必要な「文法」が違うということ。ひと口に「文法」といっても，いろいろな側面があるってことなの。

マナブ　そうなんですね。「統語（syntax）」とか「形態論（morphology）」とかいう用語にはあまりなじみはありませんが，実際，その中身は，高校

や大学の文法の授業で学んだことなんですよね。ところで，先生，よく世間では「あの人は文法に強い」などと言いますが，「文法に強い」ということは，いったいどういうことなんでしょうか？

シーラ　マナブ，いい質問だわ。ちょっと時間をあげるから，このハンドアウトのタスクをやってみて？　ここには，「文法に強い」ということが持つ7つの意味をリストアップしてあるの。よく読んで「子どもにやさしい」と思われる側面と，必ずしもそうでないものに分類してみてごらんなさい。

先生がマナブのために用意しておいたハンドアウトは，次のようなものです。

「文法に強い」ということの意味は？

① 言語を各構成要素に分解し，それぞれの要素に名称を付け，相互の関係を明らかにすることができる。たとえば，The cat sat on the mat.（ネコはマットの上に座った）の文では，「名詞」の cat が「動詞」の sat の「主語」であるということを理解している。

② 文法の規則（rules）を明示的に理解しており，しかるべき文法用語を用いてそれらの規則について説明できる。たとえば，ほとんどの英語の名詞の複数形には-sが付くというようなルールを知っている。

③ I go, you go, he goes, she goes, it goes ... や，see-saw-seen とか good-better-best などのように，動詞や形容詞の変化〔活用〕を理解していてすらすらと言ったり，書いたりすることができる。

④ 文法の正誤が判別できる。ネイティブ・スピーカーや英語のできる人は，品詞（parts of speech）や文法の間違いを具体的に説明することはできなくても，ほぼ「直感」で正誤を判断することができる。たとえば，「彼は，月曜日から金曜日まで学校に行きます」の正しい言い方は，He go to school ..., He going to school ... ではなく，He goes to school from Monday to Friday. だということがすぐわかる。

⑤ ある程度の時間が与えられれば，指示された構文を使って話したり書いたりすることができる。スピーキングの授業で，新しく学習した形を使って正しい応答ができるような学習者がこれに該当する。

⑥ 準備の時間があまりなくても，あるいはまったく与えられなくても，実生活の中で，決まった構文を正しく話したり書いたりすることができる。授業中に行うコミュニケーション・ゲームやロール・プレイの中で，学習した構文を活用できるような学習者がこれに該当する。

⑦ 既習の構文を用いたり，いろいろな形を組み合わせながら，新しい表現を作り出すことができる。この段階では，学習者は，自分の意思を相手に伝えるコミュニケーション活動に従事しながら，すでに蓄積している英語の力をさらに拡充することができる。

シーラ　この7つの項目の中に,「文法」に対する一般的な考え方はだいたい網羅されているように思うの。マナブ,自分が学生であった頃のことを考えると,どれに該当すると思う？　あなたの意見を聞かせて。

マナブ　そうですね。ずいぶん昔の話ですが,その頃のことを振り返ると,やはり①から③に書いてあることに,おおむね該当するような気がするのですが。

シーラ　そう,マナブの言う通りよ。このリストは大まかに言って,2つのグループに分けられるの。第一のグループの①から③までが,主として「英語について知っていること」で,④から⑦までが「英語を実際に使用すること」に主眼があるの。最初の「英語について知っていること」というのは,成人向けの授業では,いまでもかなり重要視されているけれど,その効果についてはいろいろ議論が分かれるところね。実際,先生や成人の学習者の中には,こういうタイプの**言語形式重視の授業**（form-focused instruction）こそ真剣に取り組める,やりがいのある授業だと信じている人もたくさんいるわ。また,現実的に,年齢の高い学習者は,要領よくまとめられた文法の規則から本当に学ぶことが多い場合もあるの。でもね,マナブ,「外国語学習者としての子どもたち」のチュートリアル*でも言ったように,子どもたちは,このような抽象的なアプローチにはなじまないのよ。

□ **言語形式重視の授業**

＊第1章第2節参照。

マナブ　そうですね。とくに,日本の英語教育は,とかく文法偏重だと非難されてきましたが,先生のおっしゃるように,たしかに子どもに動詞とか形容詞などと言っても仕方ないですよね。

シーラ　これまで成人や中高生を教えていた先生が,子どもに英語を教えることになった場合は,どのような文法を,どのような方法で提示するか,そして,学習者の文法に対する接し方について自分が抱いている先入観など,いろいろな点で先生自身が考え方を変えなければならないわね。でも実際は,先生が,子どもにモデル文を明確に示して,子どもたちにも理解できるような文脈さえ与えれば,私たちの期待以上にうまくできるものなのよ。

マナブ　ところで,先生,ひと口に「子どもの学習者（young learners）」といっても,7歳児と10歳児では,興味や認知的な発達ではずいぶん異なるものなのでしょうか？　たとえば,日本では,小学校は7歳から12歳までですが,小学校の低学年の児童と高学年の児童とでは,同じ小学生というグループにまとめてしまうのはちょっと乱暴な気がするのですが。

シーラ　そうね。1年生と6年生ではまったく違うから,英語でも,教える子どもの年齢層に合わせて,目的や教材,教授法などを再調整する必要があるの。当然,7,8歳までの子どもには,さっきのリストの④と⑤を,話しことばに焦点を当てて教えたいわね。とくに優秀な子どもには⑥までやらせてもいいでしょうし,年長の子どもにも④から⑥までぐらいならどうかしら。よくできる子には⑦までさせたいわね。もうひとつ,先生が心にとどめておいたほうがいいことは,年齢によって「言語学習に対する適正（aptitude）」[6]も違うということ。認知的発達のレベルが違う

注釈6（p.139参照）

マナブ	から，当然といえば当然なことだけど。 そうですね。9歳児でも11歳児に近い子どももいれば，逆に，7，8歳児に近い子もいます。12歳から13歳になっても，なかには，まだいろいろな構文を組み合わせて，自分の表現を作り出すことができない子どももいます。
シーラ	それは無理もないわ。大学を卒業した成人の学習者ですら，まだその段階に達していない人もいるのだから！
マナブ	でも，世間では「文法がわかる」ということは，その言語を細かい部分（パーツ）に分解し，文脈を無視してそれらのパーツを，これが主語で，あれが動詞などと，あれこれ講釈ができることというように思いがちですね。
シーラ	そう。でも，子どもたちにとって，文法というのは，抽象的な文法規則を覚えたり文を細かく分解することではないのよ。文法の指導計画の中に，子どもたちが，実際に英語を使えるようなアクティビティを織り込んでいけるような工夫ができるといいわね。

　次の項(2)では，文法の指導計画を作成する場合，どのような文型を選択し，それをいかに導入し配列するかについて，シーラ先生のまとめを見てみましょう。

(2) 文法とその指導計画をいかに作成するか？

　文法項目は，指導計画に明示されていて外からすぐにわかるものもあるし，逆に，アクティビティの中に組み込まれていて表に出ないものもあります。どちらの場合でも，教師にとって重要なことは，文法を授業の中でどのように扱うかという点に関して，明確に自分の方針を持つことです。子どもには，「形式（form）」よりも「意味（meaning）」を中心にして教えたほうが，学習効果が上がることはよく知られていることですが，どんな指導計画でも目標となる言語構造〔文法形式〕をいくつか含んでいなければなりません。たとえば，「主語＋動詞」というような文型（sentence pattern）などは，どこにでも出てくる典型的な例です。あるトピック（話題）を扱う場合は，語彙項目だけでなく，文法項目と個々のトピックを相互に関連付けるような枠組み（framework）についても考慮する必要があります。同様のことが，たとえば「物語に基づいた授業（story-based lessons）」のように，理解（comprehension）を重視した教材についてもあてはまります。それぞれの物語の中に，どのような文法や文型が使われているかを分析しなければなりません。そうすることによって，統語や文型の視点から，一連の指導プログラムの中にそれぞれの物語をどのように配列し，最初と最後にどの物語を持ってくるかなどを決めることができるのです。

　次に提示するのは，教師が指導計画を作成するためのガイドラインです。

① 文法項目の反復／再利用と配列の仕方

　指導計画の中に取り入れる文型の種類を，多くするかそれとも制限するかに関しては，最近の子ども向けのプログラムでは構文の数を少なくして，それらを利用して広汎な語彙を導入するという傾向が見られます。たとえば，

"I like ..." や "This is my ..." という構文をひとつの枠組みとして何度もくり返して使いながら，同時に導入する語彙は，トピックやテーマごとに変えていくというものです。しかし，このアプローチは突きつめていくと，指導内容自体が，結局「ことばの塊（chunk）」*として教えることしかできないような，きわめて少数の構文と語彙リストだけになってしまいます。これでは，子どもたちがことばに触れる機会が少なくなり，英語の文法体系の「感触」を持つことができなくなってしまいます。

* 第1章第2節の(8)「チャンクの役割」参照。

一方，構文のバラエティーを大幅に増やす場合は，教師はそれらをどのように指導計画の中に組み込むかを決めなければなりません。その決定のための要点は，前節（3.1）の語彙の場合と同じです。つまり，新しい構文をある一つの単元や少数の課の中で「局部的（locally）」に扱うか，または，反復させながら全体に「ばらまく」かということです。*最近の傾向は，反復させて何度も同じ構文に出会えるようにするという方法で，これには多くの利点があります。しかし，同時に，この方法を実践するためにはかなりの経験が必要とされます。[7]

* 前節(3.1)の(2)②を参照。

注釈7（p. 139 参照）

シーラ マナブ，ここで具体的な例で考えてみましょうか。次のようなシチュエーションはどうかしら？　たとえば，まだ学習を始めたばかりの初心者向けの子どもの英語教室と仮定しましょう。これまでの授業では，"I am ..." と "This is my/your/his/her ..." という形と，"I'm not ..." と "This is not my/your/his/her ..." という形は既習事項で，疑問形はまだ教えていないとするわね。そこで，次回の授業のトピックである「家族」の単元で，これらの構文を再度学習し，さらに，「家族」に関係する語彙に加えて新しい構文も導入する場合，あなたならどの構文を選び，それらを既習の構文とどのように関連させたいと思う？

マナブ そうですね。「家族」というトピックは，子どもにもっとも身近な話題なので，子どもたちはお互いの家族について自由に質問をしたり，答えたりできると思います。でも，先生，まだ疑問文の作り方は教えていないんですよね？　もしそうだとすると，困りますね。

シーラ だから，マナブ，新しく導入する構文としては，当然，疑問文を取り上げることになるわね。でも，ひとつ注意しておかなければならないことは，既習の動詞を使って疑問文の作り方などをあまり詳しく教えてしまうと，子どもたちにとってたいへんな負担になり，肝心の「家族」というトピックが「ないがしろ」にされてしまうことよ。たとえば，子どもたちが家族の絵を描くというような授業なら，単に "Who's this/that?"（この／あの人は誰ですか？）などの表現を決まり文句（チャンク）で導入することができるわね。

マナブ なるほど，子どもたちに自分の家族の絵を描かせるというのは，良いアイデアですね。

シーラ そう。そのときに "He/She is tall/short."（彼／彼女は，背が高い／低い）とか "He/She has blue/brown eyes."（彼／彼女は，目が青い／茶色い）などの形を教えることもできるわ。しかも，これらの構文は人称代名詞のよい練習にもなるから，この単元には最適よ。ここでも注

意しなければならないのは，これらの構文に関連したすべての文法事項を学習計画の中に盛り込まないということ。たとえば，'have/has' という形を導入するのは，この授業が初めてかどうかとか，形容詞の叙述用法（例：He is _short_.〔彼は背が低い〕）と修飾用法（例：He has _blue_ eyes.〔彼は目が青い〕）の2つの異なった用法を同時に教えるのは，子どもにとって過度の負担にならないかとか，'eyes' という複数形まで教えてよいか，そもそも複数形は既習事項かどうか，など教師として考慮すべきことがいろいろあるわけ。つまり，見かけは，簡単な単元を2つくっつける場合でも，そのことによって過重な負担になることもあるということをよく考えて，子どもたちを混乱させないように配慮することが大切なのよ。

マナブ 前のチュートリアルでもお話ししましたが，日本では文部科学省が作成した『英語ノート』〔2012年度からは改訂版の"Hi, friends!"〕という補助教材が使われることになったので，原則的には，教材の選択とか配列については現場の先生方は考えなくてもよくなったのです。でも建前上は，その扱い方は「各学校の事情に応じて」これまで使用していた教材との併用も許されているわけです。場合によっては，先生たちが自分たちで作った教材を使ってもいいわけですから，こういうことについて専門的な知識を持っていることは，私たち教師にとって大切なことですね。[8]

注釈8（p. 139 参照）

② 同じ構文で，異なった機能（function）を持つ文の反復／再利用の仕方

　同じ構文を異なった課で「再利用」する場合に大切なことは，それらに対して，それぞれ異なった文脈と異なった機能的な意味を用意することです。このように構文や表現に異なった機能を少しずつ追加していくこと（functional extension）によって，ことばというものは，あれこれ試行錯誤しながら覚えていくものであり，さらに，文脈によっては，最初に覚えたのとは違った意味で使われることがあるのだというメッセージを，子どもたちに伝えることができるのです。「There's a（名詞）+ 場所」という構文を例にとってみましょう。これは，たとえば，"_There's a_ cat _on_ the bed."（ベッドの上にネコがいます），"_There's a_ book _under_ the bed."（ベッドの下に本があります），"_There's a_ monkey _in_ the bed."（ベッドの中におサルさんが寝ています）などのように，目に見えるものを描写したり，いろいろな前置詞を練習するためによく使われる構文です。しかし，これらの文はそれ以外に次のような機能も持っています。

a) 恐れ・心配とそれらに対する反応

　　子ども：〔ベッドの中から〕Mummy, Mummy. There's a monster in the cupboard!（ママ，ママ，戸棚の中にモンスターがいるよ！）

　　母親：Oh, no! Let's have a look. No, it's OK. There's nothing there.（そんなことないわよ！　どれどれ，ちょっと，のぞいてみようか。大丈夫よ。そこには何もいませんよ）

b) 失望・怒り

〔寸劇の中で，机とか戸棚のところへ行き，それを開けて怒りの表情をしながら〕

Oh no! There's nothing in my desk! OK, who has my lunch box?（あれ！　机の中に何もない！　誰だ，僕のお弁当を持っていったのは？）

c) 提案

子ども：I'm thirsty!（ああ，のどが渇いたよ！）

母親：OK. There's a carton of juice in the fridge.（わかりましたよ。冷蔵庫の中にパックに入ったジュースがありますよ）〔つまり，そのジュースを飲んでもかまわないけれど，自分でやりなさいよという意味が込められている〕[9]

注釈9（p. 139 参照）

d) 抗議

〔乱雑な子ども部屋という設定で，「There are ＋複数名詞」の導入〕

母親：Oh no! Look at your bedroom! It's awful! There's a pizza under the bed. There are shoes on the bed. There are toys everywhere! CLEAN IT UP, PLEASE!（まあ！　あなたの寝室を見てごらん！　ひどい散らかしよう！　ベッドの下にはピザの食べ残しが落ちているし，上には靴が置きっぱなしで，おもちゃは部屋中に散らばっているし！　さあ，さあ，片付けなさい！）

(3)　言語材料の配列の3つの方法

① 言語材料の難易度などにより厳密に配列する場合

　　オーディオリンガル・メソッドの伝統に基づいている指導計画では，構文の複雑さや難易度によって，きわめて厳密に言語材料を配列しています。段階的に難易度を上げて配列することによって，子どもたちが新しく学習することを既習の事項の上に積み上げていくこともできるのです。これは，オー

ディオリンガル・メソッドだけではなく，それ以外の教授法でも行われていることです。このように「事前に決定されている」配列の仕方にはいくつかの長所があります。たとえば，次に学ぶ構文は何かということを先生が一つひとつ考える必要がなくなるということも利点のひとつです。ある意味では，このような配列自体が「足場組み（scaffolding）」*を提供していることになります。しかし，言語材料の難易度を整然と段階的に上げていきながら，同時に，子どもたちに意欲や興味を与えるようにすることを両立させることは必ずしも容易なことではありません。

* 第1章第2節の(5)「子どもたちの次の一歩を手助けする」を参照。

② 使用頻度により緩やかに配列する場合

指導計画の作成にあたって，たとえば易→難とか単純→複雑といった「構造上の整合性（structural logic）」よりも，ことばの重要性や有用性に基づいて言語材料を配列することを選ぶ人もいます。この方式では，難易度や複雑さとはかかわりなく学習者にとってより役に立ち，より使用頻度の高い表現を指導計画の初めのほうで扱うことになります。たとえば，"May I be excused, please?"（先生，トイレに行ってもいいですか？）は，イギリスの学校では，どの子どもにとっても使用頻度や重要性が高い表現です。しかし，may という助動詞が含まれているからとか，受動態が使われているからというだけの理由で，この表現が教えられないとすると子どもにとってはたいへん迷惑な話です。一方，使用頻度だけを規準に構成される場合は，言語材料の配列があまりにも断片的になってしまい，適正で系統的に配列された言語体系に触れることができなくなり，ことばの働きについて，子どもたちが自分で推測して結論を出すことができなくなる危険性があります。しかし，そういう場合でも，系統的に配列された構文と並行して，いくつかの難しいけれどもとても重要な表現を含める余地は十分あるのです。

③ そのときどきの教材の内容や状況に応じて言語材料を配列する場合

子どもは，もともと，教えられることをすべて覚えてしまうことはないので，むしろ，教える言語材料を事前に厳しく制限せずに，できるだけ自然な形でことばに触れさせるほうが効果的なことがあります。これは本書の第1章第2節の「外国語学習者としての子どもたち」でも紹介した，言語習得の研究成果と合致することです。物語とか図画工作，理科などの実践的なアクティビティが中心のプログラムや，すべての教科が英語で教えられているような環境の場合は，授業で教える構文を注意深く選択したり，カリキュラムの中にそれらを織り込むような余地はありません。そこでは，物語の中に扱われていたり，アクティビティで使う構文を教えるだけで手いっぱいになってしまいます。しかし，子どもたちは文脈のある状況にたっぷりとさらされるだけで，学習している言語の体系を自分の力で築き上げていくことができるのです。こういう観点から見れば，意味を最優先して，新しい構文は主として必要に応じて教えればよいということになります。とは言っても，教えている内容を教師自身が自覚して，時間を有効に使うという意味では，授業で扱う構文を慎重に検討することは意味のあることです。たとえば，「物語に基づいた授業」では，いろいろな物語を無作為に選んで，ただ並べればよいというものではありません。文法項目も含め，それぞれの物語で扱われ

る言語材料が大雑把な形でつながるように，すべての物語を配列しなければなりません。* 同じことが，料理や体育の授業で英語を教える場合にもあてはまります。最初のほうの授業では，比較的やさしい構文を使うようにアクティビティを工夫することは，とても重要なことです。そうすることによって，授業の楽しさとか自然さが損なわれることはまったくないのです。

*第7章第2節の「物語と子どもたちの外国語学習」を参照。

(4) 子どものための文法指導と教授法——「ことばへの気づき」をどのように体験させるか？

シーラ先生のチュートリアルはさらに続き，話題は「ことばへの気づき (language awareness)」という問題に入ります。これは，母語，外国語を問わず，ことばの教育においてはその根幹を成すものと言うことができます。

□ことばへの気づき
注釈10（p.139参照）

マナブ この頃，よく「**ことばへの気づき（language awareness）**」[10] ということを耳にしますが，「ことばへの気づき」と外国語学習とは，どういう関係なのでしょうか？

シーラ そうね，外国語学習でいう「ことばへの気づき」というのは，「学習者が自分の母語とその他の言語が，一般的にどのようにかかわっているかについていろいろ探求して発見すること」というぐらいの意味かしら。中学生くらいになれば，母語と英語を直接，比較することもできるかもしれないわよね。でも，このように純粋に対照言語学的な分析 (contrastive analysis) は，ともすると文法・訳読式の授業になりがちなので，子どもに教えるときは避けるべきね。一方で，「ほら，これ面白いわね！」というふうに，軽くことばの違いに気づかせるようなやり方なら，子どもでも関心を持つのではないかしら。

マナブ たしかに，そうかもしれませんね。でも，具体的にはどういうことでしょうか？

シーラ たとえば，動詞や名詞，形容詞など，語形がいろいろ変化する言語を母語とする子どもたちにとっては，英語は比較的，変化が少ないことばだということがわかって，とても驚いて，そして興味を持つのよ。本当は，この程度の一般的な観察だけで十分で，もし，子どもたちがとくに要求しなければ，あまり細かく説明する必要はないの。英語は，明らかにほかの言語ほど語尾変化をしなくても，ことばとして十分機能しているのだという発見や興味，驚きだけで十分じゃないかしら。

マナブ そうですね。人間って，いろいろな形でお互いにコミュニケーションができるのだ，という実感を子どもが持つことができますね。

シーラ これは，イギリスのある小学校に通う9歳か10歳になる女の子の話だけど，ある日，学校主催の「英語以外の言語に触れてみよう！」という「一日体験イベント」にとても楽しく参加していたの。その日の様子を映したビデオの中で，その子は楽しそうに次のように言っていたのよ。

「最初，私たちはカードに外国語で書かれた文字を見ました。それから，そのカードの裏側に『本当のことば』を書きました」

その子の言う『本当のことば』というのは，もちろん，英語だったのよ。

マナブ それは面白いエピソードですね。いかにも子どもらしいと思います。

シーラ そうね。子どもたちの母語と外国語を対比させることの意義は2つあると思うの。一つは，母語と外国語が，どれほど違うかということを発見すること自体が，子どもにとってとても興味のあることなのよ。もう一つは，多くの子どもたち，とくに年少の児童には，自分たちの母語こそがすべての言語の働きを代表していて，ほかの言語も母語と同じであるはずだという思い込みがある場合が多いから，こういう子どもたちの視野を広げてあげることができるのよ。

注釈11（p.139参照）

マナブ 子どもというのは，ピアジェ（Piaget）[11]ではありませんが，自己中心性（egocentrism）が強いですからね。

シーラ 近ごろでは，言語心理学者たちは，母語とL2（第二言語）の間の違いが外国語学習を難しくする主たる要因であるとはあまり考えていないけれど，もし子どもたちが学習している外国語が，自分たちの母語と同じだと思い込んでいるとすると，そのこと自体，本人も気づかない「落とし穴」にはまってしまったことになるわ。このような場面では，子どもたちの母語と学習する外国語の両方がわかっている教師は，子どもたちの陥りそうな問題点が予測できるし，うまく対応もできるので，ネイティブの先生よりもある意味では有利なのよ。

マナブ なるほど，じゃあ，私たち日本人の教師も大いに自信を持ってもいいわけですね。

シーラ そうよ。たとえば，スペイン語，イタリア語，ポルトガル語のようなラテン語から分化した「ロマンス語」を母語とする英語学習者は，自分たちの母語は英語とはきわめて対照的な点がいくつもあると考えているの。マナブも知っているように，これらの言語は男性・女性・中性という「性（gender）」を持っているでしょう？　だから，イタリア語では「本」は男性で，「水」は女性，それに，英語ではa, an, theの冠詞も，ロマンス語では名詞の「性」や「単数か複数」によって異なった語尾変化をするの。でも，英語は，heやsheのように男女の区別はあるけど，「文法的な性」はないから数や性の違いを冠詞で表すことはしないわよね。

マナブ そういう点で言えば，私たち英語学習者は感謝しなくてはいけませんね。語尾変化がないだけ，英語は学ぶのにやさしくなっているんですね。

シーラ 以前，私は，イタリアで11歳児のとても面白い英語の授業を見学したことがあるの。それは，いわゆる「発見型」の文法の授業（inductive grammar lesson）だったのだけど，先生がa, anで始まる英語の名詞のリストを与えて，なぜ，あるグループの単語にはaが付き，別のグループの単語にはanが付くのか，その理由を子どもたちに見つけさせていたの。英語を学習し始めてほぼ1年になる子どもたちの多くが，それは名詞の「性（gender）」のせいだと自信を持って答えていたわ。もちろん，この答えは間違っているのだけど，ひとつの「仮説」としては面白いと思わない？

マナブ そうですね。先生が最初から正解を与えるよりも，はるかに優れた教え方だと思います。

シーラ そう。こういう教え方は，教師が，子どもたちに自分たちの考えをあれこれ出させて，それが文法のルールに合うかどうか試してみる機会を与

　　　　えるという点で、とてもいいわよね。この授業は、英語ではなくイタリア語で行われていたのだけど、先生は母語を使うことによって、子どもの考えをいろいろ探ることができたし、子どもたちは自分の意見をじかに、しかも簡単に言い表すことができたように私には見えたわ。

マナブ　そうですね、ここで、母語であるイタリア語を先生が使うことによって、子どもたちの英語の不定冠詞に対する誤解を、かえって簡単に解くことができたかもしれませんね。

シーラ　子どもたちがその気になれば、こういうことを母語で話し合わせることはとても意義のあることだと思うの。だからと言って、そのまま「ずるずる」と母語だけで授業をしてしまうということにはなってほしくないわね。

マナブ　子どもたちが、英語も日本語も同じではないかとちょっと首をかしげたり、または、そう思い込んでしまうようなことがあると思うんですが、そのような場合はどのように対応したらいいんでしょうか？

シーラ　そうね。ひとつは、教師が意識的にこの問題をクラスで取り上げて、たとえば、アクティビティを設定したり、あるいは、さっき紹介したような、「単語によっては、前に a が付いたり an が付くのは、いったいどうしてでしょうか？」というように問いを投げかけて、子どもたちにチャレンジさせることもできるわ。だから、先生は、子どもたちの年齢やレベルに応じて、そういう日本語と英語のちょっとした違いを意識させて、子どもたちがなにげなく犯す間違いや、発言に注意深く耳を傾け、そのつど適切に対応することが大切だわ。

(5) 誤りへの対応と子どもにやさしい文法アクティビティ

　今日のチュートリアルのまとめとして、シーラ先生は、子どもたちの犯す文法の間違いの訂正の仕方や、学習した文法を定着させるためのアクティビティを紹介してくれます。

① 子どもの英語をどのように訂正するか？

　子どもたちが自分で犯した誤りではなく、教師がわざと作ったような誤った英語を訂正させるようなことは絶対に避けなければなりません。これは一般によく使われている成人の学習者向けのテストで使う方法ですが、それを

そのまま子どもにも適用してしまうケースをよく見かけることがあります。

一方，とくに，子どもたちが書いたものを見ながら「これでいいのかな？」とやさしく問いかけたり，コメントを与えてやることは，妥当な訂正の仕方だと思われます。子どもたちが目の前のことに集中しているときに，こうして注意を喚起してやることが，自分で自分の誤りに気づき，修正すること（self-correction）につながります。しかし，この「これでいいのかな？」式のやり方は，口頭練習のときはあまり使わないほうがいいでしょう。なぜなら，話しことばは一瞬にして消えてしまうので，いちいち立ち止まって正誤を判断することは難しいばかりか，子どもたちが思い切って英語を話してくれた「勇気ある貢献」を無にしてしまうようなことはしたくないからです。代わりに，ちょっと教師がいぶかしげな表情を浮かべたり，手のしぐさだけで，子どもたちに問題点を示唆することができるし，また，あらかじめ正しい言い方を教えてあれば，子どもたちは自分の力で誤りを修正することもできるのです。

② スピーキングとライティングにおいて，あらかじめ教えられている文型を使って正しい英語を再生する

a) 準備の時間を与える場合

これはあらかじめ決められている構文を使って，それを大幅には変えずにスピーキングやライティングを行う活動です。準備の時間を与え，あまり負担をかけたり急がせたりしなければ，子どもたちが自信を持って取り組むことができ，あとから成就感も味わうことができます。肝心なことは，子どもたちが次に何を学習するかわかっており，前もって十分予備知識が与えられていることです。これを実際の教室でのアクティビティに置き換えてみると，子どもたちは，あらかじめしっかりと決められているモデル文を使い，自分たちが話したり書いたりする内容を前もって準備する時間が与えられます。口頭練習・空所補充・誘導作文（guided writing）などのアクティビティが考えられますが，必ずしも，これらは，それほど厳しく統制されている必要はありません。たとえば，子どもたちが，絵本の中でくり返し出てくるような語句を，皆で声を合わせて言うような活動は素晴らしい練習になるばかりでなく，子どもたちの学習が成功している証しでもあります。また，ロール・プレイの中で，相手の言うせりふがおおよそわかっていて，それに対する自分の応答も先に見当がついてしまうような場合もあります。先生が一方の役を演じて，クラスの子どもたちに，次に何が起こるか想像させることもできます。次の例の下線部を見てください。

　　先生：〔パーティーのホスト役を演じながら〕Welcome!（皆さん，ようこそ！）Do have something to drink.（どうぞ，何か飲み物を召しあがってください）What would you like?（何にしますか？）We've got orange juice, pineapple juice, peach juice, cola, lemonade, or mineral water.（オレンジ・ジュース，パイナップル・ジュース，ピーチ・ジュース，コーラ，レモネードやミネラル・ウォーターもありますよ）

　　子ども1：<u>I'll have some ...., please.</u>（じゃ，僕は，（　　　　　）

　　　　　　　が飲みたいな)〔と言って，何かを選ぶ〕
　　　先生：〔別の子どもに向かって〕And what about you?（で，君は，
　　　　　　何？）
　子ども2：I'll have some ...., please.（私は（　　　　　）をいた
　　　　　　だきます）〔と言って，何かを選ぶ〕

　予想可能な定型の文型を使う例として，次のようなアクティビティもできます。この例は，第2章第2節の(2)②「スピーキングの指導」の「足場組みに基づいた口頭練習」でも紹介した『Chicken Licken（ひよこのリキン）』の物語を数回読み聞かせた後で，そこで何度も使われていて，子どもたちも十分なじんでいると思われる，たとえば"I met ..."という形を使って，そのストーリーを再現させる（retelling）という活動です。絵本の語句をそのまま使わなくても，耳慣れたお気に入りの文型（パターン）を子どもたちが見つけたり，または，教師が指示する文型に集中させることもできます。ここでは，教師が絵を見せたり，身振りや手振りをしたり，ことばでヒントを与えながら，子どもたちに"they met ..."という形に注目させてストーリーの流れを考えさせています。

　　　先生：And then what did Chicken Licken do? He walked and
　　　　　　walked and he met ...（で，それから，ひよこのリキンは何
　　　　　　をしましたか？　リキンはどんどん歩いて行って，誰に会った
　　　　　　のかな？）〔ここで先生は Cocky Locky（おんどりのロッキー）
　　　　　　の絵を見せる〕
　子ども1：And he met Cocky Locky.（リキンは，おんどりのロッキー
　　　　　　に会いました）
　　　先生：So Chicken Licken, Henny Penny and Cocky Locky
　　　　　　walked and walked. Who did they meet then?（そう，そ
　　　　　　れで，ひよこのリキンとめんどりのペニーとおんどりのロッキ
　　　　　　ーはどんどん歩いて行って，今度は誰に会ったのかな？）
　子ども2：They met Ducky Lucky.（アヒルのラッキーに会ったよ）
　　　先生：So they all walked and walked. And then ...（そうだね，そ
　　　　　　れからまた，みんなでどんどん歩いて行って，今度は……）
　子ども3：They met Foxy Loxy.（彼らは，キツネのロクシーに会ったよ）
　　　先生：Really? Did they meet Foxy Loxy then? Was it Foxy
　　　　　　Loxy?（本当？　キツネのロクシーに会ったの？　本当にキツ
　　　　　　ネだったかな？）
　子ども3：Um, they met ...（うーん，彼らが会ったのは……）
　　　先生：〔ここで Drakey Lakey（アヒルのレイキー）の絵を見せる〕
　子ども3：They met Drakey Lakey.（彼らが会ったのはアヒルのレイキ
　　　　　　ーだったよ）

　このアクティビティの目的は，文の内容を正確に理解させることにあるので，ここで先生は，子どもたちのどんな間違いも訂正することになります。文法だけではなく，意味の正確さ，つまり，物語の内容に合っているかどうかということも考慮に入れなければなりません。したがって，上の例のように，「子ども3」が「キツネのロクシー（Foxy Loxy）」と「アヒルのレイキー

(Drakey Lakey)」を取り違えているような場合には，こうした事実や情報の誤りを指摘しなければならないのです。

b) 準備の時間を与えない場合

　このタイプのアクティビティでは，子どもの発話は，上の活動ほど予測ができないところがあります。したがって，子どもたちは前もって練習をしたり，せりふをあらかじめ考えておくことはできません。すでに学習したことや，少なくともいくつかの構文や表現から選択をして使わなければなりません。ペアで行うコミュニケーション・ゲームなどは，既習の文法を使う機会を与えるように，あらかじめ周到に準備されているものであれば，このタイプの練習には適しています。たとえば，第1章第2節の(4)「子どもたちの風景4」でも紹介した「違うところはどこ？（Find the Differences）」というゲームは，次に挙げるような構文を使う機会を子どもたちに与えてくれます。

　＜このゲームで使う可能性の高い構文＞
　　I have a ...（…を持っています）
　　I can see ...（…が見えます）
　　There's a ...（…があります）
　　What do you have? / What can you see?（何を持っていますか？／何が見えますか？）
　＜その他の構文＞
　　違いを見つけさせる2つの絵の内容にもよりますが，次のようなものが考えられます。
　　・描写：a blue ball（青いボール）
　　　　　 My ... is big and green.（私の…は大きくて緑色です）
　　・前置詞：The cat is in the box. The box is on the table.（そのネコは箱の中にいます。その箱はテーブルの上にあります）
　　・I don't have a ...（私は…を持っていません）

マナブ　このようなゲームを行わせるとき，教える先生としては，どんなことに注意しなければならないのでしょうか？

シーラ　そうね。まず，ゲームをしている間，子どもたちは友だちの言うことを注意深く聞いていなければならないわね。相手の言うことを聞いて，自分が次に何を言うかを考えるわけだから。既習の構文を使ってもいいけれど，どれを使うかは必ずしも予測できるわけじゃないし，それに子どもたちには相手からの情報を理解しながら，同時に，何か違いが見つかったかどうかを判断しなければならないのよ。

マナブ　情報を頭の中で瞬時に処理するというのは，かなり高度な営みですね。

シーラ　そうなの。だから，子どもたちが文法的な間違いをする可能性もあるわけ。このようなペア・ゲームでは，クラス全体の子どもが一斉にすることになるから，先生がいつも子どもたちのそばにいて，間違いを直してあげることができるとは限らないわ。それに，すぐ間違いを訂正するとゲームの面白さが損なわれてしまって，子どもたちの意欲も削がれてしまうでしょう。そこで，机間巡視をして，子どもたちの活動を注意深く見ながら，何か重大な誤りがあったりクラスの多くが犯している間違い

マナブ　を見つけたりしたら，全体に対してコメントや手助けをしてあげるくらいがいいのではないかしら。
マナブ　今日，先生が紹介してくださったアクティビティの最終的な目的は，何でしょうか？
シーラ　すべての学習者の最大の目標は，既習の文法事項やいろいろな文型を組み合わせて使って，新しい発話を作り出すことでしょう。とは言っても，実際，全員がこの目標を達成できるものではないわ。このレベルまでもっていくということは，実際に教わったり，チャンクとして覚えている定型の文型を超えたレベルの反応が，何人かの子どもから出てくるということよね。そういう点では，コミュニケーション・ゲーム，ロール・プレイ，絵本の読み聞かせの中で，「週末は楽しかったですか？」というような普通の「日常的」なやりとりをさせることなどは，とても有効じゃないかしら。このような活動は，英語を冒険的に使ってみようとする子どもたちにとっては，多少リスクはあるかもしれないけれど，とってもよいものよ。
マナブ　こういう難しい段階では，子どもたちが犯す間違いは，どのように正してやればいいのでしょうか？
シーラ　子どもたちが必然的に犯す誤りとか，ことばにつまってしまうような状況をいちいち厳しく訂正してしまうと，子どもたちの努力を続けようとする意欲を削いでしまうことになりかねないわね。だから，教師は子どもの誤りをすぐに訂正するのをできるだけ我慢して，「足場組み（scaffolding）」を提供し，彼らが言いたいことが言えるように手助けしてあげることが大切だわ。「違う！　まだ，あなたはそんなことも言えないの！」などと口走ることだけは，絶対にしてはだめよ。

　マナブ自身が，シーラ先生との対話の中で言っているように，英語を学ぶ者にとって，語彙と文法の学習は最大の関心事です。とくに，子どもの場合は，語彙や文法を豊かな文脈の中で提示して，子どもたちの「ことばへの気づき」を触発するような工夫を教師はしなければなりません。そうすることによって，子どもたちは，既習の語彙や文法を使って創造的なコミュニケーションができるようになるのです。

注 釈

[1] 生後18か月から2歳頃にかけて，子どもは単語を2つ組み合わせて「構文」を構成できるようになる。例：there doggy（あそこに，ワンワンがいる）（『「小学校英語」指導法ハンドブック』玉川大学出版部，2005年）

[2] 英語は，単語だけでなく文の中でも，ほぼ規則的な間隔で強拍が置かれる。このような言語をstress-timed language（強勢拍言語）という。英語における強勢とリズムの働きが，早期英語教育では，ライム（rhyme），チャンツなどの活動によく表れている。強勢が置かれることばは，主として，内容語であり，一方，速く，不明瞭に発音されるのが，冠詞，前置詞などの機能語である。（『「小学校英語」指導法ハンドブック』玉川大学出版部，2005年）〔本書第4章および第7章第3節も参照〕

[3] 英語教育関係の著書を多く著しているUr, P. (1985)が，児童に行った調査によると，「子どもたちが一番興味を持つこと」が語彙選択の重要な要因となり，語彙に興味・関心があれば，子どもたちは表現したいという気持ちを持ち，楽しさにもつながると述べている。('Survey review: Courses for younger learners' in *ELT Journal*, Vol. 39, No. 4, 1985)

[4] 5年生用の『英語ノート』①のLesson 4（I like apples. 自己紹介をしよう）〔"Hi, friends!"①のLesson 4（I like apples. 好きなものを伝えよう）〕では，子どもたちの「好きなもの」として身近な食べ物・飲み物・スポーツ・動物などを取り上げている。

[5] たとえば，『小学校英語教育の進め方——「ことばの教育」として——改訂版』（成美堂，2011年）では，第3章「導入——新しい言語材料の導入とテクニック」の中で語彙の導入方法を紹介している。

[6] 一般的に言われている「言語適性」には，次の4つの要因が含まれる。(1) 音をとらえて記憶する力，(2) 文法規則を見つけ出す力，(3) 機能的にパターンを発見する力，(4) 暗記力の4つの大きな要因がある。また，言語適性は，生得的なもので，変えることは難しいとも言われている。（『英語教育用語辞典・改訂版』大修館，2009年）

[7] 言語材料（語彙と表現）の選択について，金森（2011）は，次のようなコメントをしている。「その（言語材料を選択する）際には，学年が上がったからといってまったく新しい内容を取り入れるのではなく，前の学年での活動を踏まえて，表現や語彙に広がりを持たせ，活動内容に変化をつけたり負荷を多くしたりするなどしながら，何度も同じ表現に出会えるように，言語材料をスパイラル（らせん状）に配列することに留意します」（「カリキュラム・年間指導計画のポイント——『英語ノートの使い方』（第2部第3章）岡秀夫，金森強（編著）『小学校英語教育の進め方——「ことばの教育」として——改訂版』（成美堂，2011年）

[8] 松川（2004）は，教師一人ひとりがカリキュラムを「創る」能力を向上させる必要性を唱えて，次のように述べている。「本来，カリキュラムの主要な開発の場は学校であり，教室であるべきで，トップダウン式にカリキュラムを開発し全国一律に普及していくような時代は終わったと考えるべきである」（『明日の小学校英語教育を拓く』アプリコット，2004年）

[9] このように，ある発話によって遂行される行為をspeech act（発話行為）と呼ぶ。たとえば，話者が聞き手の近くの窓を閉めてほしいと考えて，聞き手に向かって「寒いね」といい，それによって聞き手が窓を閉めたというような場合がこれに当たる。（『英語教育用語辞典・改訂版』大修館，2009年）

[10] 「ことばへの気づき」について，大津（2008）は，その具体例と小学校でのさまざまな実践例を紹介している。たとえば，「こわい　目の（　）」と板書し，子どもたちに（　）の中にどんなことばが入るかを考えさせる授業で，最初，「イヌ」「宇宙人」「先生」などを挙げ，そのあとで，「病気」ということばを教師が示すと，子どもたちの間から「ああー」という声が上がった。大津らによると，この「ああー」という声が挙がるか挙がらないかが，授業の成否を判断する重要な鍵となる，と言っている。なぜなら，それが「ことばへの気づき」を外的に知らせるための最初の手がかりとなるからである。子どもたちはそれをきっかけに，「こわい目のイヌ」では，「こわい」と「目」がまとまり（句）を作り，それに「イヌ」が加わって，全体のまとまりを作るが，「こわい目の病気」では，「目」と「病気」がまとまりを作り，それに「こわい」が添えられて，全体のまとまりを作るということに気づいた。（「ことばの教育（言語教育）の実践（Ⅰ 理論編 4）」大津由紀夫・窪薗晴夫（編著）『ことばの力を育む』慶応大学出版会，2008年）

[11] Piaget, J.（1896-1980）は，幼児では自他が未分化なため，その際，とくに自分の視点や経験に中心化して物事をとらえ，自分が他人の視点に立ったり，自他の経験の相対性や自分と対象の間の相互関係を的確にとらえて判断したり，行動することが難しいことを「自己中心性」と名付けた（本書第1章2節(7)の「子どもたちの認知発達」も参照のこと）。

第 4 章　子どもたちへの発音指導

4.1　英語発音のキーポイント
4.2　どのような発音モデルを目標にするのか？
4.3　ボトムアップの発音指導
4.4　トップダウンの発音指導

　子どもに英語を教えることについての賛成論として，一般的によく持ち出されるのが，ネイティブ・スピーカーのような発音を身に付けるのに，この時期がもっとも適しているという見解です。このことは，子どもたちが持つ能力についてのさまざまな議論のうちでも一番異論のないところのようで，それを裏付ける多くの研究成果も報告されています。しかし，それだからこそ，慎重に取り組まれなくてはならない分野であると言うこともできそうです。この章では，まず，音声面でとくに教師が心得ておくべきポイントを紹介します。そして，子どもたちの英語カリキュラムに発音指導を盛り込む方法や，具体的な発音指導のアイデアへと話を進めていきます。

この章を読む前に

1. 子どもに発音を教えるとき，あなたの指導方針は次のどれにもっとも近いですか？
    a) とくに，これといった指導はしない。
    b) 大切な音やイントネーションなどの音声的特徴に触れさせる機会を，あらかじめ指導計画の中に盛り込んでおく。
    c) 優れた音声モデルに触れさせることを心がける。
2. 子どもたちにどのような発音を身に付けさせたいですか？
    a) アメリカ人やイギリス人のような発音。
    b) その他の地域で英語を母語とする人たちの発音（例：オーストラリア，ニュージーランド，カナダなど）。
    c) 母語の影響はあるが，国際的に十分に通用する発音。

この章のキーワード

本文の左の欄外には，
　□ **音声学**（phonetics）
などの「キーワード」が提示されています。まずこの「キーワード」を見て，わかる用語の□にチェックマーク（✓）を入れながら読み進めてください。わからない用語があったら巻末の「キーワード解説」で確認しましょう。

4.1 英語発音のキーポイント

　ある言語の音声体系を系統立てて研究する「音韻論（phonology）」は，実際にその言語の音声を作り出す能力としての「発音（pronunciation）」と同じものではありません。しかし，教える内容について十分な知識を持つことは，語彙や文法の場合と同じように，指導重点項目の決定，カリキュラムの編成，学習者の困難点の分析，そして独創的な活動作りなど，さまざまな面で指導者にとっては心強い味方となってくれるはずです。この章では，英語の音韻論の全体を紹介することはできないので，そのうち，とくに早期英語教育にかかわる要点だけをシーラ先生に紹介してもらいましょう。

マナブ　今日は「子どもたちへの発音指導」というテーマで，お話を伺いたいと思います。日本では，小学校での外国語活動に関心を寄せる親たちの間で，「子どものときから英語を習わせるとネイティブのような発音になる」という熱い期待が語られることがよくありますが，本当のところはどうなのでしょう。

シーラ　たしかに，「子どものときならば，ネイティブ・スピーカーに近い発音を身に付けることができるのではないか」というのは，一般的な受けとめ方かもしれないわね。でも，これは，たとえば，幼いときに両親に連れられてアメリカやイギリスへ移り住んだ子どものように，毎日，身の回りで英語が話されている環境で育った子どもたちの場合であって，日本のように，教室以外ではほとんど英語を耳にすることのない国で育つ子どもたちにそのままあてはまることではないのよ。

マナブ　それでは，日本のように，英語が身の回りで使われていない国で育つ子どもたちを教える指導者は，「発音」について学んで，その指導法を研究したほうがよいのでしょうか？　わたしも，大学のときに**音声学（phonetics）**は勉強したのですけど。

☐ **音声学**

シーラ　それはよかったわ。「音声学」の知識があって，発声器官を使って英語の音声を作り出すための**調音（articulation）**の仕方をきちんと知っていれば，授業中に，「ほら，こんなふうにできるかな？」というように，それぞれの音の出し方を見せてあげることができるわね。マナブは「**音韻論（phonology）**」もやったのかしら？

☐ **調音**

☐ **音韻論**

マナブ　「音韻論」って，何ですか？

シーラ　ある言語の音声体系の特徴を研究する学問よ。実際に，その言語の音声を作り出す能力としての「発音（pronunciation）」と同じものではないけれど，英語の「音韻論」の知識がいくらかでもあれば，指導上の大切な点を見きわめ，良い教材を選んで，オリジナルの活動を考え出すのにとても役立つと思うわ。

マナブ　なにか，難しそうですね。どんなことをするのですか？

シーラ　そうねえ，ひと言で言えば，英語の発音のキーポイントについて学ぶのだと思ってもらえばいいかしら。ここで，ちょっと英語発音のキーポイントについて簡単にまとめてみましょうか。

マナブ　それは，助かります。

こう言って，先生は，英語の発音についてもっとも基本的なことを5点にまとめてくれます。

シーラ先生のひと口メモ
英語発音のキーポイント
1) 連続する子音に注意

□ **子音連結**　英語には**子音連結**（consonant cluster）がたくさん現れ，1つの子音の後に，また別の子音が続くという形でいくつかの子音が連なることがある。たとえば，strong という語の最初の /str/ という部分，あるいは asked という語の最後の /skt/ という箇所などがそれにあたる。ところが，日本語では原則として子音と母音が1個ずつ交替で並んでいるため，このような現象は起こらない。

＊第2章第2節の③「リーディングの指導」を参照。

2) 母音の種類が多い

□ **母音**　たとえば，イギリスの標準的な発音とされている「容認発音（RP）」＊には，20種類もの**母音**（vowel）がある。これに対して日本語の母音は「アイウエオ」の5つだけである。そのため，英語を発音するときには，舌を置く位置や口の形のちょっとした違いが，母音の数が多いだけにとても重要になる。

3) 強勢のない母音の音は不明瞭

□ **強勢**　英語では，**強勢**（stress）の置かれる音節と，強勢のない音節の違いがはっきりとしている。強勢のない音節の母音は弱く発音され，不明瞭な音になる。普通の速度の英語を聞くと，音が連結して聞き取りにくく感じるのはこのためである。これに対して日本語では，すべての母音がほぼ同じようにはっきりと発音される。

4) リズムの違い

　英語のリズムでは，強勢の置かれる音節がほぼ同じ間隔でくり返される傾向がある。したがって，2つの強音節の間に強勢のない音節がたくさん挟まれる箇所では，それらの弱音節は，短く，すばやく，押し縮めたような感じで発音される。このような特徴を持つ英語が**強勢拍言語**（stress-timed language）と呼ばれるのに対して，日本語やイタリア語，スペイン語などは**音節拍言語**（syllable-timed language）＊と言われ，すべての音節が同じ長さで発音される。英語の強勢拍言語としての傾向は，ことわざなどの決まり文句やライム（押韻詩）やチャンツを声に出して言うときにとくに顕著に現れる。

□ **強勢拍言語**
□ **音節拍言語**

＊日本語は，正確にはモーラ拍（mora-timed）言語。

5) 英語特有の音がある

　英語には特有の音がいくつかある。たとえば，this という語の中の /ð/ という音や thirsty に含まれる /θ/ という音は，ほかの言語にはあまり見られない。sheep という語の中の /i:/ と ship の中の /i/ に見られる母音の違いも，ほかの言語ではあまり例がない。

　ここで先生がまとめてくれたことは，どれも英語が持つ重要な音声上の特徴で，指導者としては知っておくべきものです。そして，文法や語彙などの

＊ 第3章第2節の(4)「子どものための文法指導と教授法」を参照。

場合と同じように，発音についても英語の持つ面白さとの「出会い」を通じて，「ことばへの気づき（language awareness）」＊を子どもたちの中に育むことを目指したいものです。

4.2 どのような発音モデルを目標にするのか？

子どもたちへの英語指導についての議論の中で，しばしば「発音」の重要性が強調されることがあります。それは，子どもたちが英語の音声に敏感で，どんな音でも柔軟に真似をすることができると一般に考えられていることと関係がありそうです。そして，仮にそうであるとするならば，子どもたちへの発音指導では「どのようなタイプの発音をモデルとするのか」という問題を避けて通ることはできません。マナブと先生の話は，この問題へと進んでいきます。

マナブ 日本では，よく，児童英語教材のパンフレットなどに「これを使えば，自然な本物の発音を身に付けられる」といった宣伝文句を目にすることがあるのですが，この「自然な本物の発音」というのは，どういうものなのでしょうか？　ネイティブ・スピーカーそっくりの発音ということなのですか？

シーラ いまでは，みんながそのように考えているわけではないわ。英語の発音指導の目標は，必ずしもアメリカ人やイギリス人そっくりの発音をする子どもを世界中にたくさん作り出そうというわけではないのよ。マナブは，Jennifer Jenkins というイギリスの研究者が 2000 年に書いた *The Phonology of English as an International Language*（国際語としての英語の発音）[1] という本を読んだことはあるかしら？

注釈 1（p. 158 参照）

マナブ いいえ，その本はまだ読んだことがありませんが。

シーラ この本は，とてもたくさんの人に読まれている本なの。マナブも一度，読んでみるといいわ。

マナブ はい，早速読んでみます。でも，どんな内容なのかちょっと教えてくれませんか？

シーラ この本の中で，Jenkins は，まず，いまの国際的な場面では，イギリス人やアメリカ人のような英語を母語とする人と話すよりも，たとえば，日本人とインド人が話し合う場面など，非母語話者同士の間で英語が話される機会がたいへん多くなっていることを指摘しているの。

マナブ たしかに，このウォーリック大学で，私も，世界各国から来た留学生たちと毎日英語で話をしています。日本では，英語教材の発音と言えば，アメリカ英語一辺倒という中で勉強をしてきたので，最初はちょっと聞き取るのに苦労しました。

シーラ きっとほかの国から来た留学生も，マナブの英語に慣れるのに少し時間がかかったかもしれないわね。Jenkins は，これからの発音指導では，ネイティブ・スピーカーを基準にした発音を目指す必要はないと主張しているの。それよりも，世界のいろいろな国々から来ている人たちが，国際的なコミュニケーションの道具として英語を使うときにお互いに一

注釈2（p. 158 参照）

注釈3（p. 158 参照）

　　　　番聞きやすい発音の特徴は何か？　つまり，国際通用語としての英語発音の「共通核（common core）」にあたるものはどのようなものか，という見方に立って，とても興味深く説得力のある議論を展開しているのよ。[2]

マナブ　なるほど。でも日本の小学校では，多くの教師たちが外国人指導者（ALTなど）に対して求めるものとして一番重要視しているのは，「ネイティブ発音」のモデルを示してくれるということなんですよ。[3]　また，児童英語教材のCDやビデオ，DVDに収録されている発音も，ほとんどアメリカ英語やイギリス英語です。

シーラ　そうね。でも，世界では，この国際語としての英語への動きはすでに始まっているのよ。楽しいポップスのリズムに乗り，衛星放送やインターネットを通じて，そういう英語は子どもたちの耳に達しているわ。

マナブ　子どもたちは，自分が気に入った音なら何でも，とても器用に真似してみせますよね。これが，Jenkinsが言う国際英語の「発音共通核」の始まりになるのかもしれませんね。

シーラ　そう思うわ。いずれにしても，子どもたちのための発音指導について考えるとき，これまでのように「ネイティブ発音」にこだわり続けるべきなのかどうかよく考えてみる必要がありそうね。

　子どもたちのための発音指導について考えるとき，私たちは，これまでのように「ネイティブ発音」にこだわり続けるべきなのでしょうか？　これはたいへん興味深い問題で，きっと近い将来，さらに活発な議論を呼ぶことになるでしょう。

4.3　ボトムアップの発音指導

　発音指導の方法はいろいろあります。たとえば，発音に関してはあまり触れずに，なるべく控えめにしておこうという「介入抑制タイプ（minimalist）」から，発音を重点的に扱う「積極介入タイプ（maximalist）」まで，さまざまなタイプの発音指導が考えられます。子どもたちへの英語の指導に際しては，一番目の介入抑制タイプの指導者は，発音をとくに取り上げた指導は行わず，子どもたちが授業中に耳にする英語を通して，自然に発音を身に付けることを期待します。それとは対照的に，積極介入タイプの指導者は，発音に焦点を当てた指導方法をいろいろ知っており，子どもたちにも英語の発音についての知識も与えようと考え，授業の中に「発音」を指導する時間枠を特別に用意することもあります。このように，ひと口に「発音指導」と言っても，さまざまなアプローチが考えられるのです。この点について，シーラ先生の話を聞いてみましょう。

マナブ　子どもたちとのレッスンの中に，「発音」を指導する時間枠を特別に用意して，発音の仕方についての知識を与えたほうがよいのでしょうか？

シーラ　なにも，そんなふうにあらたまって発音の知識を与えるという形ではなくて，子どもたちが英語の発音の特徴や，日本語が持つ音との違いに気づく機会をレッスンの中に意図的に盛り込んでいくとよいのではないか

*第2章第2節③のc)を参照。

☐ **ボトムアップの発音指導**

☐ **最小対立ペア**

*第2章第1節を参照。

　　　　しら。子どもたちにはわからないような形で，発音指導の体系を，そっと授業計画の中に盛り込んでおくというわけね。

マナブ　「そっと盛り込む」というのはどういうことですか？　「発音指導」と言えば，たとえば，私のような日本語を母語とする者は，rice（ご飯）の /r/ と lice（シラミ）の /l/ の音を区別することができないなどといったことを問題にして，ひたすら，くり返し練習するものだとばかり思っていました。

シーラ　そのように個々の音を出発点として，1つひとつの音素（phoneme）*を取り出して指導することを「**ボトムアップの発音指導**」と言うの。とくに，マナブが例に挙げた /r/ と /l/ のように，学習者にとっては区別することが難しい2つの音素をペアにして，念入りに練習をくり返す**最小対立ペア**（minimal pair）の活動は，かつてのオーディオリンガル・メソッド（Audio-Lingual Method）*の遺産として，いまでも各国の発音指導にその名残りを留めているわ。

マナブ　なるほど，rice と lice の組み合わせは「最小対立ペア」って言うのですか。日本でかつて，私たちが受けてきたいわゆる受験英語で，発音といえば，たいていはその手のタイプの出題でした。

シーラ　たとえば，pen [pén] と pin [pín] の組み合わせのように，母音が2つの単語を違った意味にする場合は，問題になる2つの音が互いに口の中のとても近い場所で作り出されるので，このような練習方法が，いまだに幅をきかせているのだと思うわ。学習者は，舌やそのほかの発声器官を微妙にコントロールすることがうまくできなくて，たまらなく退屈な練習をくり返しやらされることがあるわね。

マナブ　この手のタイプの練習を，子どもたちへの英語教育の中で取り入れることはとても無理ですね。みんな，「つまんなーい！」と言って，ほかのことを始めてしまったり，授業の収まりがつかなくなりそうですよ。

シーラ　そうね。1つひとつの単語を，場面も何も関係なく取り上げて発音練習させるなどというのは，子どもたちには通用しないわね。もっと「子どもにやさしい」やり方を工夫したらよいと思うの。

マナブ　そんなにうまい方法があるのでしたら，ぜひ教えてください。

　　こうして，先生は，子どもにやさしい「ボトムアップの発音指導活動」の具体例を紹介することになります。

≪子どもにやさしい発音指導活動例1≫　**Mouse or mouth?**（「ネズミ」？それとも「口」？）

　最小対立ペア（minimal pair）を利用することが，なにがなんでもいけないわけではありません。子どもたちが間違った発音をしたとき，すぐにその場でワンポイント・レッスンを行うのには便利な指導法かもしれません。でも，そのためには，違った音がまったく別の意味を持つような，面白くて印象的なペアをいつでも用意しておき，レッスンの中でちょうどよい機会をとらえて提示するとよいでしょう。さらに，黒板にさっと絵を描いて，音の違いを意識するための視覚的な手がかりを与

えると効果があります。同じ /s/ と /θ/ の違いを際立たせるにしても，ここに紹介する mou<u>s</u>e と mou<u>th</u> の最小対立ペアを使った活動例は，子どもたちが間違った発音をしたときに，すぐにその場でワンポイント・レッスンを行う際には便利な方法です。

OK, can you see a mou<u>th</u> in the picture?	さあ，この絵の中に mou<u>th</u>（口）は見えるかな？
Show me.	指でさしてみて。
Can you see a mou<u>s</u>e?	mou<u>s</u>e（ネズミ）はどうかな？
So where is the mou<u>s</u>e and where is the mou<u>th</u>?	では，mou<u>s</u>e がどこで，mou<u>th</u> はどこかな？
OK, now I'll point and you say the word.	今度は，先生が指でさすから，指さしているほうを言ってみてね。
Now, I'll say a word and you go "squeak" for the mou<u>s</u>e and "roar" for the lion's mou<u>th</u>.	じゃあ，次は，先生が mou<u>s</u>e と言ったら「チューチュー（squeak）」って鳴いて，先生が mou<u>th</u> と言ったら「ガオー（roar）」ってほえてみせてね。

≪子どもにやさしい発音指導活動例2≫　Snakes or bees?（ヘビの音？それともハチの音？）

★ 活動のねらい
　① 英語の子音の呼気の強さを体験させる。
　② 無声音と有声音をペアにして体験させる。
　　　snakes（ヘビ）が相手を威嚇しながら発する"Ssss!"という音は /s/ という無声音の代表，そして，bees（ハチ）が飛ぶときに立てる"Bzzz!"という羽音は，/z/ という有声音〔喉に手を当てて声帯が震えるのがわかる音〕の代表です。

★ 活動の手順
　① ヘビの吹流しを作ろう

下のようならせん状のヘビの絵をいろいろな色に塗り，線に沿って切り抜く。すると，ちょうどリンゴを皮が途切れないようにしてむいたときのような形の，とてもカラフルなヘビ形の吹流しができあがる。次に，その吹流しを鉛筆の先端の上に乗せてバランスをとり，/s/ の摩擦音を長く伸ばしながら息を吹きかける。摩擦音がしっかりと出ていれば，ヘビの吹流しは，クルクルと色鮮やかに回りだす仕掛けとなっている。

② ハチを作ろう

下のワークシートからハチの形を切り抜いて組み立て，ひもの先にぶら下げる。次に，"Bzzz!" とハチの羽音を真似して，長く音を出しながら息を吹きかけ，ハチを元気よく飛び回らせる。

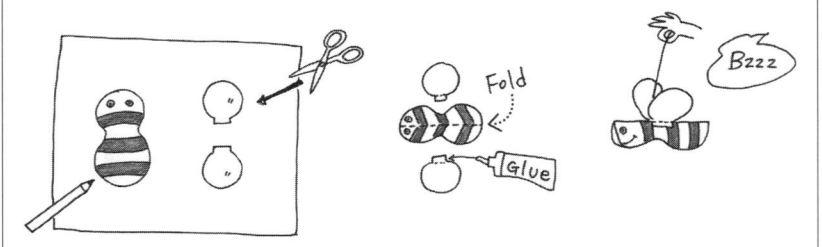

③ 音の違いを体で感じ，体で表現してみよう

子どもたちに，喉に手を当てるように言って，次のようにして無声音と有声音の区別をさせてみる。

　　ヘビの "Ssss!" の音　→　cats, books, desks, turnips

　　ハチの "Bzzz!" の音　→　pens, boys, girls, windows

ヘビの "Ssss!" の音を聞いたら，ヘビのように腕をウネウネとくねらせ，ハチの "Bzzz!" の音のときには，ハチが羽根を動かすような動作をさせてみるのもよいでしょう。

★ 活動の発展

このような活動を通して，子どもたちが，将来，名詞の複数語尾のsや三人称単数現在のsの発音を教わるときのための布石を打って

注釈4（p. 158 参照）

おくことができます。学習が進んだ段階で，複数語尾のｓや三単現のｓの発音を教える際に，ヘビの絵とハチの絵を，それぞれ /s/ および /z/ の音を表す「児童英語発音記号」として使うことも可能です。[4]

≪子どもにやさしい発音指導活動例３≫　ちゃんと名前を呼んで！
　子どもたちへの発音指導では，ある音を正確に発音しなくてはならない場面を，レッスンの中にさりげなく設けるとよいでしょう。ひとつの例を挙げれば，動物たちをクラスのマスコット・キャラクターにして，その名前の中に，注意して発音しなくてはならない微妙に異なる２つの音をこっそりと潜ませておきます。たとえば，Pete the fish（魚のPete）の中にある２つの母音 /iː/ と /i/，Fred the rat（野ネズミのFred）の /e/ と /æ/，Tom the horse（ウマのTom）の /ɔ/ と /ɔː/ などといった具合です。このマスコットの動物たちはとても「自意識」が強く，子どもたちが自分の名前を正確に発音してくれないと姿を現さないことになっています。子どもたちは面白がって，マスコットたちが出てきてくれるまで，何度でもくり返し名前を呼びかけることでしょう。

≪子どもにやさしい発音指導活動例４≫　Rena says …（レナの言うことだけ聞いて！）
　これは，第７章第１節で紹介する「サイモン・セズ（Simon says）」というゲームを応用したものです。このおなじみのゲームのもとのルールでは，子どもたちは"Simon says …"で始まる命令だけに従って動作をすることになっています。そこで，このゲームの中で使われる名前をちょっと変えて，たとえば，"Don says …"で言い始めた命令には従うが，"John says …"で始まる命令に従ってはいけないというようにルールを変え，「最小対立ペアゲーム」として楽しむことができます。「命令者」の２人の名前をJameyとJaney，あるいはRenaとLenaなどと，紛らわしい音を含んだペアにして練習をするのもよいでしょう。厚紙に２人の人物の顔の絵を描いて，ペープサート人形*を作り，名前を言った後に見せれば，音の違いを視覚にも訴えることができます。

* 紙に人や動物の絵を描き，それに手持ち棒を付けた紙人形。

≪子どもにやさしい発音指導活動例５≫　"Head, Shoulders, Knees and Toes"の歌で二重母音を練習
　歌や物語の中には，とてもよい発音練習の機会が埋め込まれているも

のもあります。子どもたちは，英語の歌を歌ったり，物語の中のくり返し文句を一緒になって言う中で，知らず知らずのうちに発音練習を行うことになるのです。指導者は，レッスンで使う歌や物語にどのような音が含まれているのかを，あらかじめ確認しておくとよいでしょう。ひとつ例を挙げると，「身体の部分」を表すことばにはたくさんの**二重母音**（diphthong）が含まれています。たとえば，早期英語の定番のひとつである"Head, Shoulders, Knees and Toes"の歌を子どもたちと歌う前に，次のように歌詞に出てくる音の確認をしてはどうでしょう。

□二重母音

> Look at the boy. This is his face. These are his eyes.　この男の子を見て。これが顔で，ここが目。
> This is his mouth. These are his ears. This is his hair.　そして，口と耳と髪の毛。

このようにして，「顔」を話題にしながら，英語の二重母音のうちの多くを紹介することができます。

boy　—　/ɔi/
face　—　/ei/
eyes　—　/ai/
nose　—　/ou/
mouth　—　/au/
ears　—　/iə/
hair　—　/eə/

このように，「ボトムアップの発音指導」で，いくつかの音をまとめて聞かせるときには，その単語のグループが意味のうえでもまとまりを持つようにしてあげると効果的です。

4.4　トップダウンの発音指導

上に紹介したもののほかにも，1つひとつの音に場面を与え，生きた音として子どもたちに紹介する方法はたくさんあります。でも，このような個々の音のレベルに終始する発音指導には，限界があることも覚えておいたほうがよいでしょう。なぜならば，このようなボトムアップの発音指導だけでは，英語の音声を特徴付けるもっとも本質的で興味深い側面を子どもたちに伝え損ねてしまうからです。この点に関して，シーラ先生とマナブの話を聞いてみましょう。

マナブ　いろいろな音の発音について1つずつ練習を重ねていけば，子どもたちは，英語らしい発音を身に付けることができるのでしょうか？
シーラ　残念ながら，必ずしもそうとは言えないわ。どんな言語の発音も，1つひとつのばらばらの音だけでででき上がっているわけではないわよね。

マナブ　たしかに、いろいろな音が切れ目なく次から次へつながって、ことばになっているのはわかります。
シーラ　1つひとつの単語やいくつかの単語のまとまりを超えて、ときには、ある人の発話全体にわたって現れるような発音の特徴があるの。
マナブ　うーん、まだ、おっしゃっていることがよくわからないのですが。
シーラ　つまり、英語の発音で大切なのは、単語や発話の中の適切な場所に強勢（stress）*を置くことで作り出される、話しことばの**リズム**（rhythm）、文の切れ目などで声を上げ下げして話しことばのメロディーを作る**イントネーション**（intonation）、そして、怒り・悲しみ・誇り・恐れといった気持ちを表現する**音質**（voice quality）なの。このレベルでの音声的な特徴がうまく調整されていれば、1つひとつの音をうっかり発音し損ねたとしても、聞き手には十分に理解してもらえるということが、いろいろな研究からわかっているのよ。また逆に、こういった個々の音を超えた部分で間違いを犯すと、1つひとつの発音は正しくても理解してもらえなかったり、最悪の場合にはひどい誤解を招いたり、相手の気分を害してしまうこともある。言語学者たちは、もう長いこと、このような音声的な特徴が話しことばの中でも、とくに大切な側面であることを強調してきたの。それでも教師たちや教材の作成者の多くはいまだに重箱の隅をつつくように、1つひとつの音にこだわる「ボトムアップの発音指導」に終始していることが多いわね。
マナブ　とくに子どもたちの場合には、1つひとつの音にこだわるよりは、まずリズムやイントネーションから始め、その後で、1つひとつの音のレベルに下りていく指導のほうが合っているのでしょうか？
シーラ　その通り。子どもたちへの授業には、そのような「**トップダウンの発音指導**」に役立つ要素がたくさんあるわ。問題は、指導者がそのような可能性に気づき、意識的に指導計画の中に織り込むことができるかどうかということにかかってくるわけね。
マナブ　教師の責任重大ですね。中学生や高校生、あるいは大人を相手に発音指導するよりも工夫が必要そうですね。どうしたらいいのでしょうか？

　マナブの要請に応えて、先生は、まず「強勢とリズム」のことから説明を始めます。

(1)　強勢とリズム

シーラ　まずは、ナーサリー・ライム（nursery rhymes）*ね。これをうまく使えば、子どもたちに、意味のある文脈の中で英語のリズムを楽しく直接体験させることができるわ。ナーサリー・ライムというのは、**強勢**が置かれる音節を強く、長く、はっきりと発音し、強勢のない音節を弱くギュッと押し縮めて言わなくては、リズミカルに言うことはけっしてできないようになっているの。
マナブ　ええ、ナーサリー・ライムは、私も知っていますよ。"Humpty Dumpty" とか、"Twinkle, Twinkle, Little star" とかですよね。でも、たくさんの音を一気に言うのって、舌をかんでしまいそうになって難しいとこ

　　　　　ろがありますよね。うまくリズムに乗れない子がクラスにいたら，どうしたらいいのでしょうか？
シーラ　強音節の位置に合わせて，手や足や体全体を使った動作をさせると，間に挟まれた弱い音節が連続するところも無理なくさっとやりすごすことができるようになるわ。体の動きと発話のリズムが共鳴する感じかな。
マナブ　「チャンツ」はよく耳にしますが，具体的に何か良い教材はありますか？
シーラ　キャロリン・グラハム（Carolyn Graham）の *Mother Goose Jazz Chants*（マザーグース・ジャズ・チャンツ）* はいいわね。物語の中にも，子どもたちが思わず先生と一緒になって口ずさんでしまうような，リズミカルなくり返し文句が織り込まれているものがたくさんあるわよ。
マナブ　えっ，物語にもリズムがあるんですか！
シーラ　もちろんよ。たとえば，有名な『赤ずきんちゃん（*Little Red Riding Hood*）』の物語の中にも，こんなくり返し文句があるのよ。

* オックスフォード大学出版局刊，1994年。

Oh Grandma what big **EYES** you have.	まあ，おばあちゃんの**目**って，なんて大きいのでしょう！
All the better to **SEE** you with.	これなら，お前の顔がよく**見える**からね。
Oh Grandma what big **EARS** you have.	まあ，おばあちゃんの**耳**って，なんて大きいのでしょう！
All the better to **HEAR** you with.	これなら，お前の声がよく**聞こえる**からね。
Oh Grandma what big **TEETH** you have.	まあ，おばあちゃんの**歯**って，なんてすごいのでしょう！
All the better to **EAT** you with.	これなら，お前を**食べる**のに便利だからね。

　　　　　このくだりなんかは，強勢の配置，音の大きさ，そして高低の音調といった3要素を組み合わせてキーワードに焦点を当てる，英語が持つリズムの特性をすべて兼ね備えた一節ね。おまけに，耳で聞いて（ears → hear），歯でかみ砕いて食べる（teeth → eat）といった，意味のうえでペアになっていることばが韻を踏んで耳に響いてくるでしょ。
マナブ　本当ですね。誰でも知っている「赤ずきん」の話のせりふが，そんなふうになっているとは知りませんでした。こういったところで，子どもたちは英語の音の特徴を耳から聞いて，一緒に口ずさんで体験するわけですね。私たち教師は，そういうことに気づくために，いつもアンテナを張っていろいろな教材を見ておく必要がありそうですね。

(2) 対比効果

シーラ　もうひとつ，とても良い例を挙げると，マナブは『3匹のヤギのガラガラドン（*The Three Billy Goats Gruff*）』* の話を知っているかしら？
マナブ　ええ，日本でもよく知られています。僕の先輩の子どもなんか大好きで，その子が僕に絵本を読んでくれたことがありましたよ。
シーラ　あの物語の中で，小さいヤギ，中くらいのヤギ，一番大きいヤギの3匹が，山の草地を目指して出かけるところがあるでしょ。
マナブ　ええ，そして，途中の川にかかった吊り橋を守る怪物トロルに出会い，

* 第7章第2節の(2)「良い物語の条件とは？」を参照。

    トロルは，順番にやってくる 3 匹のヤギを相手に「これはオレさまの橋だぞ！（This is my bridge!）」って言うんですよね。トロルは，3 匹のヤギを相手に，同じ文句を 3 回くり返すので，'my ～' という所有を表す形を物語の流れの中で自然な形でくり返して聞かせることができると思い，前から教材として目を付けていました。

シーラ それは，とても良い目の付けどころね。もうひとつ大事なことは，物語のそのくだりで，トロルのことばを読み聞かせてあげるときに，"This is **MY** bridge!" という対比効果を忘れないようにしてね。英語では，my のように，普通は強勢を受けない文法・機能語（grammar/functional word）* をあえて強く発音するような場合には，何か特別な理由があるものなの。ここでは，「この橋はオマエのものではなくて，**オレさま**のものだ！」と主張するために **MY** が強められているわけ。子どもたちに，「対比のための強調」などと言っても仕方ないけれど，トロルが叫ぶ '**MY**' と，普通の 'my' を比べて聞かせるだけで十分に通じると思うわ。

* 第 3 章第 1 節「語彙の指導」を参照。

マナブ たしかにそうですね。これまでは無意識に読み流していましたが，言われてみるとちゃんと理屈があるのですね。物語には，英語発音指導のための宝がたくさん隠れていることがわかってきました。話の展開を楽しみながら，英語の「音の形」に気づかせることができるのですね。

(3) 音質

シーラ 『3 匹のヤギのガラガラドン』の中の怪物トロルは，きっと大きなガラガラ声で "This is **MY** bridge!"（これは**オレさま**の橋だぞ！）と，どなったと思うのね。このような「音質（voice quality）」または「音色（tone of voice）」も，また発音の大切な要素なのよ。声色は，人の発することばに色付けをして，その人についていろいろなことを教えてくれるわ。腹を立てているのか？それとも，おびえているのか？などとね。幸運なことに，声色は，違う言語を話す人の間でも，たいていは共通していて十分に通じるの。だから，物語を読んであげるときに，いろいろと工夫して声色を使い分けてあげると，子どもたちにはすぐにぴんとくるはずよ。

マナブ 子どもたちは，そういうことにとても敏感で，喜んで聞いて真似したがりますよね。そう言えば，前に *Happy Earth* * という小学校高学年向けのコースブックを使ったときにこんなことがありました。この教科書の中に，The Animal March というトピックを扱う単元があって，いろいろな動物がそれぞれ特徴のある歩き方で行進してくるのです。slowly, quickly, loudly, quietly といった様態を表す副詞は，子どもたちにはちょっと難しいのではないかなと思っていたのですが，CD の音声には，"The snails came *sloooooowly*." とか "The kangaroos came *quickly*." といった具合に，それぞれの副詞がそれなりの感じで吹き込まれていて，子どもたちにはまったく問題なくちゃんと通じたようでした。

* 2001 年にオックスフォード大学出版局より出版された「高学年向けの児童英語コースブック」（Bill Bowler & Sue Parminter 著）。高学年の子どもたちの発達段階に合わせた内容が，意欲的に盛り込まれている。

シーラ 子どもたちは，その CD のユニークな発音を真似してみようとしなかったかしら？

マナブ　どうしてわかるんですか？　たしかにそうでした。なかでも "The kangaroos came ^{quickly}." のかん高い声の 'quickly' が大うけで，リクエストに応えて何度も何度も CD をくり返して聞かせました。子どもたちは "The kangaroos came quickly." という文をすっかり覚えてしまって，レッスンが終わって帰るときには，その英文を丸ごと口ずさみながら帰っていきましたよ。

　子どもたちは，物真似の天才的才能を発揮することがあります。物語を聞かせていても，必ず登場人物の声色をそっくりに真似してみせる子どもがいます。そして，これこそが理想的な英語活動の形態のひとつです。私たちがうまく活動を仕組んで，子どもたちが知らないうちに反復練習し，自然なリズムや抑揚も一緒に文をそのまま丸ごと覚えてしまうような形ができあがれば，その活動は大成功と言うことができるでしょう。シーラ先生は，このような子どもたちの反応をうまく利用してゲームにすることを提案します。

≪子どもにやさしい発音指導活動例 6≫　**Say it like a ...!**（…のふりをして言ってみよう！）

★ **活動の目的**
　'Good morning!' などの簡単な表現を，いろいろな言い方で言わせてみることで，形容詞・副詞・名詞の理解を確認する。

★ **活動の手順**
① まず 1 人の子どもを選んで，たとえば 'Good morning!' のような「今日の表現」を言わせてみる。
② 次に，その子の耳元で，ほかの子どもたちには聞こえないように，ポイントとなる形容詞・副詞・名詞を含んだ指示をささやきかける。

　　指示の例：
　　　Say it like an *angry* person.（怒った人のふりをして，言ってみて）
　　　Say it like a *proud* person.（いばった人のふりをして，言ってみて）
　　あるいは，
　　　Say it *angrily*.（怒って，言ってみて）
　　　Say it *proudly*.（いばって，言ってみて）
　　または，
　　　Say it like a *monster*.（怪物みたいに，言ってみて）
　　　Say it like a *bird*.（小鳥みたいに，言ってみて）など

③ 指示を聞いた子どもは，指示された通りの言い方で②の表現を言ってみる。ほかの子どもたちは，それを聞いて，その子がどんなふうに言おうとしているのかを当てる。
④ どんなふうに言おうとしているのかを言い当てた子どもが，最初の子と交替して，次に「…のふりをして言う役」になる。

　ここまで，夢中になって聞いていたマナブは，先生の話がまだ「イントネーション」のことには及んでいないことを思い出しました。

(4) イントネーション

マナブ　イントネーションについてはどうですか？　先ほど，先生は，イントネーションを「話しことばのメロディー」と言い換えていましたよね。

シーラ　それは，「イントネーション」とは，つまり，情報を伝えるピッチ（高低）の動きで，話の焦点がどこにあるのか，文法構造はどうなっているのか，話し手はどんな気持ちなのか，あるいは，あらたまっているのか，くだけているのか，といった英語のスタイルについての情報などを伝える大切な役割を果たしているという意味で言ったのよ。

マナブ　そのようなことは，なんとなくわかるのです。でも，何か英語の音声についての入門書を読んでも，「イントネーション」については，わかったような，わからないようなという感じがします。

シーラ　たしかに「イントネーション」については，研究者の間でもいくつかの記述の仕方があって，そのルールは，たとえば，英文法のルールのようにはっきりさせようとすると，かえって複雑なものになってしまうという一面はあるわね。

マナブ　そんなに複雑な音声特徴を，子どもたちに伝える方法はあるのですか？

シーラ　大人になってからルールとして学ぶのが困難だからこそ，子どもたちへの英語指導の中で，うまく教えることができれば理想的だと思うわ。

マナブ　そんなことが可能なのですか？

シーラ　あら，そんなに難しく考える必要はないわ。さっきも言ったように，子どもたちは音声を正確に聞き取って真似る天才なので，たとえば"Here you are."とか"Please."などといった，教室で頻繁に使う決まり文句を通して英語のイントネーションに触れさせるだけでも，とても効果的な指導ができるのよ。

マナブ　なるほど。子どもたちにイントネーションを教えるための教材というものは，あるのですか？

シーラ　そうね。たとえば，エリック・カール（Eric Carle）の『*Brown Bear, Brown Bear, What Do You See?*（くまさんくまさんなにみてるの？）』* は知っているかしら？

マナブ　ええ，*Brown Bear* なら，日本の子どもたちへの英語教育でもとてもよく使われている絵本ですし，私自身も，クラスの子どもたちに読んで聞かせたことがあります。

シーラ　そうだったの。あの絵本の最後のページは，それまでのページごとに登場してきたたくさんの動物たちを全部，順に並べていく形になっているわね。

マナブ　私はいつも，あの最後のページを見せる前に，子どもたちに「一番最初に出てきた動物は何だった？」と尋ねて，子どもたちが"Brown Bear!"と大声で答えると，「じゃあ，二番目に出てきた動物は？……」などと続けていくと，子どもたちは全部の動物を出てきた順番通りに，色まで正確に覚えているのでいつもびっくりしてしまいます。

シーラ　そうね。子どもたちが，気に入ったものを自然に覚えてしまう力は，大人から見ると不思議なくらいね。ところで，その最後のページに並んでいるたくさんの動物たちの1つひとつを読み上げるときの声の調子は，

---

* 次々と登場する色鮮やかな動物たちに呼びかけ，「何を見ているの？」とリズミカルに問いかけていく形式でお話しが展開されていく絵本。

　　　　どんなふうにしたのかしら？
マナブ　声の調子ですか？
シーラ　そう。それぞれの動物の名前を発音するときの声のピッチ（高低）の動きは，上昇調で上に上がっているのか，それとも下降調で下に下がっているのかしら？
マナブ　えーっと。ちょっと待ってください。思い出してみますから。まず，一番最初の「茶色のクマ」は 'a brown bear（↗）' と声を上に上げて言うから，上昇調ですね。次も 'a red bird（↗）' と上がり調子。そして，それに続く「黄色いアヒル」も 'a yellow duck（↗）' というように，ずーっと上昇調が続きますよね？
シーラ　その通り。でも，一番最後の 'and' の後の 'a monkey' はどうかしら？
マナブ　あっ！　そうですね。市販されている「モデル読み CD」でもそこだけが 'a monkey（↘）' と下がり調子になっていましたね。

> We see
> 　　　a brown bear（↗），
> 　　　a red bird（↗），
> 　　　a yellow duck（↗），
> 　　　a blue horse（↗），
> 　　　a green frog（↗），
> 　　　a purple cat（↗），
> 　　　a white dog（↗），
> 　　　a black sheep（↗），
> 　　　a goldfish（↗），
> 　　　and a monkey（↘），
> 　　　　　　　looking at us.

シーラ　そうなの，それが，ものをいくつか並べていくときの英語のルールね。いくつ並べても，とにかく，上昇調でずっと並べていって，そして最後の項目の下降調が「これで終わり」という目印になるわけ。
マナブ　なるほど。それでは，絵本のこのページのイントネーションを正確に読んで聞かせることで，子どもたちに，英語の音声の大切なルールをひと

	つ教えていることになりますね。
シーラ	そうね。先生たちの一人ひとりが，そういったことを意識して絵本を読み聞かせてあげることが，子どもたちへの「発音指導」のひとつの方法ということになるのではないかしら。
マナブ	小学校の外国語活動では，レストランでのロール・プレイをよくやりますが，そこで，ウエイターやウエイトレス役の子どもが，お客さんに飲み物の好みを尋ねるときの"Tea or coffee?"も，ひょっとすると"Tea（↗）or coffee（↘）?"というイントネーション・パターンではなかったですか？
シーラ	そうよ。その場合だって，もっと飲み物の種類が増えれば"Tea（↗），coffee（↗）or orange juice（↘）?"というようになるはずよ。
マナブ	そうですね，'and'が'or'に代わっただけで，いくつかの品目を並べているという点では同じことなのですね。あっ，すみません。話に夢中になっているうちに予定の時間を過ぎてしまいました。次の人が待っていると思うので，今日はこれで失礼します。
シーラ	あら，ほんと！　もう，こんな時間だわ。ではこの続きは，また来週話しましょうね。
マナブ	はい，ありがとうございました。また来週よろしくお願いします。

　ここまで２つの章にわたって，「語彙」「文法」そして「発音」という，いわば，ことばの学習を構成するいわば１つひとつの「部品」を取り上げてきました。次の章では，そのような「部品」をどのように組み合わせて，子どもたちへの指導を計画したらよいのか，そのあたりのことについて二人の話に耳を傾けてみましょう。

注　釈

[1] Jenkins, J. 2000. *The Phonology of English as an International Language: New Models, New Norms, New Goals*. Oxford: Oxford University Press.

[2] 発音評価の基準は「ネイティブ・モデルにどれだけ近いかということ（nativeness）」から「聞き手にとってどのくらい聞き取りやすいかという理解度（intelligibility）」へ，さらには「国際語としての英語発音（ELF〔English as Lingua Franca〕phonology）」へと軸を移しつつあるというのが，Jenkins の主張である。なお，「国際語としての英語」の問題を日本語でわかりやすく解説している文献としては，たとえば『世界の英語を歩く』（本名信行著，集英社新書），『英語はアジアを結ぶ』（本名信行著，玉川大学出版部）などがある。

[3] 教師たちが ALT（外国語指導助手）による「ネイティブ発音」を重要視している様子は，小林・宮本（2007）が報告している公立小学校教員への意識調査の結果にも現れている。調査の回答者たちのコメントでは，ネイティブ・スピーカーの ALT に期待する要素として，「正しい発音」あるいは「美しい発音」などといった表現を用いて「ネイティブ発音」の重要性が強調されている。

[4] 2009年12月19日に慶応大学日吉キャンパスにおいて開催された慶應義塾大学言語教育シンポジウム「『ことばの力を育む』授業の展開――みんなで探ろう，小学校英語活動への対処法――」において，東京学芸大学附属小金井中学校の末岡は，中学に入学した子どもたちが，英語の授業で最初にぶつかる発音上の問題は，「複数形の s」「三単元の s」を発音するときの有声音と無声音の区別であることを指摘したうえで，小学生を対象として発音についての気づきをうながす授業実践報告を行っている。この実践授業で，末岡は，日本語の「さ」と「ざ」に見られるような濁点の有無と関連付けて，有声音と無声音の違いを気づかせ，喉に手を当てさせて，それぞれの音の調音方法の違いを子どもたちに体験させている（末岡，2009）。

第5章 子どもたちへの指導を計画する

5.1 市販の教材を理解し，選び，活用する
5.2 教科の垣根を越えて内容を中心に指導する
5.3 オリジナルの「指導プログラム」を作成する

　最適な教材や指導法というものは，誰かほかの人が用意してくれるものではありません。自分が教えている子どもたちに合う教材を指導者自身が選び，それを適切な方法で用いることが必要です。この章では，まず，そのためにはどんなことに注意を払ったらよいのかを考えます。次に，全教科を教える小学校の学級担任の強みを活かして，ほかの科目と関連付けながら外国語（英語）活動を展開する方法について考えます。既成の教材の中から自分の指導状況に合ったものを選び，活用していくうちに，最後には，独自の教材を作成したくなってくるものです。本章の最後では，指導者独自の「指導プログラム」を作成することについても考えます。

この章を読む前に

1. a) いままでに使った子ども向けの英語教材のうちで，一番よくできていると思ったものを思い出してみてください。その教材のどんなところがよくできていたのでしょう？　子どもたちの反応はどうだったでしょうか？
   b) 新しく教材を選ぶとき，どのようなところを見て決めますか？
2. 子どもたちは，外国語を通して，新しい知識を学ぶことはできるのでしょうか？　また反対に，新しい知識を学びながら，外国語を学習することはできるのでしょうか？
3. 子どもたちのための「指導プログラム」を計画するとき，どのような情報が必要でしょうか？　まず，最初に決めなくてはいけないことは，どのようなことだと思いますか？

この章のキーワード

本文の左の欄外には，
　□ **教材評価**（materials evaluation）
などの「キーワード」が提示されています。まずこの「キーワード」を見て，わかる用語の□にチェックマーク（✓）を入れながら読み進めてください。わからない用語があったら巻末の「キーワード解説」で確認しましょう。

5.1 市販の教材を理解し，選び，活用する

□ **教材評価**

　私たちは，日常の教育活動の中でいろいろな形で市販の教材を使っています。この節では，ある教材を分析して，それをレッスンで使うかどうかを決めるときに注意すべきこと，そして，選んだ教材を，自分が教えるクラスに一番合った方法で使うには，どのようにすればよいのかといった事柄について考えていきます。このような内容を扱うのが **教材評価**（materials evaluation）と呼ばれる分野で，まず，市販の教材の目的および内容と構成をよく理解し，次に，より良いものを選び，そして選んだものを効果的に活用するという3つの段階に，大きく分けて考えることができます。今回のチュートリアルでは教科書を中心に，いろいろなタイプの教材を見ていきます。一般的には，教科書と音声教材のセットが，教室での指導で中心的な役割を果たすケースが多いことでしょう。しかしここでは，コンピュータを利用したマルチメディア教材のようなタイプの教材にも触れていきます。

(1) 教科書と付属教材のパッケージ

マナブ　教材といえば，まず思い浮かぶのが「教科書（コースブック）」ですよね。
シーラ　そうね。教科書にはCDやDVD，CD-ROMなどが付いて指導用のパッケージになっていることが多いけれども，やはり，印刷された教科書がその心臓部であることは変わらないわね。
マナブ　でも，ひと口に「教科書」といってもじつにたくさんありますよね。
シーラ　「子ども向けの教科書」には，大きく分けて3つのタイプがあるの。
マナブ　3つのタイプですか？
シーラ　そう，それぞれのタイプの特徴を簡単にまとめてみるわね。

　先生が言っている「早期英語の教科書（コースブック）」の3つのタイプとは，以下のようなものです。

① 世界規模での普及を目指す「国際的教材」
② それぞれの国で用意される「国内教材」
③ 海外教材を基に国内向けに「翻案した教材」

　それでは，それぞれのタイプの特徴について，シーラ先生による解説を見ていきましょう。

① 世界規模での普及を目指す「国際的教材」

　まず1番目は，世界的な規模の出版社が，たくさんの国でまったく同じ教科書を販売する場合です。出版社や執筆者たちは，もちろん，できる限り幅広い地域で利用できるような教科書を作ろうとしているのですが，現実には，世界中のどの教室でも使えるような教科書などというものは存在しません。ただ，世界的な市場で活動している出版社の強みは，豊かな資金力を活かして，指導者の養成や学会での発表やセミナーでの講演といった活動を通じ，早期英語の世界で名の知れた，経験豊かで，優れた人たちを執筆陣として動員することができるという点にあります。そして，一流のイラストレーターや編集者を使い，豊富な音声教材やDVDをセットにして開発するため

の資金を投入する余裕があります。この点は，国際的な販売戦略を採るこのような教科書の利点のひとつと考えられます。

　国際的にベストセラーとなっている教材は，世界中のできるだけたくさんの地域のニーズに応えることによって誕生するのです。そうするためには，いくつかの方法があります。

- 早期英語の「共通核」にあたるような言語材料に焦点を当てる。このタイプの教材は，たとえばケンブリッジ児童英検*（Cambridge Young Learners English Tests）のような国際的な児童英語運用能力テストとリンクしている例が多い。
- どんな教師でも指導できるような，一般的で扱いやすい活動を提示する。
- さまざまな社会において，文化的に問題になりそうな内容を取り上げないようにする。

＊ ケンブリッジ大学の試験部門（UCLES）によって開発された児童用英語検定テスト。

　このようにして，国際的な教材は，多くの指導者のニーズにある程度適合するようにできてはいるものの，一人ひとりの教師の視点に立つと，弱いところや偏ったところもあるのが普通です。そのような点を補うために，それぞれの指導者が，独自の調整をし，教材が全体としてバランスのとれたものとなるような手立てを講じなくてはなりません。

② それぞれの国で用意される「国内教材」

　2番目は，それぞれの国の国内の出版社や教育を担当する省庁（日本で言えば「文部科学省」）が教科書を作る場合です。世界の国々で，国レベルまたは地方レベルの早期英語教材の出版活動が近年たいへん盛んになっています。ネイティブ・スピーカーの執筆者を招いて，教科書を作るというやり方が採られている国々もありますが，そのような国でも，教科書の編纂に関して外国の専門家がかつてほど強い影響力を持つことは，いまではなくなりました。なかには，早期英語教材の執筆者を国内で養成する方針を打ち出している国もあります。よくある例としては，有能な小学校教師を抜擢し，経験を積ませ，国内の教科書の執筆を自前でまかなうこともあります。たとえば，スリランカがこのようなやり方の好例です。1999年から2000年にかけて，15人の小学校教師が *Let's Learn English* という3つのレベルから成る小学生用の英語教科書を執筆し，教育省から出版されました。この教科書は，スリランカの教師によって書かれた，スリランカの小学生のための教科書であるため，自国の子どもたちと先生たちの独自のニーズと関心に応えるものとなっています。

　このような教材の良い点は次のようなものです。

- 国で定めた指導要領に忠実に従っている。とくに教科書の執筆者が指導要領の立案に深くかかわっているような場合には，でき上がる教科書は，指導要領にただ形式的に従っているのではなく，その考え方と精神を具体化したものとなっているはずである。[1]
- その国または地方の大半の指導者にとって実施可能な活動を提供している。たとえば，スリランカの教科書は，CDプレーヤーなどがない環境で教えることを前提としてできている。

注釈1（p. 212 参照）

- その国の社会的な事情に通じた執筆者たちの手による教科書であるため，内容や文化の取り上げ方がその社会に根ざしたものとなっている。

それぞれの国や地域のオリジナル教材には，以上のようにたくさんの優れたところがあります。しかし，ネイティブ・スピーカーなどの外国人教師には，その特色がわからず，教材を十分に活用することができない場合もあります。一方，このような教材の執筆者たちが頭を悩ませるのは，最新の教授法と，地元の先生たちにとってなじみのあるやり方とのバランスをうまくとるようにしなくてはならない点です。

③ 海外教材を基に国内向けに「翻案した教材」

最後は，海外の市場のために開発された教材を国内向けに翻案する場合です。ひとつの国で成功した早期英語の教科書が，ほかの国のニーズに合わせて作り変えられるというケースが，近年，ますます多くなっています。このようなことは，普通，国際的な販売戦略を展開する海外の出版社と国内の出版社が提携することによって可能となります。とくに2000年代に入ってから，小学校への英語教育の急速な導入に伴い，大量の新しい教材がすぐに必要になった中国のような国でこういうことが起こっています。

教材の翻案がうまくいくのは，次のような場合です。

- 実績のある国際教材を，その国の指導要領が要求する条件に近づける。
- その地域でとくに求められるスキル，活動または話題に焦点を当てたり，新たに付け加えたりする（例：文字を書く活動，読むことの導入，文化についての情報など）。
- 地域社会の状況に合わせて，内容面での調整を行う（例：教材中のイラスト，登場するキャラクターの名前，文化的に誤解を招きそうな語彙などを差し替える）。*

注釈2（p. 212参照）

このようにして，もとの教材をその地域に合うように翻案することは可能です。でも，なかには，オリジナルの教材にはない要素を無理やり割り込ませていることがはっきりとわかってしまうようなものも見かけます。本当によくできた翻案教材には，そういった不自然な「継ぎ目」はありません。

マナブ　なるほど，私がこれまでに見てきたいろいろな教材を振り返ると，いまのお話の中の1番目の「国際的教材」と2番目の「国内教材」のどちらかと思っていましたが，なかには，3番目の「翻案した教材」もあったのかもしれませんね。

シーラ　日本の小学校の「国内教材」の状況はどうなっているの？

マナブ　前にもちょっとお話ししましたが，文部科学省の「学習指導要領」という公的なシラバスに基づいて，『英語ノート』と呼ばれる教材が，2009年に文部科学省によって開発され，全国の公立小学校に配布されました。これによって，公立の小学校に勤務する先生の多くは，教材面でも，一定の枠組みが示された中で指導することになりました。〔2007（平成19）年から作成が開始された『英語ノート』は，試作版を経て，2009（平成21）年に最終版が完成され，全国の公立小学校に配布されたが，

2011（平成23）年には早くも改訂作業が行われ，2012（平成24）年春には改訂版の"Hi, friends!"が配布され，今日に至っている〕

シーラ　その『英語ノート』という教材は，どういったものなの？

マナブ　初めて英語を学習し始める5年生（11歳）から6年生（12歳）の小学生に，英語を専門としない担任教師が教えるために開発された補助教材です。日本の文部科学省は，『英語ノート』は国が検定をするいわゆる検定教科書ではないので，それぞれの地域や学校の判断で使っても使わなくてもよい，また，使い方もそれぞれの学校の事情に応じて，たとえば，ほかの教材と併用しながら使いやすいところだけ使ってもよいと言っています。でも，とくに自分たちで開発した教材を持たない自治体や学校の多くが使っている状況です。

シーラ　そうだったの。さっき紹介したスリランカの場合と似た状況のようね。

　日本の平成20（2008）年度版の『小学校学習指導要領』における「外国語（英語）活動」は，教育課程では「教科」ではなく「領域」という位置付けになっており，そのために『英語ノート』は，いわゆる「（検定）教科書」ではなく，道徳の『心のノート』と同様のものです。よって，『英語ノート』の扱いは，マナブが言っているように，以下のようなものとなると考えられます。*

* 第3章第1節の(3)でも述べたように"Hi, friends!"も『英語ノート』同様「準教科書」であることには変わりはなく，その位置付けも同じである。

- 内容や範囲などについて，『英語ノート』は一定の基準を例示するための「教材」である。
- 『英語ノート』は必ず使用するものではなく，これまでに使用していた教材との併用や，教育委員会などが開発した教材などで授業を進めることもできる。

　教材を選ぶ観点についてのマナブからの質問に対して，先生は，以下のように答えています。

マナブ　やがて，先生たちが経験を積んで，いろいろな教科書の中から自分たちの指導環境に合った教科書を選ぶようになったときに，どんな観点から教科書を検討したらよいのでしょうか？

シーラ　そうね，まず教材全般の評価について言えば，教科書の中での「文化の扱い方」とその教科書が採用している「教授法の違い」が，それぞれの教科書を特徴付ける要素として挙げられるかしら。

　こうして，マナブは日本の小学校学習指導要領の中で，「文化」という概念がどのように位置付けられているかを説明することになります。

(2) 大文字の'Culture'と小文字の'culture'

マナブ　日本の小学校学習指導要領の「外国語（英語）活動」の「目標」を見ると，「外国語を通じて，言語や文化について体験的に理解を深め，……」と始まっていて，「言語」と並んで「文化」が指導内容として大切だと考えているということはわかるのですが，「文化」という概念はあまりにも大きすぎて，途方に暮れてしまいます。

5.1　市販の教材を理解し，選び，活用する

シーラ　たしかに,「文化」というのは大きなテーマね。文部科学省の指導要領には,何かほかに「文化」について具体的なことを言っている箇所はないの？

マナブ　「(指導)内容」のところに,「日本と外国との生活,習慣,行事などの違いを知り,多様なものの見方や考え方があることに気付くこと」とあります。

シーラ　ほら,ちゃんと書いてあるじゃない。

マナブ　でも,これでも,まだ抽象的で,実際の教室での活動にどのように結び付くのかよくわかりません。

シーラ　私は,学生たちに「文化(カルチャー)」について話すとき,大文字のCで始まる'Culture'と,小文字のcで始まる'culture'の2つのレベルの「文化」があるというような言い方をよくするの。

マナブ　大文字のCと小文字のcで,どう違うのですか？

シーラ　大文字のCで始まる'Culture'とは,芸術や文化など,ある社会の知的遺産として語られるレベルの「文化」のこと。それに対して,小文字のcで始まる'culture'は,迷信,習慣,食べ物など,世界のいろいろな国の実生活の中にあって,具体的に目で見たり耳で聞いたり,手にとって触ってみたりできるものよ。

マナブ　なるほど,先ほどの日本の学習指導要領では,「児童の身近な暮らしにかかわる場面」として,「家庭での生活」「学校での学習や活動」「地域の行事」「子どもの遊び」などを取り上げていますが,これらは先生の分類で言うと,小文字で始まる'culture'にあたりますね。

シーラ　そうね。マナブがこれから教える子どもたちにとって,ほかの国の身近に感じられる「生活文化」や,その国の子どもたちの遊びや歌といったものが,子どもたちに外国の文化を教える教材としてふさわしいと思うわ。

マナブ　私もそう思って,イギリス滞在中に,街を歩いていて目に付いたいろいろな小物を集めたり写真を撮るようにしています。たとえば,Mars Bar(マーズ・バー)*のパッケージとか,イギリスのマクドナルドのメニューとか,いろいろです。

シーラ　それはいいことだわ。そういった,自分の国にもあるけれど,ちょっと違っているといったものに,子どもたちはとても興味を持ち,ほかの国の子どもたちの生活と自分たちの生活を比べてみたくなるのよね。

マナブ　チョコレートの中身もあったほうが,もっと喜ぶでしょうけれどね。

シーラ　それは,そうね。

＊イギリスで好まれているキャラメル入りチョコレート・バー。

　先生の話は,この後,教材の中の「文化」のファースト・フード化という興味深い話題に及びます。

(3) 教材の中の「文化」のファースト・フード化

マナブ　日本では,クリスマスとハロウィーンが英語のレッスンの二大行事といったところで,子どもたちは,毎年それをとても楽しみにしています。というわけで,ほとんどの教材が,必ずと言ってよいくらいクリスマス

とハロウィーンを大きく取り上げています。

シーラ　たしかに，世界のお祭りや民話やファンタジーを拠りどころにして，子どもたちのための物語を展開しようとするのは，早期英語教材のひとつのスタイルね。

マナブ　そうですね。子どもにとって「身近な世界」とは，なにも「日常的な，現実の世界」ばかりではないですよね。

シーラ　その通り。でも，イースターやハロウィーンやクリスマスといったキリスト教の行事が世界のどこででも通用するというわけではないのよ。日本のように，ハロウィーンが，宗教に関係のないイベントとして楽しまれている地域もあるけれど，国によっては，魔女や迷信と結び付いているために，不吉なものとして忌み嫌われる場合もあるの。

マナブ　それは，ちょっと予想しませんでした。

シーラ　国際的な規模で活動している出版社は，世界のどこかの国の人々の気持ちを逆なでするような内容が教材にちょっとでも顔を出すようなことがあってはならないように，細心の注意を払わなくてはならないの。ある社会では不浄な存在だと信じられているタイプの動物[2]を，教材のキャラクターとして選ばないように，執筆者は注意を受けたりするのよ。人間のように話をする動物のキャラクターや魔法使いを登場させることも，やめなくてはいけない場合もあるわね。

注釈2（p. 212参照）

マナブ　では，そういう国では，『魔女のウィニー（*Winnie the Witch*）』* みたいな絵本はだめですね。子どもたちは，ああいう話がとっても好きですけど。

* 魔女のウィニーとネコのウィルバーがくり広げるコミカルな絵本シリーズ（第7章第2節の(2)「良い物語の条件とは？」参照）。

シーラ　そうなの。教材の執筆者たちには頭の痛いところね。「ハリー・ポッター」が世界中の子どもたちを虜にしているように，子どもたちの好奇心を刺激し，空想の世界へと誘うような話題は早期英語教育ではとても大切な役割を果たしているの。そういった要素を教材から取り除かなくてはいけないとなると，それも問題よね。そうなると，国際的な早期英語教材は，世界のどの地域でも受け入れられるけれども，かえって画一的な「ファースト・フード」的なスタイルを採るものがますます多くなるのではないかと心配だわ。

　このように，それぞれの国の文化的な背景などによって，英語の教材に盛り込まれる「文化」が規制される場合があるかと思えば，それとは反対に，執筆者の側で無意識のうちに，自分が住む社会の家族のあり方や子どもたちの生活についての常識を教材のページに忍び込ませていることもあります。

(4)　教材の中の政治的配慮（Political Correctness）

マナブ　'Family（家族）' というのは早期英語教材の中でも，ほとんど必ずと言っていいくらい，よく取り上げられる話題ですよね。

シーラ　そうね。たくさんの国で，子どもたちのための教材に描かれている家族というのは，お母さん（Mother/Mum）とお父さん（Father/Dad），そしてやさしいお姉さん（sister）とお兄さん（brother）がいて，主人公として教材に登場する子どもたちは，絵を見ても可愛らしくて，本

　　　　　　　　当に子どもらしい「良い子」というイメージで描かれていることが多いように思うの。

マナブ　そうですね。私が見てきた限りでは、多くの教材の中に出てくる「家族」はそのような感じですね。でも、前にもお話しした Happy Earth* という小学校高学年向けの教科書の中には、エイミーという女の子が手紙で自分の家族を紹介する場面があるんです。エイミーの両親は別居をしていて、彼女は、お父さんと一緒のときには郊外の一戸建ての家に住んでいて、お母さんと一緒のときには都会のマンションに住んでいるというのです。日本の教材には、このような家族はあまり出てくることはありませんが、社会背景の違いが、よく現れているなあと思った例のひとつです。

シーラ　現代の出版社の多くは、社会的な責任感を持って教材の開発をしているのが普通なの。たとえば、今日の世界では、英語は一部の国の人たちによって独占されているのではなく、世界中のいろいろな文化的な背景を持ったたくさんの人たちの間で使われているわね。そういったことが子どもたちに伝わるような配慮がなされているわけ。さまざまな人種やいろいろな国籍のキャラクターが登場し、それは、現代のたくさんの国の社会の状況をまさに反映したものとなっているの。そして、家族の問題や男女の平等、障害者の問題などを教材のキャラクターの発言や行動を通して扱うようになってもいるわよ。環境問題についても明確なメッセージが子どもたちへ向けて発信されているのが普通ね。

マナブ　なるほど、教材の世界も PC*化が進んでいるというわけですね。

シーラ　そうなの。ところで、その教科書の中のエイミーちゃんの家族の話を聞いて、子どもたちの反応はどうだった？

マナブ　「エイミーのお父さんとお母さんは離婚しているんだ」とか、「お父さんが単身赴任なのかもしれないよ」など、ごく自然にエイミーの家族のことについて開けっ広げに意見を交換して、とくにこだわりを持っていないようでした。

シーラ　面白いことは、そのような、社会通念から見て「正しい」話題や内容を志向する執筆者の側の配慮に対して、現場の教師たちは、少し抵抗感があるのではないかということなの。指導者の中には、現代の社会や文化について、昔ながらの、一定の型にはまった扱いのほうがしっくりくるというタイプの人もいるわけ。そういう人たちの中には、教室で子どもたちに触れさせる「文化」は、ある程度作られたものでよくて、大人の世界と同じような配慮を行き届かせすぎるのは考えものだと思っている人もいるの。

マナブ　たしかに、クラスの中に家庭環境の複雑な子がいたりすると、ちょっとデリケートな話題設定だなと、レッスンで紹介するときには気を使ってしまうかもしれませんね。

　「文化の扱い方」と並んで、教材選びのもうひとつの観点である「教授法の違い」へと二人の話は進んでいきます。

* 第4章第4節の(3)「音質」を参照。

* PC (political correctness): 人種・民族・宗教・性別などにかかわる差別や偏見につながることのないように、公平なことばや表現を注意深く選んで使用すること。

(5) 「教授法」の視点から見た教材

マナブ　先ほど，先生がおっしゃった教材の中の「教授法の違い」に気づくためには，具体的には，どのような見方をすればよいのですか？

シーラ　そうねえ。まず，国際的な早期英語教材は，たいていの国で受け入れられている一般的な教え方を取り入れた無難なまとめをしているものが多いわね。いわゆる4技能の教え方も昔ながらのやり方に従っていることが多いわ。

マナブ　「昔ながらのやり方」と言いますと？

シーラ　たとえば，モデル対話例や日常会話の決まり文句を載せて，それを機械的にくり返して練習させるというような構成になっているものなども，まだ見かけるわね。

マナブ　各国で独自に編まれた教材のほうはどうなのですか？

シーラ　国内教材は，それぞれ国の状況に適した指導法を採用して，その国の子どもたちが置かれた言語環境を十分に考えて編集できる点で優れているわね。英語と子どもたちの母語の両方に通じた執筆者が，文字の導入の仕方や発音上の困難点について専門的な知識を持っている場合には，とても大きな強みを発揮することになるわ。

マナブ　でも，いくら出版社ががんばって「コミュニカティブなんとか」といった人の目を引くようなタイトルを使っても，実際の教材の中身は従来のものと大差がないという場合も見かけますが。

シーラ　国内教材の中には，その国の中学・高校の先生や保護者にアピールするように作られていても，よく中身を見てみると，時代遅れの言語観に立ち，学習者である子どもたちに対する視線もかなり保守的なものになっている場合もあるわね。

マナブ　海外の教材を国内向けに作り変えた教材についてはどうですか？　ただ，イラストの感じとか，登場するキャラクターの名前が変わっているだけなのですか？

シーラ　そういう場合もあれば，コミュニケーション活動を志向していたはずのオリジナルの教材が，国内版執筆者の外国語教授法についての考え方に影響されて，うって変わって，文法練習教材に化けてしまうというような極端なケースもあって，これが同じものかと目を疑ってしまうこともあるわね。

(6) 使用前の教材を評価するためのチェックリスト

「教材評価」全般についての話はこのくらいにして，もっと具体的に，実際の教材選びの場面で「まったく使えない教材」「手を加えれば使える教材」「ほとんどそのままで使える教材」の3つのタイプに仕分けるための方法を考えてみましょう。

教材選びは，大きな賭けです。間違った選択をしてしまい，クラスの子どもたちに合わないことがわかっていながら，毎回の授業を進めなくてはならないような状況は，指導者にとってはとてもつらいことです。だからといって，もし，学期の途中で教材を変えようとしようものなら，管理職や保護者からの非難の嵐を受けるということになることでしょう。一般に，間違った

注釈3（p. 212 参照）　教材を選んでしまわないように，チェックリストがよく使われます。[3] チェックリストは，良い教材を選んだり，そうでないものを排除したりするのを助けてくれるばかりではありません。市販の教材がどんなに素晴らしいものでも，私たちが求めるものをすべて備えた教材などというのは，どこにもありません。一見して，良いと思って手に取ってみた教材でも，ページをめくって中をよく見てみると，必ず，どこか足りないところがあるはずです。そのようなときに，チェックリストを作ってみると，その教材のどの部分をそのまま使うことができるか，あるいは，作り変えたり，差し替えたりしなくてはいけないところはどこかといったことを確認して，整理することができます。

マナブ　私たち教師は，普通は，教科書のページをパラパラとめくってみたり，付属の CD や DVD のさわりの部分をちょっと聞いたり，見たりするだけで，教材の良し悪しを判断しなくてはなりません。本当にその教材を使ってみて判断できれば一番よいのですが，そんな恵まれた環境にいる教師はあまりいませんね。

シーラ　そうね。そのうえ，候補に挙がる教材が，皆，似通ったものであったり，まったくかけ離れたタイプのものだったりして，比べること自体が難しいケースも多いのではないかしら。

マナブ　その通りなんですよ。そして，ほとんど賭けのような感じで思い切って選んだ教材がはずれだと，それに続く1年間は本当にしんどいものになります。それで，私が前にいた学校では，副教材などを選ぶときには，担当者を決め，その人に，候補となるいくつかの教材を比べるチェックリストを用意しておいてもらったうえで，話し合いをしたものでした。

シーラ　それは，とても良いやり方ね。チェックリストを使うことはたしかに簡単で便利な方法だわ。

マナブ　はい，考え方としてはよかったのですが，実際には，日本の学校の年度が終わる3月のぎりぎりになって，4月から始まる次の年度の副教材を検討するような具合でした。具体的な進め方も，いくつかのチェック項目を決めておいて，それぞれの教材について10分くらいパラパラとめくって，チェック項目ごとの評価点を記入していくんですね。そして，最後に合計点を比べて，どれが一番高い得点を取ったかで決めるというような機械的なやり方でした。

シーラ　たとえば，ある地域の教育委員会が教科書の採択をするときのように，公的な立場から教材の選択をしなくてはならない場合には，そういったやり方が採られることがあるわね。

マナブ　たしかに，一見，客観的で厳密なやり方のように見えますが，よく考えると，一つひとつの評価項目に何点を付けるかという段階では，場当たり的な「勘」に頼っているわけですよね。

シーラ　そうね。それぞれの評価項目について，点数だけではなくて，何かコメントを付けたほうが，もっと信頼できる教材評価になると思うわ。場合によっては，点数はやめてコメントだけにしたほうが，それぞれの教材の本当に大切な特徴が浮かび上がってくるかもしれないわね。

マナブ　そうですね。コメントを記入しようとすれば，教材のいろいろな面の良さとか，劣っている点についてじっくりと考えて，きちんと自分の意見を述べなくてはならない立場に立たされますね。

シーラ　そうなの，ただ単に，教材評価シートのすべての欄にせっせと点数を記入しているだけでは，結局，それぞれの教材についての考えを整理することにはつながらないわね。

マナブ　良い教材評価チェックシートのお手本みたいなものを見せてもらえませんか？

シーラ　私が講義で，学生たちに見せるチェックリストの例をちょっと見てみる？　けっして「お手本」ということではなくて，みんなが自分なりのチェックリストを作るための「たたき台」のつもりなの。このチェックリスト例では，*Jolly Days* という架空の教科書を評価しているの。

マナブ　面白そうですね。

　こうして，先生は，次のような「教材評価チェックリスト」の記入例をマナブに見せることにしました。

シーラ先生の「教材評価チェックリスト」

　一見してわかるように，このチェックリストでは，まず，対象となる教材が，学習者の年齢や発達段階に合ったものであるか，扱われている場面や内容が子どもたちの世界を反映したものとなっているかなどといった，教材全体を特徴付けるような側面を見ることから検討を始めます。そして，次に，ページを開いてみたときの感じが，子どもたちを引き付ける魅力に溢れたものとなっているかといった視覚的効果や音声教材の質について，検討を進めていきます。これらの点について，コメント欄に具体的な記述をしたうえで，真ん中の点数評価の欄に，最低の 0 点（まったく良くない）から最高の 4 点（文句なく素晴らしい）までの幅で，評価点を記入します。もし，ある教材がこういった基本的なチェックの段階で，すでにかなりポイントが低い場合は，その段階で，この教材は「失格」ということになり，それ以上，この教材について時間をかけて本格的な評価を実施する必要はありません。それとは反対に，もし，その教材がこの基本的なチェックポイントについて合格点が取れた場合には，右端の「問題点解消の可能性と方法」の欄がとても大切なものになってきます。この欄は，それぞれの教材を学習者のレベルに合うように修正を加えたり，補充するときに参考になります。

教材名：*Jolly Days*（架空の教科書）
出版社：Big Print 出版（架空の出版社）
出版年：2010 年（架空の発行年）
レベル別：レベル 1（初めて英語に触れる子ども向け）および，レベル 2
教材の種類
　活字教材：生徒用テキスト，ワークブック，教師用指導書，ポスターセット，単語絵カード，文字カード
　メディア教材：音声 CD, DVD, CD-ROM
　その他：

対象年齢：レベル1（8～9歳），レベル2（9～10歳）
総レッスン数：120レッスン
標準指導時間：90時間

評価の観点 （自分への問いかけ）	コメント	点数 （1～4）	問題点解消の可能性と方法 （なんとかなるだろうか？）
対象年齢・発達段階 教える生徒に合っているかどうか？	人間っぽい動物たちのキャラクターは，私が教える9～10歳の生徒たちにはちょっと幼稚かな？でも，このキャラクターたちは，結構，生意気なことを言って，面白いことをやるので，それほど幼稚な感じを与えないかもしれない。	2	キャラクターを差し替えることはできないし，まあ，いけるかな。
「文化」の扱い 自分の生徒にとって適切な扱いとなっているか？ 偏りはないか？	英語圏の子どもたちにおなじみの歌がいくつか使ってある以外は，ほとんどなんの文化的要素も含まれていない。指導要領は異文化理解も外国語活動の目標の一つとして掲げているのに困ったな。	0	自分で異文化理解教育のための教材を準備して授業に持ち込むこともできるけれど，そんなエネルギーを使わなくてすむ教材のほうがいいな。
提示されている場面 子どもたちにとって意味のある場面になっているか？	キャラクターの動物たちがくり広げる冒険はある意味で「人間的」。子どもたちにも十分に理解できると思う。（でも，野ネズミの一家がレストランで注文する場面はちょっとやりすぎじゃないか？）	2	教材の中の場面を変えることはできないし，そんなにたくさんの補助教材を作る余裕はない。（すぐ上の欄の異文化理解教育のための補助教材だけでも，やろうとすれば，大変なのに！）

印刷教材

評価の観点	コメント	点数	問題点解消の可能性と方法
ページの構成 子どもたちがそのページの活動の流れを理解できるようになっているか？	ひとつの活動から次の活動への流れが矢印を使ってわかりやすく示されていて，とてもよい。	4	（印刷されたページの構成を変えることはできないので，検討の対象とならない）
視覚的魅力 子どもたちが見て引き付けられるようなレイアウトになっているか？	きれいな挿絵。子どもたちは気に入ると思う。でも，子どもたちに聞いてみないと本当のところはわからない。	4	（印刷されたページの構成を変えることはできないので，検討の対象とならない）

メディア教材

評価の観点	コメント	点数	問題点解消の可能性と方法
音声CDの質	CDには，普通の子どもたちの声が使われている。たしかに「生の声」には違いないけれど，はっきりと話していないので聞き取るのが難しい。生徒たちが聞いて理解する素材としては向いていない。	0	オーディオ教材は，教科書とセットになっているのでこの点はどうしようもない。残念ながら，これが，この教材の致命傷になるかもしれない。

DVD教材の質	DVDには，子どもたちが登場して，教科書の動物キャラクターと同じセリフを言っている。これをモデルに使って生徒たちにロール・プレイをさせることができるかもしれないけれども，あまり気のきいた活動ではない。	1	DVDはオプションなので，ほしくなければ買わなくてよい。（これはプラス・ポイント！）
CD-ROMの質	CD-ROMは教材の価格に含まれていて，生徒一人ひとりの手元に渡るようになっている。コンピュータの画面上で答える練習問題が入っているけれども，これはひどい！ ほとんどがスペリング・ゲームやマッチング・ゲームで，断片的な知識を問うものばかり。そのうえ，ここで話されている英語のイントネーションは，自然な英語とはかけ離れたものだ。	0	CD-ROMを使って宿題をやることになっている。でも，生徒全員が家でコンピュータを使えるわけではないだろうから，宿題を出すなら，指導者が自分で用意しなくてはならない。いずれにしても，CD-ROMに入っている練習問題は，まったく的外れでまとまりがないので，使えたものではない。CD-ROMを使わなければよいだけのことだけれども，子どもたちや保護者は，せっかくテキストに付いているのになんで使わないのだろうと思うかもしれない。

教材の明示性（内容と構成が指導者にわかりやすい形になっているか？）

評価の観点	コメント	点数	問題点解消の可能性と方法
教師用指導書が提供する情報の質と量	教材が拠りどころとする指導理念がきちんと説明されている。レッスンごとの指示もわかりやすい。でも，「指導者のための情報」として添えられている語彙と文構造リストが，ややずさんで不十分である。	2	言語材料の分析を自分で行うことは可能。でも，なんでそんな手間ひまをかけなければならないのか？ このような情報は，出版社のほうで，責任を持って提供すべきだ。
指導法 コースを通じて一貫した指導手順がとられているか？	レッスンの構成に変化があるのでよい。学習が進むにつれて活動の種類が増えていくので，子どもたちも指導者も，徐々に新しい種類の活動に慣れていくことができる。	3	
活動の質 子どもにやさしい活動となっているか？	教科書とアクティビティ・ブックにはたくさんの面白い活動が入っている。	0	でも，ここでも，やはり，音声の質が問題となっていて，もう，これ以上，この教材について検討するのは意味がない。したがって，却下！

　このくらい念入りにチェック項目を設定して，教材そのものと，それが使われる環境の両方について，いろいろな観点からじっくりと検討したうえで教材選びをすれば万全です。チェックリストの各欄に詳しいコメントを記入するのは，ちょっと大変だと思うかもしれませんが，教材の候補を絞り込んだうえで，実際に使う可能性のある教材についてだけコメントをすればよいのです。そして，ここで使う時間は，年間の授業準備の出発点として欠かせないもので，けっして無駄な時間ではないはずです。

(7) マルチメディア教材のチェックポイント

　前ページで紹介した「教材評価チェックリスト」にもメディア教材のチェック欄がありましたが，早期英語教材は，教科書のページに印刷された絵や活字だけではなく，レッスンの内容を録音・録画したCDやDVDはもちろんのこと，さまざまなメディア教材が教材パッケージの一部として付いています。子どもたちがコンピュータを使って練習し，学習を進めるためのCD-ROMが付いている場合も多くなっています。

> **マナブ**　基になっているプログラムはよくできているのに，それとセットになっている視聴覚教材の質はいまひとつということもありますよね。とくに，そのような出来の悪い視聴覚教材も，価格の一部として自動的に組み込まれている場合は問題です。
>
> **シーラ**　そうなの。だから，あるプログラムのパッケージに含まれる視聴覚教材を評価する場合には，そのプログラム全体の目的やシラバス，教授法との兼ね合いをよく吟味して，視聴覚教材がプログラム全体の学習効果を作り出すために，どのような役割を果たしているのかという観点から見なくてはらないわね。
>
> **マナブ**　それには，どこを見ればよいのですか？
>
> **シーラ**　教科書の執筆者たちは，プログラムのパッケージを構成する一つひとつの要素を，どのように組み合わせて使ったらよいかということについてちゃんと考えてあって，教師用の指導書の中に書いてあるはずよ。もし，そうなっていなかったら，その教材は，ちょっと問題ありということになるわね。
>
> **マナブ**　具体的には，どういったことを確認したらよいのですか？

　マナブの問いかけに応じて，先生は，次のようなメディア教材のチェックポイントを並べていきます。

シーラ先生のメディア教材のチェックポイント

メディア教材の使用法

- メディア教材を使う活動は，ユニットやレッスンの流れの中に組み込まれているか？　それは通常のレッスンの一部として実施することになっているのか，それとも，発展活動として時間があればやるような形になっているのか？
- メディア教材を使う活動を含んでレッスンが構成されている場合には，それは，レッスンのどの部分で使われることになっているか？
- メディア教材は，クラス全体の一斉活動で使うようになっているのか，それとも，グループ活動向きなのか？　あるいは，一人ひとりの子どもが家で学習をするために用意されているのか？
- 付属のメディア教材をどのように使うのが，自分の教えるクラスの子どもたちには合っているか？

メディア教材と印刷教材の整合性

- 視聴覚教材が扱っている言語材料と内容は，印刷されている教材と適合

しているか？
- 教科書のキャラクターが視聴覚教材の中にも登場しているか？（アニメーションのキャラクターを CD-ROM や DVD の中に使うと制作費がかさむので，代わりに俳優や子役が演じていることもある）

メディア教材の音声
- 付属教材の音声には，どのようなタイプの英語（例：アメリカ英語，イギリス英語）がリスニングや発音練習のためのモデルとして吹き込まれているか？
- 音声教材に登場する子役たちの話す英語は普通の話し方か？　聞きづらくはないか？　標準的なイントネーション・パターンになっているか？

(8)　コンピュータを利用する個別学習教材

　コンピュータを使う個別学習活動では，子どもたちはキーボードやマウスの操作をして教材と直接やりとりします。キーボードで単語や文を入力することはできなくても，コンピュータの画面上でクリックして記号や絵を選択することならできます。

マナブ　いまの子どもたちにとっては，コンピュータを使うことは特別なことでもなんでもないみたいですね。

シーラ　そうね。しかも，コンピュータ教材には，子どもたちが普通ならば面白いと思わないことや，あまりやりたがらないようなことに興味を持たせる力があるわ。だからコンピュータを利用することで，子どもたちを退屈させずに，ことばに注意を向けさせることができるかもしれないわね。

マナブ　そうですね，そういったパズル的な要素と正解・不正解をすぐにその場で，ゲーム感覚でフィードバックしてくれる機能がコンピュータの優れたところですよね。

シーラ　コンピュータのそのような強みを活かして，人間の先生にしかできないこととうまく組み合わせて利用することができれば，まさに理想的ね。

マナブ　人間の先生にしかできないことというのは，……？

シーラ　子どもたちの外国語学習では，子どもたち同士で，あるいは先生と子どもたちの間で実際にやりとりをすることにまさるものはないわ。コンピュータの利用は，教室の中での実際のやりとりを補うものであって，それにとって代わるべきものではないということよ。

マナブ　よく視聴覚室などにクラス全員が入って，みんな一緒の部屋にいるのに，やっていることはそれぞれ別々という光景がありますが，それは授業時間の使い方としては，あまりよくないと思うのですが。

シーラ　まったく同感ね。できれば，そのような活動は，放課後の「英語クラブ」の活動の一つとして，子どもたちが各自で取り組むようなやり方がよいのではないかしら。

マナブ　最近では，教材に新しい趣向を凝らして，子どもたちが自分で操作をして，一人で学習を進めるように仕組まれたプログラムがいろいろできて

＊宇宙からやってきたキャラクター「マジー」が，「ゴンドランド」王国を舞台に，悪役のコーバックスと戦うという設定でくり広げられるアニメーション・プログラム。1987年に最初のシリーズが出て以来，たくさんの続編が作られている。

いますよね。

シーラ　コンピュータを使えば，CD-ROM に入ったビデオやアニメーションの映像を利用した学習プログラムを作ることができるわ。イギリスの BBC が開発した *MUZZY*＊（BBC，1987 年）などは，たいへんうまくできたプログラムで，もう長いことヨーロッパの子どもたちに人気があるのよ。

(9) 録音の質はメディア教材の命

　マルチメディア教材は，自由度の高い，効果的な活動が用意されているばかりでなく，使われていることばの点でも，自然で，正確な英語が要求されます。コンピュータのスピーカーを通して，子どもたちが耳にする英語が不自然だったり，レベルが不適切であったり，あるいは，録音や再生の状態が悪かったりすると，いくら「ハイテク」の素晴らしい活動が画面上で展開されようとも，あまり意味はありません。言語学習教材としてだめなものは，どんなに素晴らしいコンピュータで再生してもだめなのです。

マナブ　外国語の学習でマルチメディア教材の良いところは，やはり，なんと言っても，音声が付いているということですよね。私たちのような，英語を専門としない小学校の教員が，英語を教えるときには欠かせない強い味方です。

シーラ　その通りね。録音の質は，まさに，マルチメディア教材の生命線よね。こんなことを言うと，メディア教材を批判しているように聞こえるかもしれないけれども，市販のコンピュータ・ソフトウェア教材の多くは，英語教授法や言語の分析に通じた人よりもむしろ，コンピュータ・プログラミングの専門の人が企画を担当していることが多いの。

マナブ　そうなんですか？

シーラ　私は，一度，コンピュータ教材の批評を書くように頼まれて，その教材の製作者とたいへんいらだつやりとりを電話越しにしたことがあるの。

マナブ　先生でも，いらだつことがあるのですか？

シーラ　あら，私だって，子どもたちにことばを教えることについては，これだけは譲れないというような気持ちになることもあるのよ。

マナブ　具体的にどんなやりとりだったのか，非常に興味をそそられますね。

シーラ　絵とことばを結び付けるゲームで，問 1) の答えが 'a frog'，問 2) の答えが 'the sausage' で，問 3) が 'cat' となっていて，録音を聞くと，ほかのことばは下降上昇調（↘↗）で読み上げられているのに，問 2)の 'the sausage' だけが下降調（↘）で発音されているの。

マナブ　それには，何か，特別な理由でもあるのですか？

シーラ　なんで，そういうことになったのかはっきりしているわ。ナレーターに単語のリストを読み上げさせたときに 'the sausage' はたまたま最後の項目だったのよ。そのナレーターは，普通にリストに並んでいることばをずっと下降上昇調（↘↗）で 1 つずつ読み上げていって，最後の項目の 'the sausage' を下降調（↘）で発音したのだわ。ひと続きのリストとして，順に読んでいくときにはよかったのだけれど，そうやって録音

	したものをばらばらに切り刻んで，1語ずつ並べ変えたからおかしなことになってしまったというわけね。
マナブ	なるほど……。そのように，問題の解答という形で1語ずつ別々に聞かせる場合は，全部下降調（↘）で録音するのがいいのですか？　それとも，全部下降上昇調（↘↗）にそろえるほうがいいのでしょうか？
シーラ	それは，難しいところね。でも，いずれにしても，初めて英語を耳にする子どもたちが，もし，真ん中の語だけが下降調（↘）で読まれているものを何度も聞かされたら，英語ということばの働きについて，正しい気づきにたどり着くことはあり得ないわ。
マナブ	それでは，子どもたちがかわいそうですよね。
シーラ	ことばについてちょっとでも気にしていれば，誰でもこのようなことについて大いに悩むのよね。とくに，前後に文脈がないようなタイプのパズルを作る場合は，どんなに簡単なものでも，本当にじっくりと考えるものなのよ。言語についてほとんど意識するところがなく，そのためのトレーニングもまったく受けていないプログラマーは，能天気に何も気にしないで作業を進めて，ちょっと見たところは素晴らしいのだけれども，英語という言語をゆがめ，台なしにして，子どもたちに提供してしまうことがあるのだと思うわ。

　先生の話を聞いていると，どんなマルチメディア教材も，採用を決める前に，その教材が提供する活動のタイプと，その中に盛り込まれている言語の質と扱いの両方の視点から評価をして判断をすることが，指導者としての私たちの役目となることがよくわかります。

(10) 教材を使いながら評価する

　多くの指導現場では，使用中の教材について本格的な評価を実施するためには，時間も人手も十分ではありません。でもちょっとした手続きを踏むことで，新たに使うことになった教材の「感じ」をつかむことができるはずです。

マナブ	ある教材を採用して，実際に使い始めれば，もちろん，その教材の良し悪しがよくわかりますが，それでは「手遅れ」ですよね。
シーラ	ある意味ではそうかもしれないわね。多くの場合，1年間はその教材を我慢して使わなくてはいけないのが普通だから。でも，実際に子どもたちに教えてみると，使っている教材についてずっと豊富な情報を得ることができるわ。
マナブ	そうすれば，その教材を来年も使うのか，ほかの教材に差し替えるべきなのかといった長期的な視点からの判断材料が得られますよね。
シーラ	でも，普通は，指導者にとってもっとも差し迫った問題は，いま教えているクラスの次の授業で，その教材をどのように使おうかということだと思うの。たとえば，採用決定前の教材分析の時点では，子どもたちの興味を引き付け，やる気を引き出すだろうと予想した話題が，本当に子どもたちを引き付けることができるのだろうか？　もし，子どもたちが退屈そうにしていたら，今年度の残りの授業ではどのようにやりくりし

マナブ　ようかと，きっと悩むはずよね。
マナブ　なるほど，もうひとつ，私たち教師が悩むのは教科書の進度の問題です。指導書に示してある標準時間の倍も授業時間を取ってしまったとしたらどうでしょう？　貴重な授業時間をうまく使っていないということになるのでしょうか？
シーラ　あるいは，教えている子どもたちに合わせてその教材を使う場合には，当然そのくらいの時間をかけたほうがよいということなのかもしれないわ。要するに，いったん教室で実際に使い始めると，教材はもはやページの上の活字や絵ではなく，人が人を相手にやりとりをしながら展開する，レッスンという「生きもの」の一部となるわけよね。
マナブ　だからこそ，授業は難しいのだと思います。
シーラ　さらに，やっかいなことに，実際のレッスン現場はじつにさまざまな指導要因，学習要因が複雑に絡み合ってでき上がっているものなので，ひとつの教材の良いところ，まずいところだけをほかの要因から切り離して確認することは難しいわ。
マナブ　そうですよね。先ほどの指導時間の問題を例にとるならば，もし仮に各レッスンを指導するのに予想以上に時間がかかってしまう場合，教材自体の構成に問題があるのか，自分の教え方に問題があるのかは，簡単には決められませんよね。でも，いずれにしても，もし，学校全体の指導計画に従って，ある教材を一定の期間内に終わらせなくてはいけないとすれば，この問題をなんとかしなくてはならないことになります。
シーラ　ひとつの方法としては，同じ教材を使って指導をしている同僚と指導記録を比べてみれば，原因がどこにあるのかわかるかもしれないわね。
マナブ　逆に，自分では，レッスンがうまく進んでいるように感じる場合だって，本当にうまくいっているかどうかはわかりませんよね。教材を使いながら評価をするときに，具体的に注意すべきことには，どんなことがあるのですか？

　それでは，実際に使用中の教材を手早く評価するための方法をいくつか見てみましょう。次に紹介するやり方は，一人の指導者で利用することもできますが，複数の指導者が参加することによって，より効果的なものとなります。

① **3時間分の授業記録を検討する**
　できれば，学期または年間の始め，半ば，そして終わりに実施する3つのレッスンを録音・録画したり，同僚に見てもらうとよいでしょう。そして，この3レッスン分の授業記録を視聴して，子どもたちの反応がどのくらいよかったか？　たとえば，ちゃんと聞いていたか？　楽しんでいたか？　学習効果は上がっていたか？などといった観点から検討します。得られた情報を，教師の指導力によると思われる要因と，教材の出来・不出来によると考えられる要因に分類してみてください。これは，絶対に踏まなくてはならない手続きというわけではありませんが，とても役に立つ方法です。

② 子どもたちに聞いてみる
a) フォーカス・グループの話を聞く
　フォーカス・グループとして選んだ子どもたちに話し合ってもらいます。人数は6〜10人くらいのグループが適当でしょう。あらかじめ，話し合いのきっかけとなる質問をいくつか用意しておいて，あとは，黙って子どもたちの話に耳を傾けるようにします。生徒たちと保護者の了解を取ったうえであれば，話し合いの様子を録音して，後でもっと細かな分析をすることもできます。話し合いのきっかけを与える質問の例としては，次のようなものが考えられます。
　　・この教科書は好き？
　　・この教科書の一番好きなところはどこ？
　　・どんなことが面白かった？
　　・英語の勉強の役に立つと思う？
　　・何でそう思うの？
　必ず，評価する教材を用意して，子どもたちが手に取って，実際にその教材の中のどの部分についてコメントしているのかをさし示すことができるようにします。「こういうところはいいのだけれど，……」とか「ここはちょっとどうかな，……？」といった具合に，なるべく具体的な例を挙げてもらうようにするのがよいでしょう。

b) 子どもたちへのアンケート
　子どもたちに協力してもらって，簡単なアンケートを実施するのもよいでしょう。手早くたくさんの子どもたちの考えを知ることができます。質問は，自由記述欄も含めたほうがよいでしょう。YesまたはNoで答える形式ばかりだと，子どもたちにいずれか一方の答えだけを押し付けるようなことになりかねません。回答を分析するのに，少し時間がかかるかもしれませんが，30〜40人のクラスの子どもたちの考えを聞くのならば，子どもたちが書いてくれたコメントを読むだけでも，必要な情報を十分得ることができるでしょう。

③ 同僚の意見を聞く
　上で紹介した子どもたちのフォーカス・グループへの質問を，大人向けに書き換えれば，同僚から教材が適切かどうかについての情報を得ることができます。

(11) 既成の教材を活用するには？──指導者による工夫と応用
　使用する教材全体を丹念に検討し，その内容と構成をきちんと理解することは，教材の良いところを最大限に活用し，足りないところを補うのに役立つばかりでなく，指導者としての力量を磨くという点からもとても意義のあることです。とくに教室での活動のレパートリーを増やすためには，たいへん効果があります。指導者たちは，多くの場合，質の良い教材を実際に使うことを通して，新しい活動や指導テクニックを知ることになるのです。

マナブ　教師になりたての頃からを振り返ると，毎年，いろいろな教材を使うことで，少しずつ自分の指導技術のレパートリーを増やしてきたように思うのですが。

シーラ　教科書そのものばかりではなく，教師用指導書の構成と中身をよく知っておくことも，教師としての成長には，とてもプラスになるわ。

マナブ　でも，正直なところ，指導書を単なる「教科書の練習問題解答集」ととらえ，答えはわかっているのだから，「指導書などちゃんと見たことがない」といった声も，同僚の教師の口からはよく聞くことがあります。

シーラ　それは違うわね。良質の指導書をきちんと読むことは，教員のための研修講座に参加するのと同じくらい価値があるわ。そこには，執筆者の教育理念や教材の構成原理が書き込まれているはずだから。そのうえで，教科書を効果的に活用するための指導法が解説してあるの。

マナブ　指導書に書かれた通りに教えなくてはならないということではなくて，指導書に書かれていることをよく理解し，考えることのほうが大切なのですね。

シーラ　その通りよ。

マナブ　もうひとつ，教師になりたての頃を思い出すと，先輩の先生から，「教材に使われるのではなくて，教材を使うようにならなくてはだめだ」と言われたことがあるのですが。

シーラ　それは，良い先輩を持ったわね。

マナブ　でも，そのときは，その先輩の言いたいことをなんとなく感じ取ることができた程度で，具体的にどういうことを言おうとしているのかは，よくわからなかったのですが。

シーラ　それは，次のようなことではないかしら。完璧な教材というものは，世の中には存在しないわけで，たいていの教科書は，教える教師がその足りないところを補ったり，違った角度から扱うことによって，子どもたちに合わせて活用することができるのよ。

マナブ　たしかにそうなのだと思いますが，実際に教材を使ってみると，たまたま気がついたところに手を入れて，忙しい時期には，不適切な箇所も目をつむってそのまま使ってしまうといった具合に，行き当たりばったりになりがちですよね。

シーラ　そうならないためには，教材に手を入れて活用するための代表的なパターンを頭に入れておいて，状況に応じて，それらのパターンのうちのどれかを採用したり，ときには，いくつかの方法を組み合わせて使うこともできるわ。

マナブ　その代表的な教材活用法というのを教えていただけませんか？

　先生は，マナブの求めに応じて，既成の教材に手を入れて活用するための5つの方法を紹介します。

① 選択的使用（Selecting）

　これは，教材のある部分を省き，ほかの部分を残すという形で教材内容を取捨選択して利用することを言います。たとえば，あるユニットの導入部分の指導がやや「重たい」と感じ，その箇所はさらりとやりすごしてしまうと

いうようなこともあるでしょう。このような場合，教材の中身を慎重に吟味して取捨選択しなくてはならないことは言うまでもありません。レッスンやユニットを，丸ごとばっさりと割愛してしまうのは考えものです。教科書のある部分を丸ごと削除してしまうと，レッスン間のつながりがなくなってしまったり，教科書の後半で必要になる語彙や構文を扱わないまま，先に進んでしまうといったことにもなりかねません。

② **焦点変更（Re-focus）**

焦点変更（リフォーカス）というのは，ある活動に対して，指導書が勧めているよりも多くの時間とエネルギーを振り向けることです。たとえば，ある物語について，指導書では，読んで聞かせながら子どもたちにお話の内容に合わせた動作やジェスチャーをさせるだけという程度で，さらっと扱っているとします。これに対して，ある指導者は，もっとこの物語を大幅に活用し，お話の内容の再現活動を展開して，丸々1レッスンを費やそうと考えるかもしれません。あるいは，この物語を基にした劇をクラスで企画して，保護者を招待してのクラスショーの目玉とするところまで活動をふくらませることも可能です。もちろん，このような企画を実際に実行するためには，子どもたちと一緒に何週間も練習をして，くり返しリハーサルを行う覚悟が必要となることは言うまでもありません。

③ **屈折的使用（Bending）**

たとえば，ある話題を展開するために導入する語彙グループに，日本語にはない音がいくつか含まれていれば，そのような単語を発音練習のために利用することも可能です。あるいは，もともとは生徒が一人でやるように意図されている活動を，ペアやグループで協力して実施したほうが，子どもたちによる積極的な取り組みにつながり，学習効果が増すかもしれません。このように，ある活動を実施する際に，もともと意図されたやり方とは別のやり方で，実際の指導環境に合わせて展開する教材活用方法を，まとめて「屈折的使用」と呼ぶことができます。

④ **教材補充（Supplementing）**

これは，既存の教科書にオリジナルの活動アイデアを大幅に加味するやり方です。ただし，ただ単に教科書の内容をふくらませればよいというものではありません。指導者は，基になる教科書の構成と指導手順に十分に通じ，補充した活動などがほかの部分とうまく適合し，効果的に学習を助けるように計画しないといけません。そうしないと，活動を補充するどころか，かえって，子どもたちの注意を学習のポイントからそらせるだけの結果に終わってしまうことがあります。よく見られるのは，教科書のある単元で扱っている話題にちなんだ絵本を持ち込んで，レッスンを展開する例です。このような場合，話題と一緒に，関連する語彙や文法項目もくっついてくるのが普通です。具体的な例を一つ挙げると，絵本の『スポットはどこ？（*Where's Spot?*）』* は，in, on, under などの位置を表す前置詞を扱うレッスンに関連付けて効果的に使うことができるといった具合です。補助教材として持ち込む絵本が，必ず教科書の単元と同じ言語材料を扱っていなくてはならない

---

* ページごとに設けられた開き扉をめくって，子イヌのスポットを探す仕掛け絵本。簡単な位置の概念とそれを表現するための前置詞に触れさせることができる。

というわけではありません（そのようなことは，普通は起こりません）。でも，文法的に重なる部分が多く，語彙の面でもなじみのないことばがそれほど多くならないようにしなくては，子どもたちは，物語の内容理解に苦しむことになってしまいます。

⑤ 教材組み合わせ（Blending）

　指導者の中には1種類の教材をずっと使い続けることには満足しないで，何種類かの教科書から気に入ったところを選んで，それらを組み合わせて使うことを好む人もいます。このようなやり方も悪くはないのですが，気をつけなくてはいけないことが2つあります。それは，次のような事柄です。

≪注意点1≫

　使用する教科書全体の構成が，地図のように頭の中に描き込まれているベテランの指導者ならば，いくつかの教材を創造的に組み合わせて効果的に指導をすることができるでしょう。でも，そのような操作は，たいへんなエネルギーと熟練した技を必要とするので，誰にでもできるものではありません。出版されている教材はどれも独自のシラバスの下で，無理のないように言語材料を配分しながら，自然な指導の流れを形作っているのが普通です。さらに，それぞれの教材は独自の指導上のねらいを目指しており，焦点を置いているところも違います。このように，良い教材というものは，いろいろな要素が相まって独特の持ち味を出しているのです。したがって，二点の良質な教科書を，どちらも素晴らしいからといって，両方の教科書の間をむやみに行ったり来たりするような使い方をすると，両者の良いところを活かすつもりが，かえって，子どもたちを混乱させるだけという結果に終わってしまうこともあるので注意が必要です。

≪注意点2≫

　たいていの学校や家庭では，子どもたちに1種類の教材を持たせるだけでも十分に大きな出費で，いくつもの教材を購入させて使うことは望めないのが普通です。したがって，複数の教材を組み合わせて使おうとすると，各教材から必要なところをコピーして，ばらばらのページをレッスン・ファイルとして綴じて使うということになります。子どもたちを指導するときには，このようなやり方はあまり勧められません。小さな子どもたちに，そのようなファイルをきちんと整理しておくように望むことには無理があります。やはり，しっかりと製本され，見た目にもきれいな一冊の本の形にまとまったテキストのほうが，子どもたちの発達段階には適しています。こうした点をいろいろ考えると，いくつかの教材を組み合わせて「良いところ取り」をして使おうという試みは，そのために費やす時間とエネルギーに見合うだけの効果があるとは言えないかもしれません。そして，なによりも，そのような形で市販の教材をコピーして使うと，版権（著作権）上の問題が絡んでくることは言うまでもありません。

　上に挙げた，5つのタイプの教材の使い方は，実際には，ある程度重なる部分があるかもしれません。でも，それぞれ違った特徴を持った操作として意識しておいたほうが，いろいろなタイプの教材使用法を，場面に応じて使

い分けることができるようになるでしょう。

　この節では，市販の早期英語教材を使うかどうか？　使うとすれば，どうやって効果的に教材を選び，活用するか？という問題について考えました。次の節（5.2）では，早期英語教材そのものではなく，ほかの教科から採った内容を素材として，英語の学習を進める可能性について検討していきます。

5.2　教科の垣根を越えて内容を中心に指導する

　物語を利用したり，子どもたちの実体験に題材を求めることで，内容のないことばをただくり返すような無意味な英語学習を強いることを避けることができます。このような観点からもうひとつの効果的な方法は，小学校で学習する他教科の内容や，教科以外で子どもたちが関心を持っている事柄を英語の授業に持ち込むというやり方です。このようなやり方は「**内容中心の学習法**（content-based language learning）」の一種であり，「**教科横断的指導**（cross-curricular teaching）」とも呼ばれてきました。また，最近では，さまざまな教科の内容を英語で教える「**内容と言語の統合学習**（Content and Language Integrated Learning）」，頭文字をとって CLIL と呼ばれる動きが，ヨーロッパの国々を起点として，世界的な拡がりを見せています。

□ 内容中心の学習法
□ 教科横断的指導
□ 内容と言語の統合学習

(1)　内容中心の学習法

注釈4（p.212 参照）

マナブ　日本の早期英語研究者の中で，私がとても影響を受けた人が何人かいるのですが，その中の一人の方の著書[4]を読むと，もともと中学・高校あるいは大学の英語教育に携わってきた著者が，新たに小学校での英語指導に取り組むにあたって，まず，小学校のすべての教科の6年分の教科書を全部読破したそうなんです。

シーラ　それは素晴らしいことだわ。他教科の内容や一般常識を利用して英語を教えることを「内容中心の学習法」と呼ぶの。たとえば，理科・社会・音楽・体育といった他教科の学習内容に絡めて子どもたちに英語を教えることができるというわけね。

マナブ　「内容中心の学習法」ですか。具体的には，どのような形の授業になるのでしょう？

シーラ　実際に指導をする場面では，英語学習と他教科の学習をリンクさせるのにも，いろいろバラエティーに富んだアクティビティが考えられるわ。

マナブ　何か，比較的簡単にできる例を教えてくれませんか？

シーラ　そうね。たとえば，動物についての「豆知識」を使って子どもたちとクイズを楽しみながら，ことばの仕組みについての学習をさりげなく織り込むことだってできるわ。次に紹介する例は，ことばの学習面では 'fast' とか 'tall' などといった，形容詞の最上級の指導を狙いとする活動になっているの。

≪活動例1≫　動物世界一クイズ
- Q: What is the fastest animal in the world?　　A: The cheetah.
 （世界で一番足の速い動物は何だ？）　　　　　　（チータ）
- Q: What is the tallest animal in the world?　　A: The giraffe.
 （世界で一番背高のっぽの動物は何だ？）　　　　（キリン）
- Q: What is the biggest animal in the world?　　A: The blue whale.
 （世界で一番図体の大きい動物は何だ？）　　　　（シロナガスクジラ）
- Q: What is the biggest land animal in the world?　A: The African elephant.
 （世界で一番大きい陸に住む動物は何だ？）　　　（アフリカゾウ）
- Q: What is the biggest bird in the world?　　A: The ostrich.
 （世界で一番大きい鳥は何だ？）　　　　　　　　（ダチョウ）

　先生が紹介してくれた「動物世界一クイズ」を聞いて，マナブにも何か思い当たることがあるようです。

マナブ　なるほど，私も「世界で一番クイズ」を子どもたちとやることがあるのですが，そんなとき『ギネス世界記録（*Giuiness World Records*）』*の本は必須アイテムですよね。

シーラ　その通り！　私も，学生たちにギネスの本は活動アイデアの宝庫だと紹介しているわ。

マナブ　動物についての豆知識をネタにカード・ゲームでは，こんなゲームを考案したことがあるんですよ。

*『ギネス・ワールド・レコーズ』（通称『ギネスブック』）は，さまざまな分野の世界一の記録を収集した本。

　マナブはこう言って，やはり，動物を使って子どもたちに「比較」の概念を導入するゲームを先生に紹介します。

≪活動例2≫　カード・ゲーム Which Is Bigger?（どれが大きい？）

　このゲームは，トランプの「戦争」というゲームのルールを基にしたカード・ゲームで，4人くらいのグループで行う。

★ 準備するもの
　・動物の絵にその動物の名前を英語で添えたカード。
　・それを子どもたち1人につき5枚用意する。

★ 用意する動物カードの例

cheetah（チータ），giraffe（キリン），blue whale（シロナガスクジラ），African elephant（アフリカゾウ），ostrich（ダチョウ），camel（ラクダ），snail（ヘビ），penguin（ペンギン），mouse（ハツカネズミ），zebra（シマウマ），horse（ウマ），rabbit（ウサギ），tortoise（カメ），frog（カエル），lion（ライオン），crocodile（ワニ）など。

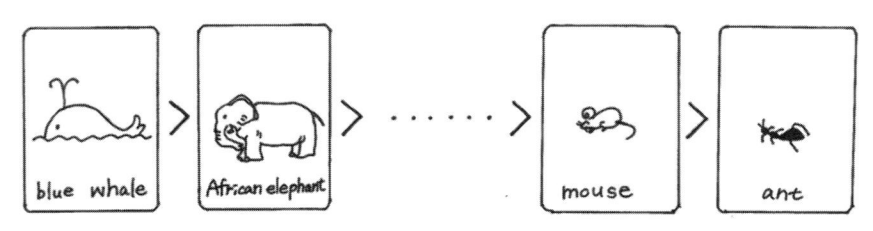

blue whale ＞ African elephant ＞ …… ＞ mouse ＞ ant

★ 活動のねらい

　形容詞の比較級を実際に使ってみる。

★ ゲームの手順

① 子どもたちと相談をして1回戦のルールを決める。たとえば，1回戦の勝ち負けの基準が「大きさ」と決まった場合には，みんなで話し合い，いろいろな動物の大きさを比べ，次のような判定基準を設定する。

　　blue whale ＞ African elephant ＞ crocodile ＞ …… ＞ rabbit ＞ mouse ＞ ant

　　（シロナガスクジラ ＞ アフリカゾウ ＞ ワニ ＞ …… ＞ ウサギ ＞ ネズミ ＞ アリ）

② 'Which is bigger?'（どれが大きいか？）という1回戦のゲームで使うことばを練習する。

③ 子どもたちに1人5枚ずつ動物カードを配る。

④ 子どもたちは，自分のカードを裏向きのまま重ねて山を作り，これを手札とする。

⑤ 準備が整ったら，'Which is bigger?'のかけ声とともに，全員が手札の山の一番上のカードを表向きにしてテーブルの中央に出す。

⑥ 最初にみんなで決めた動物の大きさによる判定基準を基に，より大きな動物のカードを出した子どもが勝者となり，出されたカードを全部取ることができる。

⑦ このようにして，各自5枚の持ち札がなくなるまで，5回，'Which is bigger?'のかけ声とともに対決をくり返していき，5回の対決が終了した時点で獲得したカードの多いほうの子どもが，1回戦の勝者となる。

⑧ 次に，また，子どもたちと相談して2回戦のルールを決める。そして，もし，2回戦の判定基準が「速さ」となった場合は，'Which is faster?'（どれが速いか？）というかけ声を使って2回戦を展開する。このようにしてゲームを続けていく。その間に，子どもたちは，毎回の勝ち負けの基準となった形容詞の比較級をくり返して言うこととなる。

英語学習とほかの教科の内容を，一番無理のない形で合体させるにはどうしたらよいのでしょう？　言うまでもないことですが，英語と他教科の内容という，2つの要素の間のバランスをどうするかという点がキーポイントになります。他教科の内容というのは，もともと，それだけでも，子どもたちの好奇心をかき立て，また，学習するだけの価値を持っているわけで，もし，英語学習のための単なる手段にすぎないといった利用のされ方をしたら問題があります。でも，その一方で，ある内容がとくに選ばれて英語の時間に紹介されるとすれば，そこにはなんらかの形で，子どもたちの英語の習得のプラスになるような要素が見込まれているはずです。したがって，他教科の内容を英語活動に取り込む場合には，英語がどのくらいわかる子どもだったら理解できる題材なのか，また，その内容を扱うことが，どういう面で，子どもたちの英語学習の役に立つのかといった現実的な視点からの分析がなくてはなりません。どんなに内容が素晴らしくても，英語学習の観点からの検討が不十分なまま授業に取り込み，肝心の子どもたちには，何をやっているのかチンプンカンプンといったことになると，一生懸命に準備をした指導者にとっても，また，それに付き合わされる子どもたちにとっても大いなる時間の無駄使いということになってしまいます。

　内容を中心とする英語指導には，大きく分けると次の2つの取り組み方があります。

① 他教科の内容を英語のレッスンに取り込むやり方
　　　例：英語のレッスンの中で，簡単な図工の活動や理科の実験などを行う。

注釈5（p. 212参照）　② 学校生活のあらゆる場面に英語を取り込むやり方[5]
　　A. 他教科の授業で英語を使う
　　　　例：体育の時間に英語で指示を出す／音楽の時間に英語の歌を歌う／図工の時間に色彩の配合について英語でやりとりをする。
　　B. 教科外の活動で英語を使う
　　　　例：朝や帰りのホームルーム活動を英語で行う。

　上の2つの方法の違いは，レッスンで使う活動の規模とその活動にかける時間の相違となって現れます。1番目の「他教科の内容を英語のレッスンに取り込むやり方」では，1回のレッスンできりがつく活動を行うことが多いでしょうが，2番目のやり方では，他教科の時間や学校生活全般の中で，何時間かにわたって続く一連の活動に英語を使って取り組むことが可能です。これら2つの方法のうちのどちらのやり方を選ぶか，または両方を併用するのかは，どのようなタイプの学校で教えるか，レッスン時間のやりくりをどのくらい自由にできる立場にいるか，あるいは，指導者が英語以外の分野について，どのくらいの専門知識を持っているかといった事情に左右されることになります。小学校の担任の先生は，どちらのやり方でも採ることができる立場にいます。これに対して，英語の専科の先生や児童英語教室の先生の場合は，決まった時間枠の中で教えなくてはならないため，すぐに始められて，後片付けも簡単に終わるような活動に限られることになるかもしれません。

(2) 認知面での要求度——新しい知識を吸収する

　子どもたちは,外国語学習を通して,未知のことを発見する喜びに出会い,考える楽しさを味わうことができます。ただし,そのためには,注意すべき事柄があります。

> マナブ　「内容中心の指導法」によるレッスンを計画する場合には,どんなことに注意をしたらよいのですか？
>
> シーラ　さっき話したように,まず,扱う言語材料が,子どもたちにとって外国語学習面でどのくらいの効果があるのか,あるいは,難しすぎないかなどといった点について,きちんとした判断をしなくてはならないわね。
>
> マナブ　扱う題材の内容面でも,難しすぎて母語でも理解できないようなものではだめですよね。
>
> シーラ　そうね。内容が,子どもたちの認知発達段階に合っているものかどうかということも十分に考えておかなくてはならない点ね。
>
> マナブ　外国語を使って活動するので,子どもたちがすでに知っていることのほうが無難なようにも思われますが……。
>
> シーラ　子どもたちがすでに知っていることを利用しながら,新しい小さな発見に結び付けることができるといいわね。

　ここで,先生は,子どもたちがお絵描きなどの遊びの中で経験したり,図工の時間の活動を通してすでに知っている「色についての知識」を使った活動を紹介します。

≪活動例3≫　色とりどりの虹

★ 子どもたちがすでに知っていること・できること

　子どもたちは,「洋服」や「庭の草花」といった話題を扱うレッスンで,すでに,英語の色の名前に出会っている。また,色塗りや絵の具の扱いなどがしっかりとできる年齢になっている。

★ 準備するもの

・虹の絵をあらかじめ用意しておくか,あるいはその場で黒板に描いてもよい。
・水彩絵の具,刷毛,白い模造紙やA3の用紙。

★ 活動の手順

① 子どもたちに虹の絵を見せて,次のように尋ねる。

　　What are the colours of the rainbow? Look at the picture and tell me.（虹は何色かな？　絵をよく見て）

② 子どもたちからの答えを待ってから,用意しておいた2色の絵の具を見せて言う。

　　Now look at these colours. Red and yellow make orange.（赤に黄色を足すと……,オレンジになるね）

　このように言いながら,模造紙の上で2つの色を混ぜて見せる。

　　OK. Now look. What about red and green?（じゃあ,赤に緑を混ぜるとどうなる？）

　子どもたちの意見を聞いてから,絵の具を混ぜて,どうなるか見てみる。

③ 続いて,子どもたちに絵の具でいろいろな色を混ぜて「遊ぶ」時間を与える。指導者は子

もたちの間を回って，混ぜた色について尋ねたり，話し合ったりする。子どもたちに文字を指導している場合には，「（　色　）＋（　色）＝（　色）」というように，色見本の中に，色の名前を書かせることもできる。

black ＋ white ＝ grey

white ＋ red ＝ pink

red ＋ yellow ＝ orange

④ 虹を作る各色の配列順序に照らし合わせると，2つの色を混ぜてできる新しい色は，虹の中では，基になる2色の中間に位置することになることを話してあげたり，自分たちで発見するようにもっていく。

注釈6（p. 212参照）	マナブ　色を混ぜる活動は，私も大好きです。子どもたちに2つの色に塗り分けたコマを回させて何色が見えるのか観察させる実験のことを本で見て以来，実際に絵の具の色を混ぜるのではなくて，コマ回しのほうをやらせています。[6]
注釈7（p. 212参照）	シーラ　あら，それは偶然ね。ヨーロッパの子どもたちもコマを回して色を混ぜる活動は大のお気に入りで，私が書いたコースブックの中でも使っているのよ。私のコマは，画用紙の円盤の真ん中に穴を開けてマッチ棒や爪楊枝を通しただけの素朴なものなのだけれども。[7]
	マナブ　やはり，教科書を執筆する人たちが目を付けるところは，同じなのですね。コマを回して色を混ぜ合わせる実験は，素晴らしいアイデアだと思います。実際の絵の具を使うとなると準備と後片付けに，それなりの時間を見込まないといけないし，低学年の子どもだと，あとで机や床が絵の具だらけということにもなりかねませんからね。
	シーラ　そうね。いずれにしても，私がここで紹介したいのは，英語の時間に子どもたちに実際に何かの実験をやらせてみて，結果がどうなるのか自分たちの目で観察させるタイプの活動なの。
	マナブ　「英語の実験」というのは，大人の英語学習にはない，いかにも「子どもにやさしい英語教育」を地でいくような発想ですね。
	シーラ　色についての実験で，もっと凝ったものもあるわ。次の実験でも，子どもたちは，2つの色を混ぜ合わせたらどうなるのかを予想するの。でも，まだその続きがあって，今度の活動では，いろいろ違ったやり方で色を混ぜるとどうなるのかを見てみるの。子どもでも大人でも，このような実験は，いままでにやってみたことがない人がいるのではないかしら。結果を見てびっくりする人も多いと思うわ。

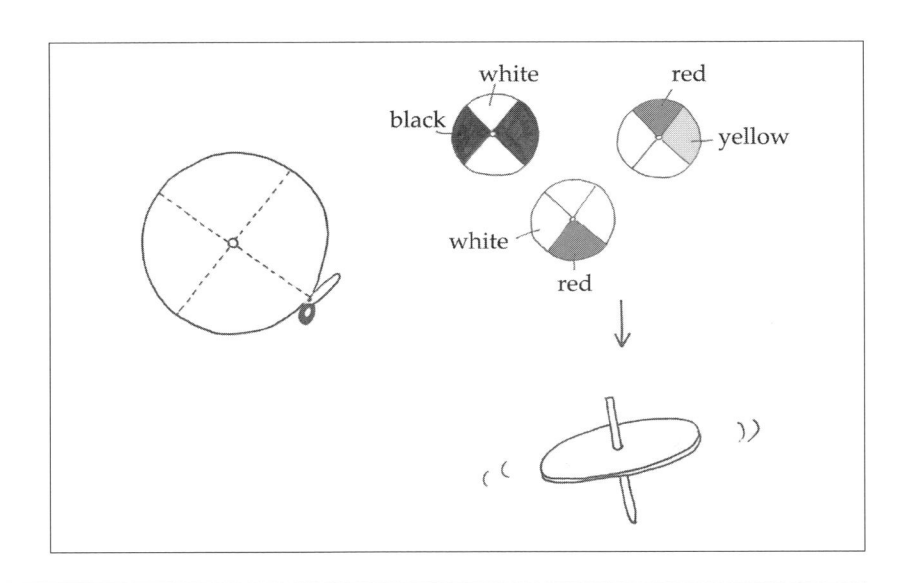

≪活動例4≫ 何色になるのか考えてみよう！

★ 準備するもの
- 水に溶いた赤と緑と青の水彩絵の具，刷毛，白い紙。
- 強い光を放つ懐中電灯2つ。
- 赤と緑と青のセロファン紙――懐中電灯の先端を覆うためのものと，顔の前にかざして見るための大小2種類の大きさのもの。
- 教室の隅に暗い一角を設ける。
- 懐中電灯の光を当てるスクリーン（白い模造紙でもよい）。

★ 活動の手順
① 指導者は用意したいくつかの「実験道具」を見せて，いろいろなやり方で色を混ぜるとそれぞれ何色になるかを子どもたちに予想させる。

　　What colour do red and green paint make?（絵の具の赤と緑を混ぜたら，何色になるかな？〔正解は brown（茶色）〕）

　　Look at this red and green light. What colour do they make together?（赤い懐中電灯の光と緑の懐中電灯の光を重ねたら，何色になるかな？〔正解は yellow（黄色）〕）

　　Look through this red and green plastic. What do you see?（赤と緑のセロファン紙を通して向こう側を眺めたら，何色に見えるかな？〔正解は black（黒）〕）

② 子どもたちは実際にいろいろなやり方で色を混ぜてみて，下のような「実験シート」に観察結果を記入する。

	RED（あか）	YELLOW（きいろ）	GREEN（みどり）	BLUE（あお）	＝
えのぐ	✓		✓		ちゃいろ

5.2 教科の垣根を越えて内容を中心に指導する

かいちゅうでんとう	✓		✓		きいろ
セロファン	✓		✓		くろ

マナブ　なんで同じ色の組み合わせなのに，やり方を変えると違った結果になるのですか？

シーラ　あら，理科や美術の時間に「加色混合」と「減色混合」の説明を受けたことないかしら。

マナブ　えーと，「色の3原色」と「光の3原色」のことは習ったことがありますが……。

シーラ　そうそう，それのことよ。

マナブ　うーん，ずいぶん昔のことなので。具体的にはどういうことでしたっけ？

シーラ　シアン〔澄んだ青緑色〕（cyan），マゼンダ〔明るい赤紫色〕（magenda），イエロー（yellow）の「色の3原色」を混ぜれば混ぜるほど色が暗くなって，鮮やかさも減少するので，これを「減色混合」というの。それに対して，赤（red），青（blue），緑（green）の「光の3原色」を混ぜれば混ぜるほど色は明るくなって，鮮やかさを増していくので「加色混合」というのね。

マナブ　ああ，思い出しました。そんなふうにして，子どもたちが，いままでやってみたことのない，まったく新しいことを英語のレッスンの中で体験できるように仕組むことは，「英語の学習」を助けることになるのでしょうか？

シーラ　外国語活動を，子どもたちが未知の領域を探り，新しい体験をする機会にすることについては，とっても積極的な指導者もいれば，それでは未知の言語と新しい知識をいっぺんに注入することとなり，子どもたちにとって負担が大きすぎると考えて慎重な態度をとる指導者もいるわね。

マナブ　確かに，大きく意見の分かれるところですね。

シーラ　でも，私が一緒に仕事をしてきた先生たちの多くは，英語の授業を通して，多くの新しい知識や能力を子どもたちに身に付けさせることができると信じて，一生懸命，がんばっているわ。そして，そういう熱心な先生たちがいろいろと新鮮なアイデアを生み出してきたの。

マナブ　なるほど。そういったアイデアをたくさん知りたいものですね。

シーラ　では，こんなのはどうかしら。

　こう言って，先生は，「新しい出会いと発見のある活動例」を2つまとめて紹介します。

≪活動例5≫　**Which Is Okapi?**（オカピはどれだ？）

　まず，いろいろな動物の絵〔写真〕を子どもたちに配る。そして子どもたちはもちろん，大人でも見たことがない okapi [oukάːpi]（オカピ〔アフリカ産でキリンの首と脚を短くしたような動物〕）とか kinkajou [kíŋkədʒùː]（キンカジュー〔中南米産アライグマ科の小獣〕）や pangolin [pǽŋgələn]（センザンコウ〔アフリカ・熱帯アジア産。角質のうろこでおおわれている〕）といった珍しい動物の特徴を子どもたちに簡単な英語で話し，それぞれの動物の絵〔写真〕がどれかを当てさせる〔動物の解説は小学館『プログレッシブ英和中辞典』第3版（1980年）による〕。

≪活動例6≫　**How Long Is the Stem?**（茎は何センチになったかな？）

　子どもたちは，大豆やエンドウ豆をクラスの「ペット」にして，ガラス容器に入れて教室の窓際で育てる。授業では，この新しいペットの成長について，たとえば，次のように英語で話して聞かせることができる。

Our bean now has (roots, leaves). （私たちのクラスの大豆には根・葉っぱが生えてきたわ）

Its stem is now ... cm long. （茎はもう…センチもあるわ）

注釈8（p. 212 参照）

マナブ　そう言えば，2番目の「活動例6」のように植物の話題を扱った活動で，「どこを食べているの？（What part do we eat?）」というタイトルのユニットを，日本の小学生用の教科書の中で見つけたことがあるんです。私たちが毎日野菜を食べるときに，その植物のどの部分を食用としているのかを考えてみようという内容でした。[8] たとえばキャベツ（cabbage）は葉（leaf）の部分を，サツマイモ（sweet potato）やハツカダイコン（radish）は根（root）の部分を，そして，グリーンピース（green peas）やトウモロコシ（corn）は種（seed）にあたる部分を，私たちは食べているのだということを，子どもたちに気づかせるのがねらいで，理科と生活科の内容を取り込んだ形になっているのです。

シーラ　それは面白いアイデアね。私も初めて聞くわ。

マナブ　私は，このユニットの内容を見て，素晴らしいアイデアだけれども，大人でも全部は答えられないかもしれないようなチャレンジングな内容で，「子どもたちには少し難しすぎないかな？」という迷いもあったのですが，思いきってこの活動を子どもたちにぶつけてみたのです。

シーラ　それで，子どもたちの反応はどうだった？

マナブ　難しすぎて，そっぽを向いてしまう子が出るのではないかと心配していたのですが，自分たちが普段食べている野菜を植物として見直すという視点は，子どもたちにもとても新鮮に映ったようで，「うぁー，サツマイモって根っこなんだ！　よく，みんな食べてるね」などと感想をもらす子もいました。

シーラ　大成功というわけね。子どもたちに難しすぎないようにと慎重になりすぎて，母語を通して体験ずみの事柄を英語で焼き直しただけという活動ばかりだと，本当の意味で好奇心をゆさぶり，子どもたちの気持ちをつかんで離さないような授業を展開する機会を逃してしまうことになるのかもしれないわね。

マナブ　なるほど，チャレンジしてみるだけの価値はありそうですね。でも，語彙の点ではどうでしょう？　先ほど，先生が話してくださったような素晴らしい活動を実践するためには，大人でもあまり知らないような珍しい語彙を持ち込むことになりませんか？

シーラ　たしかにそういった心配ももっともだわ。でも，子どもたちは，自分が興味を持っている話題に関係があることばは，いとも簡単に覚えてしまうので，語彙の面でも少し冒険をしてみる価値はありそうよ。

マナブ　そう言えば，以前に，学習者としての子どもたちの特徴についていろいろ話していただいたときに，子どもたちが400近くもあるポケモンの仲間たちの名前を全部，苦もなく覚えてしまうのはびっくりだというお話をされていましたよね。

シーラ　あら，ずいぶん前にした話なのに，よく覚えていてくれたわね。

(3) 英語で思考力を育てる

「似たものを比べて区別をしたり，分類をしたりする」「ある出来事の原因と結果について考える」，あるいは「いろいろな問題に取り組み，解決法を探る」などといったさまざまな概念操作を，子どもたちへの外国語学習の中

に取り込むことが可能です。こんな言い方をすると、今まで誰も試したことのないような何か素晴らしい「新教授法」があるように聞こえるかもしれませんが、けっしてそんな特別なことを言っているわけではありません。

マナブ ここまでのお話をうかがって、「内容中心の学習法」というのは、つまり、英語を使いながら、子どもたちに何か考える材料を与えることなのではないかというような印象を持ったのですが？

シーラ その通りだと思うわ。そういった意味で、素晴らしい実践例をひとつ紹介するわね。

　ここで先生は席を立ち、研究室の書棚の奥から一本のビデオテープを出してきました。

注釈9（p.212参照）

シーラ これは、ブリティシュ・カウンシルが作った授業観察ビデオ *Teaching Observed*[9] に収録されている、シンガポールの Jenny Ang 先生の授業なの。このシリーズの初版が出たのは 1974 年で、もうずいぶん経つのだけれど、私にとっては、クラシック音楽のようなもので、時代を超えて訴えかけるものを持つ授業例で、いまでもいろいろな講演や研修講座などで話をするときに見せて、聞きにきてくれた人とその素晴らしさを一緒に味わう機会を持つようにしているの。この授業では、'How do you know?'（何でわかるの？）という問いかけに答えて、because（なぜなら）と説明することを通して、英語のレッスンの中で、子どもたちの論理と思考の力を育てるという試みが行われているの。しかも、それをとてもわかりやすい内容で、言語面でも子どもたちにとって無理のないレベルで展開していることが、この授業のすごいところなのよ。実際の授業は「職業」という話題を使ってこんなふうに展開されているわ。

　こう言って、先生はビデオの再生を始めます。

≪活動例7≫　What's His/Her Job?（この人の仕事は何？）

★ 用意するもの

　いろいろな職業の人たちを描いた大きな絵。それぞれの人は仕事に関係のある服装をし、必要な道具を手にしている。しかし、何人かの人に共通する特徴もある。たとえば、医師と歯科医と理容師はみんな白衣を着ている、など。

★ 活動の手順

　まず、指導者は用意したいろいろな職業の人たちの絵を一枚ずつ順番に見せて、子どもたちに "What's his/her job?"（この人の職業は何だと思う？）と尋ねる。たとえば、一人の子どもが "He's a doctor."（お医者さん）と答えたとすると、"How do you know?"（何でわかるの？）という質問を返す。最初に答えた子は、指導者に導かれ "Because he's got a white coat."（だって、白衣を着ているから）といった根拠を挙げる。すると、さらに "But a dentist also has a white coat! How do you know that this man is a doctor and not a dentist?"（でも歯医者さんだって白衣を着ているでしょ。何で、歯医者さんではなくて、お医者さんだってわかるのかな？）とちょっと意地悪な質問を続ける。このようなやりとりを通して、指導者は、巧みに子どもを誘導しながら、最後には "He's got a white coat and a thermometer."（この

人は白衣と体温計を持っているもの）という議論を展開させる。

マナブ　なるほど，いろいろとやりとりをして，子どもたちに考えさせることがポイントなのですね。

シーラ　ほかには，指導者と子どもたちとの間での質問と答えのキャッチボールを通して，子どもたちの考える力を育てるために，身の回りにあるいろいろなものの特徴を説明させるという方法もよく使われるわ。

マナブ　身の回りのものですか，……。あまり，活発なやりとりや，内容のある話し合いに発展しそうな題材とは思えませんが？

シーラ　そうかしら。それは，やり方しだいだと思うわ。袋の中に品物を入れて，子どもに手で触らせ，それが何かを当てさせるゲームを知っているかしら？

マナブ　はい，そのゲームなら，私は「ブラック・ボックス」と呼んでいます。私の場合は，まず，腕1本だけがやっと入るような穴を開けた箱に秘密の品物を入れます。そして，子どもたちは，箱の中に腕を差し入れ，品物に触ってみて，それが何なのかを当てるのです。たとえば，野菜や果物を扱うレッスンでは，箱の中におもちゃの野菜や果物を入れておいて，箱に手を入れた子に"What's that?"（何だ？）と尋ねて，"It's a pumpkin."（カボチャ）などと答えさせます。

シーラ　子どもたちの反応はどう？

マナブ　簡単に当たってしまうものより，たとえば，オレンジ（orange）とレモン（lemon）のように，ちょっと紛らわしいものが入っていたほうが，チャレンジのしがいがあるようで，一生懸命になりますね。

シーラ　子どもたちに，何で，オレンジではなくてレモンだと判断をしたのか聞いてみたことはある？

マナブ　いいえ。どうしてですか？

シーラ　マナブの「ブラック・ボックス」と似たゲームで，「袋の中に何があるのかな？（What's in the Bag?）」というゲームがあるの。日本に帰ったら子どもたちとやってみて。

こう言って，先生は応用活動例を紹介します。

≪活動例8≫　What's in the Bag?（袋の中に何があるのかな？）

★ 用意するもの
  ・いろいろな品物を入れる大きな布袋。
  ・丸いリンゴ，細長い鉛筆，ふわふわとしたスポンジなど，それぞれ特徴的な形や手触りのある品物。

★ 活動の手順
  ① クラスの一人を選び，その子の見えないところで，用意した布袋の中に「秘密の品物」を入れる。選ばれた子どもは袋の中に手を入れ，中の物を触ってみた感じで，"It's a pen!"（わかった！　ペンだ）などと言って，その品物が何なのか当てようとする。
  ② 指導者か，クラスのほかの生徒が"How do you know it's a pen?"（どうしてペンだとわ

③ 聞かれた子は，たとえば"It's long and hard and it has a point."（長くて硬いし，先がとがっているから）などと，はっきりと判断の根拠を言わなくてはならない。
④ さらにたたみかけるように，"How do you know it's a pen and not a pencil?"（ペンではなくて，鉛筆かもしれないじゃない？）という質問が続く。

マナブ　なるほど，箱や袋の中の物を当てて終わりではなくて，そこからのやりとりのほうが，子どもたちの論理的思考能力を養ううえではむしろ大切なのですね。

シーラ　そう，そこが，この活動の本当のねらいなの。

マナブ　でも，日本の子どもたちを相手にする場合には，その部分は日本語でやらなくてはならないと思いますが。

*本節 p. 181 を参照。

シーラ　それでもいいじゃない。なにも全部英語でやらなくてはいけないということはないと思うわ。マナブは，「内容中心の学習法」* というと，たとえばシンガポールのように英語でいろいろな科目の授業をする国の話で，日本のように外国語として英語を学習する国には関係ないと思っ

*本節 p. 181 を参照。

ているんじゃない？　でもね，「内容と言語の統合学習（CLIL）」* への取り組みが盛んになっているヨーロッパの国々では，みんな，日本と同じように外国語として英語を学習しているのよ。そういった国で，英語と母語の両方をうまく使い分けて，子どもたちにいろいろなことを考える体験をさせてやることができれば，それは素晴らしいことだと思うわ。

マナブ　「内容と言語の統合」と言えるかどうかわかりませんが，「恐竜」についての豆知識を使って，レッスンを企画したことがあります。

シーラ　マナブのオリジナルのアイデアなの？

注釈10（p. 212 参照）

マナブ　授業中に男の子たちの反応がいまひとつという時期があって，何か男の子たちが食い付いてくるトピックはないかと思って，いろいろな教材をパラパラめくっていたら，*Smile* [10] という教科書に恐竜を話題にしたユニットがあり，これはいけるぞと思って，そこから恐竜の話題を扱うというアイデアをこっそり盗みました。

注釈11（p. 212 参照）

シーラ　「恐竜」は子どもたちにアピールする話題で，たくさんの執筆者が使っているので，「盗んだ」ことにはならないと思うわ。[11]

マナブ　そうだったのですか。

シーラ　それで，マナブの場合はどんなふうにしてみたの？

マナブ　ええ，こんなふうにやってみたんです。

こう言って，マナブは，とくに男の子たちをターゲットにして考えた「恐竜」を題材とする活動を，先生に説明し始めます。

5.2　教科の垣根を越えて内容を中心に指導する　193

≪活動例9≫　マナブの「恐竜」を題材とする活動

　まず，クイズ形式で下のようなAとBの2つのタイプのどちらがMeat-eaters（肉食恐竜）で，どちらがPlant-eaters（草食恐竜）かを，子どもたちに考えさせる。

Type A Dinosaur（Aタイプの恐竜の特徴）	Type B Dinosaur（Bタイプの恐竜の特徴）
They have a big head.（頭が大きい）	They have a small head.（頭が小さい）
They can stand on two legs.（二本脚で立つ）	They walk on four legs.（四本脚で歩く）
They have big teeth.（大きく鋭い歯）	They have small teeth.（小さく細かい歯）

　　　　　　答えは，Aタイプが肉食恐竜で，Bタイプが草食恐竜。

　次にtyrannosaurus [tirǽnəsɔ̀:r]（ティラノサウルス）やstegosaurus [stégəsɔ̀:r]（ステゴザウルス）などの絵を見せて，それぞれが肉食恐竜か草食恐竜かを，上の両タイプの恐竜の特徴リストを参照しながら考えさせる。

　ある意味では，「内容中心の指導法」は，一般の指導者にとってはかなりハードルの高い指導法かもしれません。なぜなら「内容中心の指導法」を試みる際には，英語の知識に加えて，少なくとももうひとつ別の教科の知識も必要になり，しかも，その教科の内容を英語で説明しなくてはならないことになるからです。しかし，最初からそんなに身構える必要はないのかもしれません。「全部の条件がそろわなければやらない」という考え方は，あまり建設的とは言えません。誰にでも，何か関心のある分野はあるのではないでしょうか？　とりあえず試しにやってみるというくらいの気持ちで，スタートしてはどうでしょう。そして，本節の冒頭で紹介したヨーロッパの各国を中心に注目を浴びている「内容と言語の統合学習（CLIL）」の動きにも注目しながら，日本の小学校の状況に合った形を少しずつ探っていくようにするとよいのではないでしょうか。

5.3　オリジナルの「指導プログラム」を作成する

　　ここでは，これまでに触れたいろいろな基礎知識を総合して，実際に自分の「指導プログラム（course）」を作ってみることについて考えます。指導者は，教える学校や子どもたちの状況を考慮に入れて，いろいろな知識をそれぞれの場面に合った形で活かすことになります。

(1)　なぜ，「指導プログラム」を作成するのか？

　2008年に，日本では新しい『小学校学習指導要領』が告示され，高学年での「外国語（英語）活動」が必修化されたことは，本章第1節の (1) のいろいろなタイプの「早期英語の教科書」についてのチュートリアルの中でもマナブがシーラ先生に説明していました。

　旧「学習指導要領」(1998) の下では，「英語活動」は「総合的な学習の時間」に行われるものとされており，指導内容は各学校によってまちまちだったとも言えます。しかし，いまは新しい「外国語（英語）活動」の指導内容の一定の基準化を図る目的で，文部科学省が作成した共通教材とも言える『英語ノート』〔現在では改訂版の "Hi, friends!"〕があるのに，独自の「指導プログラム案」を作ることの意義にマナブは少し疑問を持っているようです。

マナブ　ウォーリック大学の早期英語教育修士課程で勉強する私たちは，独自の「指導プログラム案」を作って提出する課題を与えられ，がんばっていますよね。私は，これこそ日本に戻ってから，大いに役に立つ知識と技能を育ててくれる演習だと思い，張り切って取り組んできました。ウォーリックに来るまでの5年間，日本での小学校の「英語活動」は，「総合的な学習の時間」という枠の中の「国際理解学習」の一環として実施されてきました。そこではシラバスや教科書など何もない中で，それぞれの地域や学校の教員が新たにシラバスを作り，教材を開発して小学校の英語活動を進めてきました。[12]

注釈12（p. 212 参照）

□ シラバス

シーラ　そうね，国が決めた「**シラバス**（syllabus）」や教科書のような公的なガイドラインがない新しい学習領域では，自分でシラバスを作り，それに応じた教材を開発しなくてはならないことになるわね。

マナブ　でも，前にもお話ししたように，現在の日本では，公教育を担当する文部科学省が『英語ノート』という補助教材を作り，日本中の公立小学校にそれを配布しています。* 私が日本に帰ったときには，この『英語ノート』を使って教える学校に配属されることになるのではないかと思います。そうすると，私たちが，いま一生懸命取り組んでいる，独自の「指導プログラム案」を作ることから学ぶ知識や技術は必要がなくなってしまうのでしょうか？

＊ 本章の第1節でも触れたように，2012（平成24）年の春から文部科学省は『英語ノート』の改訂版である "Hi, friends!" を配布しているので，ここでのマナブの疑問は，実際にはこの "Hi, friends!" に対したものとなる〔巻末の「『英語ノート』vs "Hi, friends!"（改訂のポイント）」も参照のこと〕。

シーラ　そんなことはないわ。経験がほとんどない指導者でも使えるような全国共通教材を用意するという方法は，前にも紹介したスリランカのような国でも，英語活動の導入期に採用してきた方法なの。でも，すべての学校の子どもたちにぴったり合う教材などというものは，この世に存在しないのよ。

マナブ　そうですね。だから，日本の文科省も『英語ノート』を「使っても使わなくてもよい」し，「いいとこ取りして使うだけでもよい」と言っているのですね。でも『英語ノート』を，自分の教えているクラスでもっとも効果的に使うためには，どの部分をどのように使うかとか，どんなアクティビティをさせるかなどの計画を立てなければいけませんね。それはどうすればよいのでしょうか？

シーラ　実際に授業をするために，たとえば1年分の授業計画を立てるのも，その計画を印刷して教材として出版するのも，基本的には大きな違いはないのよ。独自の「指導プログラム案」を実際に組み立てるという体験を通して，『英語ノート』ばかりではなく，いろいろな教材の中身を吟味して，その構成と内容を見定める力を養うことができるようになるの。それが，この「指導プログラム案」作成の演習で，みんなに身に付けてもらいたい力なの。

マナブ　なるほど。それに，もし，ある学校で『英語ノート』を使わないということになれば，ほかのどのような教材を使うのかという判断をしなくてはならないわけだし，この「指導プログラム案」作成の課題に取り組んだ結果として，学校独自のカリキュラムと教材を作ることも，当然，選択肢として視野に入れることができるようになりますよね。

シーラ　その通り。それに，一度『英語ノート』を使い始めた学校でも，誰が教えても同じように教えられることを目指した教材では満足できなくなって，やはり自分たちの地域や学校独自の「指導プログラム」で教えたいと思う先生たちが出てきたとしても，それは自然なことだと思うわ。

　日本にいたときは，「カリキュラム開発」ということばは聞いたことはあっても，その内容をよくわからずにいたマナブにも，チュートリアルでのシーラ先生の説明で，「指導プログラム案」作成の課題に取り組む必要性や，重要さがよく理解できたようです。

　次は，「指導プログラム案」を作成するというのは，そもそもどういうことなのかという話題に移ります。

(2) シラバスと「指導プログラム案（course plan）」の違い

□ カリキュラム
〔シラバス〕

シーラ　「カリキュラム（curriculum）」は「シラバス」と呼ばれることもあって，簡単に言えば，ある教科の学習内容，つまり学習する「中身」のリストと考えたらいいわ。たとえば，日本の文科省や教育委員会のような公的な機関が作るものがあるわね。

マナブ　じゃあ，「学習指導要領」って，文科省が作るシラバスのことなんだ！

シーラ　そうよ。そこには，「技能（skills）」や「ことばの働き（language functions）」とか，「語彙（vocabulary）」などといった項目ごとに学習の「中身」がまとめられていないかしら？　そして，それぞれの項目について，いろいろな要素を組み合わせて扱う流れが示されているのが普通ね。

マナブ　教師の私が，こんなことを言うのはとても恥ずかしいのですが，「学習指導要領」はあまりちゃんと読む気になれないんです。[13]

注釈13（p.212参照）

☐ 指導プログラム案

シーラ　無理ないわ。国によっては，公的なシラバスは，もしかしたら，毎日の学校での生活のことをよく知らない人や，その国の教育を担当する省庁の役人が書いたものかもしれないわけで，そのような人たちが決めたシラバスの内容が，実際に指導する先生方の見方と一致するとは限らないわ。要するにシラバスは，それだけでは無味乾燥で，実質的な意味が伝わってこないのよね。具体的な「指導プログラム」，つまり実際に使われる教科書や授業内容の形にして初めて意味を持つものなの。

マナブ　そうですか。ということは，シラバスというものは，教科書を作る人や現場の教師が，それを実際の「**指導プログラム案**（course plan）」や教材へと変えていかない限りは，本当にうまくいくかどうかはわからないわけですね。

　先生は，「指導プログラム案」を作るということは，とても具体的な作業で，指導者は最大限に想像力を働かせて，子どもたちに実際に教えるときと同じくらい現実味のある計画を練らないといけないことを強調したかったのです。さらに先生は，「指導プログラム案」の出発点についての話を続けます。

(3) 「指導プログラム案」作成の出発点

マナブ　実際に「指導プログラム」を開発するときには，まず，何から始めればいいのでしょうか？

☐ 中心構成原理

シーラ　早期英語教育の「指導プログラム」を作る方法として，どれが一番よいかということについては，これまでたくさんの議論がされてきたわ。「指導プログラム」の中心的な柱となる原理を，「**中心構成原理**（Major Organising Principle）」，略してMOPと私は呼んでいるのだけれど，MOPは，「指導プログラム」全体の構成を支配して，プログラムのあらゆる面の決定を左右する基本方針なの。

マナブ　「MOP」ですか？　それは初耳ですね。

シーラ　MOPには，たとえば，文法構造を柱とする「指導プログラム」のように，言語についての分析に基づくものもあれば，話題や物語やほかの教科というような内容を軸にするものもあるの。

マナブ　子ども向けの「指導プログラム」を作るのに，一番良いMOPはこれだというようなものはあるのですか？

シーラ　どのMOPにもそれぞれの長所と短所があって，一つのタイプのMOPを使えば，ある面では，比較的簡単に手持ちの教材と指導計画を組み合わせていくことができるけれども，別の面で，技術的にとても難しい部分が出てきてしまい，苦労してやりくりをしなくてはならないなどという場合も出てくることになるの。

　シーラ先生が言っている，「指導プログラム」が採り得る「中心構成原理（MOP）」には，主として，以下の4つのタイプが考えられます。

① 文法中心の構成
② 機能中心の構成
③ 話題中心の構成

④ 物語中心の構成

以下に，それぞれの長所と問題点を一緒に紹介しましょう。

「指導プログラム」の「中心構成原理」	特徴	長所	短所・技術的な問題点
① 文法中心の構成	・文法構造中心 ・一歩ずつ丁寧に段階を踏む 　例：This is a book. 　　→ This is my/your book. 　　→ Is this a book? 　　→ Is this my/your book?	・長々とした説明が不要 ・系統だった言語材料の配列が可能 ・授業時間の有効活用 ・言語材料の反復／再利用が容易	・盛りだくさんの文法項目 ・語彙面での内容が貧弱 ・興味を引くトピックを取り入れることが困難
② 機能中心の構成	・言語の機能（働き） 　（例：挨拶，招待，感謝，苦情，謝罪） ・有用性順の配列 ・頻度／一般性に応じた配列 　例：感謝，挨拶 　　→苦情，謝罪	・学習の目的／意図が明確 ・言語使用の目的と合致 ・関心／動機付け	・文法項目との関連付けが困難 ・文法項目の難易度と言語機能の難易度の不一致 ・言語の本質に関心を向けさせることが困難 ・固定表現（チャンク）に偏りがち
③ 話題中心の構成	・話題を中心に言語材料を集める	・学習のポイントが明確 ・言語形式と意味内容との関連が密	・語彙／文法項目を体系的に扱うのが困難
④ 物語中心の構成	・絵本や物語を基に各ユニットを構成する	・学習への動機付け ・道徳面／文化面で教育的内容が豊富 ・視覚的な魅力	・語彙／文法項目の難易度の調整が必要 ・体系的な学習内容を盛り込むことが困難

図表5.1：「指導プログラム」の「中心構成原理」

マナブ なるほど，いろいろな構成原理があるのですね。私が日本で見てきた教材は，③の「話題中心」の指導プログラム構成になっていたものが多いように思います。私が，いま作ろうとしているプログラムも，日本に帰ってから実際に使うことを考えて「話題中心」のプログラム構成にしようと考えています。

シーラ どのタイプの構成原理を採用するかは，とても大切なことだから，その前に考えておかないといけないことがいろいろあるわ。

(4)「指導プログラム」立案の前提条件

こうして，先生は「指導プログラム」立案の実際の手順へと話を進めていきます。

シーラ 「指導プログラム」を立案しようとするときに，まず何よりも最初にしないといけないのは，実際に教えることになる現場の状況と，教える対象となる子どもたちについて，いろいろな現実的な制約や条件を検討することね。そうでないと，後になって，せっかく作りかけたプログラム

> を途中で放棄して，また一からやり直しというような目に会うこともあるの。
>
> **マナブ** 先生，脅かさないでくださいよ。そんなひどい目に会わないようにするにはどうすればよいか，教えてくれませんか？
>
> **シーラ** そうね。ちょっと細かな話になるから，私の「講義ノート」を見てもらったほうが早いかしら。

こう言って，先生は「講義ノート」を取り出し，「指導プログラム立案の前提条件」という見出しのページを開きます。そこには，このトピックについて，以下のようにまとめてあります。

シーラ先生の講義ノート
「指導プログラム」立案の前提条件

「指導プログラム」を開発する前に，まず，次の点について考えてみましょう。ここに挙げる質問がすべてを網羅しているわけではありませんが，重要な項目の代表的なものを挙げてあります。

① **目標について**
　a) あなたは，「こうできたらいいな！」という理想のメニューを自由に試してみることができる立場にいますか？　それとも，学校全体などで決められた既定の目標があって，自分の裁量では決められない立場にいますか？　自分の立場を見きわめたうえで，これから作成しようとする「指導プログラム」の目的を書き出してみましょう。
　　例：・言語技能の習得。
　　　　・ほかの言語への「気づき」。
　　　　・英語を話すことへの抵抗をなくさせる。
　　　　・英語を通して世界の文化への関心を呼び起こす。
　　　　・人とかかわり，ことばを使ったやりとりを楽しむ態度を育てる。
　b) プログラム開始前のアンケートやクラス分け面接などで，英語を使ってどんなことをしたいか，将来目指していることなど，子どもたちの学習の目的や目標を知ることはできますか？　もし可能であればアンケートなどを実施して情報を集め，考える材料としてみましょう。*
　　例：・英語の検定試験に合格したい。
　　　　・英語の授業で楽しい時間をすごしたい。
　　　　・恐竜の本を英語で読みたい。

② **指導環境に関する事柄**
　プログラムを実際に利用することになる指導環境を考えてみましょう。困難点ばかりでなく，プラス面も見つかるはずです。
　a) 教室の授業以外で，子どもたちはどの程度英語に触れているでしょうか？
　　・教室以外で，英語の放送を聞くなど，英語に触れる機会は子どもたちの身の回りにありますか？　それとも，英語は授業の中だけで出会うことばですか？
　　・児童英語教室など，学校以外の教育機関で英語を学習している子ど

---

* 第3章第1節の(3)「子どもに与える語彙の選択基準は何か？」の「ニーズ分析（needs analysis）」を参照。

もは多いですか？
- b) 勤務先の教育機関では，英語の授業は独立していますか？　それともほかの学習体験と一緒に総合的な形で行われるようになっていますか？
- c) 英語の授業をするとき，1クラスに何人くらいいますか？
- d) 子どもたちの年齢と発達段階はどうなっていますか？
  - クラスの子どもたちの年齢は，ほぼそろっていますか？　それとも違う年齢層の子どもたちが一つのクラスにいますか？
  - クラスの子どもたちの年齢がそろっている場合，高学年ですか？それとも低学年ですか？
- e) 子どもたちの外国語学習経験はどのようなものですか？（早期英語教育を受ける子どもたちのみんなが，初心者とは限りません）
  - 例：・まったくの初心者
    - ・すでに英語学習経験のある子どもたち
    - ・一つのクラスにいろいろなレベルの子どもが交じっている
- f) 子どもたちの読み書きの力はどのようなものですか？
  - 例：・母語も英語も，まだ読み書きできない。
    - ・母語は読み書きできるが，英語はまだ読み書きできない。
    - ・母語も英語も読み書きできる。
- g) 施設と教具
  - 英語活動専用の教室など，子どもたちの作品を展示しておくことのできる部屋がありますか？
  - 教材や補助教材を買うことのできる十分な予算がありますか？
  - CD，ビデオ，DVDなどの視聴覚機器やコンピュータなどの教育機器を利用することができますか？
- h) 指導者
  - プログラムを実際に教えるのはどのような指導者ですか？
    - 例：・小学校教員の経験はあるが，外国語教育の専門家ではない指導者。
      - ・外国語教育の専門家だが，小学校で教えた経験はない指導者。
      - ・外国語教育について訓練を受けたことのないネイティブ・スピーカー。

③ 指導時間枠

　指導時間の枠を独自で決められる幸運な指導者もいるかもしれませんが，すでに決められた時間枠に従って指導をすることが普通でしょう。そのような場合，次のようなことを考えてみましょう。
- a) プログラムの期間はどのくらいですか？
  - 例：1学期，1年間，2年間，6年間など。
- b) 総計何時間（指導時間）のプログラムですか？
  - 例：35時間，70時間など。
- c) 指導の頻度はどの程度ですか？

例：学期に数回，隔週，週1回，週2回，毎日など。

先生の「講義ノート」に目を通したマナブは，その緻密さに驚きながらも，いろいろと質問したいことがあるようです。

マナブ　ずいぶんいろいろと考えておかなくてはならないことがあるのですね。

シーラ　ここに挙げた問いかけは，まず，「指導プログラム」の目的に始まって，次にその「目的」の達成を左右する「一般的な要因」，さらに時間配分といった「具体的な条件」へ進むように意図的に並べてあるの。

マナブ　「意図的に」というのは？

シーラ　「指導プログラム」を立案するときには，総指導時間などといった時間枠を出発点として考え始めることがよくあると思うの。

マナブ　私もそうですね。

シーラ　でも，それはあまり勧められないわ。

マナブ　どうしてですか？　普通のやり方だと思っていましたが。

シーラ　「プログラム全体の指導時間は，何時間か？」というようなことを出発点にすると，「じゃあ，何をやって時間をつぶそうか？」といった危険な発想に結び付く可能性があるの。

マナブ　たしかにそうですね。実際に教室で指導しているときには，時間に追われて，「明日の授業は何をやって時間をやりすごそう？」というようなことになってしまうこともありますね。

シーラ　忙しい先生たちが，そういった状況に追い込まれることがあるのは，ある程度予想できることね。でも，そのようなやり方をしていると，何のつながりもない授業を毎回のようにくり返して，結局，全体としては何を目指しているのかわからない，まとまりのない1年になってしまうことがよくあるわ。

マナブ　1年だけではなくて，小学校の外国語（英語）活動の指導期間を通じて，何年もそんなことをくり返していたら，何のために外国語（英語）活動の時間を導入するのかわからなくなってしまいますね。

シーラ　そうなの。だから，前のリストでも並べたように，まず，何のために外国語活動を行うのかという「目的」をはっきりと意識することから，「指導プログラム」作成をスタートすることが大切なの。

マナブ　うーん，現場の教師にとっては，ちょっと耳の痛い，でも大切なポイントですね。では，次に，「指導プログラム」の「目的」を決めたら，何か実際の作業に手を付けたいと思うのですが。

シーラ　それには，まず「指導プログラム案」を作ってみることだわ。

「指導プログラム案」を作ると，その構成方針について，考えたことを整理し，一つの要素が別の要素とどのようにかかわっているのかがひと目でわかります。次ページの作成用紙にあるように，「指導プログラム」を構成するユニットや授業が上から下へ並び，表の一番上の行には，プログラム構成の柱にしようと考えている構成原理群が横に並んでいきます。この部分は必要に応じて，項目数を決めるとよいでしょう。

実施時間			プログラム内容			
			話題	語彙	…	…
1学期	4月	第1週				
		第2週				
		第3週				
		第4週				

図表 5.2：「指導プログラム案」作成用紙の例

　このようにして、「指導プログラム案」は、学期の最後の授業までずっと続いていくことになります。

(5) マナブの「指導プログラム案」

　今回のチュートリアルでは、マナブが作ってきた「指導プログラム案」の最初の部分を先生と検討することになりました。

マナブ　先週のチュートリアルの後、1週間かけてとりあえず「指導プログラム案」の最初の部分を作ってみたんです。あまり自信はないけれど、ちょっと見ていただけますか？

シーラ　そう。ずいぶん苦しんでいたみたいだけど、やっとアイデアが浮かんだのね。よかったわ。それで、まず、どんな子どもたちを対象としているの？

マナブ　ええ、私がイギリスに来る前に教えていた小学校の1年生から2年生の子どもたちを、そのまま3年生に持ち上がって教える場合を想定した「指導プログラム案」を立ててみました。

シーラ　それはいいわね。実際に知っている子どもたちのための「指導プログラム案」を作るのが、現実的なプログラムを作成する一番の近道だわ。

マナブ　ええ、ですから、この案は日本の小学校の3年生、つまり8歳から9歳の子どもたち30人のクラスを想定したものです。イギリスに来る前、私はこのクラスの子どもたちと一緒に、1回45分の授業を1週間に一度実施してきました。

シーラ　子どもたちの、学校の外での英語学習歴はわかる？

マナブ　クラスのアンケートからわかった限りでは、30人のうち、およそ10人が学校外で民間の児童英語教室に通って英語に触れていました。ほかに2人ほど、お父さんの仕事の関係で、家族でアメリカとシンガポールにそれぞれ住んでいた経験がありました。

シーラ　ということは、英語の知識の点でも、読み書きの経験という点でも、いろいろなレベルの子どもが入り交じったクラスということになるわね。

マナブ　そうですね。ご存知のように、日本語の文字は英語のアルファベットとは全然違います。だから読み書きを、いつどのように導入したらよいのかは頭を痛めるところです。[14] でも、子どもたちは、普段の生活の中で、

注釈14（p. 212参照）

		英語の文字を街中の表示や広告やTシャツのデザインなどでいくらでも目にしています。
□ 環境文字	シーラ	そのような文字を「**環境文字**（environmental print）」と言うのよ。
	マナブ	そうなんですか。日本では，英語の文字をいわばデザインの一部として使うことが，格好よいことだと思われているので，子どもたちも十分に文字を意識しています。日本の小学校では，子どもたちに英語の読み書きを教えることには慎重な態度をとることが一般的なので，私も，これまでのところ，体系的な文字指導は何もしてきてはいません。でも，そろそろ，その「環境文字」というものを，授業の中で意識的に扱い始めてもよいのではないかと思っています。というのも，子どもたち自身が，そうした街中で見かける文字にとても関心を持っているからです。[15]
注釈15（p. 212 参照）	シーラ	それは，とっても良い目の付けどころだわ。子どもたちが関心を持っていることを自然に伸ばしてあげることは大切よ。それで，「指導プログラム」全体として目指していることは？
	マナブ	いままでの授業では，主に「聞くこと・話すこと」を通して英語に触れさせてきましたので，これからはその基礎の上にさらに，次のようなことを目指したいと思っています。 ①「聞き取り」の力を伸ばすことを最優先とする。 ②「話すこと」に対する自信を育てる。 ③ 文字に対する関心を受け止めて育てる。 ④ ほかの教科の内容と関連付けて英語を教える。 そして何よりも子どもたちが楽しみながら，英語へ関心を持ち続けてくれればよいと願っています。
	シーラ	「プログラム案」を見せてくれる？
	マナブ	はい，これがいまの段階での「指導プログラム案」です。街中で見られる英語に注意を向けさせて，そこから英語活動を発展させてみました。

(6) マナブの「指導プログラム案」の展開

マナブが差し出した「指導プログラム」の第1案を受け取った先生は，黙って表の隅々までじっくりと見続けます。

実施時間	Unit/Lesson	内容				
		トピック	語彙	語法・文構造	読み・書き	主な活動
第1回 4月 第2週	Unit 1 Lesson 1	Look around you ... in the street. （街の中で何が見えるかな？）	［新出語彙］ traffic traffic lights stop go parking ［復習語彙］ red green yellow	［子どもに聞かせる発話］ ・Look at all the traffic! ・You can't move. ・You can go when the light is	・道路標識の認識 PARKING STOP SLOW ・音と文字の関係 /s/ - s <u>s</u>top / <u>s</u>low	・Look and say 見えた道路標識を言ってみよう。 ・街の絵や写真を見せて道路標識を見つけさせる。

				car bus lorry	green. ［既習事項］ ・複数名詞 　car - cars 　bus - buses ・can/can't	/p/ - p <u>p</u>arking / sto<u>p</u>	・チャンツ 　The Traffic 　Rhyme ・ゲーム 　交通信号ゲーム
第2回 4月 第3週	Unit 1 Lesson 2	Look around you ... in the street. （街の中で何が見えるかな？）	［新出語彙］ sales shop supermarket shoe shop ［復習語彙］ お店の中にあるもの	［子どもに聞かせる発話］ ・Look at the shops! ・There's a sale here! ・What can we buy?	・音と文字の関係 /s/ - s <u>s</u>ale / <u>s</u>upermar- ket ・音韻認識 /ɑp/ - op sh<u>op</u> / st<u>op</u>	・バーゲンセールのポスターを作ろう！ 大文字のSALE！とセール品目の絵を描いて，バーゲンセールのポスターを作る。
第3回 4月 第4週	Unit 1 Lesson 3	Look around you ... in the street. （街の中で何が見えるかな？）					
	Unit 2 Lesson 1						

図表5.3：マナブの「指導プログラム案」（第1案）

シーラ先生の沈黙に耐えかねて，マナブはためらいがちにプログラム案ができた経緯について話し始めました。

マナブ　私は，トピックを中心として「指導プログラム」を組み立てていこうと考えていますので，マップのプログラム内容の欄の一番左に「トピック」を置きました。

シーラ　なるほど，トピックがこの「指導プログラム」の「中心構成原理（MOP）」というわけね。

マナブ　はい。まず，街の中の「環境文字」が見られそうな場所を思い浮かべてみました。すると，この話題に関係するいくつかの単語が頭に浮かんできます。というわけで，「トピック」欄の隣には，「語彙」の欄を置くことにしました。こうして，プログラム案作りが進むにつれて，右側にどんどん欄を追加していきました。

□ マインド・マップ　「トピック（話題）中心」の「指導プログラム」を立案するときには，「マインド・マップ（話題連想図）」を描いてみると便利です。マインド・マップ（mind map）を作るには，まず，中心となる話題を真ん中に置いて，その話題をきっかけにして，頭の中に思い浮かぶ事柄を周りにどんどん書き加えていっ

て，少しずつ連想のネットワークを広げていきます。マナブの場合は「街の中」という話題を中心として，次のようなマインド・マップを展開してプログラム立案の下敷きとしました。

文構造："I can see..."

図画工作：街の中の風景のコラージュ
子どもたちは，車や建物の絵を描き，その名前を言ってから，コラージュ画面にはりつける。

チャンツ："The Traffic Rhyme"
（乗り物の名前の復習）

道路交通に関する既習語彙：
cars, busses, taxis, lorries, bicycles, motorbikes

街の中で

環境文字：STOP, SLOW GO, PARKING

お店：supermarket greengrocer, shoe shop

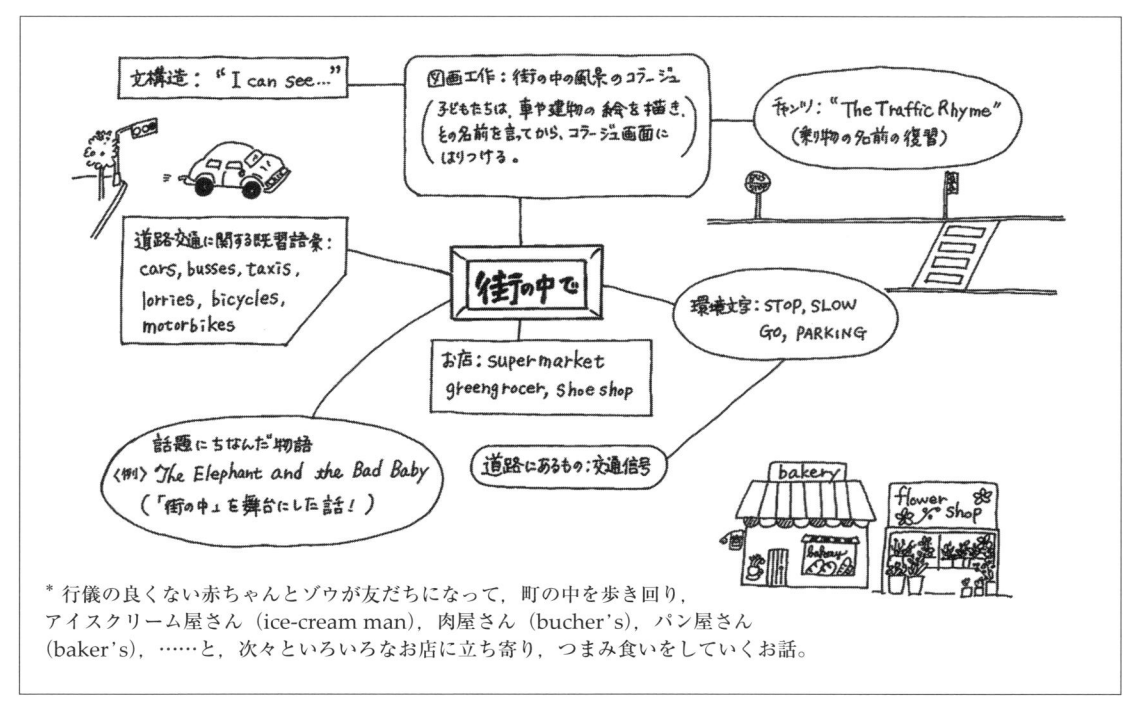

話題にちなんだ物語
〈例〉The Elephant and the Bad Baby
（「街の中」を舞台にした話！）

道路にあるもの：交通信号

* 行儀の良くない赤ちゃんとゾウが友だちになって，町の中を歩き回り，アイスクリーム屋さん（ice-cream man），肉屋さん（bucher's），パン屋さん（baker's），……と，次々といろいろなお店に立ち寄り，つまみ食いをしていくお話。

図表5.4：マナブの「マインド・マップ（話題連想図）」

「指導プログラム」の第1案の下敷きとなった「マインド・マップ」を見ながら，マナブの説明にじっと耳を傾けていた先生は，おもむろに切り出します。

シーラ　そうね。いまの段階でのプログラム案は，ちょっと意気込みすぎっていう感じかな。気持ちは，よくわかるけど。

マナブ　そうですか。たとえば，どんなところが「意気込みすぎ」なんでしょうか？

シーラ　全体的に，盛り込みすぎなの，わかるかしら？　ぎっしりつめ込んでいて，窮屈な感じがするわ。たとえば，一番簡単なことから見ていくと，新年度の第1時間目の授業は，1年間の授業のやり方を子どもたちに説明したりする「今年もまたよろしくね！」的な授業になるので，普通に授業を展開することはできないのではないかしら。

マナブ　そう言えば，そうですね。新年度の1時間目から普通に授業したりしないですよね。トピックにちなんだアイデアをいろいろと思いついて，活動をどんどん展開することだけに目がいっていました。こうして，教室を離れて大学で勉強していると，普段だったらあたり前のことに気がつかなくなってしまうことがあるのですね。

シーラ　それは，無理もないわ。でも「指導プログラム」というのは，教室で実

5.3　オリジナルの「指導プログラム」を作成する　　205

　　　　　際に子どもたちと出会うときに，その真価が問われることになるの。つまり，「指導プログラム」の最終的な形というのは，現場の状況についての判断によるところが大きいのよね。
マナブ　確かに，45分の授業の活動内容としては，あまりにも盛りだくさんになってしまっているかもしれません。「街の中を見渡してみよう（Look around you in the street.）」というトピックを2，3時間につめ込んで終わらせてしまうのではなくて，このユニットの指導内容の一部を別のユニットに移動して，何週間かにわたって少しずつ扱ったほうがよいのかもしれませんね。
シーラ　そう。交通，お店，広告，……などといった「街の中」で出会ういろいろな物事を，一つひとつ別の授業で焦点を当てていくようにすれば，子どもたちも，「なんか，毎回同じことをやっているな……」という気分にはならないのではないかしら。
マナブ　そうですね。そうしながら，ひとつの授業に出てきた単語や表現を，次の授業でくり返して使い，子どもたちに思い出させるように仕組むことができるといいのですね。
シーラ　よいところに気がついたわね。でも，そのような展開を1年間通して続けて積み上げていくとすると，子どもたちが，前の授業に出てきたことばにくり返し触れながら，同時に新しいことばとも出会うように仕向けなければならないわけなの。そうするためには，ただ，指導するトピックの展開に応じて，自然に浮かび上がってくることばを並べていくだけではだめで，学習上のねらいを持って意図的に選んだ語も，うまくすべり込ませるようにしないとだめね。1年間を見通して，こうした「計算」を働かせていくのはなかなかたいへんなことだとは思うけれど，学習の効果という点で，それだけの見返りはあると思うわ。
マナブ　「読み・書き」の欄は，どうですか？　子どもたちが街で実際に見かける「道路標識」の英語をたくさん集めることができて，出だしとしては結構うまくいったと思っているのですが。
シーラ　そうね，このアイデアはいいと思うわ。環境文字を活用しようということよね？　でも，もうひとつ，最初に目標として掲げた，「他教科の内容と関連付けて英語を教える」という観点を忘れていない？
マナブ　ああ，そうでした。その観点もプランに盛り込まないといけませんでした。プログラム案にもうひとつ，「教科横断活動」という欄を付け加えることにします。
シーラ　そうすれば，目標として考えていた項目がちゃんと入るわね。プログラム案を作るときには，たいていは，マナブのいまのやり方でいいと思うわ。案を考えていくうちに，プログラム表の右端に，一つ，また一つという具合に，だんだんといろいろな種類の構成原理が付け加えられていくことになるの。これらの構成原理の組み合わせ方は無限にあるけれども，実際に操作できる構成原理の数としては，4個から6個を優先項目として選ぶのが現実的だと思うわ。
マナブ　いろいろなアドバイスをありがとうございます。では，来週までに「指導プログラム」の第2案を練ってきます。

シーラ　がんばってね！
マナブ　ありがとうございます。

　先生が言うように，今日では，ひとつだけの構成原理を基にした「指導プログラム」は，十分なものではないと考えられるようになっており，早期英語の教科書は，通常，多面的な構成（multi-dimensional course outline）を下敷きにして作成されています。たとえば，すでに見たマナブの「指導プログラム」の第1案（図表5.3）や次ページに紹介する第2案（図表5.5）には，文法や言語スキルのための欄もちゃんと入っています。これらは中心的な構成概念ではありませんが，そのひとつとして組み込まれているのです。このようにして，複数の構成原理が，互いに横のつながりを持ちながら，それぞれの原理の内部でも連続性を持ったくり返しのサイクル（つまり，縦のつながり）を確保しようとしているのです。

(7)　毎時間の授業計画

　「指導プログラム」全体の概略ができ上がると，いよいよ毎時間の具体的な授業計画を立てる作業に入ります。ここで，先生は3つの注意点をマナブに指摘します。

マナブ　毎回の授業の指導案を立てるときには，どのようなことに気をつけたらよいのですか？
シーラ　そうね，その段階で注意してもらいたいことは3つあるわ。
マナブ　「3つ」と言いますと？
シーラ　まず，第1点目は，せっかく苦労して作った「指導プログラム」の概略に書いてあることを，毎回の授業案の中で実際に実行できるようにすることね。
マナブ　ちょっと生意気かもしれませんが，それは，あたり前のことではないですか？
シーラ　マナブの言う通りなのだけれども，実際にやってみると，それほど簡単なことではないはずよ。
マナブ　それは，また，どういうわけなのですか？
シーラ　いろいろな人の「指導プログラム」で，いざ，毎時間の具体的な授業計画を立てようというときになって，案の段階で計画していた活動や言語材料をうまく盛り込むことができないことが起こりがちなの。
マナブ　そうなると，困ってしまいますね。
シーラ　そんな場合，「指導プログラム案」そのものに何か問題があるのか，授業計画の立て方がまずいのか，どちらかになるけれども，たいていは，「プログラム案」そのもののほうに問題があるものなの。
マナブ　つまり，実際に授業計画を立てようとしてみると，「指導プログラム案」に含まれる問題点が浮き彫りになるというわけですね。先生のおっしゃることの意味がよくわかりました。それでは，2つ目の注意点というのは，どのようなでしょう？
シーラ　2点目は，年長の子どもたちを教えるときによく使う「PPP」形式の授業に慣れている指導者には，とくに注意してもらいたいことなの。

実施時間	Unit/Lesson	内容					
		トピック	語彙	語法・文構造	読み・書き	主な活動	教科横断活動
第1回 4月 第2週	イントロダクション	・今年もヨロシク ・トピック「街の中：乗り物」の紹介					
第2回 4月 第3週	Unit 1 Lesson 1	街の中：乗り物	[新出語彙] traffic lights Stop Go Slow [復習語彙] red green yellow	[子どもに聞かせる発話] ・You can go! The light is green. ・Stop! The light is red.	・道路標示 STOP SLOW GO ・音と文字の関係 /s/ - s stop/slow	・ゲーム 交通信号ゲーム	「体育」の時間：交通信号ゲームを行う。
第3回 4月 第4週	Unit 1 Lesson 2	街の中：乗り物	[新出語彙] car - taxi bus - lorry	[子どもに聞かせる発話] ・Look at all the traffic! ・You can't move. [既習事項] ・複数名詞 car - cars bus - buses ・can/can't	・道路標示 BUS TAXI ・音韻認識 /ou/ slow / go	・チャンツ The Traffic Rhyme ・コラージュ活動：街の中の風景を描いたコラージュを作り始める。	「図工」の時間：コラージュ 「街の中の風景」を引き続き製作。
第4回 5月 第2週	Unit 1 Lesson 3	街の中：乗り物		[子どもに聞かせる発話] ・Look right. ・Look left. ・Look right again. ・Is it clear? ・Then go.	・交通信号標示 GO / DON'T GO …	・道路交通ロール・プレイ：「乗り物」役と「歩行者」役になって活動。 ・道路標示文字活動：コラージュの絵の中に道路標示の文字を記入。	・交通安全教育：英語の時間に製作したコラージュ「街の中の風景」を使って，日本語で交通安全について話し合う。

図表5.5：マナブの「指導プログラム案」（第2案）

マナブ 「PPP」とは，「提示（Presentation）→ 機械的な練習（Practice）→ 自由な発話（Production）」という授業の流れのことでしたでしょうか？

シーラ その通り。よく覚えていてくれたわ。この手法は主に「話すこと」の指導を念頭に置いて作られていて，「聞くこと」など，ほかのスキルを伸ばすことはあまり考えに入っていないの。聞くことを伸ばすための授業では，また別の枠組みが必要になってくるわね。

マナブ 私も，ときどき，その日にやる活動に使う対話例を覚えさせて，練習をさせるような場面で，PPP タイプの導入形式を行ってしまうことがあります。

シーラ 早期英語の教科書にも，PPP タイプの枠組みをそっくり利用しているものをたくさん見かけるわ。そのような教材では，物語に耳を傾けたり，指導者の指示に従って工作をするといった，これまでに，私たちが話し合ってきた「子どもにやさしい活動」を取り込もうという試みがされていないことが多いわね。

マナブ たしかに，子どもたちとの授業を展開するには，「PPP」のほかに，たくさんの「子どもにやさしい」やり方があるわけで，ワンパターンの授業になることは避けたほうが賢明ですね。まだ，3 点目の注意点がありましたよね？

シーラ 3 点目は，「授業内容の量」と「授業の時間」の関係についてなの。

マナブ と言いますと，……？

シーラ 1 回の授業の中に盛り込むことのできる学習項目や体験活動は，当然，授業の頻度と毎回の授業の長さに左右されることになるわね。そして，子どもたちは，学習したことを，次の時間までに忘れてしまいがちなので，適度にくり返しを入れることが必要になるの。

マナブ そうすると，かなり，綿密な授業プランを立てなくてはならないことになりますね？

シーラ 一番賢明なやり方は，それぞれの活動にかかる時間をおおよそ予想して授業計画を立てておき，実際の授業の中では，臨機応変に対応する心構えを持つことね。

マナブ 教師になりたてのころは，一生懸命に授業プランを立てても，実際の授業場面の流れに押し流されるような形で，いつも中途半端な授業に終わっていたような記憶があります。

シーラ みんな，そのような試行錯誤をしながら経験を積んで，毎時間の授業のやりくりをして，「指導プログラム」全体のプランを微調整することができるようになるのよ。そして，将来，「指導プログラム」を立案するときには，より現実的なものを作ることができるようになるわ。

次ページの授業計画（図表 5.6）は，マナブの「指導プログラム」の第 2 案の中で，第 2 回目の授業を実施するために立ててみたものです。この計画では授業の始まり，中間，そして終わりがはっきりと分かれていますが，だからと言って，「提示→練習→発話」の単純な PPP パターンに沿っているわけではありません。

	第2回／4月／第3週
トピック：	Look around you ... in the street. traffic
ねらい： 新しいことば：	'Stop!', 'Go!' のような短い指示を聞いて反応する。 traffic, lights, slow
復習：	red, green, yellow, stop, go, bus, car, taxi
文法・語法：	You can go! The light is green. Go slow. The light is yellow. Stop! The light is red.
使用する教材・教具：	窓から見える景色（窓から外の通りを眺めることができない教室での授業の場合は，にぎやかな通りを写した大きな写真などを使うとよい） フラッシュ・カード1：赤信号，青信号，黄色信号のように，色を塗った円形を描いた大きなカード フラッシュ・カード2：英語の道路標識のように，大文字でSTOP, GO, SLOWと書いてあるカード
授業前の準備：	机と椅子を部屋の中央に少し寄せて，壁沿いに通行できるスペースを作っておく。
0分〜5分	<u>ウォーミング・アップと復習</u> 〔車の往来の激しい通りを見下ろす3階の教室の場合〕子どもたちを窓のほうへ来させて，'Look! What can you see?' と問いかけ，前年学習した単語をできるだけたくさん子どもたちの口から引き出す。（予想される語の例：cars, buses, people）
6分〜20分	<u>道路交通ゲーム（The Traffic Game）</u> 子どもたちを2列で教室の回りにぐるっと並ばせる。'You are buses, cars, trams, taxis. You are traffic.'（みんな，バスや車や市電やタクシーみたいな乗り物になるんだよ）と指示する。青信号のカードを見せて，'You can go! The light is green.'（信号が青だから，進め！）と指示する。子どもたちは指示に従って前進する。黄色のカードを見せて，'Go slow. The light is yellow.'（黄色のときはゆっくり）と言う。赤のカードを見せて，'Stop! The light is red.'（赤だから止まれ）と言う。子どもたちが教室を歩き回っている間，指導者は横に立って「信号」になる。赤・青・黄の信号カードを次々と掲げ，カードの色に合わせて 'Stop!', 'Go!', 'Slow!' と言う。生徒は，その指示に従う。しばらくそれを続けた後，色のカードを見せないで，'Stop!', 'Go!', 'Slow!' とことばだけで指示をする。さらに，赤・青・黄の信号カードの代わりに，STOP, GO, SLOW という文字だけを書いた信号を見せて，指示に従わせてもよい。
21分〜終わり	<u>読むこと・書くことの活動</u> STOP, GO, SLOW の3つの単語カードを見せて，子どもたちがそれを声に出して言うことができるかどうか試してみる。STOPとSLOWという語の最初にあるSの文字に子どもたちが気づくように仕向け，/s/ の音を出させてみる。授業の最後に 'OK, you can GO!'（じゃ，もう出て行ってよろしい！）と言って，交通整理の人のように腕を振って子どもたちを誘導し，退室させる。

図表5.6：「指導プログラム案」（第2案）の授業計画（一部）

計画した「指導プログラム」を実際に教室で使ってみる瞬間というのは，いつでも新鮮な驚きでいっぱいです。この驚きこそが指導者にとっては，自分が計画した教材をより良いものにするための，またとないきっかけを与えてくれるのです。自分では簡単なことだと思っていたことが，子どもたちにとっては難しかったり，子どもたちに「受ける」と思ったのに，まったく「はずれ」だったということが必ずと言ってよいくらいあります。反対に，ちょっと月並みだなと自分では思っていた活動が，すごく盛り上がったというようなこともあります。結局のところ，あらゆる「指導プログラム案」は，それが教室で実際の子どもたちに出会う瞬間までは，仮のものにすぎないということになるのかもしれません。

注　釈

[1] たとえば，日本における『英語ノート』〔現在では改訂版の"Hi, friends!"〕も国で定めた指導要領の方針を具体化した教材の例と考えることができるであろう。

[2] インドネシアなどのイスラム教の国では，ブタは不浄な存在として食材から避けられているようなことから，アジア地区を販売対象とする一部の教科書では，ほかの動物は登場しても「ブタ（pig）」を登場させないといったケースもある。

[3] たとえば，Susan Halliwell の著書 Teaching English in the Primary Classroom（小学校における英語指導）(Longman, 1992 年) の pp. 114-115 に教材選びのためのチェックリストの例が示されている。

[4] 小泉清裕．2009．『子どもと親と先生に伝えたい 現場発！ 小学校英語』（文溪堂）

[5] 「このようなやり方を（学校生活全般への英語の）埋め込み（embedding）」と呼ぶ研究者もいる（例：Sharpe, 2001）。

[6] 小泉清裕．2002．『みんなあつまれ！ 小学生のえいごタイム（小学校4−6年編）』（アルク）などに見られる活動。

[7] Shelagh Rixon, 1990. Tip Top 1. (Macmillan) の Unit 4 Lesson 2 に見られる活動。

[8] Junior Columbus 21 Book 2（東後勝明他（編）光村図書，2004 年）の Unit 5 の活動。

[9] Clift, M. 1976. Teaching Observed. British Council.

[10] Mohamed, S. 1999. Smile 5, Macmillan Heinemann.〔Unit 3〕

[11] Shelagh Rixon 自身も，彼女が執筆した教科書 Tip Top 4 の中で，恐竜をトピックとするユニットを設け，比較・対照・因果関係の把握といった論理と思考の力を養う活動を展開している。また，この例のように，話題としての「恐竜」という単なるアイデアに留まる場合や第7章第3節で触れるマザーグース（伝承童謡）のようなものは，社会全体の公共財産（パブリックドメイン）に属するものとして，著作権違反の対象とはならないが，通常の著作物などの利用については十分に注意をされたい。

[12] マナブが，イギリス留学のために休職に入る前に日本で教えていた小学校は，国際理解教育特区にある小学校で，1年生から始まって全学年，毎週1時間の英語活動を実施していた。

[13] この点についてはマナブの怠慢なのかもしれない。日本各地の公立小学校の 418 人の先生を対象とするある調査（小林・宮本・森谷，2010 年）では，回答者によるコメントから抽出されたキーワードと，学習指導要領の小学校外国語活動の目標の文言との間に多くの共通点が見られた。

[14] 日本人が英語を学習するときには，文字が異なることは当然のこととして疑問に思わないが，母語と学習する外国語が文字を共有している例はたくさんある〔フランス語と英語など〕。その場合には，母語の読み書きの力が，新しい外国語の読み書きの力の習得にかなり影響を与えることが予想される。

[15] 文部科学省の『英語ノート』では，6年生用の『英語ノート』②の Lesson 1 でアルファベットの大文字，Lesson 2 で小文字に触れさせ，「町の絵からアルファベットの文字で書かれた表示を選んで書き写そう」といった活動が取り入れられていた。同様に改訂版の"Hi, friends!"でも，5年生用①の Lesson 6（What do you want? アルファベットをさがそう）でアルファベットの大文字，6年生用②の Lesson 1（Do you have "a"? アルファベットを作ろう）でアルファベットの大文字と小文字に触れさせ，街の絵からアルファベットの文字を探させたり，書き写させるなどの「環境文字」を利用した活動を取り入れている。

第 6 章　子どものための評価

6.1　評価とは？
6.2　評価の目的
6.3　指導と評価
6.4　筆記テストの問題点

注釈1（p. 237 参照）

どのような教育活動においても，学習者の学びを確認することは大切です。つまり，教育と評価[1]は切り離すことのできない表裏一体のものです。だからと言って，子どもたちを評点で序列化することのみが評価ではありません。この章では，評価の基本概念を理解したうえで，子どもにやさしく，教室での指導と密接に結び付いた評価のあり方について考えます。

この章を読む前に

1. 現在，子どもたちに英語を教えている中で，学習の進み具合を評価していますか？
2. もし評価しているとしたら，その主な理由や目的は何ですか？　誰が評価の結果を見ますか？
3. 評価するために，子どもたちにどんな活動をさせますか？　答えは1つでなくてもかまいません。
4. 評価の結果は，どのような形で示しますか？（例：点数やパーセント，A，B，C などのグレード，コメントなど）
〔現在，実際に子どもたちを教えていない人は，教えていることを想定して，自分ならどうするか考えてみましょう〕

この章のキーワード

本文の左の欄外には，
　□ **集団基準準拠の評価**（norm-referenced assessment）
などの「キーワード」が提示されています。まずこの「キーワード」を見て，わかる用語の□にチェックマーク（✓）を入れながら読み進めてください。わからない用語があったら巻末の「キーワード解説」で確認しましょう。

6.1 評価とは？

この節では，まず，子どもにやさしい評価の基本的な概念についてシーラ先生とマナブのチュートリアルが進みます。

マナブ 先生，こんにちは。今日は，評価についてお話を伺えるのでしたよね。評価というと，数字ばかり出てきそうで，何か難しそうな気がするのですが。

シーラ 多くの人が，評価と聞くと，学校時代のテストの思い出がトラウマのようになっていて，あまりいいイメージを持っていないようだわね。

マナブ そうなんですよ。テストって聞いて，喜ぶ人はいませんからね。

シーラ でも，本当は評価というのは，点数を付けて子どもたちを序列化することが目的ではないの。もっと子どもたちの目線に立った，子どもにやさしい評価というものもあるのよ。大人や中・高生が慣れ親しんでいるテストの「子ども版」みたいなものを作って，それで間に合わせるようではだめなのよ。今日は，そのあたりを詳しく話しましょうね。

マナブ 楽しみです。

シーラ たとえばね，普段教えていて，いつも宿題をしてこない子やどうも気が乗っていなさそうな子に気がついて，そういった子どもたちの様子をとくに注意して観察することって，あるでしょう？

マナブ はい，あります。

シーラ じつは，それも評価の一部なのよ。

マナブ えっ？ どうしてですか？

シーラ 評価というのはね，学習者について，学習している科目や内容に関しての知識や技能が，どのくらい身に付いたか，これからどのくらい伸びそうか，総合的な力はどのくらいなのか，といったことを知るために，体系立てて情報を得ることなのだけれど，そういった情報を得るためにはいろいろな手法があるのよ。

マナブ 子どもたちの学習の進み具合を知るためにいろいろな方法で情報を集める，ということですか……？

シーラ そうなのよ。行き当たりばったりではだめだけれど，ある一定の方針とか，指標とかを持って情報を集めることで，一人ひとりの子どもたちが，どのくらい伸びているか，あるいは，どこでつまずいているか，といったことが少しずつ見えてくるわけ。そんなふうに情報を集めて，その情報に基づいて，子どもたちの学習具合について判断することが，広い意味での評価なのよ。

マナブ そうですか。そうすると，紙と鉛筆を使った，いわゆるペーパーテストだけが評価ではないわけですね。たとえば，授業の中で，活動中の子どもたちの発音を聞いてみて，「あ，この子は前の時間に比べてずいぶん上手になったな」とか，「この子はこの音がまだ苦手のようだな」というふうに思うのも，評価と考えていいわけですね。

シーラ そうよ。ただ，大切なのは，さっきも言ったように，行き当たりばったりではなくて，今月はこの音の発音ができるようになるかどうかとくに

注意してみよう，とか，伸び悩んでいる子どもたちの問題点を普段の授業態度の観点から探ってみよう，といったふうに，前もって計画したうえで観察したり，変化の様子をきちんと書き留めておく，といったことをすることが大切なのよ。そうすることで，より正確な判断ができるようになるの。

マナブ　指導をしながら，同時に目配りする，といったような感じですね。
シーラ　いい表現だわね，まさにその通りよ。

6.2 評価の目的

(1) 誰のために評価をするのか？

先生は，子どもにやさしい評価とは何か，ということについて説明した後，良い評価について考えるとき，まず，何のために評価をするのか考えることが必要だと述べます。その目的によって，どのような評価をしたらよいのかが決まってくるようです。また，誰のための評価なのか，ということを考えることによって，評価の形態や内容が変わってくると続けます。

マナブ　評価の目的って言ったら，子どもたちの学習がどのぐらい進んでいるかを知ることではないのですか？
シーラ　もちろん，それも大切な目的だけれども，誰がその情報を知りたいのか，ということを考えてみると，もう少しはっきりするかもしれないわ。
マナブ　たとえば，教師だとしたら，みんなちゃんと授業がわかったかどうか，わからなかった子はいないか，自分の教え方に問題はなかったか，といったことを知ることも目的になるのでしょうか？
シーラ　そう，その通り。そのほかにも，子どもたちの間に能力の開きがないかどうか，もしとび抜けて学習が進んでいる子どもがいた場合には，別のクラスに分けたり，別の教材を与えるようにしたほうがいいかもしれない，と判断できるでしょう？
マナブ　教師以外に，子どもたち自身もテストの成績はとても知りたいですよね。
シーラ　そうよね。ただ，テストの成績から何がわかるのかしら？
マナブ　と言うと？
シーラ　テストの点が良かったとか，悪かったという以外に，たとえば，がんばって覚えた12の月の名前が正しく言えたかどうかとか，学校で勉強する科目の名前をいくつ覚えられたか，というように，もう少し具体的なことがわかると，次に勉強するときの参考になると思わない？
マナブ　ええ，そうですね。でも，そういうことって，何かあたり前すぎて，思いつきませんでした。たしかに，テストでできたところや間違ったところをよく見返すことで，そういう情報が得られるのに，私たち教師も子どもも点数だけに固執して，せっかくの貴重な情報を見逃しているような気がしてきました。

ここで，先生は，評価の目的や意義を忘れて，点数や評定だけにとらわれすぎないように警告します。きちんと目的や意義を把握することで，もっと貴重な情報を役立てることができるはずであることを強調し，評価を必要と

する人ごとにそれぞれの目的を以下のようにまとめます。

評価を必要とする人	評価の目的
教師	学習したことがきちんと理解できているのかどうか，復習が必要な部分はどこかなどの情報を得るため。
教師や事務担当の人	新入生を適切なレベルのクラスに入れたり，大人数の学習者をレベル別のクラスに分けたりするため。
親	子どもたちが，英語のクラスでちゃんとやっていけるのかどうか知るため。とくに，学費を別途支払って，民間の英語学校などに子どもを通わせている場合はこの傾向が強い。
子ども自身	自分の学習の具合を知るため。親や先生の判断に任せることが多いが，自分で自分のでき具合を考える自己評価の判断材料にする。
子ども自身，親，学校	評価の結果を，進級や入学試験など，子どもたちの将来へのパスポートとして用いるため。英語の成績は，子どもたちの進路決定にかかわるので，子どもばかりでなく，親や学校も強い関心を持っている。
教育委員会や文科省などの機関	教師の勤務評定や学校の評価のために使う。

図表 6.1：評価の目的

ここで先生は，このようなリストを，そのまま子どもたちに知らせる必要はなく，子どもなりのことばで理解することが大切であることを説明します。

マナブ こうしてみると，評価というのはずいぶん幅の広いもので，多様な目的を持っているということがわかりますね。ただ，子どもたちは，評価にはこんなふうにいろいろな目的があるという点について，難しいことを言ってもわからないと思うのですが。

シーラ それはそうよ。こういったリストは，指導や評価をする大人が，その目的をしっかりと認識するために必要なのであって，子どもたちは，抽象的なことばではなくて，子どもたちなりの視点で，評価というものを見ているわ。私が以前教えた子どもたちに，「英語のテストは必要だと思う？」って聞いたときに，どんなことを言ったか紹介しましょうか。

マナブ ええ，どんなことを言ったのでしょう？

シーラ みんな，「テストは必要だと思う」と答えたの。その理由として，「僕たちが英語をちゃんと覚えたかどうか，先生が知りたいから」とか，「いい点を取りたいから，がんばるんだ，そうすれば，上手に話せるようになるんだ」「テストがあると，よく勉強するようになるから，いいと思う」というようなことを言っていたわ。

マナブ なるほど。まさに，先ほどのリストのいくつかを，子どもたちのことばで表現していますね。

シーラ　そうでしょう？　評価というものについて，それまでにどんな経験をしてきたかで，子どもたちが考えることや期待することは違ってくるかもしれないけれど，少なくともこの子たちは，先生が出す課題や問題に取り組むことで，自分たちの学習の進度を示してくれる包括的な指標が得られると思っているようだし，もっと一生懸命がんばるためのきっかけになっているようだね。

マナブ　まったくその通りですね。でも，授業中に先生が出す課題であれば，学習の進度の指標というように考えられるかもしれませんが，やはり，テストというと，学年での順位とか，入学試験といった，何か怖いものという印象が強いように思うのですが。

シーラ　マナブの言うように，「テストは怖いもの」と感じる学習者は多いと思うわ。でも，なぜ，怖いのかを考えてみたことはある？

マナブ　それは，たとえば入学試験のように，テストの結果が，私たちの人生を左右してしまうような大きな影響力を持つことがあるからではないのでしょうか？

シーラ　そうね。たしかに入学試験は影響が大きいわよね。

　次に，先生は，「影響の小さい評価」と「影響の大きい評価」について，次のようにまとめています。

シーラ先生のひと口メモ
「影響の小さい評価」と「影響の大きい評価」

　進級や選抜の判断のために評価の結果を使うことがあります。進級できるかどうかを判断するのに，英語の成績が重要な位置を占めることもあります。したがって，評価の結果が，子どもの将来を左右するような，とても大きな意味を持つものなのかどうなのか，ということも，評価を考えるときには重要な項目になってきます。一定の成績が取れなかったら落第というような制度は，あまり望ましいとは言えませんが，そういう制度のある国もあります。

　もし進学のために選抜制度があって，英語が必要な教科だとしたら，その試験で，上位の成績を取った子どもたちが選抜されることになります。このように将来への影響の大きい評価では，英語学習が進んでいる子どもと，あまり進んでいない子どもの区別をしっかりとできるような方法でないと困ります。

　それに対して，将来の進路や人生にはそれほど大きな影響を与えないような評価があります。先ほどの子どもたちが言っていた，授業の中で先生が実施する評価や復習テストのようなものです。子どもたちが，どんなところでつまずいているか，といったことを診断するための評価というものもあります。ただ，こういった影響力が小さい評価も，将来の進路を決めてしまうといった大きな影響はないかもしれませんが，フィードバックの与え方やその内容をよく考えないと，子どもの心を傷つけたり，やる気をなくさせたりするので，気をつけないといけません。成長期の子どもにとっては，教師のひと言ひと言がとても大きな意味を持つのです。

マナブ　評価というのは責任重大ですね。軽々しく点数を付けてはいけないのですね。

シーラ　進級や入学試験などの選抜試験の話に戻るけれども，たとえば，進級できるのが100人と決まっていた場合，テストの成績で上位100人の子どもが合格ということになるわよね。そういった場合，その100人の子どもがどのくらい英語力があるか，といったこととは関係がないことなの，わかる？

マナブ　ええ。とにかく上から100人ということで，テストが難しければ，かなり低い成績の子どもも合格してしまうし，反対に，たまたまその年，成績の良い子が多かった場合には，普段だったら合格するような学力を持った子でも，不合格になってしまう，ということですよね。

□ 集団基準準拠の評価〔相対評価〕

シーラ　そうなのよ。この場合には，全体の中での順番が何よりも意味があるの。このような評価を「**集団基準準拠の評価**（norm-referenced assessment）」と言うのよ。

マナブ　何だか，難しいことばですね。

シーラ　受験生全体の中で，どのくらいの位置にいるのかが一番の関心事なの。だから「集団」が基準になっている評価と思ってもらえばいいわ。

マナブ　それって，日本でよく使われている偏差値みたいなものでしょうか？

□ 目標基準準拠の評価〔絶対評価〕

シーラ　イギリスでは，偏差値というものはほとんど使わないけれども，だいたいそんなふうに思ってもらえたらいいと思うわ。でも，学年でトップと言っても，本当のところ，いったい何ができるのかはわからないわけよね。こういった競争をあおるような評価がよく使われるものだから，評価というと，競争するものというふうに考えられがちなのだけれど，そのような狭い見方は間違っているわ。そのような評価に対して，「**目標基準準拠の評価**（criterion-referenced assessment）」というものもあるのよ。

マナブ　また，舌がもつれそうなくらい難しいことばですね。それは，どういうものですか？　先ほどのものと逆のものと考えると，クラスや学年での順番よりも，何ができるかということを基準にする，ということですか？

シーラ　そう，そうなの。達成目標をあらかじめ決めておいて，その目標に達したかどうかということを基準に判断するような評価と思ってもらえたらいいわ。

マナブ　たとえば，1から30までの数を全部英語で言えたら「A」，少し間違えただけなら「B」，といったようなことを考えたらいいのでしょうか？

シーラ　その通り。こういう評価のときには，もし全員が上手にできたら，全員が「A」をもらえることになるの。子どもたちは，ほかの子どもと競争をするわけではなくて，はっきりとした目標に向かって少しずつ努力して進歩していけば，良い成績が取れるようになるわけ。目標がはっきり見えているから，子どもたちも努力のしがいがあるし，子どもたち全体の学力を上げたいときには，とても有効な手段だと思うわ。

マナブ　教師は，普段からこういう評価は自然にしていますよね。ただ，それをきちんと点数化して，学年の成績に入れるというようなことはあまりしないですね。それに成績に入れるとなると，みんなができてしまったら，

	あまり差が出なくなってしまいませんか？
シーラ	そのためには，やさしい課題から，少し難しい課題まで，うまく組み合わせておいたらいいわ。達成目標を注意深く考えて設定していくことで，子どもたちも取り組みがいのある評価ができると思うの。さっきマナブが言ったような1から30までの数が言えるかどうか，といった単純なものだけでなくて，もっといろいろ複雑な要素を組み込んでいくことができるんじゃないかしら。何ができたら，どのグレードといったことを，子どもたちにわかりやすいことばでまとめて示してあげると親切だわね。こんなのはどうかしら？　スピーキングの達成目標をまとめたものなのだけれど。

金レベル	・自分の好きなもの，嫌いなもの，興味があるものなどについて，先生と短い会話ができる。 ・友だちが，どの絵のことを言っているのかわかるように，絵について話すことができる。 ・相手に，とてもわかりやすい話し方と思ってもらえるような，はっきりとした話し方ができる。
銀レベル	・自分の好きなもの，嫌いなもの，興味があるものなどについて，先生の質問に答えることができる。 ・友だちや先生が聞いてわかるように，はっきりと英語が話せる。
合格レベル	・絵に描いてあるものについて，先生の質問に答えることができる。 ・友だちや先生が聞いてわかるように，はっきりと英語が話せる。

図表6.2：スピーキング力の目標の一例

シーラ	ここで大切なことは，「合格レベル」はクラス全員が到達できるようなものを設定して，余裕のある子どもが，もっと上を目指すことができるような仕組みにすることね。
マナブ	なるほど。みんなが合格できるようなレベルをまず考えて，さらに高い目標も作ってあげると，力のある子どもにもやる気を起こさせるというわけですね。
シーラ	そう，子どもの評価は，やる気をなくさせないような工夫が必要なの。

(2) 「外部評価」と「内部評価」

　次に先生は，教室で教師が行う評価（内部評価）と，外部機関が実施する評価（外部評価）について，話題を持っていきます。そこでは，テストが持つ，学習や指導に対する影響についても説明します。テストの内容いかんで，望ましい指導が実践されるようになったり，その逆に，偏った指導になってしまうこともあるようです。

シーラ	マナブは，評価には教室で教師がするものと，外部の機関に実施してもらうものがあるのを知っているかしら？
マナブ	ええ，それは，いわゆる「内部評価」と「外部評価」ですね。ただ，「外部評価」となると必ずしも，いつも先生が好きなように評価ができるとは限りませんよね。

シーラ　ええ、そうね。子どもの評価では、実際に指導をしている先生が行う評価がとても大切だと思うのだけれど、前に挙げた評価の目的のリストにもあったように、外部の査定とか、進級や選抜が目的のときには、外部機関が評価を実施することがあるわ。そういうときには、先生も子どもたちも、その評価の中にどんな課題があるのかわからなかったり、合格ラインがどう設定されているのかわからなくて、とても不安になるものよね。だから、テストを実施する機関は、評価の概要や合格基準をできる限り公表して、先生や子どもたちの不安を少しでも取り除く工夫をすることが必要になると思うの。そうすれば、先生たちは、外部機関の評価が適切かどうか、その是非について検討することだってできるわ。

マナブ　日本では、中学生や高校生ならば、入試問題などの過去の問題や似たような形式の問題集がたくさん出回っていて、テストの内容や形式がわからなくて不安になる、ということはないのですが、教科書の内容や指導要領の目標よりも、入試に出ることばかり教えてしまったり、また生徒たちも入試やテストに出ることだけを学習しようとする、といった行きすぎのきらいがあります。

□ **波及効果**

シーラ　ああ、それは「**波及効果**（washback effect）」と呼ばれる現象ね。評価の対象となっている内容や項目だけを教えたり学習したりする、というのは、評価やテストが指導や学習に影響を及ぼしていることになるわけなの。

マナブ　まさにそうなんです。たとえば、指導要領でいくら口頭のコミュニケーション能力の育成が重要と言っても、大学入試にスピーキングテストが入っていないと、高校の2、3年生になると、生徒たちは口頭の練習活動など見向きもしなくなってしまうし、教師も、入試に直結した問題練習のほうが効果があるということで、予備校の授業のようになってしまうことが多いのです。

シーラ　波及効果には、「望ましい効果」と「望ましくない効果」があって、テストが指導目標に合っていれば、教室での活動も同じ方向に行き、良い結果が生まれるのに対して、いま、マナブが言ったように、本来の指導目標からずれた内容や偏った内容のことしか評価しないと、教室での活動がテストに合わせて偏ったものになってしまうのよね。そうすると、本来目指していた目標を達成することは難しくなってしまうの。

マナブ　どうしたら、良い波及効果を生み出せるようになるのでしょうか？

シーラ　まず何よりも大切なことは、テストや評価の内容を指導の目標や目的に照らして、よく吟味することね。口頭のコミュニケーション能力を伸ばすことが指導目標の一つに入っているのだったら、実際に話させるような課題を評価に組み込むべきでしょうね。評価の中に何を含むか、ということで、教師や教育機関は何を重要視しているのか、学習者に暗にメッセージを送ることができるの。

マナブ　なるほど。評価というのは、言ってみれば、間接的な指導目標なのですね。

シーラ　そう、それも、とても強力な指導目標ね。以前、私がかかわった調査で100人以上の先生たちに指導目標と評価の内容について聞いたことがあ

	るの。全員が，話したり聞いたりする能力がとても大切だと言っていたのに，話したり聞いたりする活動を評価の中に取り入れていると答えた人は一人もいなかったのよ。伝統的な文法や語彙の筆記テストをしているらしいの。ほかの教科の評価方法との整合性も大切なので，なかなか筆記テストから脱却することが難しいのかもしれないけれど。
マナブ	日本だけではないのですね。
シーラ	もう一つ，良い波及効果を確保するためにできることは，外部評価でも，最新の言語能力理論に基づいて，内容的にバランスのとれた評価をしているものを見つけるといいわ。そうしたら，実際の学習目標や学習内容もそれに合わせて，バランスのとれたものになってくるのではないかしら。
マナブ	たしかにそうですが，でも，難しそうですね。
シーラ	日本ではあまり知られていないかもしれないけれど，ケンブリッジ大学の組織の一部で言語評価を専門にしている部門*があるの。その機関が作っている英語検定試験は，サンプル問題や実施要綱，評価基準などがインターネットで簡単に手に入るので，事前に十分に準備をしてテストに臨むことができるわ。子ども用の英語検定テストも実施しているので，ちょっと見てみるといいでしょう。あと，みんなが同じようによくできたら，みんな高いグレードを取れるような仕組みになっているので，子どもたちが順番を競うようなことがなくなると思うの。
マナブ	先ほどの，「目標基準準拠の評価」ですね。早速インターネットで探してみます。
シーラ	どうしても外部テストを使わなければいけないというときには，もしそのテストがあまり望ましいものとは思われないようだったら，どこをどう改善してほしいか，きちんと整理して，思いきって発言してみるといいと思うわ。
マナブ	えっ，そんなこと，できるのですか？
シーラ	きちんとしたテスト機関だったら，順当なコメントやフィードバックは大歓迎で，耳を貸すものよ。国によっては，子ども用の検定試験の開発段階で，現場の先生方をアドバイザーとして招き入れているようなところもあるのよ。もちろん，国によって事情は異なると思うので，簡単には改革はできないかもしれないけれど。
マナブ	たしかに，子ども用の検定試験は，まだ数も少なく開発途上の状態だと思うので，実施している機関も，教師や専門家の意見を歓迎するかもしれませんね。

先生はうなずき，ぜひとも将来，マナブに改革のリーダーになってほしい，と激励します。

6.3 指導と評価

(1) 指導と評価の関係

ここでは，指導と評価の関係について学びます。評価は，指導とは別のも

---

* Cambridge ESOL (English for Speakers of Other Languages): ケンブリッジ大学の一部門で国際的な英語試験を実施する機関 (http://www.cambridgeesol.org/exams)。

のと考えられがちですが，指導と評価は表裏一体でなければならないと先生は説きます。また，改まってテストという形をとらずとも，普段の授業の中で，子どもたちを評価することが可能であることも強調します。

マナブ　最初のほうで，授業中に子どもたちの様子を観察するなど，評価にはいろいろな方法があると伺ったと思うのですが，いわゆる筆記テストのほかに，どんなものがあるのでしょうか？

シーラ　暗唱大会とか，毎月一回とか学期に一回のテスト，といった具合に，特別の機会を設けて，それに向けてよく練習させる，学習させる，といったやり方もあるけれど，子どもを相手にしているときには，さりげない日々の活動の中での評価が中心になるかもしれないわね。長い期間にわたって，子どもたちが伸びていく様子をつぶさに見ていくわけ。普段の授業中の様子を観察したり，メモを取ったり，授業中に言ったり書いたりしたものを確認したり，チェックリストで出来具合をチェックしたり，と，本当にいろいろな方法があるのよ。こういったことはみんな授業を普段通り進めながら，とくにわざわざ評価の時間を取ることなく，実施していけるものなのよ。

マナブ　なるほど。

シーラ　子どもたちが評価されていることに気づいていないこともあるぐらいよ。以前，子どもたちと評価について話しているとき，こんなことがあったわ。

こう言って，先生は次のような子どもたちとのやりとりを紹介します。

> シーラ：ねえ，みんな，先生たちは，普段どんなふうにみんなの勉強の具合を見ていると思う？
> 子ども：うー，こわこわ！
> シーラ：そんなにこわい？
> 子ども：うーん，サァーンースーゥー。
> シーラ：ああ，算数はたくさんテストがあるんだ？
> 子ども：うん。
> シーラ：じゃあ，英語は？
> 子ども：今年は全然ないよ。
> シーラ：えっ，全然ないの？
> 子ども：去年はテストしたけど，今年はまだ一回もテストしてないよ。

マナブ　つまり，子どもたちは，いわゆる伝統的なテストがあるかないかで評価されているかどうかを考えてしまう，ということなのですね。

シーラ　そうなのよ。じつは，この子どもたちを指導している先生は，授業中の子どもたちの様子をつぶさに記録していて，一人ひとりの子どもの状況を把握していたのだけれど，目に見える形でテストをしていなかったので，子どもたちは評価されていないと感じてしまっていたみたいなのね。先生が，子どもたちに，こんなふうにするともっとよく覚えられるよとか，ここを直すとずっとよくなるよ，といったコメントをするとき，普

段の授業中の子どもたちの様子を見て集めた情報が基になっているということが，子どもたちにはわからなかったのね。

マナブ たしかに，単語テストとか文法の穴埋め問題とか，何かテストの形になっていないと，評価されているということがはっきり目に見えない，というわけですね。

シーラ こういった見方は，それまで，どんなふうに評価されてきたか，ということと大きく関係していると思うの。

マナブ つまり，点数やA，B，Cなどのグレードだけで評価されてきた子どもたちは，はっきり目で見える形のテストしか評価と考えなくなってしまうということですね。

シーラ そうなの。子どもたちが評価されていることに気づいていなくても，きちんとした公平な評価がなされていれば，とくに問題はないはずなのだけれど，テストの点数がないと満足できない親もたくさんいるでしょう？　そういう親たちに，評価は点数やグレードだけではなくて，多種多様な方法で子どもたちの学習の進み具合について情報を集めて判断しているのだ，ということを説明するのは大変なことなのよね。

マナブ 授業中の評価について，もう少し詳しく説明していただけますか？

シーラ まず一番の特徴は，すぐ次の学習や指導に役立てられる，ということかしら。将来の進路を決める，というような重要な決定ではないかもしれないけれど，授業中の反応を見て，みんながちゃんと理解できていないようだとわかったら，次の時間に，もう一度丁寧に説明したり，しばらく様子を見てみる，といったことができるわよね。反対に，予定していたよりも飲み込みが早く，これ以上時間をかける必要がなさそうと思ったら，やさしい課題はパスして，少し難しめの課題を用意するなど，随時軌道修正していくことができるでしょう？

マナブ つまり，毎回毎回の授業での評価が，次の授業を組み立てるための参考資料になるということですね。

シーラ そうなのよ。そのうえ，子どもたちにとっても，適切なフィードバックがもらえたら，それが次の学習目標にもなるでしょ。

マナブ 先ほどの1から30までの数の例で言うと，よくできたところ，もう少し努力が必要なところなどを教師が示してあげることで，子どもたちは，次にどんなところに気をつけてがんばればよいかがわかる，というわけですね。

□ **形成的評価**

シーラ そうよ。指導や学習を形作っていくということから，こういう評価を「**形成的評価**（formative assessment）」と呼ぶの。課題を適切に設定することによって，どこができていて，どこができていないかといった，学習の進み具合の診断にもなるのよ。

マナブ 具体的には，どんなふうに子どもたちに話しかけてやればよいのでしょうか？

　マナブの求めに応じて，先生は実際のフィードバックの例を示してくれます。

フィードバックの例

一人の子どもへのフィードバックの例

「ロール・プレイの役，素晴らしかったわよ。でももう少し，落ち着いてゆっくり話せるといいわね。相手が話し終わるまで待って，それから話すようにするといいと思うわ。それと，複数形にも気をつけましょうね」

クラス全体へのフィードバックの例

「みんなの宿題，とても面白かったわ。上手に書けていたわよ。ひとつ，気になったのは，過去形の形がちゃんと書けていない人が多かったことかな。今度書くときには気をつけましょうね。「英語ファイル」（英語活動の成果物をまとめたファイル）をよく確認しましょう。まずは間違いを気にせずに，どんどん思ったことを書いてかまわないけれど，書いた後，細かいところで間違いがないかどうか，よく見直すようにしましょうね」

教師と子どもの間の双方向のやりとり

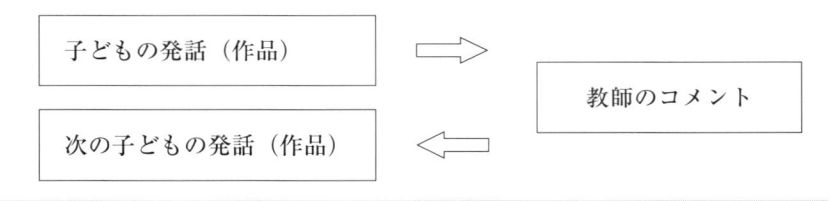

```
┌──────────────────┐
│ 子どもの発話（作品） │ ⇒
└──────────────────┘      ┌──────────────┐
                          │ 教師のコメント │
┌──────────────────────┐  └──────────────┘
│ 次の子どもの発話（作品） │ ⇐
└──────────────────────┘
```

シーラ　こういった評価は，普通は，教師と子どもたちの間のもので，それ以外の第三者はかかわってこないものなの。学習の進度具合を校長や主任に報告しないといけないような場合は別だけれどもね。

マナブ　それに対して，通常，学期末などに実施するテストなどの評価は，もう少し，まとめのような意味があるように思うのですが。

シーラ　一学期とか一年とか，ある一定の期間にどのくらい学習が進んだか，といったことを知るための評価や，あるいは，各地方の教育委員会などが，学校全体や地域全体のプログラムの効果を見るための評価といったようなものね。こういう評価は，まとめという意味で「**総括的評価（summative assessment）**」と呼ばれているのよ。

☐ **総括的評価**

マナブ　じゃあ，2つ違う種類の評価があるわけですね。

シーラ　大切なのは，評価には，こんなふうに，大きく分けて2つの異なるタイプがあるということ，そして，両方ともそれぞれに意義があるということをきちんとわきまえたうえで，目的にかなった評価をすべきということ。あと，総括的評価であっても，もし学校の中で実施する場合には，先生たち自身で，どのような評価法がよいのかよく考えてみることね。普段の授業の中での評価の積み重ねが，最終的な判断の良い材料にもなるはずなのよ。学年末のテストの点数だけでなく，普段の授業の中で積み重ねた情報も補完すると，子どもたちの成長具合をより正確に把握することができるようになると思うわ。子どもたちは，先生が下す判断や評価方法に口を挟むことはできないかもしれないけれど，何か公平でないと思えるような評価がされると，「ずるい！」とか，「えこひいき！」

とか言って，敏感に感じ取るものなの。そうなると，教師と子どもの間の信頼関係も崩れてしまうし，英語学習への意欲も薄れてしまいかねないのよね。

マナブ　評価の持つ重要性をしみじみと感じますね。

(2) 信頼性と妥当性のバランス

次に先生は，評価を考えるうえで非常に重要な概念である，「信頼性（reliability）」と「妥当性（validity）」，そして「実用性（practicality）」へと話を進めます。

□ **信頼性**　「**信頼性**」は，テストの結果に一貫性，安定性があるかどうかということを意味します。大人用のテストは，多肢選択問題など，問題数の多いものが信頼性が高いとされていますが，子どもの場合は，あまり形式ばらない評価をくり返すことで，バランスのとれた全体的な能力を測ることができ，信頼性を確保することができます。1回限りの評価だと，そのときの気分や健康状態，環境，さらに，テストの前日に復習を十分したかどうかなどに左右されて，信頼性のある評価が難しくなります。

□ **妥当性**　子どもたちの目に，自分たちの英語の力を本当に測っていると映るような評価を考えることも大切です。これを「**妥当性**」と言います。子どもたちは，言語の形式よりも，内容や意味に重きを置きます。簡単な会話ができるかどうかを知りたいときには，実際に会話をさせてみることが肝要でしょう。大人のテストのように，紙に印刷された会話文の穴埋めなどでは，話す力を測っているようには思えません。

このように妥当性は，評価にかかわるほかのさまざまな要素と相互に関連することが多いのですが，妥当性を高めるためには，実際の生活の中で起こることを模倣した課題を課すようにするとよいでしょう。

□ **実用性**　「**実用性**」とは，文字通り実施可能かどうかということです。どんなに理想的な評価であっても，多くの時間を要したり，高価な機器が必要だとしたら，実施することは難しくなってしまいます。実用性と信頼性とは両立させるのが難しいことが多いものです。クラス全員と一人ひとり会話をするのは時間的に大変な重労働になるし，評価をする時期が子どもによってずれた場合，最初に会話をした子どもと3か月後に会話をした子どもを同じ土俵で比べてよいものか，二人の力をどうしたら公平に比較できるか，考慮する必要が出てくるでしょう。

次に先生は，評価の結果をどのような形で子どもたちに伝えるか，フィードバックの与え方に話題を移します。

マナブ　妥当性，信頼性，実用性という3つの要素をいつも一緒に考えて，うまくバランスをとることが大切ということですね。

シーラ　一番重要な点は，どんなテストも評価法も，これで絶対ということはなくて，できる限りこのような複数の要素のバランスをとって，より良いものに近づけていくことだわね。一番いけないのは，何か一つの評価法が完全なものだと信じて，一つのやり方に固執したり，出てくる結果を絶対だと信じてしまうことだわ。子どもたちの発話や活動を，ありとあ

	らゆる角度から観察したうえで判断を下すようにすれば，ひどく間違った評価にはならないはずよ。
マナブ	わかりました。
シーラ	あと，テスト結果をどんなふうに子どもたちに知らせてあげるか，それにも十分注意を払う必要があるのよ。マナブの経験では，どんな形がよかったと思う？
マナブ	たとえば，点数とコメントのどちらがよいか，というようなことですか？
シーラ	そう。点数だと，1点を競い合うようなことがあるかもしれないし，コメントだけだと，物足りないという子どももいるかもしれないわよね。
マナブ	そうですね，難しいところですね。
シーラ	あと，マナブは，ほかの人たちの前でほめられるのはどう？　うれしい？　それとも恥ずかしい？　どうかしら。
マナブ	そうですね，私が子どもだとしたら，ほかの人の前でほめられるのはとても照れくさいので，そっと個人的に結果を知らせてもらうほうがいいですね。ただ，教師の立場で考えると，クラスの中でとてもできる子どもがいた場合，その子がどんな点で優れているのか，ほかの子どもたちに知らせてあげたいと思いますね。そうすることで，ほかの子どもたちにとって，よい目標ができるのではないか，というような気がします。
シーラ	そうね。一人ひとりの子どもの性格などを考えたうえで，臨機応変に対応していくとよいと思うわ。最近は，先生にほめられた子が，後でイジメに遭うといったようなこともあるかもしれないから，教師は子どもたちの生活環境や交友関係などをよく把握したうえで，フィードバックをする必要があるでしょうね。
マナブ	ただ，教師がいろいろと気を使って，一人ひとりに個別に成績を渡しても，子どもたちはすぐに，みんなで見せ合って，誰が一番よかったかというようなことを比べてしまうこともあると思うので，教師にできることには限界があるような気がするのですが。
シーラ	そうなのよね。ただ，それも，日頃から教師が何を重視するか，子どもたちにきちんと伝えてあれば，1点を競い合うのは意味がないと思うようになるかもしれないわ。私は，子どもたちを評価するときには，点数よりも，「とてもよくできました」とか「がんばりましたね」「もう少しがんばりましょう」といった，緩やかで幅のある表現でフィードバックするほうが，ささいなことで競い合うことを避けられるように思っているの。
マナブ	本当に，たった一回のテストの1点の差など，考えたらあまり意味のないものですよね。子どもたちが，友だちと競い合って不安になってしまうような評価ではなくて，自分たちの成長を確認できるような評価を目指すべき，ということですね。
シーラ	まさにそうなのよ。あと，クラスの中で，子どもたちをほめたり，間違いを直したりといった普段のクラスの中でのフィードバックも，十分に気をつけて，子どもたちに恥ずかしい思いをさせたり，もう絶対に人前では英語の発音はしたくないなどと思わせてしまうような発言を避けなくてはいけないわね。

マナブ　本当にそうですね。一度，友だちの前でとても恥ずかしい思いをすると，学校嫌いや登校拒否にだってなりかねませんものね。

　ここで先生はフィードバックの与え方についてまとめます。次の表の各項目について，Aのようなやり方とBの方法のどちらが一般的でしょうか？またどちらが理想的だと思いますか？

評価の対象	A．グループ全体	B．一人ひとりの子ども
評価の方法	A．公開する	B．個別に渡す
評価の形態	A．数字またはグレード	B．記述
評価の内容	A．詳細な診断＋具体的な提案	B．ほめことばや叱責のことば（詳細説明なし）

図表6.3：フィードバックの与え方

(3) 子どもにやさしい評価の実際

　ここまでの話を聞いていたマナブは，「子どもにやさしい評価」とは，実際の教室ではどのような形をとるものだろうかという疑問を先生に投げかけます。

マナブ　また話をもとに戻しますが，クラスの中で，実際に教師ができる評価の具体的な方法について，もう少し詳しく話していただけますか？

シーラ　そうだったわね，さっきマナブにその質問をされていたのに，話が遠回りしてしまったわ。評価の基本的な考え方をきちんと把握してから具体的な方法を紹介したほうが，一つひとつの方法の意味もよくわかるのではないかと思ったものだから。近年は，紙と鉛筆のテストだけでない，もっと広い意味での評価に関心が寄せられるようになって，文献も以前よりずっと増えてきたので，参考にしてみるといいわ。[2]

注釈2（p. 237 参照）

マナブ　はい，そうします。でもその前に，先生はいま，「もっと広い意味での評価」と言われましたが，それはどういうことなのでしょうか？

シーラ　学習や指導の効果を上げるための評価，授業とかけ離れたものではない評価，長い時間にわたって日々の成長を見ていくような評価，といったものの価値が，外国語教育全般の中で注目を集めてきているのよ。

マナブ　そうなんですか。じゃあ，子どもたちだけのための評価，というわけではないのですね。

シーラ　これまで話してきたような教室の中で実施する評価であれば，授業を中断せずに，授業の中で，指導をしながらできるのよ。

マナブ　何だか，評価が指導の一部のように見えてきました。

シーラ　まさにそうなのよ。多くの人が，評価を何か特別のことのように考えてしまいがちだけれど，評価は指導の一部なのよ。前に，妥当性や信頼性の話をしたけれど，教師が教室の中で指導をしながら実施する評価は，筆記テストだけの評価では測れないような観点を入れて評価をすることによって，子どもの英語能力の多様な面を見ることができて，それだけ

妥当性の高い評価になるのよ。

マナブ　へえー，そうなんですか。授業の中の評価というと，主観的で一面的な評価しかできないのかと思っていましたが，じつは逆なのですね。

シーラ　もちろん，筆記テストを完全に放棄しなくてもよいと思うの。筆記テストのほうが効率よく測定できる分野もあると思うから，教室での評価と筆記テストを組み合わせて互いに補い合うように用いるとよいのではないかしら。そうすることで，子どもたちの英語の能力について，幅広く知ることができるようになると思うわ。

マナブ　教室での評価の何よりの強みは，授業を中断することなく，必要な情報を即座に手に入れることができる点でしょうか？

シーラ　そう，それが大切ね。それに，日頃から注意を払っていたら，一人ひとりの子どもについて，膨大な量の情報を集められるわ。それに，外部テストのような筆記テスト問題を作ることは，じつはものすごく難しいのよ。採点は客観的に思えるかもしれないけれど，選択肢をどのようなものにするかで，問題の難しさも変わってきてしまうし，そもそも何を測定しているのかさえも変わってきてしまうかもしれないのよ。

マナブ　それは恐ろしいことですね。客観テストと言っても，一番肝心なところが客観的ではない，ということなのですね。今まで，気がつきませんでした。

シーラ　普段の授業中の評価を，公平で客観的なものにする工夫をするといいわ。子どもたちの振る舞いを観察するときには，チェックリストなどを用意しておくといいわね。*Fanfare* ＊というコースブックなどに良い例があるわよ。

マナブ　チェックリストは，私もときどき使ってみましたが，きちんとしたものを用意して，それをくり返し使っていくようにするとよいのでしょうか？

シーラ　「くり返し」というのは，キーワードだわ。一回限りでは，たまたまそのときうまくいったということもあるので，普段の授業中，まんべんなく子どもたちの様子を観察し，体系的な形で記録を付けていくことが大切だわね。

マナブ　そうですね。早速，文献を参考にして工夫してみます。

　先生は，ここで，子どもにやさしい評価の手法の例として，「ポートフォリオ評価」と「自己評価」について次のように紹介します。

＊オックスフォード大学出版局が1993年に出版したコースブック（注釈3（p. 237）も参照）。

シーラ先生のひと口メモ

ポートフォリオ評価（portfolio assessment）

□ ポートフォリオ評価

「ポートフォリオ」は，学習の過程で作成したさまざまな成果物をまとめたファイルのことで，「**ポートフォリオ評価**」とは，そのようなファイルを評価の対象とすることです。

★ 基本原則
  ① 何でもかんでもつめ込むのではなく，よく吟味選択した結果，集めた作品集であること。
  ② 教師と子どもの間で，何を基準に選ぶか最初に合意しておくこと。あ

るいは，選択基準を子どもに熟知させておくこと。
③ 子ども自身が作品の選択に深く関与すること。
④ グレードなどを付ける際には，評価基準を明らかにしておくこと。

★ 内容の分類・選択

　ポートフォリオに何を入れるかは状況によって異なります。書いた作品がもっとも一般的ですが，さまざまなものが可能です。読んだ物語の一覧や短い感想文，クラスの中で発表会をしたり，校外見学をした場合には，そのときのプログラムや写真などを入れてもよいでしょう。音声やビデオ録画などを入れることもできますが，かさばったりして実際的とは言えないので，基本的には紙媒体のものが中心となるでしょう。

　選択の原則は，「自分が一番見せたいと思うもの」ですが，親の手が入ったりして，真正性に問題があることもあります。真に子どもができることの正確な標本集となるようにしなければいけません。

★ 内容選択の手順

　内容選択の手順もさまざまです。子ども自身が，決められた基準に則って，自由に選ぶ場合もあるでしょうし，教師と子どもが相談して決めることもあります。相談することは指導の機会にもなり，少しずつ子どもがひとり立ちできるようにもっていくとよいでしょう。もっとも手の込んだ手順としては，まず子どもが一人で予備的な作品を集めた後，なぜそれを選んだのか振り返りをさせ，またどうしたらもっとよくできると思うか考えさせ，草稿と完成版の両方を提出させて，さらにその両者の違いについて振り返らせるという方法も考えられます。

★ 利点・問題点

① 利点：形成的評価には最適の方法です。どうしてその作品がよいと思うか振り返らせることで，子どもの自律性を養うことができます。
② 問題点：非常に時間と労力を要します。ポートフォリオの作成そのものは子どもに任せるとしても，紛失したり，破損したりしないように気をつけたり，子どもとの面談を行うなど教師の責務は大きいものとなります。

自己評価（self-assessment）

　ポートフォリオは，自分自身の学びと成果について振り返らせる非常に良い方法です。ただ，どの指導状況にも適しているとは言えません。ポートフォリオ以外にも自分の学習を評価させる方法があります。最近の教材には，各課の最後に**自己評価**の項目が付いているものもあって，各課を学習した後，どんなことができるようになったかを考えさせるような工夫がなされているものが出てきています。

□ 自己評価

注釈4（p. 237 参照）
注釈5（p. 237 参照）

　CILT の My Language Portfolio[4] や CEFR の European Language Portfolio[5] などでは，自己評価が重要な役割を担っています。

　なお，自己評価は一人だけでなく，ペアやグループでもできます。たとえば，教室の壁に貼った「ことばの木」の絵に，「葉っぱ」で自分たちができることを貼り付けていくこともできます。

6.4 筆記テストの問題点

　子どもたちを評価するのに，早くて簡便に見える伝統的な紙媒体の方法を使いたいと思うときもあるでしょう。ただ，本当に良い筆記テストを作るのは，じつはそう簡単なことではなく，かなりの技能と時間を要するものです。紙媒体のテストの危険性は，数値化しやすく，簡単に評価できる分野に設問が集中しがちで，そういった分野は，ときとして評価する価値がない場合もあります。実施するのが簡単な方法を用いたくなることもあるでしょう。しかし，それでは有益な情報が得られないこともよくあります。こういった観点から，教材に付いているテストを批判的に分析してみることも重要です。とても面白い教材なのに，付いているテストがつまらない穴埋め問題とか，文の組み合わせ問題だったりしてがっかりすることもよくあります。

　これまで述べてきたことからもわかるように，子どもの評価では伝統的なテストを排除せよと言いたいわけではありません。ただ，つづりとか穴埋め，文の並べ替えなど，ささいな問題ばかりのうんざりするようなテストは実際の言語使用とはかけ離れており，そんなテストをしていると，子どもたちがすっかり飽きてしまうことを頭に置いておくとよいでしょう。成人や中・高生は，そういった問題を辛抱強く我慢してくれるかもしれませんが，子どもたちはそういうわけにはいきません。伝統的な筆記テストを使うのであれば，十分に吟味して良いテストを作る必要があります。簡単そうに見える穴埋めや組み合わせ問題でも，子ども向きで公平なテストを作るにはかなりの技量が必要で，私たちの誰もがその技能があるわけではありません。

　この節では，以下の評価の実際例を挙げながら分析を進めていきます。

1) 組み合わせ問題
2) 読解問題
3) 聴解問題
4) 整序問題

　それぞれのテスト例の問題文の指示は，実際には文字ではなく CD から音声の形で流されます。その問題文の指示を英語ではなくて日本語に変え，さらに質問内容についてはハンドアウトなどによる視覚的サポートを使いながら，先生と子どもたちが口頭でやりとりをする形式に翻案することで，日本の指導環境においても活用することが可能になるでしょう。

評価の実際例と分析

1) 組み合わせ問題

次のような組み合わせ問題は，指導でも評価でもよく使われています。

Draw a line from the correct picture to the words.（絵と文を結び付けなさい）

The chick is in the box.
（ひよこは箱の中にいます）

The chick is behind the box.
（ひよこは箱の後ろにいます）

The box is on the table.
（箱はテーブルの上にあります）

The cat is on the box.
（ネコは箱の中にいます）

The cat is under the table.
（ネコはテーブルの下にいます）

★ この設問の問題点

① 5つの絵に対して5つの文があること。1つ目の問いを答えた後は，選択肢は残りの4つになってしまいます。最初の問いに正しく答えたら，当て推量や消去法を使って，次の問いも正解する確率が高くなります。逆に，最初の問いを間違えると，次の問いも，その次の問いも間違えてしまう確率が高くなります。選択肢を1つか2つ増やすことで，この問題を改善することができます。そうすれば，1つ目の問いを間違えても，まだ選択の余地が残されることになります。

② この設問は前置詞の知識を問う問題に見えますが，じつはネコとテーブル，ネコと箱といった名詞の組み合わせをヒントにしての解答も可能です。前置詞の違いが厳密にわからないと解けないのはひよこについての2つの文だけです。ほかの文の名詞を変えることで，前置詞がきちんとわからないと解答できないような設問にすることができるでしょう。

2) 読解問題

> **Read the passage and answer the questions. Use complete sentences.**（次の文章を読み，質問に答えなさい。完全な文で解答すること）
>
> **Foodlums** are big brown birds. They have long necks and a big **prapper**. They live in **Patavia**. They eat **bobbyflowers** and **gillyworms**. Every autumn they go south to **Borobia** and they come back to **Patavia** in the spring. They walk because they cannot fly. They are very popular birds because they have beautiful **woobles**. They are the national bird of **Patavia**.
> (foodlums は大きな茶色いトリです。首が長く，大きな prapper を持っています。生息地は Patavia です。bobbyflowers と gillyworms を食べます。毎年，秋になると南方の Borobia へ行き，春になると，また Patavia に戻ってきます。このトリは飛ぶことができず，歩いて移動します。美しい woobles を持っているので，とても人気のあるトリです。Patavia の国鳥となっています)
>
> 1. Are foodlums big or small?
>   (foodlums は大きいですか？ それとも小さいですか？)
> 2. What colour are they?
>   (色は何色ですか？)
> 3. Where do they live?
>   (生息地はどこですか？)
> 4. What do they eat?
>   (何を食べますか？)
> 5. Where do they go in autumn?
>   (秋になると，どこへ行きますか？)
> 6. Can they fly?
>   (飛ぶことができますか？)
> 7. Why are they popular?
>   (なぜ，人気があるのでしょう？)

★ この設問の問題点

① 太字は実際には存在しない単語です。それにもかかわらず，内容がわからないまま，設問に正解できてしまうことがあります。実際に子どもたちは，本当は理解できていない場合でも，こんなふうにして設問に解答するのです。設問に対応する箇所を文章の中に見つけ，そのまま書き写すわけです。設問を読んで，それをヒントに文章のどのあたりに答えがあるか見つけるのです。たとえば，"What colour + 名詞？"という語句からヒントを得て，その名詞に一番近い色を表すことばを探せばよいことになります。このような解答が可能な読解問題は，本当に読解力を測っていると言えるでしょうか？

② この文章を読んだ後に,「foodlums は半年 Patavia で過ごし,半年 Borobia で過ごす」ということがわかったとして, "Where do they live?"（どこに住んでいるのか？）という問いに,どうやって答えたらよいのかとまどう子どももいることでしょう。この設問を書いた人は, Patavia を正解と考えていたかもしれませんが,「Patavia と Borobia の両方」という答えのほうが,もっと正確で,きちんと文章を理解した解答と言えるでしょう。

③ この設問では,「完全な文で解答すること」という指示がありますが,文章の理解度を測りたいのだとしたら,完全な文で答える必要はないのではないでしょうか？ もし完全な文で解答しなかったら,減点されてしまうのでしょうか？ それとも文法の力も一緒に測ろうとしているのでしょうか？

④ 文章中の語句をそのまま使うだけでは解答にならないような設問をすることで,意味がわからないまま,文中の語句を書き写すような解答を減らすことができるでしょう。

⑤ 選択肢に絵を用いることで,設問をさらに改善することもできるでしょう。茶色いトリの絵を4つ用意し,そのうち2つは大きいトリで,そのうちの1つは首が長く, prapper〔それが何であれ！〕が大きい絵にしておきます。もう1つのほうは首を短くしておきます。設問は "Which one is a foodlum?"（どれが foodlum ですか？）となります。

3) **聴解問題**

Look at the picture. Listen and draw a line.（絵を見ながら，音声を聞き，線で結び付けなさい）

〔A picture of a garden with a big tree, a small tree, a pond and a patio. Opposite are single pictures of an elephant, a horse, a cat and a mouse.（下の庭の絵の中に，大きな木と小さな木と，池とパティオが見えます。欄外にはゾウとウマとネコとネズミの絵がそれぞれ描いてあります）〕

〔音声を聞く〕
The elephant is in the pond.
（ゾウは池の中にいます）
The horse is under the big tree.
（ウマは大きな木の下にいます）
The cat is in the small tree.
（ネコは小さな木の中にいます）
The mouse is on the patio.
（ネズミはパティオの上にいます）

★ この設問の問題点
① patio（パティオ：中庭）という語は文化的背景知識が必要です。
②「ある動物があるところにいる」という音声が流れることになっていますが，これはまったく真実にかなっていません。別のところに並んでいる動物の絵と大きな絵の中の場所を結び付けることが課題になっていますが，実際には大きな絵の中には動物はいないのですから，子どもたちは，こういった文を聞くと，わけがわからず混乱してしまうことでしょう。

4) 整序問題

Put these sentences in the correct order to make a story in the box below. The first and last sentences are already there. You can write the letter of each sentence opposite the right number. See the example.（次の文を正しい順番に並べ替えて，下のわくのお話を完成させましょう。最初の文と最後の文は書いてあります。例にならって，それぞれの文のところに書いてあるアルファベットを記入しなさい）

A. Last week I went shopping with my two big sisters.
（先週，私は二人の姉と買い物に行きました）
B. In the fifth dress shop I went and hid behind some clothes.
（5番目のお店で，私は洋服の後ろに隠れました）
C. 'Where's Jo? Where's Jo?' my sisters shouted.
（「Joはどこ？」「Joはどこへ行ったの？」と，お姉さんたちは大声で言いました）
D. They couldn't find anything nice, so we went into lots of shops.
（なかなか気に入ったドレスが見つからなかったので，私たちは，たくさんのお店を見て回りました）
E. They wanted to get some new clothes for the summer.
（お姉さんたちは，夏用の新しいドレスがほしかったのです）
F. It was very boring.
（とても退屈でした）

> 1. My name's Jo and this is my story.
>   （私の名前はJo。このあいだ，こんなことがありました）
> 2. A
> 3.
> 4.
> 5.
> 6.
> 7.
> 8. Then I came out and we all laughed.
>   （そこへ私が出ていくと，みんな大笑いになりました）

★ この設問の問題点
① 順番をばらばらにした文を並べ替える設問は，授業中にペアやグループで一緒に取り組み，どの順番がよいかあれこれと考えさせるのであれば，面白い課題ですが，一人で取り組まなければならず，必ずどれか正解があるということが前提である評価の場合には，一番目の例と

して挙げた組み合わせ問題と似たような問題が生じます。つまり，最初に正しいものを選ぶと，続くほかの文も正しい順番になる可能性が高いのです。それに反して，1つでも間違うと，全部がおかしなことになってしまうことになります。一部分の順番は正しい，という可能性は数限りなくあるので，何を基準にどう採点したらよいのか困ることでしょう。

② この設問は，実際の子ども向けの物語から取ってきたもので，もとの文章の順番（A, E, D, F, B, C）というものは確かにありますが，それ以外の順番（たとえば A, F, E, D, B, C）でも，十分意味が通じます。このような設問ではこの手の問題が生じることが多いのです。

以上のような理由から，「整序問題」は，授業中の活動や学習者の弱点を診断するための課題として使うようにして，「正解」に点数を付けるような使い方はしないほうが賢明でしょう。

評価のことを語るとき，往々にして，否定的な見方をしがちです。上に挙げたような例を取り上げて，ほかの人の努力を批判するのは簡単かもしれませんが，重要なことを忘れてはなりません。信頼性，妥当性，実用性が拮抗する中で，どんな評価も完全なものではないかもしれませんが，できる限り完全に近づける努力をすることが大切です。自分自身にも他人にも厳しくすることで，プロとしての誠実さや誇りを保ち，実際のテスト開発において，できるだけ高い水準を目指すことが可能となります。これは，子どもの評価ではとくに大切です。大人と子どもの間の力関係が均等ではないため，評価を下す大人に対して，子どもたちはあまりはっきりものを言うことができないからです。お粗末な評価は，やる気を失わせるだけでなく，悪くすると，子どもたちの将来にかかわる重要な判断を誤ったり，子どもの人格を損なうことにもなりかねません。

注　釈

[1] 2012年現在，日本の公立小学校における英語活動は「領域」と呼ばれる範疇に置かれ，一般の「授業科目」とは異なり，いわゆる「評価」を行わないことになっている。しかし一方で，2011年3月に，国立教育政策研究所教育課程研究センターから，「評価方法等の工夫改善のための参考資料」が示された（http://www.nier.go.jp/kaihatsu/shidousiryou.html）。これは，前年（2010年）の文科省による「小学校，中学校，高等学校及び特別支援学校等における児童生徒の学習評価及び指導要録の改善等について（通知）」を受けて，各学校が評価を進める際の参考になるように公表されたものである。

[2] 評価に関する文献や資料には以下のようなものがある。
- European Language Portfolio（http://www.coe.int/t/dg4/education/elp/）〔欧州評議会（The Council of Europe）が提唱する言語に対する意識喚起のための道具としてのポートフォリオ。子どもにやさしい評価活動の宝庫である〕
- McKay, P. 2006. *Assessing Young Language Learners*. Cambridge University Press.
- Pinter, A. 2006. *Teaching Young Language Learners*. Oxford University Press.
- ——— 2011. *Children Learning Second Languages*. Palgrave Macmillan.

[3] *Fanfare* というコースブックの「教師用指導書」では，Listening（聞くこと），Speaking（話すこと），Reading/Writing（読むこと・書くこと），Learning Skills（学習スキル），そして，Social Skills（社会的スキル）の5項目について，それぞれ4～6段階の 'Can ...'（「～することができる」という記述を用意した）チェックリストを提供して，子どもたちを対象とした「can-doリスト」の先駆けとなっている。

[4] イギリスの言語教育機関 CILT（Centre for Information on Language Teaching and Research）が考案した「言語ポートフォリオ」。下の注釈5に示す「ヨーロッパ言語ポートフォリオ」の児童版。

[5] 欧州評議会が1989年から1996年にかけて行った「ヨーロッパ市民のための言語学習」プロジェクトでは，自己評価が重要な役割を担っており，そのためのガイドラインとして「ヨーロッパ言語共通参照枠（CEFR: Common European Framework of References for Languages）」が作成され，さらに自己評価の記録簿として「ヨーロッパ言語ポートフォリオ（European Language Portfolio: ELP）」が用意されるに至った。

第 7 章　子どもにやさしい素材を効果的に使う

7.1　ゲームで学ぶ
7.2　物語と子どもたちの外国語学習
7.3　リズム，ライム，そしてメロディー
7.4　子どもたちの好奇心をかき立てるアイデア

　　早期英語教育においては，子どもたちは「遊び」を楽しむことを通じて英語に親しむことになります。カードや双六（すごろく）のようなゲームに興じ，絵本の鮮やかな色彩に目を見張り，奇想天外な物語の展開にじっと耳を傾けます。そして，歌やチャンツのリズムに合わせて体を動かし，なぞなぞやパズルに夢中になって取り組んでいる子どもたちの姿を目にすることは，私たち指導者にとってこのうえなくうれしいことです。しかし，ここで注意すべきことは，子どもたちが「遊び」に没頭して楽しんでいる光景を喜ぶあまり，それだけで，何か価値のあることが行われているに違いないと思いがちだということです。子どもたちが厳密には何に夢中になっているのかという点に関して，私たちは，より注意を払うべきかもしれません。このような観点から，この章では，早期英語教育における「遊び」を構成するゲーム，物語，歌やチャンツ，そして，なぞなぞやパズルなどの素材をよく吟味し，それに基づいた指導過程の分析を行います。このようにして「楽しさ」の中身を十分に検討することは，早期英語教育指導者の持つべき資質の中でも，とりわけ重要な要件のひとつなのです。

この章を読む前に

1. 子ども向けのゲームは，大人の学習者向けのゲームと同じだと思いますか？　もし違うとすれば，どのようなところが違うのでしょう？
2. これまであなたが授業で使った物語（絵本）で，うまくいかなかったものはありましたか？　失敗の原因は？
3. 子どもたちの外国語学習で歌を使うことには，どのような効果があると思いますか？
4. 子どもたちとの授業で使う，手持ちのジョークや手品やパズルなどはありますか？

この章のキーワード

本文の左の欄外には，
　□ 言語操作ゲーム（code control games）
などの「キーワード」が提示されています。まずこの「キーワード」を見て，わかる用語の□にチェックマーク（✓）を入れながら読み進めてください。わからない用語があったら巻末の「キーワード解説」で確認しましょう。

7.1 ゲームで学ぶ

　ゲームは外国語学習に大きな貢献をしてきました。子どもばかりでなく，大人の学習者も，ゲームを通して楽しみながら外国語を学ぶことができるため，たくさんの指導者たちがゲームを活用してきました。しかし，ただ単に楽しいというだけではなくて，ゲームのどのような点が外国語の習得につながるのかをよく考えてみる必要があります。また，ゲームを使って，子どもたちの外国語学習を進めるようとするときに陥りやすい落とし穴や注意点もあります。

(1) こんなゲームは考えもの
① 何を教えたいのか「ねらい」がよくわからないゲーム
　外国語学習のためのゲームで一番大事なことは，言うまでもないことですが，ことばの学習という点での見返りがなくてはならないということです。つまり，子どもたちがことばを聞いて，それを口にする機会がゲームの中にちゃんと用意されていなくては，どんなに楽しく，どんなに盛り上がるゲームでも，単なる時間の無駄使いということになってしまいます。程度にもよりますが，このような点から見て，得るものがあまりないことがはっきりとわかるようなゲームもあります。シーラ先生は，そのようなゲームの例をいくつか挙げています。

シーラ　マナブは，古くからイギリスの子どもたちに親しまれてきた「スネークス・アンド・ラダーズ（Snakes and Ladders）」*というボード・ゲームを知っているかしら？

マナブ　ええ，子どもたちに英語を教えるようになってから知りました。日本の早期英語教材の中でも，いろいろとアレンジをして，よく利用されています。

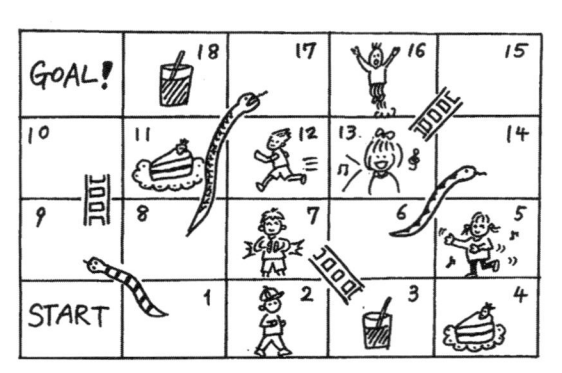

* スネークス・アンド・ラダーズ（Snakes and Ladders）: すごろく形式のボード・ゲーム。盤面には，ヘビ（snake）とハシゴ（ladder）の絵が描かれ，自分のコマがハシゴの最下段のマスに止まると，ハシゴのてっぺんにあるマスまで近道をすることができる。しかし，ヘビの口が描かれたマスに止まると，コマはヘビに飲み込まれて，ヘビの尻尾が描かれたマスまで逆戻りすることとなる。

シーラ　「スネークス・アンド・ラダーズ」を英語のレッスンで使うときには，もともとのルールではだめね。

マナブ　えっ，だめなんですか？　子どもたちは結構楽しんでいますよ。

シーラ　でも，ちょっと考えてみて。このゲームで，子どもたちはどのくらい英語を使うことになるのかしら？

マナブ　そうですね。たとえば，"My turn."（僕の番だよ）とか"Roll the

* 『英語ノート』①のLesson 3 (How may? 数で遊ぼう) で紹介されていた「スネークス・アンド・ラダーズ」ゲームは，改訂版の "Hi, friends!" ①の Lesson 3 では削除されている。

シーラ　dice."（サイコロを転がして）といったところですかね。

シーラ　それだって，子どもたちが必ず口にするとは限らないわ。日本の子どもが，自分たちだけでゲームをしていたら，多分，日本語ですませてしまうのではないかしら。

マナブ　日本の文科省が作った『英語ノート』では，コマが止まったマスに書かれている数字を，子どもたちが英語で言うことになっています。＊

シーラ　うーん。もうひとひねりほしいわね。

マナブ　私が，子どもたちと「スネークス・アンド・ラダーズ」をするときには，止まったマスごとに子どもたちに出す指示を決めておいて，たとえば，あるマスにコマが止まると，私が "Jump!" とか "Run!" などと命令文を言って，子どもたちはそれを聞いて跳び上がったり，走るまねをしなくてはいけないことになっています。

シーラ　なるほどね。「スネークス・アンド・ラダーズ」と「マイム・ゲーム（Listen and Mime）」を組み合わせたわけね。そんなふうに，ゲームを進めるために，どうしても英語を聞いたり，言ったりしなくてはならないような特別ルールを付け加えれば，「スネークス・アンド・ラダーズ」も立派な外国語学習ゲームになるわ。

「ねらいがよくわからないゲーム」の2番目のタイプとして，たしかに，ことばの使用を出発点として組み立てられているように見えても，始めるまでにたいへんな手間がかかるうえに，ルールがまた，一筋縄ではいかないといったゲームがあります。結果として，たしかにことばを使ってはいるものの，子どもたちの大はしゃぎにかき消されてしまって，ことばの学習という点ではほとんど何の効果もありません。先生は，そのようなゲームの例を挙げます。

シーラ　私がよく訪れているアジアのある国で人気のあるゲームなのだけど，こんなゲームを知っているかしら？　まず，子どもたちを縦一列に並ばせるの。用意するのは，ひとそろいの語彙の絵カードのセットよ。ルールは簡単で，指導者は1枚の絵カードを頭の上に差し上げて，英単語を一つ言うの。カードの絵と指導者が口にした英語が合っていれば，子どもたちは一斉に右側にジャンプするの。反対に先生の言う英語とカードの絵が違っている場合には，左側にジャンプをするわけ。もし，間違って反対方向にジャンプをしてしまった子はアウトね。

マナブ　アジアのある国というのは，もしかしたら日本のことじゃないですか？　じつは，日本でもよく似たゲームが紹介されているんです。私が知っているゲームは "YES/NO Wall" などと呼ばれていることが多いのですが，同じようにして，子どもたちは差し上げられたカードの絵と先生が言った英単語が一致していると思ったら， YES と書いた紙の貼ってある壁のほうへダッシュして行き， YES と書いた紙にタッチします。先生の言った英単語が一致していないと思った子どもは，反対側の壁に向かって走って行って， NO と書いたサインにタッチするというものです。

7.1　ゲームで学ぶ　　241

シーラ　私がそのゲームを見たのは，日本ではないわ。だから，ちょっと批判的なことを言わせてもらうけれども，気にしないでね。まず，このタイプのゲームは，教室の机や椅子を片付け，子どもたちを一列に並ばせたりして，始めるまでにかなりの準備が必要になるわ。それなのに，肝心のゲームの中身と言えば，いくつかの互いに何の関連もないことばの意味を確認するだけで，使われることば同士の間にも何の関連もないし，教授法の点からも，ちょっとどうかと思うの。それに，ゲームの進め方そのものにも問題があって，列の後ろのほうの子どもたちは，指導者が掲げるカードの絵がよく見えないので，自然と，前の子がジャンプするのを見て，同じ方向にただジャンプをしているだけという具合になってしまうのよ。いくら子どもたちが元気いっぱいに活動するからといって，こんなゲームに貴重な授業時間を割く意味があると思う？

マナブ　うーん，耳が痛いですね。じつは，私も "Yes/No Wall" を子どもたちと楽しんでいるんです。

シーラ　あら，そうだったの。別にあなたを批判しようと思って，例に挙げたわけではないのよ。

マナブ　私の場合は，英単語を言う代わりに，たとえば，まずブドウ（grapes）の絵を見せて，"Do you like grapes?"（ブドウは好き？）と子どもたちに尋ねます。ブドウが好きな子は "Yes!" と叫んで YES 側の壁に向かって走って行き，ブドウが嫌いな子は反対側の NO の壁へ走っていくというものです。

シーラ　ああ，それならば，ちゃんと意味のやりとりがあるわけだし，子どもたち一人ひとりが自分の好みに合わせて答えているわけだから，違うねらいを持ったゲームと考えていいと思うわ。

マナブ　ええ，私は疑問文の聞き取りと内容の理解をねらいとして，このゲームをやっていました。ところが，ある研究会で，参加していた方がこんなことを話されているのを聞いたのです。「日本人のコミュニケーション・パターンは，Yes なのか No なのかがはっきりしないとよく言われる。類型化した見方ではあるが，日本の子どもたちに，そのような Yes/No をはっきりさせなくてはならないコミュニケーション場面を体験させるという観点から，このゲームのねらいを考えることもできるのではないか」と言うのです。このゲームをやっていて，そんなことを考えたこともなかったので，すっかり感心してしまいました。[1]

注釈1（p.320 参照）

シーラ　たしかに，このタイプのゲームはいろいろな国で使われているけれど，

シーラ	そういった見方を聞いたのは初めてよ。同じゲームでも，そのねらいを指導者がどのような視点でとらえて使うかによって，まったく違った意味を持つものだわね。
マナブ	本当ですね。
シーラ	このタイプのゲームについて，最後に細かな技術的なことをひとつ付け加えておきたいのだけど。
マナブ	はい，何でしょうか？
シーラ	子どもたちに質問をするときに，ブドウの絵を見せながら尋ねるのではなくて，"Do you like grapes?" と，まず音声だけを聞かせて子どもたちの反応を伺い，そのうえで，理解していない子どものためにおもむろにブドウの絵を見せるようにしたほうがよいと思うわ。そうでないと，子どもたちが，指導者の質問を聞いて答えているのか，ただ，ブドウの絵を見て反応しているのかがわからなくなってしまうから。
マナブ	なるほど，今度から気をつけます。

　そのままでは，シーラ先生にはあまり評判のよくなかったタイプのゲームも，意味を伴ったやりとりをからませることで，意義ある活動へと進化させることができそうです。

② 「仲間はずれ」を作ってしまうゲーム

　あるプレーヤーが，何かをやり損なったり，ゲームでことばを言い損なったりすると，アウトになって，ゲームからはずれるというルールのゲームもあまりお薦めできません。

シーラ	とてもポピュラーな外国語学習ゲームのひとつに，"Went to the Market ...（マーケットへ行って…）" というゲームがあるのだけれど，マナブは知っているかしら？
マナブ	いいえ，どんなゲームですか？
シーラ	子どもたちは，"I went to the market and I bought ..."（マーケットへ行って…を買いました）という決まり文句で始めて，マーケットで買ったものを並べていくの。まず，最初の子が，"I went to the market and I bought <u>an apple</u>."（マーケットへ行って，**リンゴ1個**を買いました）と言ったとするでしょう。それを聞いた次の子は，最初の子が言ったことをまず言ってから，さらに，新しい品物を付け足して，"I went to the market and I bought <u>an apple</u> and <u>an orange</u>."（マーケットへ行って，**リンゴ1個**と**オレンジ1個**を買いました）などと続けるの。そして，さらに次の子は，"I went to the market and I bought <u>an apple</u>, <u>an orange</u> and <u>a pear</u>."（マーケットへ行って，**リンゴ1個**と**オレンジ1個**と**ナシ1個**を買いました）と言うの。こんなふうにして，子どもたちが覚えて，くり返す買い物リストがどんどん長くなっていくというものよ。
マナブ	そのゲームなら知っています。私がこのゲームをやるときには，最初の "I went to the market and I bought ..." の部分が長くて，食べ物のリストに入る前に子どもたちが息切れしてしまうと思い，"I like ..."（…

が好き）という言い方を使ってこのゲームをやっています。子どもたちは，"I like apples, oranges, pears ..." と，好きな食べ物のリストをどんどん長くしていくのです。

シーラ　それは，上手なアレンジね。おいしい食べ物のリストを，クラスのみんなで言っていくわけだから，"<u>I</u> like ..."（<u>私</u>は…が好き）ではなくて，"<u>We</u> like ..."（<u>私たち</u>は…が好き）と言うようにしたらどうかしら。

マナブ　ありがとうございます。そうですね，今度やるときにはそうします。ただ，このゲームには，もうひとつ，実際，行ううえで問題があるのです。

シーラ　というと？

マナブ　このゲームでは，だんだん長くなるおいしい食べ物リストにある項目を一つでも忘れてしまったり，言い間違ったりした子は，アウトになりますよね。

シーラ　そうね。そして，だんだん子どもたちの数が減っていき，最後まで残った一人の子だけの勝ちというのが，昔からのやり方ね。

マナブ　アウトになってしまった子どもたちは，何もやることがないので，ちっとも面白くありません。ゲームが進むにつれて，アウトになる子どもがクラスの中にどんどん増えていって，しまいには収拾がつかないことになってしまうんです。

シーラ　私も，若い頃に子どもたちとこのゲームをやっていて，同じ問題にぶつかったことがあるわ。

マナブ　それで，どうしたのですか？

シーラ　ゲームのルールを変えて，人を負かそうとするのではなくて，みんなで力を合わせてゴールを目指すゲームにしたの。

マナブ　と言うと？

シーラ　私の場合は，イタリアの子どもたちを相手にして，オリジナルの「ゲームことば」を，さっきも言った "<u>We</u> went to the market and <u>we</u> bought ..." を使ったの。そして，「クラスのみんなで力を合わせて，世界で一番長いショッピング・リストを作りましょう！」という設定にしたのよ。

マナブ　なるほど，それならば，アウトになって，ゲームが終わるのをただひたすら待っていなくてはならない子は出てきませんね。

シーラ　そうなの。一度アウトになってしまうと，二度とゲームに復帰できないようなやり方はよくないわ。このゲームばかりではなくて，私は，ほかにも早期英語でよく使われるゲームのルールを少し変えて，人を負かそうとするよりも，みんなで力を合わせてゴールを目指すゲームになるようにしてきたの。

マナブ　でも，ほかの人との競争ではなくても，何かのチャレンジがあったほうが，子どもたちは乗ってきますよね。

シーラ　それなら，先生がショッピング・リストを忘れたふりをして，子どもたちに助けを求めるといいんじゃない。先生を負かしたり，大人に物事を教えることは，子どもたちにとってはとても誇らしいことなのだから。

③ 延々と自分の番を待たなくてはならないゲーム

　各プレーヤーが自分の番（turn）を延々と待たなくてはならないゲームも，小学校の教室の授業に持ち込むのは考えものです。

シーラ　さっき紹介した"I went to the market and I bought …"（マーケットへ行って…を買いました）のような，子どもたちが一人ずつ順番に参加したり，発表したりしていくゲームは，もとのルールのままではうまくいかないことがもうひとつあるの。

マナブ　それは，どんなことですか？

シーラ　日本の小学校は，1クラスに子どもたちは何人くらいいるのかしら？

マナブ　そうですね，いろいろな学校がありますが，私が去年まで教えていた学校では1クラス30人くらいでした。

シーラ　そのクラスで，"I went to the market and I bought …"（マーケットへ行って…を買いました）をもとのルールのまま，クラスのみんなが自分の番を待って，一人ずつ順番に発表していったら，どうなるかしら？

マナブ　それだけで，授業の半分以上の時間を使ってしまいますね。

シーラ　それに，自分の番を待っている子どもたちが，そんなに長い間，何もしないでじっとしているはずはないと思うわ。マナブだったらどうする？

マナブ　そうですね。こんなのはどうですか？　まず，クラスの前の黒板にいろいろな品物の絵を貼っておきます。そして，一番左側の絵がリンゴだとしたら，リンゴが'an apple'だということを子どもたちと確認したうえで，リンゴの絵を裏返しにして，みんなで一緒に"We went to the market and we bought <u>*an apple*</u>."（私たちはマーケットへ行って，<u>リンゴ1個</u>を買いました）と声をそろえて言うんです。リンゴの隣の絵がオレンジだとすると，今度は，2枚目のオレンジの絵もひっくり返して見えなくしておいて，"We went to the market and we bought <u>*an apple*</u> and <u>*an orange*</u>."（私たちはマーケットへ行って，<u>リンゴ1個</u>と<u>オレンジ1個</u>を買いました）と言います。こうして，裏返しの品物の絵が増えるにつれて，みんなで一緒に発表する買い物リストも長くなっていくんです。

シーラ　なかなか，うまいアイデアね。

マナブ　ほかに，やはり大人数のクラスで困るのは，「スネークス・アンド・ラダーズ」のようなすごろく形式のゲームの場合です。

> シーラ　そうね。「スネークス・アンド・ラダーズ」はもともと，家庭で，せいぜい4人か5人で楽しまれていたボード・ゲームを，子どもたちに英語を教えるために利用したものなの。
>
> マナブ　すごろく形式のゲームは，1年間の終わりに，その年に扱ったことを総復習するのにはもってこいのゲームです。以前に，放課後の英語クラブの活動を担当していたときには，5，6人の子どもたちでよくやったものでした。
>
> シーラ　でも，30人のクラスで行なう活動には向かないというわけね。クラスでは，「すごろく」はしていないの？
>
> マナブ　クラスでは班活動の形でやっています。子どもたちも楽しんでくれていますが，英語クラブの活動でやっていたときのように，私がそばについていて，「ゲームことば」をちゃんと使えるようにサポートすることはできないんです。
>
> シーラ　そうね。そういう状況では，子どもたちが，ゲームの中でどんなふうにことばを使っているか観察することは難しいわね。
>
> マナブ　結局，クラスの「ゲーム大会」みたいなレッスンになってしまうのです。
>
> シーラ　それでも，子どもたちがルールを理解して，自分たちで協力してゲームを運営しているのだとしたら，それはそれで意味があるのではないかしら。大切なことは，指導者自身がゲームの性格とねらいを的確に把握しておくことね。

　すごろく形式のゲームは，一般に子どもたちの受けはよいようです。でも，そもそも，ゲームの成り立ちからして，少人数の子どもたちのグループで利用する場合に適しているのです。

④　普通教室での「大騒ぎゲーム」

　ゲームから発生する「騒音問題」も，考えに入れなくてはならないことのひとつです。

> マナブ　外国語活動で利用するゲームの中には，たとえば，算数の授業と比べたら，かなりの騒音を発生させるタイプの活動がありますね。
>
> シーラ　そうね。隣のクラスでは普通の授業が展開されていることを，いつも忘れてはいけないわね。
>
> マナブ　子どもたちが走り回るようなゲームは，英語活動専用の教室や体育館を使ったり，天気がよければ，屋外のグラウンドでもできますよね。
>
> シーラ　そういった条件が整わない場合には，無理をしないで，ほかのゲームをやるほうが無難だわ。早期英語の世界にはたくさんのゲームのアイデアの蓄積があって，ほかにいくらでも近所のクラスに迷惑をかけないですむゲームが見つかるはずよ。

　次に紹介する"What's the time, Mr. Wolf?（オオカミさん，いま何時？）"は，英語圏の子どもたちに昔から楽しまれてきた「追いかけっこゲーム」で，早期英語の定番のひとつです。でも，子どもたちがはしゃいで大騒ぎになること，間違いなしですので，普通の教室ではなくて，体育館や校庭など，どこか広い場所でやったほうがよいでしょう。

≪子どもにやさしい活動例1≫　What's the time, Mr. Wolf?（オオカミさん，いま何時？）
★ 活動のねらい
① 時刻を表す表現：初めて英語を学習する子どもたちの場合には，たとえば，It's one o'clock. のように '〜 o'clock'（〜時ちょうどの時刻）で始める。それがわかるようになってから，発展編として 'half past 〜'（〜時30分），'a quarter to/past 〜'（〜時15分前／過ぎ）といった時刻も織り交ぜるようにする。
② 食事の時間：breakfast time（朝食の時間），lunch time（昼食の時間），tea time（ティー・タイム），dinner time（ディナー・タイム），supper time（夕食の時間）といった表現に触れさせ，国によって，一日のうち一番のごちそうを食べる時間が違う場合があることに気づかせる。

★ 活動の手順
① 「オオカミ」役の子を一人選ぶ。
② ほかの子どもたちは「ヒツジ」役になって，「オオカミ」の周りを輪になって回り，"What's the time, Mr Wolf?"（オオカミさん，いま何時？）と声をかける。
③ 「オオカミ」役の子どもが，たとえば，"It's 3 o'clock."（いま3時）と答えた場合，「ヒツジ」役の子どもたちは，"One, two, three." と声を合わせて数えながら，3歩，オオカミのほうへ近づく。
④ 上のようなやりとりを何度かくり返し，「ヒツジ」たちが十分に近づいた頃合いを見計らって，再び時間を尋ねられた「オオカミ」は，"It's 7 o'clock. It's **DINNER TIME!**"（7時だ。晩ごはん〔ごちそう〕の時間だぞー！）と叫び，逃げ惑う「ヒツジ」役の子どもたちをつかまえてパクリと食べようとする。
⑤ 「オオカミ」につかまって食べられてしまった「ヒツジ」の子が，次の「オオカミ」役になる。

こうして，屋外で元気いっぱいにゲームを楽しんで教室に戻ったら，子どもたちに絵本を読み聞かせるなどの「落ち着かせる活動（settler）」*を入れて，次の授業に差しさわりがないようにするとよいでしょう。たとえば，このゲームに題材を取った *What's the Time, Mr. Wolf?* の絵本などがよいかもしれません。〔"What's the time, Mr. Wolf?（オオカミさん，いま何時？）" の遊びに題材を取った絵本 (Child's Play Intl Ltd: Illustrated edition, 2004年)。子どもたちに時刻の表現の仕方を教える際に利用することも可能〕

(2) 子どもたちの外国語学習に役立つ「良いゲーム」の条件
考えもののゲームの批判はこのくらいにして，今度は，もう少し建設的に，子どもたちの外国語学習に役立つゲームが備えていなくてはならない特徴について考えてみましょう。

---

*「動きのある活動（stirrer）」と「落ち着かせる活動（settler）」の組み合わせについては，第1章第2節の(10)「子どもたちの注意力と教室運営」を参照。

① 英語を使う場面を組み込む

　一般のゲームには，とかく勝ち負けが付きものです。チーム対チームでポイントを争ったり，一人ひとりのプレーヤーが，ほかのプレーヤーを負かして自分が1番になろうと競い合います。そこでは，いろいろな技（わざ）と能力が試され，鍛えられることになります。たとえば，卓球とかダーツのようなゲームでは，目と手を連動させる技術が，チェスでは，戦略的な思考能力が要求されるといった具合です。外国語学習に利用されるゲームが，ほかの一般のゲームと決定的に違っているところは，あくまでも，目標となる言語が主役になるという点です。たとえば，足の速い子がいつも勝つようなルールでは，英語の時間のゲームとしてはふさわしくありません。何か少しでも，ことばに関係したことが勝負の決め手にならなくてはやる意味はないでしょう。だからと言って，子どもたちがゲームの間，ずっと話し続けていなくてはいけないというわけではありません。次に紹介する"Simon Says（サイモンの言う通りに）"のようなゲームでは，語りかけられることばにじっと耳を傾けることが，外国語学習上のねらいとなっているのです。

*第1章第2節の(3)「母語の習得と外国語学習のつながり」および，第2章第1節の(3)「子どもにやさしい『ティーチャー・トーク』はいかにあるべきか？」を参照。

≪子どもにやさしい活動例2≫　**Simon Says**（サイモンの言う通りに）
　入門期の子どもたちの指導に必ずと言ってよいくらい使われる，TPR（全身反応活動）*をゲーム化した活動。
★ 活動のねらい
　① 命令文の聞き取りと理解。
　② touch（〔頭などに〕触る），raise（〔腕などを〕上げる），jump（跳びはねる），stand up（立ち上がる），sit down（座る）などの動作を表す表現の導入。
　③ hand（手），foot（足），nose（鼻），head（頭）などの身体の部位を表すことばの導入。
＜普通のやり方＞
　① 命令を伝える人（先生または児童の一人）が，ほかの子どもたちに向かって，"Touch your nose."（鼻に触われ），"Raise your right hand."（右手を上げて），"Turn around three times."（3回ぐるぐる回れ）などと，短い命令を矢継ぎ早にくり出す。
　② 聞いている子どもたちは，"Simon says"（サイモンが言うには）で始まる命令文の指示だけに従う。
　③ うっかり，"Simon says"で始まらない命令文の指示に従って動作をしてしまった子は「アウト」になり，お休みをしなくてはならない。
　④ 「アウト」にならないで，最後までゲームを続けた子どもの勝ち。
　このゲームは，スピーディに展開すれば，"Simon says"で始まらない命令を1つ出すたびに，数人の子どもが引っかかって，次々と「アウト」になり，短時間で決着が付くので，「アウト」になった子どもたちが，ゲームが終わるまでそれほど長い間待っていなくてもよい場合が普通です。しかし，やはり競争本位のルールよりは，誰も「アウト」になる子どもが出ないほうがよいので，次のような子どもにやさしいやり

方も考えられます。

<子どもにやさしいやり方>
① うっかり，"Simon says"で始まらない命令文の指示に従って動作をしてしまった子には，何かちょっとしたペナルティーを科す。しかし，ゲームそのものへの参加は続けることができる。
② ペナルティーの例としては，ジャンプしながら拍手をして，"Sorry, Simon!"（ごめんね，サイモン！）と大声で言ったり，"Oops!!"（しまった!!）と間違えた子が言い，ほかの子どもたちが，"Never mind!"（ドンマイ！）などと声をかけてあげるなど，いろいろと考えられる。

　マナブも，日本では，子どもたちと"Simon Says"を楽しんでいたのですが，少し困ったことがあって，彼なりに工夫をしていたようです。マナブの話を聞いてみましょう。

マナブ　"Simon Says"は，英語を母語とするALTの先生が動作の指示を出すと，子どもたちは，次々と引っかかって盛り上がるのですが，私たちのような，英語を母語としない指導者がこのゲームをしても，うまくいかないことがあります。

シーラ　というと？

マナブ　私たちが指示を出すと，"Simon says touch your nose."と滑らかに，一気に言うことができなくて，"Simon says ... touch your nose."のように間があいてしまって，子どもたちに余裕を持って動作の準備をする時間を与えてしまい，ゲームの面白さが半減してしまうこともあるんです。

シーラ　なるほどね。そういった問題は，私たちのように生まれつき英語を使っている者には，あまり起こらないかもしれないわね。

マナブ　そうなんですよ。そこで，私は，"Simon says"の代わりに'please'をゲームのキーワードにして，"Simon says 〜"を最初に付ける代わりに，"〜, please."と命令文の最後に'please'を付けたときだけ，その指示に従わなくてはいけないというルールでやってみたんです。このやり方では，命令する役が，たとえば"Touch your nose."ではなくて，"Touch your nose, *please*."と言ったときだけ，聞いているほかのプレーヤーは「鼻に触る」ことになります。こうすると，子どもたちは，おしりに'please'が付く命令文と，'please'が付かない命令文の両方とも最後まで耳をすまして聞いていなくてはならないことになるのです。それに，"〜, please."と丁寧にお願いしたときだけ，指示に従うというルールで，子どもたちに'please'ということばの使い方を教えることができます。

シーラ　でも，イントネーションによっては，たとえば親が言うことを聞かない子どもに強い語調で，再度たしなめるような印象も与えるわね。

マナブ　そうなんですか，そこまで考えてはいませんでした。

シーラ　子どもたちに，そういった英語圏の家族での親子の情景を話してあげた

*『子ども英語指導ハンドブック』(オックスフォード大学出版局・旺文社, 2003年)

*『「小学校英語」指導法ハンドブック』(玉川大学出版部, 2005年)

*『先生, 英語のお話を聞かせて！』(玉川大学出版部, 2008年)

マナブ　らどうかしら。ゲームと一緒に印象に残るかもしれないわ。ところで, これはマナブ自身のアイデアなの？
マナブ　いえ, いえ。メアリー・スラタリー（Mary Slattery）とジェーン・ウィリス（Jane Wills）の *English for Primary Teachers* の翻訳が日本語で出されていて, それを読んで知ったやり方です。*
シーラ　そうだったの。早期英語の指導者向けの本は, たくさん日本語に翻訳されているの？
マナブ　ええ, ほかに, たとえば, ジーン・ブルースター（Jean Brewster）とゲイル・エリス（Gail Ellis）の *The Primary English Teacher's Guide* も日本語版が出ていますよ。*
シーラ　エリスとブルースターは, 絵本や物語の使い方の指導書も書いていて, 版を重ねている良い本もあるわ。
マナブ　*Tell it Again!* ですよね。それも日本語版が出ていますよ。*
シーラ　まあ！日本の指導者は幸せね。自分のことばで何でも読むことができて。

　早期英語指導書の翻訳談義はこのくらいにして, 本題のゲームの話に戻りましょう。"Simon says" のような本当に人気のあるゲームでも, 指導者の考え方ひとつで, じつにいろいろなアレンジの仕方があるものなのですね。さて,「良いゲーム」の条件の2番目は, 次のようなものです。

② 負けてばかりいる子ができないようにする

　ゲームには, とかく勝ち負けがつきものです。それだけに, 子どもたちが勝ち負けにこだわりすぎて, 勝てなかった子が悔しい思いを残すようなゲームは, 健全なものとは言えません。そういった観点に立つと, 外国語活動のゲームの中にも, 英語以外のちょっとした特技とか, ツキの要素が勝負のゆくえに影響を与える余地が多少はあったほうがよいでしょう。もちろん, 肝心の「ことば」がまったく見えなく〔聞かれなく〕なってしまうようなことがない程度での話ですが。

マナブ　近頃は, 民間の児童英語教室に通っている子どもも多くなっています。そういう子どもと, 英語に触れるのは初めてという子どもが, 小学校の授業の語彙カルタゲームなどで同じグループになると, 語彙の知識の差がはっきりとしてしまって, まったくカードを取れない子がやる気をなくしてしまう場合があって困ったこともありました。
シーラ　たとえば, サイコロを転がしてラッキーナンバーの目が出た人から, 順に, 英語で言えるもののカードを取っていく, というようなルールにしてもいいんじゃない？
マナブ　なるほど, そうすれば, 英語の力だけで勝ち負けが決まるわけではないので, 負けた子どもが自信を失ったり, 反対に, 勝った子がうぬぼれてしまったりすることもありませんね。
シーラ　そうね。たとえば, さっき紹介した "What's the time, Mr. Wolf?（オオカミさん, いま何時？）" では, 英語が苦手で, オオカミにつかまってばかりいる子がいても, 足が速ければ挽回のチャンスはあるわ。
マナブ　あのゲームでは,「オオカミ」役に不思議と人気があって, つかまって「オ

オカミ」になりたくて，わざとゆっくり逃げる子もいますよ。

シーラ　まあ！ 子どもたちの反応って，本当に予想がつかないことが多いわね。

　結局，いろいろなゲームの中で，子どもたちの様子をよく見て，いつも公平に振る舞い，子どもたちの間に不平や不満が残らないようにうまくもっていくのも，指導者の大事な役目の一つということになりそうです。

③ 状況に応じて指導者が適切な役割を務めるゲーム

　指導者は，ゲームの中でいろいろな役割を務めます。たとえば，ゲームのタイプによっては「審判」の役に回ることもあるでしょう。子どもたちがゲームに熱中すればするほど，反則が起こりがちです。また，クイズ形式のゲームでは，指導者は「司会者」になって，クラスに問題を出し，誰かに回答権を与え，正解として認められる許容範囲を判断し，得点を与えたり，ペナルティーを科したりすることになります。得点の付け方にも，いろいろと配慮すべき点がありそうです。

シーラ　得点の表示の仕方も，子どもにやさしいほうがよいと思うわ。

マナブ　ポイントの付け方にまで，「子どもにやさしい」やり方が考えられるのですか？

シーラ　そうね，たとえば，ただ黒板に各チームの得点を書くだけでは，工夫が足りないと思わない？ 何か，一歩ずつゴールへ近づいていく様子を，子どもたちが目で見て実感できるような得点の付け方をしたほうが，ゲームが盛り上がると思わない？

マナブ　以前に，日本で一番高い富士山の頂上を目指して，麓（ふもと）の1合目から，だんだんに登っていく形の得点表示をしたことがあります。

シーラ　面白いじゃない！ 私も，寒暖計の目盛りがだんだん上昇していって，最後には，目盛りのてっぺんが吹き飛んでしまうという絵を黒板に描くことがあるわ。

マナブ　子どもたちをワクワク，ハラハラさせるためには，演出の仕方にもいろいろなアイデアがあるのですね。

シーラ　何か一つ間違えるたびに，そのチームが，一歩一歩崖っぷちに追い込まれるようなイメージの得点表示は，私の趣味ではないわ。マナブも，昔からある「ハングマン（絞首刑執行人）」という遊びを知っているでしょう？

マナブ　答えがはずれるたびに，一本ずつ線を描き足して，絞首刑になる人の線画を組み立てていくやつですよね。

シーラ　そう。あれって，よく考えると，とんでもないことだと思わない？ 絞首刑の首吊り台の支柱を一本ずつ描いていって，台ができ上がると，今度は首にかけるロープを描く。そして，次に首吊りにされる人の頭，腕，脚を順に描いていき，最後には絞首刑の情景が完成するというのは，考えてみるととてもグロテスクだわ。

マナブ 絞首刑台じゃなくて，たとえば，1ポイント得るたびに，カブトムシ型のロボットの部品を一つ，また一つと付け足していくのはどうですか？日本の男の子たちは，カブトムシが大好きです。

シーラ マナブは，男の子たちを楽しませるアイデアを思いつくのが上手ね。

マナブ 私だって，昔は，男の子でしたからね。

　このような「司会者」「審判」「得点係」は，子どもたちを指導する立場での役割です。教室運営のために，指導者は，そのような役割を引き受けることが必要な場面もあるでしょう。しかし，ゲームの中で指導者が果たす役割はそれだけではありません。指導者が，子どもたちと一緒になってゲームに参加して，教室の中をあちこちと動き回り，いろいろな子どもたちに次々と話しかけ，まるで，パーティーの「もてなし役」のように忙しく働くこともあります。そのようなタイプのゲームの一つを紹介しましょう。

≪子どもにやさしい活動例3≫　Find Your Twin（双子探しゲーム）
★ 活動のねらい
① 人の服装や特徴を表す簡単な表現。〔例：Long hair.（ロング・ヘヤー）とかA blue shirt.（青いシャツ）などの導入〕
② 人にわかりやすく説明をし，ほかの人の話もよく聞く。

★ 活動の手順
① 同じ特徴を持った人や，同じ数の動物の絵が描かれた2枚一組の絵を何組も用意する。〔例：A black dog.（黒いイヌ），A big hat.（大きな帽子）などの導入〕
② 子どもたちには1枚ずつ絵が配られる。どの絵にもマッチングの相手となる同じ絵がもう1枚ある。クラスの子どもの人数が奇数の場合は，一組だけ，3枚同じ絵のセットを用意する。
③ 子どもたちは，自分の絵と同じ絵を持った相手を探して，教室の中を歩き回る。ほかの子と絵を見せ合いっこをしてしまうのは反則。ほかの子に声をかけて，自分の絵をわかりやすく説明し，相手の子の話にも注意深く耳を傾けるようにする。
④ 子どもたち全員が，自分の絵と同じ絵を持った子を見つけるまで，ゲームは続く。その間，指導者は，声をかける相手を見つけられない子どものサポートをする。
⑤ マッチングの相手を見つけて「上がり」となるペアの数が多くなるほど，残りのペアの数が少なくなり，どんどん相手を見つけやすくなるので，たいていは，一番早くマッチングの相手を見つけたペアが待ちくたびれることのないうちにゲームは終わる。
⑥ 一番最初に相手を見つけたペアには，クラス全員で拍手をしてあげる。

＜くり返し利用する場合＞
　このゲームを2度，3度とくり返し行うときには，たとえば，「犯人探し！」とか，「スパイは誰だ？」といったいろいろな状況設定をして，人物探しをする理由を作ってやると，子どもたちは，同じゲームをくり返しているとは意識しないはずです。*

* このゲームを日本の子どもたちに向けて翻案するにあたっては，『実践家からの児童英語教育法　実践編AB』（中本幹子著，アプリコット出版，2003年）および Smile, 5 (S. Mohamed 著, Macmillan Heinemann English Language Teaching, 1999年) を参考にした。

④ 適当なところで切り上げる

　延々と果てしなく続くゲームほど，やっかいなものはありません。その場にいる誰もが，もういい加減にして終わりにしたいと願いながら，どうやって切り上げたらよいのかわからず，途方に暮れてしまうことがあります。

> **マナブ**　私は，よく，すごろく形式のゲームを学年や学期の終わりに，学習事項のまとめと復習のために使うのですが，子どもたちも気に入ってくれているようです。ただ，このタイプのゲームには一つ問題点があるのです。みんながゴールにたどり着くまでに，とても時間がかかり，なかなか終わらなくなってしまうことがあるんです。
>
> **シーラ**　子どもたちの様子はどうなの？
>
> **マナブ**　もうあきてきているのだけれども，だからと言って，ゴールにたどり着く前に，途中で終わりにすると納得しそうにない雰囲気になってしまいます。そうこうしているうちに，レッスン時間はどんどん過ぎていくのです。
>
> **シーラ**　そういう場面は，子どもたちに教え始めた頃には誰でも経験するのよ。たとえば，ゲームを始める前に，「10分経ったところで，ゴールに一番近い人が勝ち」などと決めておくとよいのではないかしら。
>
> **マナブ**　なるほど。それならば，カルタ形式のカード・ゲームの場合などは，10分経ったところで，取ったカードが一番多い人の勝ちと決めておけばよいわけですね。

　ゲームのやり方をうまく説明して，スムーズにゲームを始めることは大切ですが，どうやってゲームを終わりにするかというルールを，子どもたちと話し合って決めておくことも，同じくらい大事なようです。やり方や得点方法などのルールを最初にしっかりと決めてから始め，最後まで，あるいは，少なくとも一回戦が終わるまでは，そのルールで通す。こういうことが，結局は，子どもたちとの信頼関係を形成し，円滑な学級経営にもつながるのです。

⑤ 特別な準備がいらない

　ここまで，主に学習者である子どもたちにとって「良いゲーム」の条件をいくつか検討してきました。最後に，先生は，「指導者にとって良いゲーム」という観点から，現実的なアドバイスをマナブに与えています。

> **マナブ**　私は，子どもたちが楽しんでくれそうなゲームを考えることがとても好きで，いろいろなアイデアを練る過程をいつも楽しんでいます。
>
> **シーラ**　それは，よいことだわ。マナブは，子どもたちに英語を教えることに向いているのかもしれないわね。
>
> **マナブ**　でも，考えているうちにいろいろと凝りすぎて，思いついたゲームを実施しようとすると，いろいろな種類のカードや複雑なゲーム版などを，授業の前日に必死で準備しなくてはならないことがあります。
>
> **シーラ**　マナブには，外国語活動のほかにも，教えなくてはいけない教科がたくさんあるわけだし，それでは，毎日の仕事のやりくりがつかないのではないかしら？

マナブ　そうなんです。それこそ，徹夜になってしまうこともあるんです。
シーラ　あなたも，いつまでも若くはないのだし，そのうちに家族でもできたら，そんなことばかりはやっていられないわよ。準備した教材が，その後くり返し利用できる場合はよいとして，一度きりしかやらないゲームは，必要最低限の準備ですむように考えたほうがよいと思うわ。
マナブ　そうですね。でも，たとえば，あるゲームの中で使う語彙セットを子どもたちに紹介しようとすると，そのために特別なカードのセットを用意したりということになってしまうんです。
シーラ　たとえば，どんな語彙のカードが必要になるの？
マナブ　それは，ゲームによっていろいろですが，よく使うのは，野菜や果物のような食べ物，衣服，それから家の中の家具といったものですね。
シーラ　それならば，新聞に入っているスーパーや家具店などの折り込み広告に，たくさんの写真や絵が載っているはず。語彙カードを何セットも作る代わりに，クラスの各班に一枚ずつチラシを配って，そこに載っているものを子どもたちに発表させることで，十分な語彙の導入活動になる場合もあるんじゃないかしら。
マナブ　なるほど。新聞の折り込み広告には気がつきませんでした。今度から，捨てないで取っておくようにします。
シーラ　それで，あなたの睡眠時間が確保できるようになることを願っているわ。

　たしかに，子どもたちを指導する教員は，とくに外国語活動の研究授業の前になると，ほかの科目の場合よりも指導経験が浅いこともあって，張りきりすぎてしまいがちです。しかし，シーラ先生が言うように，あまり，特別なことをせずに，前の日に十分な睡眠をとることができるように心がけたほうがよい場合もありそうです。

(3)　正しい言語操作を要求するゲームとコミュニケーションを促すゲーム
　ここまで見てきたように，ゲームにはいろいろな種類があって，それぞれ違ったやり方で進められます。しかし，ゲームの進め方やルールとは別にもっと肝心なことは，ゲームの中のことばの使われ方の問題です。それぞれのゲームの中でのことばの使用については，どういったことが重要とみなされるのでしょうか？

①「言語操作ゲーム」と「コミュニケーション・ゲーム」
　ことばの使用という観点からは，ゲームは，正しいことばの使い方を教えることを主な目的としている「言語操作ゲーム（code control game）」とコミュニケーションを促す目的の「コミュニケーション・ゲーム（communication game）」の2つに分類することができます。この2つのタイプのゲームの特徴を簡単に見ていきましょう。

a）言語操作ゲーム（code control game）

□ **言語操作ゲーム**　　「言語操作ゲーム」のタイプのゲームでは，あることばを正しく言うことができたり，きちんと聞き取って正しく反応することができたら，ポイントがもらえるようになっています。ここでいう「正しい」とは，言語形式が正

しいということで，具体的には，正しいつづりで単語を書けたり，正しい構造を持った文を作ることができたり，mouse（ネズミ）と mouth（口）のように1音素だけが異なる「最小対立ペア（minimal pair）」*を正しく聞き分けられるといったことです。そして，それぞれのゲームの枠の中で，子どもたちが，統制された「**制限練習（controlled practice）**」をするようにルールが設定されています。子どもたちは，以前に出会った単語や文を「ゲームことば」として，ドリルや練習問題の場合より，自然な形でくり返して言うことになります。そして，たいていの場合，指導者が審判役になり，子どもたちが正しいルールに沿ってことばを使っているかどうかをチェックして，その正確さ（accuracy）に対して得点を与えたり，ごほうびをあげたりします。また反対に，もし間違っていたら，正しい形を教えてあげることになります。

* 第4章第3節「ボトムアップの発音指導」を参照。

☐ 制限練習

b）コミュニケーション・ゲーム（communication game）

☐ コミュニケーション・ゲーム

もう一方の「**コミュニケーション・ゲーム**」とは，子どもたちが，伝えようとする内容（message）をうまく相手に伝え，聞く側の子どもも，相手が伝えようとしていることを，なんとか理解できることが一番大事なこととされるタイプのゲームです。もちろん，言いたいことを正確な形で相手に伝え，相手の言うことを完全に聞き取ることができれば，それに越したことはありませんが，このタイプのゲームの一番のねらいはそこにはありません。たとえば，前の「活動例3」（p. 252）で紹介した「双子探しゲーム」のようなゲームで，ある子が，自分が持っている絵を説明しようとして，"I have two <u>men</u>." とは言わずに，誤って "I have two <u>mans</u>." と言い，相手の子が "<u>Me</u>, too." と応える代わりに "<u>I</u>, too." と言ったとしても，先生は，「あー，あんなに教えたのになんてことだ！この世の終わりだ！」などと嘆く必要はないのです。2番目の子が，「二人の男の人の絵」という情報をちゃんと受け取って，「僕の絵と同じだ！」と気づくことができたとしたら，この二人の子どもたちの間のコミュニケーションは立派に成立しているのです。そして，そのことが，子どもたちにとって，英語を使うことへの自信につながるわけで，このゲームの目的は十分に達成されたことになります。

「コミュニケーション・ゲーム」を「言語操作ゲーム」と比べると，ひとつ，とても興味深いことに気がつきます。それは，「言語操作ゲーム」では，子どもたちがゲームの課題を達成することができたかどうかを判定する立場にいたのは，正しい答えを知っている先生だったのですが，「コミュニケーション・ゲーム」では，子どもたち自身が，ゲームの課題の達成を確認できるようになっているという点です。なぜなら，相手に言いたいことが伝わったかどうかは，当事者の子どもたち同士が，もっとも直接的に感じ取ることができるわけですから。

ここまで，「言語操作ゲーム」と「コミュニケーション・ゲーム」という，2つの対照的なタイプのゲームの説明にじっと耳を傾けていたマナブは，あることに思いあたったようです。

マナブ　「言語操作ゲーム」と「コミュニケーション・ゲーム」のお話を聞いて，「スキル面を中心として英語力の向上を図ること」と「積極的にコミュ

※『学習指導要領』の第4章「外国語活動」第1「目標」では、「外国語を通じて、言語や文化について体験的に理解を深め、積極的にコミュニケーションを図ろうとする態度の育成を図り、外国語の音声や基本的な表現に慣れ親しませながら、コミュニケーション能力の素地を養う」としている。

ニケーションを図ろうとする態度を育てること」という2つの表現が思い浮かんできたのですが。

シーラ つまり，それはどういうこと？

マナブ 日本の文部科学省による『小学校学習指導要領』（2008a）についての解説を見ると，外国語活動の目標について語るときに，「スキル面を中心として英語力の向上を図ること」と「積極的にコミュニケーションを図ろうとする態度を育てること」という2つの概念を区別して用いているような気がするのです。※

シーラ そのことが，いまの「言語操作ゲーム」と「コミュニケーション・ゲーム」の話にどう関係してくるわけなの？

マナブ じつは，「スキル目標」と「態度目標」という2つの考え方を区別することが，実際のレッスンの中でどういう意味を持つのか，私は，いつも首をひねっていたのです。でも，今日のお話を聞いて，日本の文科省が小学校の外国語活動で取り入れるべきだと言っているタイプの活動は，ゲームでも，子どもたち同士のことばのやりとりを促す「コミュニケーション・ゲーム」であって，正しいことばの操作を要求する「言語操作ゲーム」ではないと言っているのではないでしょうか？

シーラ あら，そんなに単純な話なのかしら。

マナブ と言いますと？

シーラ 「コミュニケーション・ゲーム」が，正しい言語操作の習得にまったく結び付かないと言いきれるのかしら。まず，第一に，間違いだらけで，正しい形とは似ても似つかないような文法形式や発音では，言いたいことが伝わらない可能性があるわ。それに，子どもたちが知っている言語材料には当然限りがあるので，「コミュニケーション・ゲーム」で，課題の達成を目指して活動する中で，子どもたちは，同じことばや表現を自然な成り行きでくり返して言うことになる場面があるでしょう。その場面に注目すれば「言語操作ゲーム」との区別が難しくなるわ。

マナブ なるほど。ということは，「言語操作ゲーム」と「コミュニケーション・ゲーム」のどちらのタイプのゲームも，子どもたちの外国語学習には必要だということになるわけですね。

シーラ その通りよ。子どもたちとのレッスンで使うことになるいろいろなゲームの基本的な目的の違いをよく知っておいて，レッスンの中で2つのタイプをうまく組み合わせて使うのが理想的ね。そうやって，子どもたちが「言語操作ゲーム」で覚えたことばを，「コミュニケーション・ゲーム」の中で実際に使って，やりとりする場面を作ってあげればとても効果的だと思うわ。[2]

注釈2（p.320参照）

「コミュニケーション・ゲーム」は，子どもたちがペアになったり，3，4人の小グループでやりとりをしながら進められることが普通です。少人数のグループで，互いに相手の言うことを一生懸命聞き，協力してゲームのゴールを目指します。そして，この協力関係は，子どもたちの間に「インフォメーション・ギャップ（information gap）」※を設定することによって，自然に作り出されることが普通です。つまり，ある子どもが知っている事柄と，

※第1章第2節の(4)「周囲の人とのやりとり」を参照。

ほかの子どもが手にしている情報が違ったものになっていて，互いに足りない情報を交換し合って，課題の達成を目指します。前に紹介した「違うところはどこ？（Find the Differences）」（第1章第2節(4)）や「説明を聞いて，絵を描きなさい（Describe and Draw）」（第2章第2節(2)）などのゲームがよい例です。子どもたちは，自分が持っている絵のそれぞれの部分がどんな色や形になっているかを，ペアの相手になんとかして伝えようと，一生懸命に情報を出し合い，助け合うのです。このようなゲームでは，子どもたちは仲間と協力してゲームの課題に挑戦することになるので，ペアの相手やグループのメンバー同士の関係が特別な意味を持つことになります。

② 「コミュニケーション・ゲーム」と指導者

上で紹介したように，「コミュニケーション・ゲーム」の中では，ゲームの課題を達成するために子どもたちが「やりとり（interaction）」を交わし，助け合うことが何よりも大切な要素です。しかし，指導者は，そのようなゲームの中で，どんな役割を果たすことになるのでしょう？　マナブの疑問は，そのような観点に及んでいきます。

マナブ　たとえば，30人の子どもたちがいるクラスで「間違い探しゲーム」をするとします。ゲームが始まると，子どもたちは，みんな，教室の中を歩き回って，クラスメイトをつかまえて話しかけます。指導者は一人で，教室のあちこちでたくさんのペアの間で交わされているやりとりのすべてを聞き取ることはできませんよね。

シーラ　それは，もちろん無理よ。でも，子どもたちの活動の様子を見ながら，教室の中をひと通り回って，聞こえてくる子どもたちの発話に耳を傾け，メモを取ることはできるわ。そして，活動の後で，気がついたことをクラス全体に伝えてもよいし，子どもたちには言わないで，次の時間の指導計画にこっそりと書き加えるようにしてもよいと思うの。

マナブ　つまり，「コミュニケーション・ゲーム」を注意深く観察することが，指導者にとっては，以前に「評価」の問題について先生が話された，「**形成的評価（formative assessment）**」*につながるというわけですね。

□ 形成的評価
* 第6章第3節「指導と評価」を参照。

シーラ　あら，よく覚えていたわね。それから，もう一つ，「コミュニケーション・ゲーム」の中で指導者にできることは，子どもたちが必要とする「ことば」を与えることよ。

マナブ　なるほど。でも，「子どもたちが必要とする『ことば』」を，どのようにして知ることができるのですか？

シーラ　そのために，普段から，子どもたちに"How do you say ～ ?"（～はどういうふうに言うの？）とか，"What's ～ in English?"（～は英語で何て言うの？）といったような表現を教えておくといいわ。

マナブ　でも，思いがけないことばや表現を尋ねられて，答えられなかったら，ちょっと格好悪いですね。

シーラ　そういったときには，子どもと一緒にALTの先生のところへ行って，"How do you say ～ ?"と言って，人にものを尋ねるときの見本を見せてあげればいいのよ。

マナブ　でも，ALTの先生は毎時間いるわけではないのですが，……。

シーラ　ALTの先生がいない時間だったら,「一緒に調べてみようね」と言って,「辞書」という外国語学習者を助けてくれる「魔法の本」や,「電子辞書」という「物知り機械」があることを教えてあげたらどうかしら。

マナブ　なるほど,そのようなやりとりをする中で,中学生になって,早く辞書を使えるようになりたいなあと思ってくれる子がいたら,それはそれで,とても意味のあることですね。

　外国語学習におけるゲームの効果と利用法については,たくさんの本が書かれています（例：Rixon, 1981; Lee, 1979）。この本では紹介しきれなかったたくさんの素晴らしいゲームのアイデアがあります。みなさんが,将来,その中のどれかを選んで,レッスンで使ってみようと計画をするときに,たくさんありすぎて迷ってしまうくらいです。そんなときには,この節の内容を思い出し,それぞれのゲームが,子どもたちとのレッスンの中で持つ可能性や目的をよく見極めたうえで,適切なゲームを選んで活用するようにしてください。

　　　　　　＊　　　　　　　＊　　　　　　　＊

≪この節で扱った「ゲーム」≫
・スネークス・アンド・ラダーズ（Snakes and Ladders）　p. 240
・マイム・ゲーム（Listen and Mime）　p. 241
・"YES/NO Wall" ゲーム　p. 241
・Went to the Market …（マーケットへ行って…）　p. 243
・What's the time, Mr. Wolf?（オオカミさん,いま何時？）　p. 246
・Simon Says（サイモンの言う通りに）　p. 248,第4章第3節（p. 149）
・Find Your Twin（双子探しゲーム）　p. 252
・間違い探しゲーム　p. 257

≪ほかの章で扱った「ゲーム」≫
・違うところはどこ？（Find the Differences）　第1章第2節（p. 28),本節 p. 257
・説明を聞いて,絵を描きなさい（Describe and Draw）　第2章第2節（p. 80),本節 p. 257
・Twenty Questions　第3章第1節（p. 119）
・単語を並べ替えよう　第3章第1節（p. 120）
・動物世界一クイズ　第5章第2節（p. 181）
・Whch Is Bigger?　第5章第2節（p. 182）
・「色」を扱うゲーム　第5章第2節（pp. 185, 187）
・Which Is Okapi?（オカピはどれだ？）　第5章第2節（p. 189）
・How Long Is the Stem?（茎は何センチになったかな？）　第5章第2節（p. 189）
・What's His/Her Job?（この人の仕事は何？）第5章第2節（p. 191）
・What's in the Bag?（袋の中に何があるかな？）第5章第2節（p. 192）
・「恐竜」を題材とする活動　第5章第2節（p. 194）

7.2 物語と子どもたちの外国語学習

(1) なぜ、物語〔絵本〕を使うのか？

　小さかった頃、毎晩決まった時間に、お母さんやおばあちゃんがやさしく語り聞かせてくれた「お話」は、いくつになっても口をついて出てきます。このように幼児期における絵本は、子どもたちに、ことばの面白さ、母語の美しさを伝える手段であり、同時に情緒や社会性を育む点でも、教育的にきわめて大きな意味を持っています。このことは、幼児期における外国語教育についても同じで、絵本を使った英語の授業で、子どもたちは美しいイラストに心をときめかせ、楽しいくり返しのフレーズにクラス全体が大きな声で唱和します。この節では、授業で物語〔絵本〕を使うことの意義、その選び方、読み聞かせの方法など、実際の授業で役立つ事柄について考えていきます。

マナブ　私も日本の小学校で教えていたときは、時間が許す限り絵本を使うように心がけていましたが、いつも盛り上がりました。子どもたちがこんなに夢中になるのはなぜでしょうか？

シーラ　それはね、マナブ、学習の動機付けという点から見ても、もともと、子どもというのは物語が大好きで、ゲームと並んでとても素晴らしい教材なの。授業でよく使われる物語は、子どもたちの関心を引き付けて、物語の中に引き込んで集中させる力があるのよ。だから、そういう授業は、子どもたちにとっては、本当に楽しいものになるのね。

マナブ　動機付け以外にも、物語がよく使われる理由はあるのでしょうか？

シーラ　そうね、物語を聞くことによって、子どもたちは認知の枠を広げることができるのよ。簡単に言うと、子どもの世界観が広がるということね。それに、情操教育という点でも素晴らしいし、もちろん、想像力も豊かになるの。子どもにとっても、指導者にとっても、物語は、まさに「無限の宝庫」と言ってもいいくらいだわ。子どもに英語を教える指導者としては、物語の持つこういう魅力は、絶対にないがしろにはできないわね。

マナブ　ひと口に物語とか絵本といっても、いろいろな種類があるような気がするんですが？

シーラ　そう、マナブの言う通りよ。物語の中には、明確に道徳とか教訓を盛り込んだものもあるし、一方では、説教じみたところはないのに、さりげなく「世間の常識（knowledge of the world）」を教えるといった種類のものもあるわね。[3]

注釈3（p. 320 参照）

マナブ　物語に出てくる文法や語彙はどうでしょうか？　イギリスやアメリカで出版された物語や絵本は、子どもには難しくて理解できないのではないか、と心配している指導者が日本には多いと思うんですが。

シーラ　そうかも知れないわね。いずれにせよ、指導者は、どんな語彙や構文が絵本に出ているか、よくわかっていなければならないの。そのうえで、マナブが心配するように、日本の子どもには少し難しすぎる場合には、部分的にやさしくしたり、ときには、先生が子どもの理解のサポートを

してあげる必要があるわ。一方では，そんなサポートをしなくても，子どもの学習に役立つようないろいろな言語体験を提供してくれるようなものもあるの。

(2) 良い物語の条件とは？

多くの子どもたちにとって，物心がついて以来，何かに夢中になった最初の経験と言えば，それは，昔から語り継がれた物語を聞いたときではないでしょうか？ 子どもの集中力は長続きしないと思い込んでいる人でも，子どもたちが，大好きな話に耳を傾け，そのストーリーにすっかり夢中になっている姿を見れば，自分たちの誤った考えを改めることになるに違いありません。指導者として，子どもたちがこのように楽しく集中できるように手助けしてあげることは，骨を折るだけの値打ちのある仕事だと言えます。

なぜ，物語は，このように子どもの心を引き付けることができるのでしょうか？ 昔から親しまれている優れた物語の特性は何でしょうか？ シーラ先生のチュートリアルは，さらに続き，良い物語が共通して備えている4つの特徴について，具体的な絵本を例にとって説明してくれます。

① 良い物語は子どもの認知の枠を拡げ，異なった視点を提供する

物語は，異なった視点から物事を見るための機会を子どもたちに提供してくれます。たとえば，『大きなかぶ (*The Enormous Turnip*)』は，どんなさいなことでも役に立つという，とても大切なことを，子どもたちに気づかせてくれます。ネズミが列の最後尾で引っ張らなければ，かぶは地面から抜けなかったのです。おじいさんやおばあさんや，ほかの動物が総動員で引っ張ってもだめだったものが，たった一匹のか弱いネズミが加勢したことで，それが可能になったのです。〔『大きなかぶ』は，『英語ノート』②の Lesson 8（オリジナルの劇をつくろう）でも取り上げられていたが，改訂版の "Hi, friends!" ②では『桃太郎』に替わった〕

『魔女のウィニー (*Winnie the Witch*)』も，多くの英語クラスでたいへん人気のある物語です。ウィニーは，壁も家具も何から何まで真黒な家に住み，黒ネコのウィルバーを飼っています。ウィニーは，床と同じ色のウィルバーにいつもつまずいてばかりいます。そこで，最初，ウィニーは，自分の飼いネコにつまずかないようにするために，魔法を使って彼の毛を違う色に変えてしまいますが，そのことが，かえって，ウィルバーにたいへん大きな屈辱感を与えてしまうことになってしまいます。ところが，やがて，ウィニーは別の視点で物事を見るようになります。結局，黒い家よりも，本来の黒い毛並みのウィルバーが幸せでいることのほうが大切だということに気づき，家のほうを変えることにします。するとどうでしょう！ もとの黒いネコに戻ったウィルバーは，明るい色どりを施した家の中では，かえって目立つようになったのです。

② 良い物語は子どもたちに物語の筋を予測させる

良い物語は，読み進むうちに，次に何が起こるのかという話の「先」が予測できるようになっています。このように，あらかじめ予測を立てることは，リスニングでもリーディングでもとても大切なストラテジー（方略）であり，

実生活でも役に立ちます。語りながら，「間（pause）」をとったり，すぐ答えを明かさずに，ときには，子どもたちに直接，質問を投げかけたり，さまざまな方法で推測の糸口を与えてやることができるのです。もちろん，予測が外れることもあります〔優れた物語は読者をうまくあざむくものです！〕。しかし，たとえ外れることがあっても，子どもたちがいろいろな意見を述べてくれたことをほめてやることが大切です。そうすることによって，子どもたちは，予測してみるのはよいことだということが実感できるのです。

次の先生と子どもとのやりとりは，イギリスの小学校で，『小さなビスケットのジンジャーブレッドマン（Little Gingerbread Man）』*という物語を勉強している授業の一コマです。

* 小さな男の子の形をしたショウガ入りクッキーのジンジャーブレッドマンが，パン屋さんから逃げ出し，「僕はジンジャーブレッドマン。ここまでおいで」と言いながら，村の中をどこまでも駆け抜けていくというお話。

先生：The Little Gingerbread Man jumped on to the fox's nose.（小さなビスケットのジンジャーブレッドマンが，キツネの鼻に飛び乗りました）〔と，物語の一節を読む〕Do you think he's safe there?（ジンジャーブレッドマンはそんなところに行っちゃって，大丈夫かな？）

子ども：No!（大丈夫じゃないよ！）

先生：Why not?（どうして？）

子ども：'Cause he's going to eat him—the gingerbread—up now. 'Cause he ... 'cause I got a story about that and I ... he's going to eat the gingerbread up.（だって，キツネに食べられちゃうよ！だって，さ，だって，僕，前に，そういう話，聞いたことがあるもん。キツネがジンジャーブレッドを食べちゃうよ）

先生：Oh, no! So he shouldn't have trusted the fox?（そうなんだ！じゃ，ジンジャーブレッドマンは，キツネなんか信じてはいけなかったんだ？）

子ども：No.（うん，信じちゃ，ダメだよ）

先生：Oh. Er. Let's see what's going to happen.（そうか，じゃ，どうなるか見てみよう）

ときには，物語の展開を予測するのに，母語で考えなければならないことがあるかもしれませんが，子どもたちが物語の内容さえ理解していれば，先生が必要に応じて英語で言い直せばよいのです。このように学習者の発言を別の表現で言い表すことを「言い直し（recast）」と言います。[4]

注釈4（p. 320 参照）

③ 良い物語は子どもの情動的〔想像的〕な側面を伸ばす

自分の住んでいるところとは違う世界は，子どもにとってとても魅力があります。だからこそ，物語による学習が，子どもの動機付けに役立つと言われているのです。物語を聞くことで，いろいろな登場人物の目を通して世界を見ることは，とても有意義な経験となります。物語は子どもたちを自然な形で「脱中心化（decentring）」*——他人の立場で物事を見て，自己中心的（egocentric）[5]な見方から脱却すること——に導くことができます。

□ 脱中心化
注釈5（p. 320 参照）

次の先生と子どものやりとりを見てください。

先生：How do you think the Big Billy Goat's feeling? Look at its

* 『*The Three Billy Goats Gruff* (3匹のヤギのガラガラドン)』のお話に出てくる一番大きなヤギ。この物語では，3匹のヤギが，谷川にかかった橋の下に住むトロルという怪物に出会い，ヤギたちと怪物の軽妙なやりとりのくり返しが子どもたちを楽しませる（第4章第4節の(2)「対比効果」も参照）。

face. How do you think? (Big Billy Goat〔大きいヤギ〕*はどんな気持かな？ ヤギの顔を見てごらん！ みんな，どう思う？)

子ども1：Sad.（悲しそう）

先生：Thomas?（トーマスはどう？）

子ども2〔Thomas〕：Sad.（やっぱり，悲しそうだよ）

先生：He looks a bit sad. I wonder why they're feeling sad. Why do you think they might be feeling sad? Susanna.（そうだね，みんな，すこし悲しそうだね。何で悲しいのかな，スザンナ？）

子ども3〔Susanna〕：Because they're hungry?（二人とも，おなかがすいているからかな？）

先生：Because they're hungry. I think you're right.（おなかがすいているからなのか。きっと，そうだね）

　このように，子どもたちは登場人物に興味を持つと，原作を飛び超えて，新たにエピソードを創作したり，自分たちで話の続きを作ってしまうこともあるのです。

④ 良い物語はことばの上達を促す

　物語を利用することには，ことばの上達という観点から次の3つの利点が挙げられます。

a)　物語を聞かせることは，単なる受動的なリスニングの練習というよりも，むしろ，子どもたちには，指導者とのインタラクションの機会となります。指導者が物語を語りながら，子どもたちに注意を払い，アイ・コンタクトをとったり，ときには話を中断して，彼らが理解しているかどうかを確かめ，理解が不十分と思われるときにはくり返して，話の流れに戻す——このような読み聞かせのプロセスを通して，指導者は子どもたちのリスニングを手助けしているばかりではなく，英語であれ，日本語であれ「聞き上手，話し上手」になるためにはどうすべきか，というメッセージを子どもたちに暗黙のうちに伝えているのです。

* 第1章第2節の(8)「チャンクの役割」参照。

b)　子どもたちの実生活では，母語で聞く物語が，おそらく長い談話（discourse）*に触れる最初の経験となるはずです。このように物語は，文字で読むにせよ耳で聞くにせよ，全体がまとまった形で，大量のことばに子どもたちを「晒（さら）すこと」ができます。そういう意味で，読み聞かせは「子どもにやさしい言語教育」の機会を提供してくれます。言い換えれば，物語は完全な談話であり，最初から最後までばらばらに散らばった単文の集合体ではないのです。物語には，語彙や文法的に相互に関連性を持つ要素と呼応し，文章全体にまとまりを持たせる働きをする結束性（cohesion）*を示す例が多く含まれています。たとえば，すでに述べられている登場人物を指すheやsheなどの代名詞とか，first, next, thenのように物事の順番を示す標識（marker）などの事例に，自然な形で触れることができるのです。

* 第1章第2節の(8)参照。

c)　良い物語は決まったフレーズのくり返し（refrain）が多いのです。た

とえば，子どもたちに人気のある『ひよこのリキン（Chicken Licken）』『大きなかぶ（The Enormous Turnip）』『王様とネズミとチーズ（The King, the Mice, and the Cheese）』では，次のようなフレーズがくり返されています。

> 『ひよこのリキン（Chicken Licken）』の中のくり返しの例：
> "Oh, the Sky is falling, and I must go and tell the King."（ああ，空が落ちてくるぞ！　王様に知らせに行かなくては）
>
> 『大きなかぶ（The Enormous Turnip）』のくり返しの例：
> "They pulled and they pulled and they pulled but they could not pull it up!!"（彼らは引っ張って，引っ張って，引っ張って，引き抜こうとしましたが，やっぱりだめでした！！）
>
> 『王様とネズミとチーズ（The King, the Mice, and the Cheese）』のくり返しの例：
> "Oh no", said the King, "what a terrible thing!"（「おや，おや，なんてひどいことだ！」と王様が言いました）

　読み聞かせが始まって，子どもたちが物語の世界に「引き込まれて」くると，彼らはこのようにくり返し出てくるフレーズを，ごく自然に口ずさむようになります。これらのフレーズは，読み聞かせの活動の重要な部分を占めていますが，同時に，子どもたちがいろいろな形で利用できるような，ことばのデータベースとしての役割も持っています。たとえば，"I must go and tell the King."（王様に知らせに行かなくては）は，'the King' の代わりに 'my Mum' にして，"I must go and tell *my Mum*."（お母さんに知らせに行かなくては）のように，ほかのいろいろなことばで置き換えることができます。

　ほかにも，必ずしも規則的，意図的にくり返されるフレーズではないけれども，物語の一部になっており，子どもたちが自然に口ずさみ，別の状況や場面でも使えるようなものがあります。

> Then she went into the (kitchen / sitting room / bedroom) and saw three (bowls of porridge / chairs / beds). (*Goldilocks and the Three Bears*)
> (それから彼女が（台所，居間，寝室）に入って行くと，（3杯のポリッジ（おかゆ），3つの椅子，3つのベッド）が彼女の目に入りました。（『ゴルディロックスと3匹のクマ』）〔3匹のクマの親子の家に迷い込んだ女の子ゴルディロックス。そこにはおいしそうな朝食のポリッジが3つ。ポリッジを食べたゴルディロックスは，ベッドで眠り込んでしまい，散歩から帰った3匹の親子クマは，……という展開のお話。265ページの「物語展開の3つのカテゴリー」も参照〕

　このように同じフレーズのくり返しは，同じ出来事のくり返しにもつながります。子どもに人気のある物語では，同じ出来事とか類似の出来事が，話

注釈6（p.320参照）　の結末まで何度もくり返し起こるタイプのものがあります。[6] 子どもたちは，たちまちこれらのフレーズに慣れ，指導者が，次に何が起こるか推測するように言うと，くり返し出てくるフレーズを手がかりに，競って話の先を推測しようとします。この段階に至ると，子どもたちは，ことばと概念の両面で発達を遂げていると言えます。

(3) 良い物語はどんな展開をするか？

子どもの認知的発達段階に合った物語は，想像力を刺激し，物語の展開を推理させ，彼らのことばの発達にたいへん大きな役割を果たします。では，このような物語は，一般的にどのような構成になっているのでしょうか？

シーラ　普通，物語は，「始まり」「真ん中」「終わり」の3部構成になっていることが多いの。それで，だいたい，その冒頭で，困った問題とか，まさかと思うような危機的な事態が出てきて，話が展開していくの。物語の真ん中あたりで，やっと，事態の収拾や問題解決の糸口を見つけるためのさまざまな企てがなされて，最後に，見事に「一件落着」したり，ときには「どんでん返し」があったりするわけ。ほかにもいろいろバリエーションはあるでしょうけれど。

マナブ　そういえば，そうですね。たとえば，日本の幼稚園や小学校の低学年のクラスでは，『シンデレラ』や『白雪姫』の読み聞かせがよく行われています。もちろん，日本語ですが。でも，私は，どちらの話も，結構複雑だなという印象を持っているんですが，それを英語でやるのはとても難しそうですね。

シーラ　そう，マナブの言う通りよ。2つとも物語の情景がめまぐるしく展開して，登場人物も多く，ハッピーエンドを迎える前に，いろいろな出来事が起こったり，急いで解決しなければならないような問題が不意に出たりするわね。一方では，『シンデレラ』や『白雪姫』のように，物語の途中でさまざまな展開のあるものとは対象的に，昔からの伝統的な物語の中には，真ん中の部分が同じような動作のくり返しで構成されていて，ストーリーの展開や登場人物のせりふが簡単に予測できてしまうようなものもあるのよ。

マナブ　でも，そういう物語は，子どもたちはすぐ退屈してしまうんではないですか？

シーラ　いいえ，必ずしもそういうわけではないわ。このタイプの話は，子どもたちが物語の展開に「参加」できるのよ。とくに，せりふにアクションが付いている場合にはね。『Little Red Hen（小さな赤いめんどり）』*などはいい例じゃないかしら。ニワトリが，パンを焼き上げるまで，一つひとつの作業の段階で，毎回，自分の友だちに手伝わせようとするの。こういうくり返しが多い物語には，『大きなかぶ』のように，アクションがくり返されるたびに，まるで数珠（じゅず）つなぎのように，次から次へと新しい登場人物が増えていくものもあるわ。

マナブ　なるほど。そういう物語の展開が，子どもの注意を引き付けるのかもしれませんね。

*『Little Red Hen（小さな赤いめんどり）』働き者のめんどりは，一生懸命働いて小麦を育てパンを作ります。イヌ，ネコ，ネズミに「手伝って」と頼んでも，みんなは「いやだよ」と言うばかり。苦労の末にできたパンを，みんなに「食べる？」と聞くと，みんな「もちろん！」と答えます。さて，小さな赤いめんどりはどうするのでしょう？「働かざる者食うべからず」というお話。

ここで，先生は，物語をストーリーの展開の仕方によって，次の3つのカテゴリーに分類します。

シーラ先生の講義ノート

物語展開の3つのカテゴリー

1) 反復的〔累積的〕な物語

　　この類型に属する典型的な物語が『*The Enormous Turnip*（大きなかぶ）』です。初めに，一人の農夫がかぶを引き抜こうとし，次に，妻が加わり，さらに，息子，そして息子のお嫁さんとどんどん続き，最後に，子ネズミが列の最後尾で引っ張ったら，ついにカブが抜けた，という話。* このような物語を「反復的〔累積的〕な物語（cumulative〔repetitive〕story）」と言います。

2) 準反復的〔累積的〕な物語

　　この類型に属する物語には，『*Goldilocks and Three Bears*（ゴルディロックスと3匹のクマ）』があります。ゴルディロックスが，3匹のクマさんの家で，同じような行為をいくつかくり返します。まず，父さんクマのポリッジ（おかゆ）をすすったり，椅子に座ったり，ベッドに横になったりします。次に母さんクマのポリッジをすすり，椅子に座り，ベッドに横になり，最後に，赤ちゃんクマのもので満足するという話です。これは『大きなかぶ』のように，まったく同じ行動のくり返しではなく，どちらかというと中間的なものだと言えます。

3) 短い寓話

　　「短い寓話」の範疇に入る物語も，子ども向けの教材として適切です。代表的なものが『イソップ物語（*Aesop's Fables*）』* です。この寓話集は，日本をはじめ多くの国々でも児童英語の読み物として人気があります。とくに，寓話の中に込められている道徳的な教訓が重んぜられている国もあります。これらの寓話は，それぞれがとても短く，ストーリーになじむ前に話が終わってしまうので，指導者としては，子どものレベルに合わせて読み聞かせたり，絵や身振りなどを使って，子どもの理解を手助けするように配慮をしなければなりません。それだけに，指導者にも児童にも，イソップ物語はやりがいのある教材だと言えます。

(4) 物語教材をどのように配列し，相互に関連性を持たせるか？

　先週のチュートリアルでは，良い絵本や物語の持つ特徴は何かについて，先生と一緒に考えました。今日は，いろいろな絵本や物語を，年間の指導計画に組み込む場合の留意事項が議論の中心になります。

マナブ　物語というのは，子どもの英語の授業でいろいろ活用できるんですね。私も日本に帰ったら，早速，授業計画に入れてみようと思いますが，『英語ノート』* を教えながら，ということになりそうですから，あまり，時間的にゆとりはないかもしれませんね。

シーラ　マナブ，その『英語ノート』では，物語は出てこないの？

マナブ　先生，じつは，そこが問題なんですね。『英語ノート』は，5年生と6年生のテキストがそれぞれ9課ずつで，2学年合わせて18課あるんで

---

* 農夫と妻の後ろで，かぶを引っ張るのを手伝う登場人物や動物は，絵本の版によって異なる場合もある。

□ 反復的〔累積的〕な物語

* 日本でもよく知られている『イソップ物語』は，一つひとつの寓話が，人が生きていくための教訓として締めくくられている（例：『アリとキリギリス』『北風と太陽』など）。

* 『英語ノート』は，2012年度から改訂版の"Hi, friends!"に替わったことは前述の通り。

すが，そのうち，物語を扱っているのは，6年生用のLesson 8の「オリジナルな劇を作ろう」で扱っている『大きなかぶ（*The Enormous Turnip*)』だけなんですよね。ですから，私たち指導者が，授業計画の中にほかの物語を盛り込んで補うようにしなくてはならないんです。〔"Hi, friends!"（6年生用の②）のLesson 8では，前述の(2)の「良い物語の条件とは？」でも触れたように『大きなかぶ』から『桃太郎』に替わっている。なお，マナブが言っている「5年生と6年生のテキストがそれぞれ9課ずつで，2学年合わせて18課ある」も，"Hi, friends!"では5年生用の①が全9課，6年生の②が全8課と変更されている。詳しくは巻末の『『英語ノート』vs."Hi, friends!"（改訂のポイント）』を参照されたい〕

シーラ でも，マナブ，そんなに無理はしないほうがいいわ。たとえば，同じ物語を学期や学年を通して，何度も使ってもいいのよ。子どもは，好きな物語は何度聞いてもあきることはないの。それに，同じ話を，学期や学年の間に少しずつやれば，たとえて言えば「隙間家具」のように時間を有効に使うことができるし，先生としても「読み聞かせ」の技術がだんだん上達するんじゃないかしら。同じストーリーを何回かに分けて使うことのもう一つの利点は，子どもたちがストーリーにだんだん慣れてくると，彼らの英語の力の伸び具合に合わせて，毎回，使う英語の表現や語彙を変えていくこともできることね。[7]

注釈7（p. 320参照）

マナブ 1学期や1学年の間に，いくつかの物語を使う場合，その順番なども考える必要はあるのでしょうか？

シーラ 当然，そうなるわ。使用する予定の物語の内容や語彙，文法項目などの関連性をよく考えて，ベストと思われる順番を慎重に決める必要があるわね。

マナブ その決め手となるのは，何でしょうか？

シーラ 一番大事な基準は，もちろん，語彙，文法などの言語材料でしょうね。もし，あなたの指導計画や教科書の提示の順番と合致していれば，物語を導入する順序は自ずと決まってしまうのよ。

マナブ そうですね。もし授業で「if節」に触れさせていれば，当然，if節が多く使われている物語を採用することになりますね。

シーラ ほかにも基準になることもあるわよ。たとえば，テーマとかトピック。テーマやトピックが同じだと，語彙もよく似たものが使われる場合が多いから，好都合よね。どっちにしても，物語同士が相互に関連性を持っているかどうかを見ることが大切だわ。いま，教えている物語とその前に扱ったものの間に，共通する部分があって，そのうえ何か新しい要素が加わると，2つのストーリーが鎖（チェーン）のようにつながるわ。

　ここで，先生は，イギリスの子どもたちによく知られている3つのお話『魔女のウィニー（*Winnie the Witch*）』『ゾウのエルマー（*Elmer*）』と『王様とネズミとチーズ（*The King, the Mice, and the Cheese*）』を例に取り上げます。これらの3つの物語では，次ページの4つの「共通点」が「ミニ・チェーン」となって，それぞれの物語を相互につなげていることがわかります。

① 色彩：『魔女のウィニー』には，ウィルバーという黒いネコが登場し，『ゾウのエルマー』では，パッチワークのように色鮮やかなゾウが主人公となっています。
② 変化（change）と還元（reverse change）：『魔女のウィニー』では，生まれつき黒いネコのウィルバーの毛を，魔法を使っていろいろな色に変えますが，結局，もとの黒に戻してしまいます。一方，『ゾウのエルマー』では，普通の灰色のゾウと違って，エルマーはパッチワークのゾウで，白・赤・黄色・青・緑・紫・黒などの色とりどりの自分の体を嫌がっています。そこで，樹液を体に塗って灰色に変えてしまいますが，結局，もとの体の色がいいということに気づきます。『王様とチーズ』では，ネズミを嫌がっていた王様が，ネコやイヌやゾウなどを連れてきますが，最後はネズミがまた戻ってくるというお話です。
③ 動物：これらの３つのお話には，それぞれ，ネコ，ゾウ，ネズミ，イヌ，ライオンなどの動物が出てきます。
④ 結末：３つの物語の終わり方に共通しているのは，紆余曲折を経て，結局また，もとに戻ってしまうということです。

各ストーリーのあらすじは次の通りです。

『魔女のウィニー（Winnie the Witch）』
　家財道具一式が黒一色の家に住む，黒色が大好きな魔女のウィニーと，ペットの黒ネコのウィルバーがくり広げるコミカルな絵本。家の中はすべて黒色なので，ネコのウィルバーに気づかずにつまずいたり，ウィルバーの上に座ってしまったり，たいへんな毎日。そこでウィニーは，ウィルバーをいろいろな色に変えてみるが，結局，もとの黒色に戻してしまう。魔女のウィニーはネコのウィルバーが大好きで，最後はネコのウィルバーの「尊厳」を優先させることになります。この話の原作の英語は，かなり難解で扱いにくいところもあるので，物語をそのまま読むというよりも，むしろ，指導者が自分のことばで語りかけをしたほうがよいでしょう。

『ゾウのエルマー（Elmer）』
　これはパッチワークのゾウのお話です。エルマーは普通のゾウのように，自分も灰色のゾウになりたいと願っていたのです。しかし，実際は，ほかのゾウたちが，エルマーのパッチワーク模様の体を嫌がっていたわけではありませんでした。じつは，エルマーが，自分で勝手にそう思い込んでいたのです。でも，エルマーはジャングルの奥深くに生えている特別な木にしかならない果実を使って，全身を灰色に染めてしまったのです。その結果はどうなったでしょうか？　ジャングルに住む昔なじみの友だちは，エルマーに会っても，いったい誰だかわからないし，あげくの果てには雨が降って，「化けの皮」がはがれてしまう始末。でも，みんなは，体にペイントするというアイデアがたいそう気に入って，１年に一度「エルマー・ディ（Elmer's day）」を設け，その日には，みんな体をいろいろな色に塗って楽しむことにしました。一方，エルマーは，その日に体の色を灰色に染めることにしたのです。このストーリーも『魔女のウィニー』と同じように，色を変えてしまうというテーマを扱っていますが，奥にはもう少し複雑な感情が隠されているように見えます。『魔女のウィニー』では，ウィニーがウィルバーの体の色を変えてしまいますが，『ゾウのエルマー』では，エルマーが自分で変えてしまうのです。この本は，さまざまな人種や文化的背景を持った子

どもたちが同じ教室で学ぶイギリスの小学校では，子どもたちに，ほかとは違うということはどういうことかという問題を考えさせるために広く使われています。

『王様とネズミとチーズ (The King, the Mice, and the Cheese)』
　これは面白い物語ですが，内容が子どもにはやや複雑なので，ただ本を棒読みするのではなく，たとえば，原作を一部脚色して，物語から新たにくり返しのフレーズや響きのよいキャッチフレーズを作り出すというような工夫を施す必要があります。ここで大切なことは，ほかの2つの物語とどのように関連付けるかということです。3つとも多くの動物が登場するし，「変化」という点でも，それぞれ三者三様のタイプが出てきます。『王様とネズミとチーズ』では，王様はとても自分勝手で，自分の仲間を次から次へと替えていきますが，結局，事態は悪くなる一方です。

≪『王様とネズミとチーズ』のストーリーの流れとくり返しのフレーズ≫
　左の欄にストーリーの流れ，右側にはストーリーに合うようなフレーズを挙げておきました。これらのフレーズは，子どもたちにコーラスで唱和させることができます。

物語の筋	くり返しのフレーズの例
Once upon a time there was a king. He loved cheese. He had cheese everywhere in his palace. (むかし，むかし，ある王様が住んでいました。 王様はチーズが大好きでした。 宮殿のいたるところにチーズを置いていました)	Cheese here, cheese there, cheese, cheese everywhere! (ここにもチーズ，そこにもチーズ，チーズ，あっちにも，こっちにも，チーズだ！)
	Cheese in the kitchen, cheese in the hall, cheese in the bedroom, cheese in the garden, cheese ... (台所にも，大広間にも，寝室にも，お庭にも，……チーズがあるぞ)
So, of course he had mice in the palace. Too many mice! (もちろん，王様の宮殿には，ネズミがたくさんいました。 本当にたくさんのネズミが！)	Mice here, mice there, mice, mice everywhere! (ここにもネズミ，そこにもネズミ，ネズミ，あっちにも，こっちにも，ネズミだ！)
	Mice in the ... EEek! EEek! EEek! Give us cheese, please! Oh NO said the King, What a terrible thing! What can I do? (そこら中にネズミだ！ チュー！チュー！チュー！僕たちにチーズを！と叫びますが 王様は「だめだ！」と言います なんてひどいことだ！ どうすればいいんだ？)

He went to the window and he called ...
all the cats in the city.
And all the cats came.
And all the mice ran away.
So now, he had cats in the palace.
Too many cats!
（王様は窓のことろに行き，
街中のネコに宮殿に来るように呼びかけました。
そうしたら，街中のネコが皆，宮殿にやってきました。
そして，ネズミたちは皆，逃げてしまいました。
こうして，いまは宮殿にネコが住むようになりました。
本当にたくさんのネコが！）

The King wasn't happy.
（王様はご機嫌を損ねてしまいました）

He went to the window and he called ...
all the dogs in the city.
And all the dogs came.
And all the cats ran away.
So now, he had dogs in the palace.
Too many dogs!
（王様は窓のことろに行き，
街中のイヌに宮殿に来るように呼びかけました。
そうしたら，街中のイヌが皆，宮殿にやってきました。
そして，ネコたちは皆，逃げてしまいました。
こうして，いまは宮殿にイヌが住むようになりました。
本当にたくさんのイヌが！）

And so on with lions and then elephants.
How did he get rid of the elephants?
He called in the mice (of which, as every child knows, elephants are terrified).
（それからライオンが呼ばれ，そしてゾウが呼

Cats! Come on you cats! Come and help me!
Miaow. Miaow. Miaow.
EEek! Help! Cats! Oh no!
Cats here, cats there, cats, cats everywhere!
（ネコよ！ネコよ，来い！私を助けてくれ！
ニャー，ニャー，ニャー。
チュー！助けてくれ！ネコだ！いやだ！
ここにもネコ，そこにもネコ，ネコ，あっちにも，こっちにも，ネコだ！）

Cats in the ...
Oh NO said the King,
What a terrible thing!
What can I do?
（そこら中にネコだ！
王様は「だめだ！」と言います
なんてひどいことだ！
どうすればいいんだ？）

Dogs! Come on you dogs! Come and help me!
Woof. Woof. Woof.
Miaow! Help! Dogs! Oh no!
Dogs here, dogs there, dogs, dogs everywhere!
（イヌよ！イヌよ，来い！私を助けてくれ！
ワン，ワン，ワン。
ニャー！助けてくれ！イヌだ！いやだ！
ここにもイヌ，そこにもイヌ，イヌ，あっちにも，こっちにも，イヌだ！）

Dogs in the ...
（そこら中にイヌだ！）

ばれました。
いったいどうやって王様はゾウを追い出したでしょうか？
王様はまたネズミを呼んだのです。（ゾウはネズミを怖がっているということは，子どもは誰でも知っていることです））〔*キリスト教国では，昔から，体の大きなゾウは，小さいネズミをいやがっていると言い伝えられている。ちなみに日本では，そのような言い伝えはない〕

(5) 読み聞かせの方法：子どもたちに物語をどのように読んで聞かせるか？

続いて，先生のチュートリアルは，ストーリー・テリングの真髄ともいうべき「読み聞かせ」の技術や方法などの具体的な話に入ります。

* たとえば，『Very Hungry Caterpillar（はらぺこあおむし）』のような人気がある絵本は，クラスでの読み聞かせ用に，「ビッグ・ブック」という名称で通常のサイズの本の数倍の大きさのものが出版されている。

マナブ　私も日本にいるときは，ときどき，絵本を授業に取り入れて，ビッグ・ブック*などを使ったこともあるんですが，実際，30数人の子どもを前にして読むのは，本当に難しいと思いました。理想的には，先生を中心にして，数名の子どもが車座に座って聞かせるのがいいんでしょうね。

シーラ　そうね，30人は，たしかに多すぎるかもしれないわね。でも，近ごろでは，子どもの英語の授業で，物語を効果的に使う方法が研究されてきているので，マナブも，ぜひ積極的に絵本でも物語でも授業に取り入れてもらいたいわ。

マナブ　先生，早速，その方法を教えていただけますか？

シーラ　そうね。指導者が一字一句，原文に忠実に音読する方法から，原文を脇に置いて，視覚教材や小道具以外は何も使わずに，自由に読み聞かせる方法まで，本当にいろいろあるのよ。

ここで，先生は「講義ノート」からさまざまな読み聞かせの方法とその留意点を紹介してくれます。

シーラ先生の講義ノート

「**音読（reading aloud）**」から「**読み聞かせ（story telling）**」まで：その方法とコメント

教師の本読みの段階

★ 第1ステップ
本から目を離さず，ひたすら音読する。

《コメント》
あまり推奨できない。その理由は，
1) 朗読することだけに没頭するあまり，子どもたちとのアイ・コンタクトができず，彼らの反応を読み取ることができない。
2) 挿絵がなかったり，または小さすぎると，子どもたちは内容理解に必要な視覚的なサポートが得られないし，きれいな挿絵に

★第2ステップ
本は補助的に使い，ときどき子どものほうに目をやりながら本読みを行う。必ずしも，原文に「べったり」ではなく，自分のことばで読み聞かせることもある。

★第3ステップ
本を一つの「小道具」として使い，本文はほとんど暗記しており，目で一字一句追う必要はない。話の展開に応じて，挿絵を見せながら，自分のことばで読み聞かせる。

★第4ステップ
本をまったく見ずに，完全に読み聞かせる。

触れる楽しみが奪われてしまう。
《コメント》
上述の方法に比べると，わずかな進歩にすぎないが，教師の自信という点では大きな前進と言える。ビッグ・ブックがこういう授業では役に立つ。

《コメント1》
ほとんど完全な読み聞かせ（story telling）に近い。原作をベースに，自分流のバージョンを持ち，話の途中で寄り道をしたり，説明を加えることができる。
《コメント2》
この段階では，上質なストーリーと挿絵のある物語を選び，教師自身が読み聞かせを楽しみ，同時に子どもたちの理解を促進することを目指すように心がける。

《コメント1》
すべての教師が自信を持って，これができるわけではない。この段階では，ジェスチャー，顔の表情，声色などのものまね，視覚補助，実物教材などをふんだんに使うことができる。
《コメント2》
教材としてよく知られた物語を使ってもよいし，ときには自作の物語を使うこともできる（これはまさに究極の段階ということになる！）。

マナブ 教師の経験と技量によって，ずいぶんバラエティーに富んだ方法があるんですね。でも，初心者には，まず，「声を出して本を読む」という初歩から始めるのが，一番無難でしょうね。

シーラ そうね，最初のうちは本に頼りきりでも，経験を重ねていくうちに，徐々に，本から離れることができるようになるものよ。そうなると，本をいつも見ていなくても，自由に安心して読めるようになるわ。この「安心ポイント」に達することができるのは，ネイティブ・スピーカーであるかどうかということとは無関係だと思うの。英語話者ではないけれど，童話を，ただ読むだけという段階を超えて，読み聞かせのレベルに至った先生方も，結構いらっしゃるわよ。英語が得意でない先生は，まず，

　　　　　本文をまったく変えずに読み聞かせをするだけでもいいの。CDなどの音声教材を利用して練習すれば，第4ステップの技術まで必ず到達できるはずよ。
マナブ　それはずいぶん勇気付けられますね。
シーラ　私は，いろいろな絵本を子どもたちに見せながら授業をするのが好きなのだけど，場合によっては，単なる本読みですますこともあるし，読み聞かせに「ジャンプ」することもあるの。それに，私だけのバージョンを開発した物語もいくつかあるわ。だから，私自身は，「本読み」と「読み聞かせ」の間を行き来していると言ってもいいかもしれないわね。

　今週のチュートリアルでは，物語の種類，その選び方と授業での扱い方から始まり，最後に「音読（reading aloud）」と「読み聞かせ（story telling）」の違いなどが話題になりました。次のチュートリアルでは，実際に教室で物語を使うときに，指導者として心がけていなければならないことなど，さらに具体的な方法論に及びます。

(6)　物語の英語をやさしく言い換える

マナブ　英語を母語としない日本の子どもたちにとっては，イギリスの子ども向けの物語は，語彙，文法，文化的背景の面でも，かなり難しいのではないかと思いますが，こういう難関をうまく切り抜けるよい方法はあるのでしょうか？
シーラ　いくら多くの人に好まれている物語でも，難しすぎて，子どもたちが理解できないようなことがあってはならないわね。必要ならば，日本語を使ってもまったくかまわないのよ。[8]　そうそう，もうひとつ，子どものレベルに合わせて，英語をやさしく言い換えてあげるといいわね。その際，指導者として，ぜひ心得ておいてほしいのは，物語に出てくる「ことば」に対して，鋭敏な「耳」と「目」を持つことだと思うわ。
マナブ　「ことば」に対する「目と耳」というのは，どういうことですか？
シーラ　それは，いま，自分の目の前にいる子どもたちが，何がわかっていて，何がわからないかなどを敏感に察知する能力のことよ。英語の原作を子ども向けにやさしく書き換えたものの場合でも，たとえば，"No sooner had she arrived than she saw the wolf."（彼女は到着するやいなや，オオカミを見ました）というような難解な構文が使われることがよくあるわね。
マナブ　たしかに，そうですね。この構文などは，私が高校生のとき受験英語で必死に覚えた記憶があります。でも，ほかにも "Once upon a time ..."（むかし，むかし……）とか "They all lived happily ever after."（それからずーっと，彼らは幸せに暮らしました）などという表現は，ほとんどどんな童話にも出てきますね。子どもたちは，本当にこんな難しい英語が理解できるのでしょうか？
シーラ　そういう言い回しは，英語を母語としている者にとっては，童話の常套文句だけど，ほかの国の子どもたちでも，「ああ，これからお話が始まるんだ」とか「ああ，これで終わりなんだ」ということを「悟る」わけ

注釈8（p. 320参照）

> で，こういう「話のきっかけ」や「おしまい」となるような表現に対する反応は，日本の子どもでも，母語話者の子どもでも，まったく同じじゃないかしら。
>
> **マナブ** そうですよね，"Once upon a time" といっても，1つひとつの単語の意味を，ばらばらにして理解するわけではありませんからね。
>
> **シーラ** あの『赤ずきんちゃん (*Little Red Riding Hood*)』で，"Oh Grandmother, what big eyes〔ears/teeth〕you have!"（まあ，おばあちゃん，あなたの目〔耳，歯〕はなんて大きいのでしょう！）という赤頭巾ちゃんのことばに対して，何度もくり返される "All the better to see〔hear/eat〕you with."（大きければ大きいほど，見る〔聞く，食べる〕のに好都合だわい！）というオオカミの応答は，たしかに，母語話者が聞いても，普通の子どもの世界ではとても不自然な表現だけれど，この物語の中にすっかり溶け込んでいるので，これをありきたりの表現に置き換えるなどということはしたくないわね。そう思わない？

　ここで，先生が説明しているような「（英語という）ことばに対する目と耳」を十分に機能させることは，日本語を母語とする指導者にとっては，少し荷が重い注文かもしれません。そこで，このようなときこそ，一緒にチームを組んで子どもたちの指導に当たる ALT に助言をしてもらうとよいのではないでしょうか。

(7) 読み聞かせを成功させるための留意事項

　外国語で初めて物語を聞くのと，母語で聞くのは，必ずしも同じ経験ではありません。外国語の場合，最初は，物語に挑戦してみようという気持を持っていても，いつまでも意味や内容がわからないままだと，子どもたちはすぐにあきてしまい，何も学習できません。そういう授業は失敗ということになります。むしろ，失敗の原因を指導者自身が作ってしまったといっても過言ではありません。次に，読み聞かせで子どもたちにチャレンジをさせる効果的な方法について考えてみましょう。

① 準備とウォーム・アップ

　物語を読み始める前に，登場人物を紹介しておくのは，とくに，それらの名前が耳慣れない珍しい場合には，とても効果的です。そうしないと，登場人物がどんな人や動物か，名前は何と呼ばれているか，などということを理解するだけで，子どもたちの頭が飽和状態になってしまいます。しかし，最初に，すべての登場人物や動物を一挙に紹介する必要はありません。ときには，物語の展開に重要な鍵を握るような登場人物を，わざと隠しておくのも効果的でしょう。たとえば，子どもに人気のある『*Chicken Licken*（ひよこのリキン）』では，あのずる賢いキツネの名前を伏せておくこともできます。この名前まで出してしまうと，ヒントを与えすぎて，最後のクライマックスの面白さが損なわれてしまいます。それぞれの登場人物の似顔絵を厚紙に切り取って，紙人形（ペープサート）として，彼らの出番で使うのも良いアイデアでしょう。ひとつの具体例として，『ひよこのリキン』の登場人物の紹介の導入例を紹介しましょう。

『*Chicken Licken*（ひよこのリキン）』の登場人物の紹介導入例

This is a story about seven very stupid birds and one very clever animal ...
Here are our birds.（このお話には，7羽の間抜けなトリたちと，1匹のずる賢い動物が出てくるの。まず，トリたちから紹介するわね）

Chicken Licken—a very stupid baby chicken.
（最初に，ひよこ（chicken）の**チキン・リキン**。
とてもおばかさんなの）〔こう言いながら，
チキン・リキンのペープサートを差し上げます〕

Henny Penny—a very stupid grown-up chicken.
She's Chicken Licken's aunt!)
（次に，めんどり（hen）の**ヘニー・ペニー**。
とてもおばかさんの大人のめんどりで，
チキン・リキンのおばさんね！）

Cocky Locky—a very stupid cock.
He's Chicken Licken's uncle and
Henny Penny's brother!)
（それから，おんどり（cock）の**コッキー・ロッキー**。
やっぱり，とてもおばかさんのおんどりで，
チキン・リキンのおじさんで，ヘニー・ペニーの弟なの！）

Ducky Lakey—a very stupid duck.
（メスのアヒル（duck）の**ダッキー・レーキー**。
またまた，これもとてもおばかさんなメスのアヒルさん）

Drakey Lakey—a very stupid drake.
（それから，オスのアヒル（drake）の**ドレイキー・レーキー**。
これまた，とてもおばかさんなオスのアヒルさん）

And here is a goose.
She's very stupid, too.
Can you guess her name?
Yes, it's *Goosey Loosey*.
（それからもう一人〔羽〕，ガチョウさん（goose）がいます。
やはり，とてもおばかさんです。
もう，名前はわかるかな，……？
そう，**グーシー・ルーシー**！　当たり！）

And here is a turkey.
His name is ………………… .
Yes, *Turkey Lurkey*!
（あっ，まだいました。シチメンチョウさん（turkey）です。
名前は，……？

もう，わかるわね。ター<u>キー</u>・ラー<u>キー</u>ね）

But who is the clever animal?
Aha! Wait and see!
（さて，みなさん，もう一人〔匹〕いるんだけど，誰だかわかる？
とても「ずる賢い動物」よ。
名前は，……？　それは，お話を聞いてからのお楽しみね！）

　　　　　　　　　　　この物語の登場人物の名前は，それぞれの動物の「種（しゅ）〔species〕」に由来しており，その最後に長母音の /i:/ を付けて，後に続くニックネームの語尾と韻を踏むようになっている「ことば遊び」が特徴となっています。子どもの負担を軽くするためには，この名前の最後の /i:/ はないほうがいいと思うかもしれません。しかし，これが原作の楽しさをかもし出していると言えるので，あえて，そのままにしてあります。子どもはその押韻のリズムにすぐ慣れ，次の登場人物の名前を推測できるようになります。

　また，この物語には，同種の動物のオスとメスの名称が使われています。drake（オスのアヒル），cock（おんどり）などの名称はあまり使用頻度が高くないので，子どもたちに覚えさせる必要はないという考えもあります。しかし，この二人〔羽〕の登場人物を削除してしまうと，登場人物が数珠（じゅず）つなぎのように増えていくという原作の楽しさが失われる恐れがあります。したがって，このたぐいの語彙は，「面白いけれども，使用頻度は低い語彙リスト」に入るものです。この範疇に入る語彙は，いわゆる「受容語 (receptive vocabulary)」*で，物語の理解に役立てば，たとえ忘れてしまっても問題はないものです。ここまで本節で紹介してきた『ひよこのリキン』の授業準備とウォーム・アップの事例は，ほかの子ども向けの読み物にも応用できるものです。

* 第3章第1節の(1)「子どもが学習する語彙をどのように分類するか？」参照。

② 読み聞かせのための「非言語的なサポート（non-linguistic support）」

　「非言語的なサポート」とは挿絵，マイム，声色を使った特別な「効果音」などをさします。物語や絵本の授業で，通常，このようなサポートが必要とされるのは，それらが物語の楽しさの源になっているからです。同時に，これらのサポートのおかげで，子どもたちは，少し難しい物語にも挑戦できるのです。前述の『ひよこのリキン』の授業では，"and they all went down the road together"（そして，トリたち全員が道路を一緒に歩いて行きました）のくだりでは，いつも，登場するいろいろなトリたちの歩き方の真似を子どもたちの目の前ですると，子どもたちはとても喜びます。二人〔二羽・二匹〕の登場人物がお互いに話すときは，紙人形などを使って，顔をお互いに見合わせるようにすればよいのです。そういう小道具がない場合は，両手を使って，お互いにおじぎをして，話しているような仕草をさせることもできます。

7.2　物語と子どもたちの外国語学習　　275

声色を使って，いろいろな登場人物を描写することもできます。たとえば，「チキン・リキン」は，甲高い，息せくような，あわてふためいたような声を出し，ずる賢い「キツネ」が登場するときは，ずる賢そうな，鼻声を使うと効果的です。

③ 読み聞かせの技術を磨く

　自分で読み方の工夫をしながら，同時に声色などをいろいろ効果的に使うことはとても難しい技（わざ）です。無難に，とどこおりなく読み聞かせができるようにリハーサルをしっかりとやっておきましょう。付属のCDがあれば，前もって練習を積んでおくこともできます。『ひよこのリキン』のように，いくつも連なって出てくる登場人物の名前を読む場合には，子どもの注意を引くために，わざと大げさに，ひと呼吸してから読み始めると効果的です。次々と出てくる登場人物の名前のどれかを飛ばしてしまって，子どもたちがその過ちを指摘しても，にこやかに余裕を持って対応しましょう。ときには，「遊び感覚」で，先生がわざと間違えて，子どもたちにそれを見つけさせるのも面白いでしょう。子どもに間違いを指摘されたら，いらだちをあらわにしたような大げさなジェスチャーで，必死に正しい絵カードを探したり，紙人形を正しい方向に向けさせるようなそぶりを見せてやりましょう。わざと喜劇役者を演じて，子どもと一緒に楽しく笑えるような雰囲気を作りましょう。このように，一見，指導者の面目をつぶすようなことは，教育の現場にはそぐわないと思われる人に強要するつもりはありませんが，物語の読み聞かせということ自体，もとより，かなりフランクで，およそ権威とは無縁の行為なのです。思いきって，少しだけ「羽目をはずして」みてはいかがでしょうか？　読み聞かせの時間は特別です。必要なら，あとから，ほかの授業でもとの威厳を取り戻すこともできます。

④ 物語に関連するアクティビティ

　物語とアクティビティを連動させることには，無限の可能性があります。なかには，読み聞かせと切り離すことができないようなアクティビティもあります。たとえば，絵本を使って，表紙の絵や挿絵を見せながら，英語や日本語で「これは何のお話でしょう？」などと問いかけて，子どもたちにいろいろ考えさせるようなアクティビティはいつでも使うことができます。とくに，くり返しのフレーズが多く含まれている物語は，子どもたちが声をそろえて読み聞かせに参加できます。* これは，物語体験の中に組み込まれた不可分の活動であると言えます。先に紹介した準備やウォームアップも，本体の読み聞かせの活動と一体になった重要な活動です。一方，これら以外にも，ほかの活動とはつながりはなく，自立しているアクティビティもあります。どういうアクティビティを選ぶかは，指導者の判断に任せられています。

　指導者の選択に任せられるような活動に，読み聞かせの後に行うフォローアップがあります。フォローアップとして，たとえば，指導者が語り手（ナレーター）となり，全体のまとめ役として物語を実演したり，あるいは，登場人物のコラージュや人形を作り，自分に代わってまとめ役を演じさせることもできるでしょう。これらの活動の代わりに，英語そのものの練習と物語を連動させるようなアクティビティもあります。たとえば，物語の要約文の欠

* 本節(5)の「読み聞かせの方法」の「シーラ先生の講義ノート」を参照。

落している部分に適語を入れさせる問題は，それ自体，あまり面白いとは言えませんが，目的によっては妥当な場合もあります。クラスの子どもたちに，物語を一節ずつ声に出して読ませていく活動も，見かけは単調な活動なのですが，私（シーラ）がギリシアの私立の英語学校で10歳児を教えていたときに，子どもたちが『The King, the Mice, and the Cheese（王様とネズミとチーズ）』の授業の後で，この活動に積極的に参加して，予想外に授業が盛り上がったことを記憶しています。さらに，高学年の子どもの場合には，次のようなワークシートを完成させて，物語の印象やブックレポートを書かせ，クラスの意見を教室の壁に張り出すこともできます。

```
                   本の感想
                        年    組_____
    題名：_____
    主な登場人物：_____
    気に入った場面：_____
    気に入った場面の絵：

    ┌─────────────────────────┐
    │                         │
    │                         │
    │                         │
    └─────────────────────────┘
```

⑤ 他教科との連携の重要性と物語の持つ可能性

　ここまで，物語の利用の仕方という話題について展開されてきた今回のチュートリアルですが，先生は，この話題について，もうひと言ふた言，付け加えたいことを思い出したようです。

シーラ　どう，マナブ，今日のチュートアルでは，物語を授業で行うための留意事項をまとめてみたけれども，参考になったかしら？

マナブ　はい，とても。これまでは，本読みといえば，なんとなく子どもたちが授業にあきてきたときの，一種の気晴らし程度に考えていましたが，今日，先生のお話を伺って，本読みの仕方，身振り，声色などの使い方，本読みの練習，物語に関係したアクティビティなど，いろいろな面でたいへん参考になりました。

シーラ　最後に，あとー，二点付け加えたいことがあるわ。一つは，小学校で習っている，たとえば，図画工作や理科などで学習することが，英語の学習に利用できるということなの。たとえば，図画の授業で習ういろいろな色を混ぜたり，色を変えたりするのは，前回のチュートリアルで紹介した *Winnie the Witch* や *Elmer* の内容と関連付けることができるでしょう？*

マナブ　そうですね。一度，Eric Carle の『はらぺこあおむし（*The Very Hungry Caterpillar*）』を教えたことがありますが，ちょうど，その頃，

* 「色を混ぜたり，色を変えたりする」活動については，第5章第2節の(2)の「活動例3, 4」も参照。

理科でチョウの単元を勉強していたので，子どもたちは「あおむし」が変身していくのを見て，たいへん喜んでいましたし，私がさらに面白いと思ったのは，それまで，子どもたちが漠然と抱いていた環境とかエコということばの意味を，『はらぺこあおむし』を通して，少し具体的なイメージを持ったのではないかと思ったことです。

シーラ それはとても素晴らしいことね。物語を子どもたちとの英語活動で使うことの一番大きな意味は，じつは，ほかの教科で習ったことや，子どもが普通に持っている常識を活用できるということね。英語の知識だけで物語の内容を理解しているわけではないのよ。[9] 物語の使い方について，最後にもう一つ付け加えておきたいことは，物語の授業でも，必ずしもアクティビティを伴わない場合もあるということね。物語を上手に，子どもたちにわかるように読んであげれば，それで十分，という場合もあるのよ。

注釈9（p.320 参照）

マナブ ということは，その場合には，授業の準備とかウォームアップは一切，不要ということですか？

シーラ いいえ，マナブ，それは誤解よ。もちろん，準備とウォームアップをしっかりやって，子どもたちに物語の内容を十分理解させておいて，授業ではストーリーを聞くだけで，後のフォローアップのアクティビティはしないの。そうすれば，同じ物語を2回，3回と聞かせてあげる場合に，2回目以降の授業では，物語の展開の中で，何か特別重要なことが出てこない限りは，準備はほとんどしなくてもよいし，場合によっては，まったくしなくてもいいのよ。

マナブ 子どもにとっては，そちらのほうがむしろ負担が少ないかもしれませんね。

シーラ そうね。読み聞かせは，ことばを習得するのにはとても有効な手段だと信じている指導者は多いようだけど，いくら良い物語でも，アクティビティをあまりいっぱい「ぶら下げてしまう」と，子どもの立場からすれば，かえって物語の持つ雰囲気や楽しさが削がれてしまうから，注意が必要だわ。こう考えると，物語との最初の出会いのときに，子どもがそれを理解できるような状況さえ作ってあげれば，少なくとも，しばらくの間，何のアクティビティもせずに「放っておく」のも，それはそれでいいのよ。

(8) 子どもの目に触れさせたい良書

　チュートリアルの最後に，先生は，教室の片隅にちょっとしたブック・コーナーを設けて，子どもたちにぜひ読んでほしいと思うような物語や絵本を並べておくことを薦めています。教室の片隅に設置されたブック・コーナーや学校の図書館に，授業で読んだ物語を展示しておけば，放課後，子どもたちは自分の目でその原作を読むことができます。もし，良質な内容のものを展示しておけば，子どもたちを「児童文学」の世界に誘い，そこを探索する手助けをすることができるのです。この範疇に属する絵本には，挿絵がきれいで，インパクトがあり，物語の本文をいっそう際立たせる（ときには，本文を超えるような）ものもあります。たとえば，『いまはダメ，バーナード（*Not*

Now, Bernard)』と『ロージーの散歩（Rosie's Walk）』は，両方とも，使われている英語もやさしいし，挿絵も単純ですが，それが読者には，かえって奥が深い印象を与えるようです。物語の概要は次の通りです。

> 『いまはダメ，バーナード（Not Now, Bernard）』David McKee 作，1980 年
> 　バーナード（Bernard）少年は，お父さんとお母さんにいつも無視されていました。"Not Now, Bernard!"（いまはダメ，バーナード！）と言うのが，お父さんとお母さんの口ぐせでした。そうしたら，ある日，バーナードの前に怪物が現れました。バーナードは，大声で知らせますが，お父さんとお母さんの返事は，いつものように，"Not Now, Bernard!" だったのです。さて，バーナードはいったいどうなったでしょうか？　バーナードの表情が，じつに生き生きと描かれているのとは対照的に，両親は無表情で，この対比がとても面白い作品です。
>
> 『ロージーの散歩（Rosie's Walk）』Pat Hutchins 作，1968 年
> 　ロージー（Rosie）という名のヒツジが，ある日散歩に出て，野を越え，山を越え，そして家に戻るという，とても単調なお話。しかし，よくその絵を見ると，読者は気づくことができても，主人公のロージーは気づいていないことがあるのです。おとぎ話では，常連の登場人物のずる賢いキツネが，ロージーに付きまとうように忍び寄ってきますが，不思議なことにロージーは危ないところで，難を逃れるのです。あまり衝撃的なことは起こらず，やや荒っぽいドタバタ喜劇ふうに，愉快に事が進展していきます。キツネは熊手（くまで）で顔を叩かれたり，干し草の山から転げ落ちたり，ありとあらゆる苦難に見舞われますが，ロージーは，何事もないかのごとく，のんびりと散歩を続けます。この話の面白いところは，キツネのことは，本文では 1 行も述べられていないのに，傍観者である読者にははっきりと見えることです。しかも，ロージーにもキツネは見えていないのです。この物語は，三人称で，ロージーについて書かれていますが，同時に，ロージーの視点からも書かれています。この絵本は，やさしい英語で書かれており，そのうえ，挿絵を見ているだけでも楽しくなります。

　最後に，第 2 章第 2 節「子どもたちの 4 技能を伸ばす」でも触れたホームページ（www.realbooks.co.uk）をもう一度紹介しておきます。Opal Dunn 氏が提供するニュース・レター（Real Books Newsletter）と上記のホームページ（www.realbooks.co.uk）は，絵本を教えるためのさまざまなアイデアと個々の本の書評が掲載されていて，指導者にはとても有益です。ちなみに日本では，保育園，幼稚園や小学校で，日本語の物語（絵本）の読み聞かせが頻繁に実施されており，そのためのガイドブックなども数多く出版されています。これらの情報は子どもたちに外国語を教える場合にも大いに参考になります。[10]

注釈 10（p. 320 参照）

* * *

≪本書に掲載された物語・絵本≫
・ページ数のみのものは，本節（7.2）であることを示す。

Aesop's Fables 　　　　　　　　『イソップ物語』　p. 265
　　Random House をはじめとして，英米の出版社からいろいろな本が出版されている。

Brown Bear, Brown Bear, What Do You See?　　『くまさんくまさんなにみてるの？』第4章第4節（p. 155）
　　『*The Very Hungry Caterpillar*（はらぺこあおむし）』と同じ Eric Carle の絵で知られる有名な絵本〔Bill Martin, Jr.（著）〕。1992 年に Henry Holt & Company より刊行。

Chicken Licken 　　　　　　　『ひよこのリキン』　pp. 263, 274, 本章第3節（p. 284），第2章第2節（p. 83），第3章第2節（p. 136）
　　Ladybird をはじめ，多くの出版社が絵本を出版している。

Cinderella 　　　　　　　　　『シンデレラ』　p. 264

The Elephant and the Bad Baby『ゾウといたずらぼうや』第5章第3節（p. 205）
　　Elfrida Vipoint（作），Raymond Briggs（絵），Penguin Books ほかいくつかの版が出版されている。

Elmer 　　　　　　　　　　　『ゾウのエルマー』　pp. 267, 277
　　David McKee，1989 年，Harper Collins.

The Enormous Turnip 　　　　『大きなかぶ』　pp. 260, 263, 265
　　Ladybird をはじめ，多くの出版社が絵本を出版している。

Goldilocks and Three Bears 　『ゴルディロックスと3匹のクマ）』 pp. 263, 265
　　1837 年に，イギリスの詩人 Robert Southey が散文で著したことで広く知られるようになったが，さらに古い原作に基づいている可能性があるという。現在ではやさしい英語に書き直された絵本（Penguin Longman など）が多数出版されている。

The Great Kapok Tree 　　　　『カポックの巨木』　本章第3節（p. 300）
　　Lynne Cherry，1990 年，Voyager Books.

The King, the Mice, and the Cheese 　『王様とネズミとチーズ』 pp. 263, 268, 第2章第1節（p. 62）
　　Nancy & Eric Gurney，1966 年，Harper Collins.

Little Gingerbread Man 　　　『小さなビスケットのジンジャーブレッドマン』　p. 261
　　The Gingerbread Man, *The Gingerbread Boy* とも。やさしい英語に書き直された絵本（Penguin Longman など）が多数出版されている。

Little Red Hen 　　　　　　　『小さな赤いめんどり』　p. 264
　　The Three Billy Goats Gruff と同じ Paul Galdone の再話と言われる。

Ladybird や Addison-Wesley をはじめ，多くの出版社が絵本を出版している。

Little Red Riding Hood　　　『赤ずきんちゃん』 p. 273，第 4 章第 4 節（p. 152）
Puffin Books をはじめとして，英米の出版社からいろいろな本が出版されている。

Not Now, Bernard　　　『いまはダメ，バーナード』 p. 279
David McKee，1980 年，Arrow Books.〔イギリス版は Harper Collins より刊行〕

Rosie's Walk　　　『ロージーの散歩』 p. 279
Pat Hutchins，1968，Aladdin Paperbacks.

Snow White　　　『白雪姫』 p. 264
Cinderella，*Snow White* ともに，いろいろな出版社から絵本が出版されている。

The Three Billy Goats Gruff　　　『3 匹のヤギのガラガラドン』 p. 262，第 4 章第 4 節（p. 152）
Paul Galdone の再話によるものが 1981 年に Sandpiper から出版され，その後，いろいろな出版社からも絵本が刊行されている。

The Very Hungry Caterpillar　　　『はらぺこあおむし』 pp. 270, 278
Eric Carle，1969 年に the World Publishing Company より刊行。現在では Puffin Books のシリーズのほか，いろいろな版が出版されている。

We're Going on a Bear Hunt　　　『きょうはみんなでクマがりだ』 本章第 3 節（p. 283）
Helen Oxenbury（絵），Michael Rosen（再話），1989 年，Margaret K. McElderry Books.

What's the Time, Mr. Wolf?　　　『オオカミさん，いま何時？』本章第 1 節（p. 247）
Annie Kubler，2004 年，Child's Play Intl Ltd.

Where's Spot?　　　『スポットはどこ？』第 5 章第 1 節（p. 179）
Eric Hill。1980 年に最初の絵本が出版され，その後も次々と新しい絵本が，スポットの絵本シリーズとして刊行された。

Winnie the Witch　　　『魔女のウィニー』 pp. 267, 277
Valerie Thomas（作），Korky Paul（絵），1986 年，Oxford University Press.「魔女のウィニー」シリーズとして，いろいろな絵本が出版されている。

7.3 リズム，ライム，そしてメロディー

ストレス・パターンを体で感じる「リズム」やことばの響きを楽しむ「ライム（脚韻）」*は，子どもたちのためのことば遊びの中では，とても大切な役割を果たしています。そこに，さらに「メロディー」を乗せると歌ができ上がります。はっきりとしたリズム構造を持ったチャンツや，ライムを含んだ詩やことば遊び，そして，美しいメロディーの歌などをさまざまに組み合わせると，授業が楽しくなるばかりでなく，外国語学習の観点からも大いに効果があります。たとえば，授業のねらいとすることばや，話題に合わせてオリジナルのことば遊びや詩を作ってみてはどうでしょう？　子どもたちは，簡単な語彙や構文を楽しくくり返すことを通して，何かことばについて気づくところがあるかもしれません。あるいは，もともと英語圏の国々で子どもたちに親しまれてきた，新旧さまざまなことば遊びを授業の中に組み込んで利用すれば，文化面での学習にもつながります。第4章第4節の「トップダウンの発音指導」では，リズムが英語という言語の音声特徴の「根っこ」に当たるような部分を作り出していることを話題にしました。この節では，まず，このリズムを利用して，子どもたちとの外国語活動を楽しく，そして，意義のあるものにする方法から見ていくことにしましょう。

* 本節の(2)「ライムでことばの音を楽しむ」を参照。

(1) リズムの力
① 元気の出るチャンツ

はっきりとしたリズムを伴う発話は，強く印象に残り，子どもたちのことばの習得を助けます。テレビ・コマーシャルの製作者たちが，リズム感の豊かなキャッチフレーズを意図的に使うことも，納得できます。この日のチュートリアルでの，先生とマナブの話は，まず，リズムを誇張した発話，つまり「チャンツ」の利用の仕方からスタートします。

> **マナブ**　チャンツは，子どもたちへの英語指導にはつきものですよね。日本の公立小学校で共通教材として使われている『英語ノート』①と『英語ノート』②でも，全体の約3分の2のレッスンでチャンツを使うように指導計画が組まれています。* どうしてチャンツは，こんなに人気があるのでしょうか？
>
> **シーラ**　まず，第一に，チャンツには，とてもはっきりとしたリズムがあるので，子どもたちは，手拍子をとったり足踏みをして，体全体でリズムを楽しむことができるわね。
>
> **マナブ**　そうですね。私のクラスの子どもたちは，リズムに合わせて，上半身をウェーブさせるのが好きでした。テレビで見る人気ダンス・グループの真似です。
>
> **シーラ**　リズムに合わせて，動物などの動きを真似ることもできるわ。この「ゾウとアンテロープ」のチャンツを知っているかしら。

*『英語ノート』①のチャンツの活動（Let's Chant）が6だったのに対して，"Hi, friends!"①では，10と増えている。また，"Hi, friends!"②は『英語ノート』②の7が8に増えている。詳しくは巻末の「『英語ノート』vs "Hi, friends!"（改訂のポイント）」を参照。

> Here come the elephants　　ゾウさんたちがやってくるよ
> Walking through the jungle.　ジャングルの中を通って歩いてくるよ。

こう言いながら，リズムに合わせて，腕をゾウの鼻みたいにしてぶらぶらさせるの。動物に合わせて動作を変えるようになっているのよ。たとえば，アンテロープ*みたいな動物だったら，単語の強勢のあるところで軽快にジャンプするといいわね。

> Here come the antelopes　　アンテロープたちがやってくるよ
> Running on the grass.　　　草の上を飛び跳ねてやってくるよ。

* 主にアフリカ・アジアに生息する，枝分かれしない角を持つウシ科の偶蹄類（前後足の指の数が普通2本または4本の偶数のもの）の総称。インパラ，ガゼルなどが含まれる。

マナブ　楽しそうですね。子どもたちもきっと気に入ると思います。いま，教えていただいたチャンツもそうですけれども，チャンツのことばは，普通は，簡単でくり返しが多いので，みんなで声を合わせて唱えるのにぴったりですよね。ちょっと恥ずかしがり屋で，普段，自分からはあまり口を開こうとしない子どもの背中をちょっと押してやり，声に出して何かを言わせるにはもってこいです。

シーラ　たしかに，チャンツには子どもたちの意欲を高める効果があるわね。なかには，いくつかのパートからできているチャンツもあって，たとえば，先生がリーダーになって，1つのパートを引き受け，子どもたちは，別のパートを唱えて，先生のことば掛けに応答をするといったやりとりを楽しむこともできるわ。Michael Rosen の『We're Going on a Bear Hunt（きょうはみんなでクマがりだ）』という本を知ってるかしら？

マナブ　いいえ。どんな話ですか？

シーラ　この本では，ある家族が，みんなでクマ狩りに行こうと勇ましく出かけて行くの。一行は，深い草むらをかき分け，冷たい川を渡り，暗い森を通り抜けて，どんどん進んで行くのね。たくさんの困難を乗り越えて，やっとたどり着いた暗い洞窟に入って行くと，そこにはなんと本当のクマが，……。さあ，たいへん！　森を通り抜けて，とっとこ，とっとこ，……。川を渡って，さあ逃げろ！　それでもクマは，まだ追いかけてくる！　草むらをかき分け，どんどん逃げろ！　とうとう，クマは家まで追いかけてきた！　どうしよう！　ドアに鍵をかけて，みんなでベッドにもぐり込め！　もう，二度とクマ狩りになんて行くもんか！……，というお話になっているの。

マナブ　なかなか，スリルのある展開ですね。

シーラ　そう。子どもたちは，先生のリードの下に，この家族が一つひとつの困難を乗り越えていく様子を，行きはゆっくりと慎重に，帰りは逆に大あわてで，身振りとともに唱えることになるの。

マナブ　クマがずーっと追いかけてくる場面では，子どもたちは，きっと必死になって逃げる真似をするのでしょうね。

シーラ　子どもたちがこのチャンツに慣れたら，今度は，クラスを2つのグループに分けて，それぞれに，別のパートのせりふを受け持たせて，お互い

にやりとりをすることもできるのよ。この作品のような，優れたチャンツをうまく使えば，心地のよいリズムの響きと身体の動きの組み合わせが，子どもたちを虜（とりこ）にすることは間違いなしね。そして，先生も，自分が選んだ教材が子どもたちの役に立っていることが実感できて，とても満足できるわ。これがチャンツの魅力と醍醐味といったところかしら。

マナブ　私のレッスンでは，よく，チャンツでウォーミング・アップをしたり，最後にみんなで元気よくチャンツを唱えてレッスンを終わることがありました。あるいは，半端な時間ができてしまったときに，子どもたちの好きなチャンツを唱えて，レッスンプランに空いてしまった隙間の穴埋めをすることもあります。

シーラ　そんなふうに，レッスンのメイン・アクティビティとは関係なく，チャンツを使うのもよくあることね。でも，その日のレッスンの主役として，チャンツを楽しみながら，子どもたちの記憶に残るような使い方もできるのよ。

マナブ　チャンツが，レッスンの主役になる例というと，どんなものがあるんですか？

シーラ　この前，物語の使い方のところで紹介した『ひよこのリキン（Chicken Licken）』のお話を覚えているかしら。*

マナブ　はい，ひよこのリキンが庭にいると，ポン！と頭の上にリンゴが一つ落ちてきて，「何だろう？」と空を見上げるところから始まる物語でしたよね。

シーラ　そう，あのお話の中では，ひよこのリキンが，いろいろな仲間たちに出会うたびに，

> "Oh, the **sky** is **fall**ing. And **I** must **go** and **tell** the **king**!"
> 「たいへんだ，空が落ちてくるんだ。王様に知らせに行かなくちゃ！」

と，リズミカルにくり返すわね。すると，お話を聞いている子どもたちも，思わずつられて，一緒になって"Oh, the sky is falling. I must go and tell the king!"と口ずさむのよ。子どもたちは，このようなくり返しのくだりで，読み手と一緒になり，リズムに共鳴して，声を出さずにはいられなくなるようなの。

＊ 本書では何回も登場している『ひよこのリキン（Chicken Licken）』の物語。本章第2節の「物語と子どもたちの外国語学習」を参照。

子どもたちは，まるで，お母さんのことばを無心にくり返して喜んでいる赤ちゃんに戻ったかのように，物語の中の軽快な発話をくり返します。[11] このような現象が，ことばの学習において果たす役割については，シーラ先生の教え子の一人 Kolsawalla（1999）が，たいへん興味深い研究を行っています。彼女の研究では，人さらいのお婆さんが登場する昔話が使われました。その物語の中では，お婆さんが，手に持った鈴を鳴らしながら，"Ting-a-ling, ting-a-ling. Come and see what I have got. *Jakus* so sweet and *deekans* so green."（チリンチリン，チリンチリン。さあ，一緒においで。甘ーい「ジェイカス」，もぎ立て「ディーカン」。そーら，そーら，いっぱいあるよ）と

注釈11（p. 320 参照）

口ずさみながら，子どもたちを誘い出し，どこへともなく連れ去ってしまうのです。「ジェイカス（*jakus*）」や「ディーカン（*deekans*）」というのは，Kolsawalla が研究のために，おばあさんのせりふの中に挿入した実在しない飲み物と食べ物の名前です。[12] そして，このでたらめな飲み物や食べ物の名前がリズミカルにくり返されるバージョンと，そうではなくて普通に発話されるバージョンの2種類を用意して，子どもたちに聞かせました。すると，どうでしょう？ 子どもたちが覚えていたのは，つねに，リズミカルにくり返されたときの飲み物や食べ物の名前だったのです。つまり，物語の中の軽快なくり返しは，子どもたちにとっては，ただ，楽しいばかりではなく，記憶への定着を促し，学習を助ける強力な手段であることを，この Kolsawalla の研究はとても単純明快に示しています。

注釈 12（p. 321 参照）

② チャンツを効果的に使うために

優れた市販のチャンツ教材もいろいろ出されていて，なかでもキャロリン・グラハム（Carolyn Graham）による「チャンツ集」(1979, 1988, 1994 他)はよく知られています。あるいは，自分でオリジナルのチャンツを作ることもできます。肝心なことは，作ったことばが刻んでいく「ビート（拍）」，つまり，強勢のある音節の数が，各行でちゃんとそろっているかどうか，そして，一つの行の中では，最後のビートが一番強くなるというルールを守っているかどうかという点です。チャンツの各行[13] は，それぞれまとまった内容を持っており，次の行との間に，区切りを付ける「間（pause）」が置かれます。それぞれの行の長さは，長いものもあれば，短いものもあってよいのですが，強く言うところが同じ間隔を置いて現れる強勢パターンは，一定に保たれなくてはなりません。たとえば，シーラ先生が紹介してくれた「ゾウとアンテロープ」のチャンツの強勢パターンは，次のようになっており，大きい丸で示した，強く・長く・はっきりと発音するところが一定の間隔を置いてくり返されます。

注釈 13（p. 321 参照）

注釈 14（p. 321 参照）

```
●           ●         ·    ●   ·    ●
Here       come      the   ele — phants

● ·         ●    ·    ● ·      (S) [14]
Walking    through  the  jungle.

●           ●         ·    ● ·      ●
Here       come      the   ante — lopes

● ·         ●    ·    ●  ·    ●      (S)
Running    on        the  grass.
```

歌詞の英語を口にしながら，軽く手拍子を打ったり，足踏みをして，自然に上のようなリズム構造を感じ取る人もいるでしょう。あるいは，辞書を引いたり，ALT の同僚に尋ねたりして，強勢の位置を確認し，「● · ● ·」のように発話リズムを視覚化してみることも，英語の音声の形をイメージす

るための大きな助けになります。慣れるまでは，少したいへんかもしれませんが，手間をかける価値はあります。強勢の位置を取り違えて，調子はずれのリズム取りをしてしまうと，足並みをそろえることのできない行進曲のようなチャンツができ上がってしまいます。これでは，リズムを楽しむどころか，英語の音声の一番大切な特徴について，間違った情報を子どもたちに伝えてしまうことになります。

次に，マナブは，既成のチャンツやオリジナルのチャンツを実際に教室で使うために，パフォーマンス面でのアドバイスを先生に求めます。

> マナブ ここまでのお話で，チャンツのリズム・パターンの分析の仕方はよくわかりました。でも，「これだ！」というチャンツが見つかったら，教室でそれを使って，子どもたちをうまくリードできるようになるには，どうしたらよいのでしょうか？
>
> シーラ チャンツのパフォーマンスに限っては，控えめになったり，ためらいがあっては絶対だめね。子どもたちと一緒になって，リズムを声と身体で思いっきり表現することよ。チャンツのリズムに合わせて，手拍子や足踏みをするの。歌詞の強勢があるところに合わせて，上半身を大きくウェーブするのもいいわ。とにかく，体全体を使って，チャンツの歌詞のどこに強勢があるのか，子どもたちにはっきりとわかるように合図を送ってあげることが大切なの。
>
> マナブ なるほど。そうすると，教える先生自身が，自信を持ってチャンツを言えるように練習をしておいたほうがいいですね。
>
> シーラ そうね。私の教え子のひとりは，マザーグースを使って，指導者がチャンツのリズム読みの練習を無理なく進めるための手順を紹介しているわ。

ここで，シーラ先生の教え子の宮本が，指導者向けに考えた，チャンツのリズムに乗るための練習プログラムを紹介します（宮本，2009）。このプログラムでは，英語のリズムの典型とも言えるマザーグース（英語の伝承童謡）を使って，指導者が英語のリズムに慣れる練習をします。そうすれば，英語の発音練習をしながら，教室での活動の開発につなげることもできるでしょう。まさに一石二鳥です。大切なことは，初めから，あまり無理をしないことです。やはり，どんな技能でも，やさしいものから少しずつ難しいものへと練習を進めていくことが，無難な取り組み方です。では，マザーグースを使ったリズム読みの練習で，どの童謡がやさしく，どれが難しいのでしょうか？　英語のリズム構造というのは，次ページの図表7.1にあるように大きい丸の強音節（●）が等間隔に並んでいて，その間に小さい丸で表される弱い音節（•）がいくつか挟み込まれる形で作られています。したがって，2つの強音節の間に入る小さい丸，つまり，弱い音節が増えれば増えるほど，同じ時間枠の中にたくさんの弱音節をギュッと押し込めなくてはならないのです。そのようなわけで，すべての音節（モーラ）*を同じ強さで発音する日本語を母語とする私たちにとっては，この図表では，下へいけばいくほど厄介なことになり，それだけリズムについていくことが難しくなるのです。

* 音節（モーラ）については，第4章「子どもたちへの発音指導」を参照。

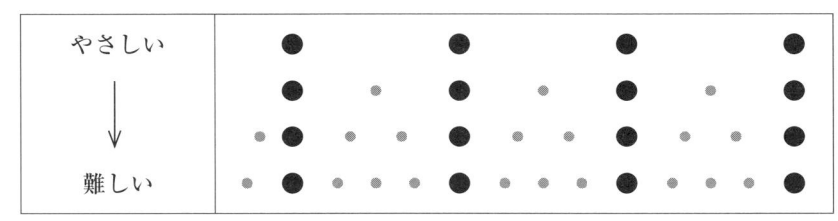

図表 7.1：英語のリズムの難易段階

これと同じ理屈で，英語の伝承童謡から 13 編を選び，総音節数に対する弱音節の数の割合の低いものから高いものへ，つまり，日本語を母語とする私たちにとって言いやすいものから，言いにくいものへと順番に配列したものが，次の練習表（図表 7.2）です。子どもたちに紹介する伝承童謡を選ぶ際にも，ひとつの目安になります。この練習表は，毎日，1 つの童謡をくり返し 5 分から 10 分間程度練習した場合を想定していますが，練習に割ける時間や頻度に応じて適宜，調節して実施するとよいでしょう。ただ，たとえば，週末にまとめてやるよりは，一回 5 分でも毎日やるほうが効果的です。やはり，発音は口の筋肉運動という側面があるので，スポーツなどの練習の場合と同じです。また，マザーグース（伝承童謡）を，チャンツの形で録音した CD が用意された練習素材としてもいくつかの教材が市販されています。[15]

注釈 15 (p. 321 参照)

練習段階 （期間）	練習の焦点	練習上の注意点	素材チャンツ （かっこ内は，総音節数に対する弱音節数の割合）
第 1 段階 (1.5 か月)	強勢シグナルの確認	強勢のある音節を強く，長く発音しよう。	1. Teddy Bear, Teddy Bear, turn around. (32.1%) 2. Diddle, diddle, dumpling, my son John. (33.3%) 3. This little piggy went to market. (44.4%) 4. Georgie Porgie pudding and pie. (44.8%) 5. Jack be nimble. (46.7%)
第 2 段階 (1.5 か月)	強弱の対比を明示	強音節を強く・長く，弱音節を弱く・短く。	6. Ladybird, ladybird. (51.4%) 7. Jack and Jill went up the hill. (51.9%) 8. Mary had a little lamb. (51.9%) 9. Little Jack Horner. (52.9%) 10. Hickory, dickory, dock. (53.6%)
第 3 段階 (1 か月)	弱勢練習	弱音節の連続をギュッ！と押しつぶし，すばやくやりすごそう。	11. Humpty Dumpty sat on a wall. (55.6%) 12. There was an old woman who lived in a shoe. (63.4%) 13. There was a little girl who had a little curl. (63.4%)

図表 7.2：素材チャンツの段階的配列と練習期間の目安（Miyamoto, 2003 を基に作成）

(2) ライムでことばの音を楽しむ
① ライム（脚韻）に気づく

□ ライム　　英語の「**ライム**（rhyme または rime）」ということばは，2 つの違った意味で使われます。1 つは「ことば遊びを楽しむ気軽な詩」という意味で，

たとえば，英語圏の子どもたちに楽しまれてきた伝承詩を nursery rhymes（ナーサリー・ライム）と呼びますが，この場合の'rhyme'（ライム）は，1番目の意味で使われていることになります。2つ目の意味については，たとえば，mouse と house あるいは car と far のペアのように，発音したときに，2つの単語の末尾の音がそろうことに気がつきます。このような音声的な効果も「ライム（脚韻）」と呼ばれるのです。[16]

注釈16（p. 321 参照）

シーラ　似た音のくり返しを楽しむ脚韻の効果（rhyming）は，日常のさりげないやりとりの中にも顔をのぞかせるの。たとえば，ある人が，「Mary is scary.（メアリーはスケアリー〔おっかない〕）」とか，「My cat is fat.（うちのキアットはファット〔でぶっちょ〕）」と思わず言ったとするでしょ。そうすると，その場に居合わせた誰かが，すかさず，「Oooh. You're a poet. And you don't know it.（なかなかの詩人だね。しかも，それを意識していないのだからすごいよ！）」などとコメントを返すの。

マナブ　ああ，わかった。「…ポゥィット，…ノゥィット」という具合に脚韻を踏んでいるんですね。

シーラ　よく，気がついたわね。英語を母語とする人たちは，子ども向けの歌や古くからあることわざや格言に埋め込まれているライム（脚韻）を聞いて育ち，ライムに対する鋭い感性を持っているの。たとえば，英語圏の子どもたちが，1月から12月までのそれぞれの月が30日なのか，31日ある月なのかを覚える歌も，こんなふうにライムの響きをうまく使って，子どもたちの記憶にうまく残るようにできているのよ。

Thirty days has September,	30日あるのは，9月
April, June and November …	4月，6月，そして11月
All the rest have thirty-one	残りの月は全部31日
Excepting February alone	ただし，2月だけは……
Which has but twenty-eight days clear	28日しかなくて
And twenty-nine in each leap year.	うるう年だけは29日。

マナブ　面白いですね。昔の日本の子どもたちは，31日ない月を，「西向く侍〔に（二），し（四），む（六），く（九），さむらい（士）〕」と唱えて覚えたものです。子どものとき，母から，「侍（さむらい）」とは，漢字の「じゅういち（十一）」を縦に合わせると武士の「士」になることから，そう言われるようになったのだと教わりました。でも，もともとは，「に，し，む，く，じゅういち」では，語呂が悪くて，耳に心地よく響いてこないという，音声上の理由によるものなのかもしれませんね。

シーラ　なるほどね。英語でのライム（脚韻）による記憶法とは違って漢字を使う文化ならではの覚え方ね。私は，以前は，ライム（脚韻）が英語の中で大切な役割を果たしていることは，誰にでもわかりきったことと勝手に思い込んでいたの。でも，その後，ことば遊びに顔をのぞかせるような，ある言語に特有の根源的な音声直感は，それぞれの言語によって異

*　正確には「モーラ」。

マナブ　なっているということが，だんだんとわかってきたのよ。
マナブ　日本語にも，たとえば，「しりとり」ということば遊びがあります。この遊びでは，一人の人が言ったことばの最後の音節*を切り取って，次の人は，同じ音節で始まることばを考えて言わなくてはなりません。
シーラ　つまり，英語のライムとは違った，音韻概念を下敷きにしたことば遊びというわけね。
マナブ　私たちが，英語のライムに気がつかなかったり，また，説明をされると，何かとても新鮮な感じがするのには，ちゃんとしたわけがあるのですね。
シーラ　普段，英語を話している人たちは，ライムの響きに対する感性を子どもの頃から自然に身に付けて，自分でも気づかないうちにライムを作り出しているのよ。もちろん，個人差があって，たとえばラップ・ミュージシャンたちのように，いとも簡単に素晴らしいライムを紡ぎ出す人もいれば，それほど得意ではない人もいるわ。
マナブ　英語を話す人たちの間でも，そのような個人差があるのですか？
シーラ　そうよ。だから，もし，英語を母語としない先生が，子どもたちにライムを体験させようとしたら，自分が狙っている効果を十分に意識して，分析できるような知識を持つことが大切ね。

　先生が言うところの「ライム効果の分析」とは，どのようなことなのでしょうか？　まず，リズムとライムはセットになっています。英語の脚韻に気づくためには，2つの単語または語群のもっとも強く発音される音節とそれに続く部分に集中して，よく聞くようにします。もし，この部分が同じ音からできていて，同じ強弱パターンを作っているならば，それがライム（脚韻）というわけです。

　たとえば，"Twinkle, Twinkle, Little Star（きらきら星）" や "Baa, Baa, Black Sheep（メー，メー，黒ヒツジさん）" のような，よく知られているナーサリー・ライム（伝承童謡）を使って具体的に説明すると，次のようになります。このよく知られた2つのナーサリー・ライムの中の脚韻は，太字で示した1音節語からできています。対応関係にあるのは，書かれた「文字」（下線部）ではなくて，発音される「音」だということに注意してください。

Twinkle, twinkle, little st**ar**,	きらきら光る，お空のお星さま
How I wonder what you **are**,	不思議な，不思議な，お星さま
Up above the world so h**igh**,	あんなに高いところから
Like a diamond in the sk**y**.	ダイヤのように見下ろして。
Baa, baa, black sheep	メー，メー，黒ヒツジさん
Have you any w**ool**?	毛糸はちゃんとありますか？
Yes, sir, yes, sir,	エー，エー，もちろん
Three bags f**ull**.	三人分。

　次の2つの例も，やはり，実際のナーサリー・ライム（伝承童謡）から

採ってきたものです。

Who killed cock Robin?	誰がコック・ロビンを殺したの？
Who killed cock Robin?	誰がコック・ロビンを殺したの？
'I' said the sp<u>arrow</u>,	「私よ」とスズメが答えた
'With my bow and <u>**Arrow**</u>'.	「弓矢でもって殺したの」。
Hey, diddle d<u>iddle</u>	そーら，ギコギコ
The cat and the f<u>iddle</u>	ネコとバイオリン
The cow jumped over the moon	ウシが月をひとっ跳び
The little dog laughed to see such fun	子イヌがそれを見て大笑い
And the dish ran away with the spoon.	お皿がスプーンとくっつき，スタコラ逃げ出した。

　上の2つの例では，ライム（脚韻）は，'sparrow（スズメ）'と'arrow（矢）'，そして，'diddle（弾く音）'と'fiddle（バイオリン）'という，それぞれ2音節語同士のペアの間に成立しています。強く発音される音節がライムを作っている点は前ページのペアと同じですが，この例では，強音節で始まったライムが，後に続く弱音節までも取り込んで，ひと続きの共通する音の流れ（下線部）を作り出しています。

② オリジナルの歌詞で替え歌ライムを作る

　ここまでの説明で，ライムは，リズムと並んで子どもたちの歌の大切な要素であり，英語を母語とする人たちの耳には強く響いていることが，よくわかりました。それでは，そのライムを，早期英語教育の現場ではどのように活かすことができるのでしょうか？　二人の話を聞いてみましょう。

シーラ　古くからあるナーサリー・ライム（伝承詩）は，子どもたちの英語教育では，とてもよく利用されているけれど，そのような詩に現れるのは，いまでは使われなくなったような古いことばが多くて，英語圏の子どもたちでさえ意味がよくわからないまま歌っていることがよくあるの。それに，子どもたちが文字通りに受け取ってしまうと，とても残酷に思われる内容や差別的な表現も出てくるわ。

マナブ　日本の昔話の中にも，たとえば，「因幡（いなば）の白兎（うさぎ）」という話があって，その中に出てくるウサギは，動物愛護の精神とはほど遠い扱いを受けるのですが，……。

シーラ　授業で，ナーサリー・ライムを使うときには，子どもたちが，昔話の持つ象徴性や寓意を，現実の話と区別してとらえることができるようにすることも，異文化理解教育の一環として，大切なことではないかしら。

マナブ　なるほど，私たち指導者は，そもそも，なぜナーサリー・ライムを使うのかをよく考えたうえで，目的にかなった詩を選んで活用する必要がありそうですね。

シーラ　そういう意味では，これまでの児童英語で定番となっているナーサリー・

　　　　　ライムを，きちんと検討もしないで受け売り的に利用するより，自分でオリジナルの詩を作ったほうがよい場合もあるわ。
マナブ　そんなことができたら，本当にいいですね。
シーラ　いきなり，オリジナルの詩を作るのはたいへんだから，まずは，よく知っていて，自信を持ってリズムをとることのできるナーサリー・ライムなどを利用するとよいと思うわ。そういった詩を「もと歌」にして，そのリズムにうまく乗るような新しい文句を考えていくの。たとえば，おなじみの"Twinkle, Twinkle, Little Star（きらきら星）"のリズム・パターンに，新しく考えたことばを乗せることもできるわよ。
マナブ　なるほど，"Twinkle, Twinkle, Little Star"なら ALT の先生に手伝ってもらえば，わりと簡単に替え歌ライムができそうですね。
シーラ　たとえば，こんなのはどうかしら。

Go on, go on, little car	進め，進め，ちっちゃな愛車
My friend's house is not too far	友だちの家まで，あと少し
You need petrol, yes I know	ガソリンないけど
But you've got enough and so	なんとかもちそう
Go on, go on, little car	進め，進め，ちっちゃな愛車
My friend's house is not too far	友だちの家まで，あと少し

マナブ　さすがですね。先生のオリジナルですか？
シーラ　まあね。

　オリジナルの替え歌をマナブが気に入ってくれて，先生はまんざらでもなさそうです。そこで，マナブは，さらに質問を続けます。

マナブ　ほかに，子どもたちとの授業でライムを効果的に使うために，何かアドバイスがあったら，お願いします。
シーラ　チャンツの利用法について話したことと，同じことが言えるわね。
マナブ　えーっと，どういうことでしたっけ？
シーラ　チャンツと同じで，ライムも授業のメイン・アクティビティとは関係なく，まあ言ってみれば，メイン・ディッシュに対するデザートみたいな形で添えることもできるわ。でも，授業のねらいやトピックにうまく合った形で，その日の授業の主要な部分として取り込むことができれば，いっそう効果を発揮することになるの。
マナブ　ということは，授業の中で，同じライムを子どもたちが覚えるまで，何度もくり返したほうがよいのでしょうか？
シーラ　くり返しは大切だけれども，ただ，指導者の後について何度も大声で言わせればよいというものではないわ。チャンツの場合と同じように，ライムも，やはり自然な形でくり返したほうがいいわね。
マナブ　外国語活動で，良質のライムを指導プログラムの中にきちんと位置付け，子どもたちが，いろいろな形で，同じライムにくり返し触れる機会を作ることができたら理想的ですね。

この節では，ここまで，リズムとライムについてかなり詳しく見てきました。やはり，リズムとライムについても，利用しようとする素材の特徴をよく理解し，きちんと分析できる力を持つことが，目の前にいる子どもたちに本当に合う教材を選んだり，自分でオリジナルの活動を開発する際には，基本になるようです。

(3) 歌
① 避けたほうがよい歌
　リズムとライム（詩）をメロディーに乗せると，歌ができ上がります。実際，古くからある伝承詩には，メロディーが付いて歌になっているものがたくさんあります。リズムやライムにも増して，歌は，子どもたちに英語を教えるときには広く使われてきたのではないでしょうか？　歌の形にして，美しいメロディーを付けたほうが，子どもたちを引き付ける魅力があり，それだけ深く記憶に残ると期待されてのことかもしれません。しかし，子どもたちとの英語の授業で使う歌を選ぶときには，音楽や体育の時間に使う歌の選択とは違った注意点などがあるのでしょうか？　歌についてのマナブの質問は，まず，この点から始まります。

マナブ	市販されている児童英語教材や子ども向けのCDなどの中には，子どもたちに英語を教えるときによく使われる，お決まりの歌が用意されていますが，そのような歌には何か共通点はあるのですか？
シーラ	市販の教材では，著作権の制約があるので，はやりの歌が使われることは，普通はないわ。収められている歌は，教材のために書き下ろされた歌か，昔からあるおなじみの歌のどちらかね。
マナブ	どちらのタイプにしても，構文や語彙を新たに導入したり，復習をする際に，役に立つということで選ばれているのですか？
シーラ	そうね。ほかには，詩と同じように，歌も，英語のリズムとライム（脚韻）についての気づきを促す効果が期待されて，選ばれるものもあるわ。
マナブ	なるほど。私たち指導者は，そのときどきの目的に応じて，いろいろな歌を選んでいけばよいのですね。
シーラ	でも，歌の中には，歌詞のリズムが，自然な話しことばのリズムを反映していないものがあるから，ちょっと注意をしたほうがいい場合もあるのよ。
マナブ	ということは，曲のリズムに合わせるために，ことばのリズムのほうに不自然なところができてしまっているということになるのですか？
シーラ	そういうことになるかしら。
マナブ	それは，注意をしたほうがいいですね。歌を通して不自然なリズムを聞かせることになるのでは，困りますね。具体的には，どんなふうに「不自然」なのですか？
シーラ	マナブは，リメリック（limerick）という5行から成る詩のような形式のことば遊びがあるのを知っているかしら？
マナブ	いいえ，初耳です。
シーラ	昔から人々に親しまれて，子どもたちの遊び歌にもなり，ナーサリー・

　　　　ライムの中に定着しているものもたくさんあるわ。このリメリックの特徴は，1行目は，いつも "There was a man (woman/person) who ..."（むかし，むかし，あるところに，こんな変な人がおりました。その人はとても〜で……）という出だしで始まるところなの。

マナブ　何か，ひとつ有名なリメリックを聞かせてください。
シーラ　では，こんなのはどうかしら。

There	**was**	an	**old**		**wom**an	むかし，むかし，あるところに
who	**lived**		in	a	**shoe**	靴の中に住んでいるおばあさんがおりました
She	had	**so**	**many**		**child**ren	子どもが多すぎて
She	**didn't**		**know**	what to	**do**	どうしてよいかわからず
She	**gave**	them		some	**broth**	子どもたちにスープを与え
	With**out**			any	**bread**	パンは抜き
Then	**gave**	them		a	**spank**ing	お尻をぶって
and	**put**	them		to	**bed**.	寝かしつけたとさ。

（注）●と・の記号は，それぞれ強く言うところと，弱く言うところを示しています。

マナブ　ヘー，面白い内容ですね。それで，この歌のリズムのどこが変なのですか？
シーラ　出だしの1行目の決まり文句をリズミカルに発音しようとすると，"There **was** ..." という具合に，自然な発話では弱く発音されるはずの 'was' が強くなってしまうの。
マナブ　なるほど。そう言えば，日本の子どもたちへのレッスンで，「定番」のひとつといってもよいくらいに，とてもよく使われている "Bingo" という歌の出だしも，"There **was** a farmer (who) had a dog" のようになっていますね。これでは，英語の強勢拍リズムを体験させるどころか，かえって逆効果ではないですか？

* 第4章第2節「どのような発音モデルを目標にするのか？」参照。

シーラ　そうなの。実際に Jenkins (2000)* は，そのような批判をしているわ。
マナブ　それでは，英語の音声特徴を気づかせようとする場面では，リメリックは使わないほうがよいということになりますか？
シーラ　でも，冒頭の "There **was** ..." の問題を除けば，リメリックは，英語らしいリズム・パターンを理屈抜きに学習者に感得させるための素晴らしい素材なのよ。
マナブ　それは，惜しいですね。何か，良い方法はないのですか？
シーラ　そこで，早期英語や発音指導の分野の研究者は，たとえば，"There **once** was a **per**son from **Lyme**." という具合に，'There' と 'was' の間に 'once' を挿入したバージョンを使っているの。そうすれば，

7.3　リズム，ライム，そしてメロディー　293

     'was'は自然に弱くなり、リメリックのことば遊びを紹介することに
     よって、かえって学習者に不自然なリズムを体験させてしまうことにな
* このくだりは Brewster るというジレンマを、とても自然な形で解消することができるわ。*
and Ellis（2002），および
Vaughan-Rees（1994）を参 マナブ なるほど、やはり「餅（もち）は餅屋」というわけで、子どもたちを英
考にしたものである。   語のリズムに触れさせることをねらいとしてことば遊びなどを使う場合
     には、その道の専門家の手による教材を選んだほうが、こういう点まで、
     ちゃんと考えられているようですね。それにしても、リメリックのパタ
     ーンを基にした"Bingo"の歌の場合のように不都合な例は、ほかにも
     たくさんあるのですか？

    シーラ 子どもたちへの英語の授業の中でよく使われている有名な例をいろいろ
     見渡しても、そのような例はそれほど多くはないわ。ナーサリー・ライ
* 第3章第1節「語彙の指導」 ムは、もともと、内容語（content words）*に強勢を置くという英語
を参照。   の音声の基本的な特徴を伝えるようにできているの。そういうところが、
     子どもたちに古くから歌い継がれてきた歌の強みのひとつかも知れない
     わね。むしろ、市販の教材に合わせて作られた英語指導用のオリジナル・
     ソングの中には、このような観点からは、だいぶ、怪しげなものも見受
     けられるので、注意して選んだほうがよいと思うわ。

 授業で使う歌を決めるときには、先生が指摘したような観点から、候補と
なる歌をよく検討して、実際に使うかどうかを決めるとよいでしょう。いく
ら素晴らしい歌でも、ことばの学習材料としてふさわしくない箇所がある歌
は、思いきって切り捨ててもよいのではないでしょうか。

② レッスン・ソングのレパートリーを増やす
 楽しい授業を展開するための素材として、良い歌の豊富なレパートリーを
持つことは、指導者として大きな強みとなります。そのために、何か秘訣は
あるのでしょうか？

    マナブ 恥ずかしい話なのですが、忙しいときには、「何でもよいから、とにか
     く何か、明日の授業の学習ポイントに合う歌を見つけなくては」という
     ぐらいに、せっぱつまった状況になることもあります。そんなときのた
     めに、何かよい対応策はありませんか？
    シーラ ある授業でのねらいに、ぴったりと合う歌が用意されていることは、そ
     うそうあるものではないわ。
    マナブ そうなんですよ。それで、困ってしまうのです。
    シーラ でも、歌詞の中に現れることばが、英語学習に役立つかどうかというこ
     とだけで、歌の価値を判断することは、度量の狭い見方かもしれないわ。
     歌は、もともと、学習項目の導入や練習のための道具ではないのだから。
    マナブ それは、その通りですが、……。
    シーラ もっと広い視野を持って、授業で使う歌を選んでもよいのではないかし
     ら。歌を通して、いろいろな国の文化を紹介することもできるし、歌に
     動作を付けて楽しむことだってできるわ。
    マナブ なるほど。歌詞が、授業の学習ポイントに合っているかどうかという観
     点だけではないのですね。

シーラ	もっと極端な言い方をすれば，ただ単に，歌として素晴らしいということだけでも，ある歌を選ぶ立派な理由になるでしょう。歌は，子どもたちの心を豊かにする素敵な贈り物なのだから。
マナブ	たしかに，子どもたちは，気に入った歌は，学期や学年を通して，くり返し何度も歌いたがりますよね。
シーラ	本当に良い歌は，大人になってからでも，ふと口ずさんでしまったりすることがあるものよ。
マナブ	おっしゃる通り，幅の広い観点から，候補となる歌を探したほうがよいことはよくわかりました。でも「何でもあり」というわけではないですよね？
シーラ	それは，もちろんよ。歌の内容が，子どもたちに理解できるものかどうか？　歌詞の中に，日常，あまり使われることのないことばが，たくさん含まれていないかどうか？といった点は，十分に確認をしたほうがいいわね。
マナブ	わかりました。でも，そのようにして選んだ歌は，一度歌ってそれっきりというのでは，もったいないですよね。
シーラ	その通りよ。授業で使った歌の特徴を，次に使うときのために，記録しておくようにするといいわ。そうして，使える歌のレパートリーをだんだんに増やしていけば，さっき，マナブが言った「明日の授業をどうしよう？」といった緊急事態にも対応できるようになるはずよ。
マナブ	なるほど。それは，いいアイデアですね。でも，どんな観点からメモをとったらよいのですか？

マナブの質問に応じて，先生は，次のようなメモの例を見せます。

歌の題名と歌詞	主な特徴	対象年齢・レベル	関連情報
Twinkle, Twinkle, Little Star（きらきら星） Twinkle, twinkle, little star（きらきら光る，お空のお星さま） How I wonder what you are（不思議な，不思議な，お星さま） Up above the world so high（あんなに高いところから） Like a diamond in the sky（ダイヤのように見下ろして） How I wonder what you are（不思議な，不思議な，お星さま）	・普段，あまり使わない構文も含まれている。（例：How I wonder what you are） ・しかし，覚えやすくて役に立つ表現もたくさん入っている。（例：Like a diamond / in the sky） ・とても可愛いらしい曲調。	・誰もがよく知っている曲なので，とくに低年齢の子どもたちを対象として，世界中のいろいろな国で歌われている。	・18世紀の子どもたちの詩が基になっている。これだけ古くからある歌ならば，著作権の問題もない。
The Tree in the Wood（森の中の木） Oh in a wood there is a tree（森の中に一本の木が	・身振り，動作を伴うアクション・ソング。	・初めて英語を学習する子どもたちをはじめと	・「けっして絶えることのない生命のサイク

立っています) A lovely tree as you can see（ご覧の通り，すてきな木です） The tree is in the wood（森の中の木に） And the green leaves grow around around around（緑の葉が） And the green leaves grow around（いっぱい，いっぱい生い茂っています）	・同じフレーズがくり返されながら，だんだんと長くなっていく積み重ね形式の歌。 ・"There is …" のくり返し。 ・前置詞 'in' と 'on' の対比。 ・とてもやさしい曲調。	して，どのようなレベルでも使える。	ル」というテーマで，イギリス，アメリカで古くから歌われてきた民謡。
When I First Came to This Land …（新しい国にやって来て） When I first came to this land（この国に始めてやって来た頃は） I was not a wealthy man（お金がなかったので） So I got myself a shack（オンボロ小屋を手に入れ） I did what I could（一生懸命，働いた） And I called my shack 'Break my back'（そんなわけで，この小屋を「骨折り小屋」と名付けたのさ） Oh the land was sweet and good（土はよく肥えていたので） I did what I could（一生懸命，働いた）	・くり返しながら積み重ねいくタイプの歌詞。 ・とても洗練されたライムによることば遊びを含む。 ・基本的な動詞の過去形がたくさん出てくる。（例：came, was, called, did, …） ・元気のよい曲。思わずつられて歌ってしまう。	・英語学習を始めて2年～3年目の子どもたち向き。 ・「新しい世界で，新たな生活を築こうとする移民の暮らしぶり」というテーマを理解できる年齢の子どもたちが対象。 ・キャンプファイヤーなどの行事に最適。	・アメリカで古くから歌われてきた民謡。
The Animals Went in Two by Two（動物たちはペアになって入って行きました） The animals went in two by two Hurrah! Hurrah!（動物たちはペアになって入って行きました，よかった！よかった！） The animals went in two by two Hurrah! Hurrah!（動物たちはペアになって入って行きました，よかった！よかった！） The animals went in two by two（動物たちはペアになって入って行きました） The elephant and the kangaroo（ゾウもカンガルーも）	・旧約聖書の中の物語に題材を採った歌。キリスト教以外の宗教が一般的な国では，この点ついては十分に注意をする必要がある。 ・とても洗練されたライムによることば遊びを含む。 ・動物に関連する語彙が豊富。（例：elephant, kangaroo, monkey, hippopotamus, …）。 ・基本的な動詞の過去形がたくさん出てくる	・小学校の中学年以上の子どもたち向き。 ・キャンプファイヤーやそのほかの行事に最適。	・昔からある民謡。黒人霊歌（spiritual）のひとつとして，歌い継がれてきたとされている。

And they all went into the Ark, just to get out of the rain（みんな，雨宿りのつもりで，箱船の中に入って行ったのです）	（例：went, played, said, ...）。 ・元気のよい曲。思わずつられて歌ってしまう。		
Ten Green Bottles（10本の緑のビン） Ten green bottles standing on the wall（壁際に10本の緑のビン） Ten green bottles standing on the wall（壁際に10本の緑のビン） And if one green bottle should accidentally fall（1本倒れたら……） There'd be nine green bottles standing on the wall（残りは9本だけ）	・同じフレーズがくり返されていく積み重ね形式の歌（くり返しながら，ビンの数が1本ずつ減っていく）。 ・歌詞は「仮定法未来」の公式通り。 ・基本動作動詞。（例：sit, stand, hop, dance, jump, ...）	・英語学習を始めて2年目以降の子どもたち向き。 ・ずいぶんと難しい文構造を使っているように思われるが，子どもたちは歌詞を丸ごと覚えてしまうので，あまり気にならないようだ。	・もともとはパーティーなどで歌われた歌。英語圏の子どもたちは，遠足のバスの中などでこの歌をよく歌う。

図表7.3：レッスン・ソングの記録例

上のレッスン・ソングの記録例について，マナブの感想を聞いてみましょう。

* ここでマナブが言っている「コースブック」はRixonの *TipTop*, 1（1990），「レッスンソング・ブック」はImbert & Rixonの *Green Light: Songs for English*（1994）をさしている。

注釈17（p.321 参照）

マナブ　この記録例にある歌の中で，一番最初の"Twinkle, Twinkle, Little Star（きらきら星）"は，日本の子どもたちにもおなじみですが，ほかの歌は，イギリスに来て，先生が書かれた「コースブック」や「レッスンソング・ブック」*を見るまでは聞いたことがありませんでした。[17]

シーラ　あら，そうなの。ヨーロッパの国々の子どもたちに英語を教えるときには，とてもよく使われる歌ばかりなのだけれど。日本の子どもたちは，英語の授業ではどんな歌を歌っているのかしら？

マナブ　そうですね，今度，私が日本の子どもたちを教え始めたときに使った歌について，私なりのメモを作ってきますので，見ていただけますか？

シーラ　それは，いいわね。マナブが子どもたちとどんな歌を歌ったのか，とても興味があるわ。それから，さっきのレッスン・ソングの記録例は，私が気になることを項目として挙げてあるのだけど，マナブは，マナブで，自分なりのメモの方式を考えてみるといいわね。

マナブ　はい，そうしてみます。

というわけで，マナブは，次回のチュートリアルまでの「宿題」を持ち帰ることになりました。

③ 歌を利用した活動

翌週のチュートリアルで，マナブは，初めて外国語活動に取り組んだ年に，授業で使用した歌についてのメモを持ってきました。次ページの図表7.4を見てわかるように，マナブのメモは，それぞれの歌について，「なぜ，選んだのか？」いうことと，「その歌を使ってどんな活動をしたか？」という2つの観点について記入する形になっています。

毎月の歌	選んだ理由	関連活動例
4月 Seven Steps	子どもたちにとって身近な英語である数字から1年間の授業を始めようと考えて。	歌詞に合わせ，床の上に置かれた数字カードの上を歩く。
5月 Shark Attack	「とにかく盛り上がる歌を」と考えて。	音楽が止まるのと同時に，シャーク役の子が，ほかの子どもたちをつかまえて食べようとする椅子取りゲーム形式の活動。
6月 To the Rain	「梅雨の季節にちなんだ歌だ」と思って。	ペアでリズムに合わせた手合わせ活動。
7月 Hokey Pokey	夏休み前の行事「英語でスイカ割り」に 'Turn right!', 'Turn left!' などの表現を使うので。	歌詞に合わせて，丸い輪の中に右手や左足を入れたり出したりする。
9月 Head & Shoulders	恐竜の頭や手足を組み立て，化石の型紙模型を作る活動につなげることを意図して。	歌詞に合わせて，頭や肩に触れる。
10月 Eeeny, Meenie, Minie, Moe	日本語の「どれにしようかな？」に似た数え歌ライムで「面白い活動をのせることができそうだ」と考えて。	バーベキュー・グリルの絵の上に並べられた肉や野菜のカードを，順番に指さしながらライムを唱える。
11月 Pease Porridge Hot	リズム・ビートがはっきりとしているので。	ペアでリズムに合わせて手合わせ活動。
12月 We Wish You a Merry Christmas	「何かクリスマスの季節にちなんだ歌を」と思って。	ペアでリズムに合わせて手合わせ活動。
1月 If You're Happy	happy, angry, sad といった気持を表す表現の導入として。	歌詞の内容に合わせて動作をする。
2月 Hot Cross Buns	リズム・ビートがはっきりとしているので。	ペアでリズムに合わせて手合わせ活動。
3月 Pancake	ホットケーキを作る活動への導入として。	歌詞に合わせてホットケーキを作るマイム。

図表7.4：マナブのレッスンソング・メモ

*マナブがリストを作る際に参考とした資料ついては，本節末（p.301）を参照のこと。

シーラ なるほど。こうしておけば，次に使うときに，レッスン・プランにどのように組み込んだらよいか，すぐにわかるというわけね。なかなかうまく考えたじゃない。ここにある歌は，日本の子どもたちに英語を教えるときに，よく使われる歌なの？

マナブ 1年目は，当時，街の書店に並んでいた子どもたちに英語を教えるための歌を紹介する本をいろいろ見てリスト*を作り，複数の本に載っている歌は，一般的によく使われている歌だろうと見当を付けました。そして，そのような歌を，子どもたちと一緒に歌いながら，1つずつ，自分

シーラ　のレパートリーとしていこうという気持でした。
シーラ　それでも，マナブなりに歌を選ぶときの，何か方針はなかったの？
マナブ　そうですね。まず，第一に「英語のリズムを楽しめる歌」，そして，二番目としては，「子どもたちに歌詞の意味を伝える活動を組める歌」というようなことを考えていました。ですから，歌詞の意味にちなんだ動作を，リズムに合わせて展開できるような歌が見つかれば，一番都合がよかったですね。
シーラ　歌詞に合わせて決まった身振りが付いている歌は，一般にアクション・ソングと呼ばれているの。たとえば，前回紹介した，私のレッスン・ソングの記録例の中にあった"The Tree in the Wood（森の中の木）"などは，その代表ね。子どもたちは，この歌を歌いながら，まず，背筋をぴんと伸ばして一本の「木」になるの。そして，一方の腕を横いっぱいに広げると，それが「枝」。その上で，もう一方の手をクルクルって回すと「鳥の巣」のでき上がり。次に両方の手を合わせてカップ状にして，巣の中に「卵」を作るのね。そして，最後に合わせた両手をパーッと広げて，卵からかえったばかりのひな鳥を大空へ向かって飛び立たせるの。

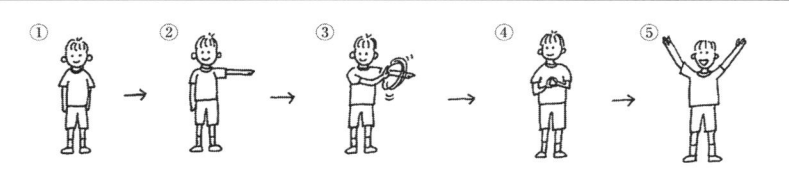

① In a wood there is a tree.
② And on this tree there is a branch.
③ And on this branch there is a nest.
④ And in this nest there is an egg.
⑤ And in this egg there is a bird.

マナブ　結構，複雑な動作みたいですが？
シーラ　口で言うと，長々とした説明になってしまうけれども，実際に身体を動かしてやってみると，それほど難しいことはないわ。子どもたちも，すぐに覚えてしまうのよ。
マナブ　そう言われてみれば，日本の子どもたちの「手遊び歌」なども，いまここで，ことばだけで先生に動作を説明しようとしたら，たいへんだと思います。[18]

注釈18（p.321参照）

シーラ　歌詞の内容に合わせた動作を子どもたちが楽しむ歌は，世界中，どこの国の文化にも見受けられるようね。歌詞にちなんだ動作をくり返すことで，子どもたちは，自然に歌の内容を理解し，覚えてしまうことになるのね。日本の子どもたちが，英語のアクション・ソングの歌と動作をくり返すときに体験する楽しさは，英語圏の子どもたちが，同じ歌を楽しみながら成長していくときに味わう感覚とまったく変わらないはずよ。
マナブ　そういった意味では，このようなアクション・ソングは，「英語学習の

*「落ち着かせる活動（settler）」については第1章第2節の(10)「子どもたちの注意力と教室運営」を参照。

* 森の巨木を切りに来た若い男が，仕事に疲れて昼寝をしていると，熱帯雨林に生息するさまざまな動物が次々とやって来て，眠っている若者の耳元で「木を切り倒さないで！」とささやきかけて，……という物語。

* 第1章第2節の(8)「チャンクの役割」を参照。

ための歌」というより，世界中の子どもたちが同じように楽しむことができる「子どもの歌」という範疇に入れるべきものなのかもしれませんね。

シーラ　あら，うまいこと言うわね。たしかに，子どもたちを楽しませ，元気にさせるアクション・ソングの魅力は，普遍的なものなのかもしれないわね。でも，それだけに，授業の中でこのような歌を歌った後では，子どもたちが興奮しきってしまって収拾がつかなくなってしまうこともあるわ。

マナブ　何か，子どもたちを「落ち着かせる活動」＊ が必要になるのかもしれませんね？

シーラ　そうね，たとえば，歌の内容にちなんだ絵を描かせて，その絵に色を塗らせたりするのがいいと思うわ。ただし，お絵描きや色塗りの好きな子は，必ず，絵が完成するまでやりたいと言いだすので，できれば，授業の最後の数分間をこの活動に当てて，続きは次の授業までの宿題ということにするのが一番いいかもしれないわね。

マナブ　なるほど。でも，高学年の場合はどうでしょう？　高学年の児童には，色塗りは，ちょっと幼稚ですよね。

シーラ　高学年の子どもたちには，歌の内容にちなんだ絵本を読み聞かせてあげるのはどうかしら。たとえば，さっきの"The Tree in the Wood（森の中の木）"の場合には，この歌が持つ「けっして絶えることのない生命のサイクル」というテーマから，森林の伐採の問題など，自然保護や資源の問題へとトピックの流れを作ることだってできるわ。

マナブ　「自然保護」の問題を扱った絵本なんて，あるんですか？

シーラ　あら，たくさんあるわよ。たとえば，『The Great Kapok Tree（カポックの巨木）』＊ という絵本は，熱帯雨林（rain forest）に生息するさまざまな動物を，色鮮やかな絵とともに紹介しながら，熱帯雨林の伐採の問題を子どもたちにわかるような形で紹介しているわ。

マナブ　なるほど。ひと口に歌を使った活動といっても，いろいろあって，そのうえ，ほかのタイプの活動と組み合わせれば，さまざまな展開の可能性が考えられるのですね。

シーラ　そうね。もちろん場合によっては，ただ単に歌って楽しむだけでも立派に活動になるわ。子どもたちは，歌を通してことばをチャンク＊（chunk）の形で取り込み，言語習得の素材としていく力を持っているわけだから。

マナブ　英語の歌は，日本の子どもたちにとっては，外国語の歌なので，ただ，歌って楽しむだけであっても，何か基本的な手順があったらよいと思うのですが。

シーラ　たとえば，まず，一度，歌を通して聞かせるの。そして，子どもたちがその歌を気に入って，一緒に歌ってみたいと思ってくれたらしめたものね。そうすれば，その段階で，歌詞の中のことばを言えるようにする手助けが必要になるでしょう。

マナブ　でも，大人の学習者の場合のように，歌詞カードを配って覚えさせるわけにはいきませんよね。

シーラ　そうね。子どもたちの場合には，指導者やCDの後について何度か言

	わせてみるといった形をとるのが普通だわ。ここで忘れてはならないのは，絵や身振りを使って，子どもたちに歌詞の意味を伝えてあげることね。
マナブ	毎回の授業で，何度くらいくり返して歌えばよいのですか？
シーラ	ある歌との最初の出会いでは，子どもたちに歌の内容を伝えて，みんなで一緒に聞いてみるだけで十分かもしれないわ。そして，次の授業で，子どもたちが「あの歌をまた聞きたい」とか，「今度は，歌ってみたい」と言うようだったら，その機会を逃さずに歌うようにすればいいのではないかしら。
マナブ	なるほど。私たち指導者自身も，最初から，気のきいた活動を展開して，素晴らしい学習効果を期待するなどと意気込まないで，もう少し肩の力を抜いて，子どもたちと一緒に歌を楽しんだほうがいいみたいですね。
シーラ	同感だわ。

　この節で話題にしてきたリズムとライム，そしてメロディーは，子どもたちの心をなごやかにしたり，授業を盛り上げてくれます。さらに，そればかりではなく，子どもたちの記憶を助け，学習を促す効果があり，適切な使い方をすれば，情緒面と知識面の両方で，子どもたちの外国語学習をとても有効にサポートしてくれるものとなるのです。

　　　　　　　　　＊　　　　　　＊　　　　　　＊

≪マナブが英語の歌のリスト作成の際に参考とした資料≫
・アルクキッズ英語編集部（編）．2000．『うたおう！　マザーグース　上・下：家庭で，教室で楽しむ英語のあそびうた』　東京：アルク．
・石川奈緒美・国嶋信・佐藤裕之・吉澤寿一．2000．『総合的な学習や国際理解教育に生かす英語の歌とゲーム・活動アイデア集』東京：小学館．
・久埜百合（監修），永井淳子・粕谷恭子（著）．2000．『うたって遊ぼう小学生の英語の歌』　東京：小学館．
・佐藤令子．2002．『みんなあつまれ！　小学生の英語タイム（小学校1-3年生編）』　東京：アルク．
・ジオス．2000．『親子でできる！　英語のゲーム』　東京：ジオス出版．
・増尾美恵子．2001．『子どもを夢中にさせる英語のレッスンプラン』　東京：ピアソン・エデュケーション．
・mpi（旧松香フォニックス研究所）．2000．『MPIベストセレクション　歌とチャンツのえほん』　東京：mpi（旧松香フォニックス研究所）．

7.4　子どもたちの好奇心をかき立てるアイデア

　この章では，これまでに，ゲーム，物語，歌やリズムなど，それぞれ子どもたちが興味を持つものを取り上げてきました。この節で扱うジョーク，トリック，パズルなどの活動にも，子どもたちの好奇心をかき立てるような要素が入っています。子どものジョークで多いのは，英語圏の大人が好むような物語形式のものではなく，「なぞなぞ」形式のものです。子どもたちが頭をひねって，なぞなぞ（riddles）＊を解く間のやりとりに，本物のコミュニケーションが生まれます。手品やマジックのようなトリックを使えば，「どうやっているのだろう？」と関心を持ち，パズルでは，「どうやって解こう？」という気持が，子どもたちにやる気を起こさせるのです。低学年には視覚的なトリックが好まれますが，クイズやパズルなどの知的好奇心をくすぐる活動は，小学校の中学年から高学年に向いています。もともとユーモアやジョークは，コミュニケーションに欠かせないものです。そして，子どもの人格形成においてもたいへん重要な要素の一つです。また，なぞなぞやパズルなどを使うことで，いろいろな方向から物事を見ることの面白さを体験的に身に付けさせることもできるでしょう。何より，子どもたちに「考える時間」を与え，知恵を働かせる活動をすることは，教育においてとても大事な過程です。では早速，ジョーク，トリック，パズルの効用や使い方を見ていきましょう。

＊「なぞなぞ」は，一見，子どもの遊びのようであるが，次のような有名な「なぞなぞ」もある。"What walks on four legs in the morning, two at noon, and three in the evening?" さて，答えはわかるだろうか？〔解答は本節末（p.318）を参照〕

(1)　ジョーク

シーラ　私たちのチュートリアルの最後の話題は，ユーモアとジョークについてよ。ユーモアは，コミュニケーションを円滑にするためにはなくてはならないものよね。日本では，ユーモアを教育に取り入れたりする？　たとえば，マナブは，ジョークを使った授業をしたことがあるかしら？

マナブ　授業として，シラバスに入れて使ったことはないですが，いつもダジャレを言って，子どもたちを笑わせたり，あきれさせたりしてきました。

シーラ　日本語の「ダジャレ」というのはどういうもの？

マナブ　だいたいが，ことばの意味や音を掛けて遊ぶものです。「僕はアイスをあい（愛）す」とか，「今日のカレーは，かれー（辛い）」とか。でも，英語に訳すと "I love ice cream.", "This curry is very spicy." などとなってしまうので，日本語がわからない人に，その面白さやばかばかしさを伝えるのが難しいんです。

シーラ　なるほど，それは残念ね。でも，何を学ぶにしても，ユーモアを忘れてはつまらないわ。イギリスやほかの英語圏では，日頃からよくジョークを言うので，心から笑えるようなジョークから，逆にあきれて閉口してしまうようなものまで，実生活のどこにでもジョークがあるの。だから子どもたちも，教室の外に一歩出れば，ジョークのネタを豊富に集めることができるのよ。

マナブ　そうですか。それは，英語圏に住んでいる子どもにとっては都合のよいことですね。でも，日本のような非英語圏での指導プログラムの場合は，どうしたらよいのでしょう？

シーラ たとえば、小学校の高学年にもなれば、英語圏の国と、自分の生まれた国との文化の違いに気づかせたり、理解させることに使えるんじゃない。

マナブ ジョークには、意味や考え方などに文化的背景がいろいろつまっているからですね。

シーラ そう。シラバスの中の主な活動ではなくても、指導内容のテーマや話題に関連したジョークを付加的な要素として扱うことができるわ。

　先生が話しているように、この節で紹介するのは、すべて、子ども向けのジョークの本から取った、実際に使われている本物のジョークです。ジョークは、語彙ばかりでなく、日常的な習慣や文化的な側面を知らなければ、その面白さを理解するのが難しいものもあるでしょう。外国映画やテレビに出てくるジョークも、その国の社会的・文化的背景の知識がなければ、何が面白いかがまったくわからないこともあります。また、そのときの「はやり」やニュースを知らなければ理解できないジョークや、世代の違いのために背景知識を共有していないと面白さを共有できないこともあります。ことばの持つ意味や音の響き、それぞれの国や地方の文化的な背景・習慣や「はやり」など、さまざまなことが含まれているジョークをそのまま違う文化の中へ持っていき、同じような反応を得ようとするのはたいへん難しいことです。

　日本の子どもたちに、イギリスの子どもが大好きなジョークをそのまま聞かせたとしても、すぐに面白いと思うかどうかは疑問です。しかし、面白さが伝わるかどうかを見てみることは、とても興味深く、新しい発見があるかもしれません。また、指導者は、大人の文化と子どもの文化にも違いがあることも、当然理解しておかなければなりません。子どもたちが大笑いするようなジョークでも、大人にはまったく面白くなく、説明を聞いたとしても、何がおかしいのかさっぱりわからないということもあるでしょう。ジョークは、このようなことを考慮しながら、一度、実験的に使ってみるのがよいのかもしれません。もし、子どもたちが、英語のジョークの面白さがわかるようであれば、ぜひ使うべきです。しかし、うまく使える自信がなければ、使わずにおくこともひとつの選択です。

　イギリスの子どもたちの好きなジョークには、3つのタイプがあります。文化的な事柄やジョークとしての面白さに加え、外国語学習の観点からも、さまざまなレベルでの効用が期待できます。

① ナンセンスな情景が笑えるジョーク

　このタイプのジョークには、「はやりすたり」があり、あるキャラクターをネタにたくさんのジョークが生まれたりします。"Elephant jokes（ゾウのジョーク）"は、くり返し「はやる」ものの一つで、野菜や果物についてのジョークも、数えきれないほどあります。トマトとバナナは、なぜか、とくに面白いと思われています。このようなジョークは、普通、質問と答えのなぞなぞ形式になっていますが、答えが、ばかばかしいことや、あり得ないことなので、解答者は予想するのが難しいわけです。このタイプには、how, what などの疑問詞を使った質問がたくさん出てくるので、疑問詞の導入や練習にもなります。

* 日本でも人気の高いイギリス製の小型車。

> Q: How many elephants can sit in a Mini Cooper?（ミニクーパー*には，何頭のゾウが座れるでしょう？）〔小型であれば，下線部を好きな車種に変えてかまいません〕
> A: Four. Two in the back, two in the front!（4頭。2頭が前の座席で，あとの2頭が後部座席！）

　　子どもたちは，この答えを聞いて，その光景を想像しクスっと笑います。先生がまず笑って見せるのも大事です。

> Q: What is red and round and wears sunglasses?（赤くて，丸くて，サングラスをかけているのは，なーんだ？）
> A: A tomato on holiday!（バカンス中のトマト！）

　　サングラスをかけたトマトが，まぶしい日差しの中で，ビーチチェアに寝そべっている様子を想像すると思わず笑ってしまいます。

*「エレベーター」のことをイギリスでは lift, アメリカでは elevator を用いることが多い。

> Q: What is small and green and goes up and down?（小さくて緑色で，昇ったり下がったりするものは何？）
> A: A pea in a lift!（エレベーター*に乗ったグリーンピース！）

　　たとえばガラス張りのエレベーターに，グリーンピースが一人〔一個〕で乗り込み，高いビルを昇ったり，降りたりしている情景を思い浮かべてみてください。

　② 掛けことばを利用したジョーク
　　このタイプのジョークには，次の例の 'time' のように，2つの違った意味を持つ単語が必要になります。

> Q: What _time_ is it when an elephant sits on your bicycle?（ゾウがあなたの自転車に座るときは何時（なん<u>どき</u>）？）
> A: _Time_ to buy a new bicycle!（自転車の買い替え<u>どき</u>！）

　　このなぞなぞでは，解答者は，'time' ということばを時計が示す「時刻」と解釈して，たとえば，"It's three o'clock."（3時）などの答えを予想して

思案しますが，答えは，「時機」という意味で 'time' を使っています。1つの単語が持つ複数の意味を知っていると楽しめるジョークです。「"What time ...?" と質問したじゃないか！」などと目くじらを立てずに，「そうきたか！」と言って楽しみましょう。

③ 単語や単語の一部で遊ぶジョーク

まず，'key'（キー）を使った一連のジョークを紹介しましょう。

> Q: Which *keys* live in trees and eat nuts?（木に住んで木の実を食べるのはどんなキー？）
> A: MON*keys*!（モンキー〔サル〕！）

続けて，もう一つ。

> Q: Which *keys* have long ears and eat grass?（長い耳で草を食べるのはどんなキー？）
> A: DON*keys*!（ドンキー〔ロバ〕！）

イギリスのクリスマス，またはアメリカの感謝祭にかかわる文化的背景を持つジョークをもう一つ。

> Q: Which *keys* hate Christmas/Thanksgiving?（クリスマスや感謝祭が大嫌いなのはどんなキー？）
> A: TUR*keys*!（ターキー〔七面鳥〕！）

発音よりもスペリングに注目しないと，なぞ解きができないものもあります。

> Q: What type of *cat* can fly when it is grown up?（大きくなったら飛べるネコはどんなキャット？）
> A: A *CAT*erpillar!（キャタピラー〔イモムシ〕！）

このタイプのジョークは，上の例のように，'-keys' や 'cat-' など，単語の中の音節を取り出したり，初めの音を入れ替えたりして，英語を話す子どもたちが韻を踏む音を楽しむものです。英語以外でも，とくに単語が複数の音節からなる言語ではよく見かけます。意味だけでなく，単語の発音や韻を踏むことの面白さに気づいて初めて楽しめるものもあるので，母語に訳すとその面白さが伝わらなくなる場合も多くあります。日本の子どもたちには，これらのナンセンスなジョークや掛けことばを使ったジョークは，まず，そのまま英語で，英語の響きから楽しさを味あわせてみましょう。訳を与えてもよいですが，すべてを訳してわからせようとすると味気ないものになってしまいます。訳よりは，イラストやジェスチャーなどを交えて，子どもたちがその状況を思い浮かべるのを手助けしながら，意味をわからせるほうが大事です。とくに 'monkey'，'donkey' などの掛けことばのジョークは，

日本の子どもたちにもわかりやすく，すぐに面白さを理解できるので，まず聞いて音を楽しみ，次にそのまま問答の真似をして言うことから始めてみるとよいでしょう。

次の例は，音節の初めの音を入れ替えて韻を踏むのですが，英語ではこのタイプも人気があります。

Q: What's the difference between a cloud and a lion with a toothache?（雲と歯が痛いライオンは，何が違う？）
A: The cloud pours with rain, but the lion roars with pain.（雲は雨をザーザー，ライオンは痛くてガオー）

'pours with rain' の 'p' と 'r' を入れ替え，後は同じ発音にして 'roars with pain' としているのに気づきましたか？ 解答者はこの答えを聞いて，「うーん，やるなー！」となるわけです。このような英語の「音」の遊びを，そのまま活かした日本語訳は至難の業（わざ）です。少し高級かもしれませんが，掛けことばが意味を掛けているように，ここでは，英語の音をそのまま楽しみ，意味も連動させながら音を掛けている面白さを感じてみてください。

④ ジョークを使ってできること

子どもたちは，ただ単に，ジョークで笑い，楽しみます。たぶん，①の「ナンセンスなジョーク」が，低学年には一番適しています。しかし，年齢が上がり，知識や常識を身に付けた英語学習者であれば，3つのどのタイプについてもその面白さがわかるかもしれませんから，「この英語のジョークは，日本語でも意味が伝わりますか？ もし，伝わらないとしたら，それはなぜ？」などと質問して，一緒に考えてみるのも面白く意味のある活動になります。英語の発音を使ったシャレや，ことば遊びのジョークは，そのままほかの言語に置き換えても通用しません。それに対して，滑稽な場面や出来事を描写しているようなジョークは，たいていの場合，翻訳しても意味が伝わります。ただし，オリジナル版を作った国の人たちが感じるのと同じように「面白い」と解釈されるのかどうかは別問題です。

ところで，ジョークは，ただ聞いたり読んだりして楽しむだけではありません。子どもたちが，いったんジョークの型を理解したら，今度はジョークを創作させたり，一部を変化させたりしてオリジナリティを加えることもできます。先ほど，例に挙げたエレベーターに乗ったあの「緑色の小さいもの（グリーンピースや，ぶどうなど）」を，「長くて黄色いもの（バナナなど）」に置き換えて，楽しいジョークにしてしまうことぐらい，子どもたちの想像力にかかったら簡単なことなのです。

英語のジョークを，日本の子どもたちにそのまま使っても，英語が難しすぎたり，文化的背景が異なっていて，面白さが伝わらないこともあります。そのような場合には，内容や表現を日本の子どもにもわかるように変えれば，そのようなジョークを活用することもできます。たとえば，次の例のように，まず単純な色のクイズを出しておいてから，最後に，ユーモラスな「落ち」

のあるクイズを出して，ジョークの気分を味わうことから始めてはどうでしょうか。

> 先生：It's quiz time! What color is a strawberry?（さあ，クイズの時間だよ。イチゴは何色？）
> 子どもたち：It's red.（赤）
> 先生：That's right. Then, what color is a zebra?（正解。では，シマウマは？）
> 子ども1：I know! It's white and black.（知ってる！　白と黒）
> 先生：Of course. Then, what color is a Japanese fire engine?（そうだよね。じゃあ，日本の消防車は何色？）
> 子ども2：Fire engine?（fire engine って？）
> 先生：It's a big car and it says, "Ooh …".（大きな車で，「ウー」っていう，……）
> 子どもたち：〔あ，消防車か！〕Red!（赤！）
> 先生：That's right. Then, what color is a black cat?（その通り。じゃあ，ブラックキャットは何色？）

思わず「え？　何色？」と，考え込みそうになった方はいませんか？　このような子ども向けのジョークを，インターネットで探すこともできます。いろいろな種類のジョークが載っているので，ネタ探しに一度訪れてみてはどうでしょうか？〔Kids Jokes（http://www.ahajokes.com/kids_jokes.html），Yahoo Kids（http://kids.yahoo.com/jokes）〕

(2)　手品のようなトリックや特殊効果

授業で使えるのはジョークだけではないようです。今回のチュートリアルでは，シーラ先生が，子どもたちと作る楽しい授業のヒントを紹介します。

シーラ	ジョークのほかにも，子どもたちをわくわくさせるものがあるのよ。マナブは，何か，小道具などを使って子どもたちに「あっ！」と言わせたことはない？
マナブ	手品とかですか，……？
シーラ	ほかにも，トリックみたいなものとか，……。こういうたぐいのものは，一部の指導者しか興味を持たないものかもしれないけれど。
マナブ	「あっ！」と言わせることに成功すれば，子どもたちを授業に集中させたり，興味を持って取り組ませたりできるのでしょうけれど，なんだか下手をすると，子どもが，わいわい，がやがやして，授業のコントロールを失いそうな気もしますけれど。
シーラ	その通りね。だから，子どもたちが盛り上がりすぎたとしても，恐れずにしっかり手綱を引いて，学級経営ができる自信を持っていなければ，あまり冒険をしないほうがいいわね。そして，トリックを，英語のカリキュラムに，どのようにして入れれば効果的かをよく見極めたうえで使ってみたらいいわ。
マナブ	使うとしたら，どのように授業に入れるのが普通ですか？

> **シーラ** ジョークのように，トリックも，そこで使用する語彙や文法項目が指導計画の中に含まれていたり，授業に出てくるテーマや話題に合っているときなどに，単発的に入れるのが適していると思うの。たとえば，"The floating sausage（宙に浮かんだソーセージ）" というトリックは，「食べ物」とか「ランチメニュー」などという課で扱えばいいんじゃないかしら？
>
> **マナブ** 先生，"The floating sausage" って何ですか？

マナブの質問に答えて，先生は "The floating sausage" を実演します。

≪トリック1≫　The floating sausage（宙に浮かんだソーセージ）

　これは視覚のトリックです。右手と左手の人差し指の先をほんの少し（5ミリ程度）だけ離して，水平に保ちながら，両目の前に近づけていくと，二本の指の間に，まるで短いソーセージが浮かんでいるように見えてきます。見えない場合は，指を近づけたり離したりして距離を調節してください。指の先をつけると，つながったソーセージのようにもなります。クラス全員が一人ずつ「見えた！」となる様子は圧巻です。

　では，実際に，この "The floating sausage" のトリックを，どのように授業でするのでしょうか？　下に導入例を紹介します。

★ The floating sausage の導入例

　Do you want to see a sausage? A sausage in the air? A sausage floating in the air? OK, so hold your fingers like this. OK. Don't look at your fingers! Look at the wall. Can you see it yet? OK, well ...（ソーセージを見てみたい？　空中のソーセージよ。空中に浮いてるソーセージはどう？　見たい？　じゃあ，指をこうして目の前に近づけて。そうそう。自分の指を見てはだめ。壁を見るの。もう見えた？　そうしたらね，……）

　導入例にあるように，指導者は，手品師がよくするように，まさに「いま，起きていること」を，そのまま実況中継のように身振り手振りを入れて話しながら，子どもたちに見せ，トリックに参加させるための指示を与えます。つまり，トリックをするときに指導者が話す内容は，そのまま第1章第2節で扱った，「身近な現実（here and now）」にかかわる言語の豊かなインプットにもなるわけです。指導者は何を話すかを，前もって考えておく必要があります。できれば，複雑なことは避けて，同じような表現をくり返した

り，既習の内容にほんの少し加えたようなことば使いにしましょう。その中に，子どもたちも，すぐに真似して言えるような表現があれば理想的です。このような子ども向けのトリックを紹介している本やサイトは，身近なところで簡単に見つけることができます。

　シーラ先生は，ほかにもたくさんのトリックのアイデアを次々と披露していきます。

≪トリック2≫　**The hundred word trick**（100語のトリック）
　これは，高学年の子どもたちを「だます」ことができるトリックです。まず子どもたちに，'a' の文字が入っていない単語をいくつ知っているか質問します。子どもたちは口ぐちに答えるでしょうが，指導者は，"I can say at least 100 words."（私だったら，少なくとも100語は言える）と宣言します。そして，子どもたちのチャレンジ精神に火を付け，5分間で，なるべくたくさんの単語のリストを作るようにと指示します。時間になったら，作ったリストの中からいくつかの単語を発表させます。グループの代表に黒板に書かせてもよいでしょう。"Wow! You did a good job! Now, it's my turn."（よくできました！　さて，私の番ね！）と言って，1から100まで英語で早口に数えてみせます。下にあるように，one から one hundred までの単語には 'a' の文字は一つも入っていないのです。教室でも，黒板に書いたり，ポスターを作っておいて子どもたちに確認させましょう。

one, two, three, four, five, six, seven, eight, nine, ten (10) eleven, twelve, thirteen, fourteen, fifteen, sixteen, seventeen, eighteen, nineteen, twenty (20)　twenty-one, twenty-two, twenty-three, twenty-four, twenty-five, twenty-six, twenty-seven, twenty-eight, twenty-nine, thirty (30)　thirty-one, thirty-two, thirty-three, thirty-four, thirty-five, thirty-six, thirty-seven, thirty-eight, thirty-nine, forty (40)　forty-one, forty-two, forty-three, forty-four, forty-five, forty-six, forty-seven, forty-eight, forty-nine, fifty (50)　fifty-one, fifty-two, fifty-three, fifty-four, fifty-five, fifty-six, fifty-seven, fifty-eight, fifty-nine, sixty (60) sixty-one, sixty-two, sixty-three, sixty-four, sixty-five, sixty-six, sixty-seven, sixty-eight, sixty-nine, seventy (70)　seventy-one, seventy-two, seventy-three, seventy-four, seventy-five, seventy-six, seventy-seven, seventy-eight, seventy-nine, eighty (80)　eighty-one, eighty-two, eighty-three, eighty-four, eighty-five, eighty-six, eighty-seven, eighty-eight, eighty-nine, ninety (90)　ninety-one, ninety-two, ninety-three, ninety-four, ninety-five, ninety-six, ninety-seven, ninety-eight, ninety-nine one hundred (100)

　この活動は，指導者が種明かしをするまで，グループ活動として，'a' がない単語のリストを真剣に作らせることができます。先生が与えたチャレンジに打ち勝つために，「つづりに注意しながら単語のリストを作

る」という，単純で，退屈しそうな作業に知恵を絞って夢中になって取り組ませることができる，素晴らしいトリックです。このような簡単なトリックに乗せられて，真剣にリストを作ってしまったことに文句が出るかもしれませんが，同時に，子どもたちはとても面白がるはずです。

　この活動を，日本の子どもたちに対して行う場合には，次のように，本題に入る前にいくつかのステップを入れるとよいでしょう。

★ **The hundred word trick の導入例**
　まず，絵とつづりが書いてある既習の単語カードを見せながら，いくつかの単語（例：pink, bed, cap, bus, box, red など）を見せます。1つひとつのスペリングを見せながら，全員で言ってみます。

First, let's review the words.	（まず，単語の復習をしましょう）
What's this?	（これは何？）

〔次に，クイズに入ります〕

Great.	（よくできました）
Let's have a spelling quiz.	（では，つづりのクイズを出します）
Can you say a word with "p"?	（'p' が付く単語を言える？）

〔と言って，黒板にpと書く〕

For example, pink, pen, cap, grapes.　（たとえば，*p*ink とか，*p*en とか，ca*p* とか，gra*p*es など）

と言って，黒板にスペリングを書き，子どもたちにまず，'p' が入った単語を探させます。次に，同じように 'a' の入った単語を探させ，その後，'a' の入っていない単語を探させます。

　OK. This time, can you find a word without "a"?
　　（はい，今度は 'a' が入っていない単語を見つけられる？）
　For example, "red" doesn't have an alphabet letter "a".
　　（たとえば，'red' には 'a' が入ってないでしょ）
〔と言って書いてみせる〕
　Can you find some words without "a"?
　　（'a' が入っていない単語を見つけられる？）

≪トリック3≫　**The magic glass**（魔法のコップ）
　これは，格好よく言えば，科学的に考えて，予想をさせて自分の考えを表明させる活動で，"Yes, I think so. / No, I don't think so."（はい，そう思います。／いいえ，そうは思いません）という表現を練習するのに，よい場面を提供してくれます。授業の前に，コップ，はがき，水を入れた水差しを用意しておきます。そして，コップの縁までいっぱいに水を入れます。
　先生は，「現在進行形」を使って，実況中継のように話してみせます。"OK, I'm filling the glass now ..."（はい，コップに水を入れています）

と言いながら、こぼれる寸前のところまで水を入れ、"I'm putting this postcard on the glass."（このはがきを、コップの上に置きます）と言いながら、コップの上にはがきをそっと置きます。

そして、"I'm going to turn this glass upside down. What will happen? Will the water come out? Who thinks the water will come out?"（いまから、このコップを逆さまにしようと思います。さてどうなるでしょう？ 水はこぼれるでしょうか？ こぼれると思う人？）と言います。ほとんどの子どもは、"Yes(, I think so)."と言うかもしれませんが、水の上にはがきを置き、はがきに手を添えたまま、コップを逆さまにしても水はこぼれず、何事も起きないはずです。水に空気圧がかからないので、コップの中にそのまま残るのです。

'upside down' という表現は、このトリックを考えさせるときのキーワードです。まず、このキーワードを使い、いくつか例を見せて意味を理解させてから、このトリックを導入するとよいでしょう。（たとえば、"I'm going to turn this pen stand upside down. What will happen?"などと言いながら、筆立てをまずペンを押さえながら逆さまにする様子をして見せる）

"I think so. / I don't think so." は、いろいろな場面に適用できるので、子どもたちが使えるようになると便利な表現です。このトリックは単独で扱うこともできますし、科学的な活動としてもっと内容に入っていきたい場合は、理科の授業の中で扱うこともできます。* 万が一失敗して、あなたの足がぬれる結果に終わってしまったときも、あわてずに、"Oops!" という表現をインプットできる絶好のチャンスと思って、有効利用してください。

* 第5章第2節「教科の垣根を越えて内容を中心に指導する」を参照。

(3) パズル

ジョークやトリックのほかにも、子どもたちをやる気にさせるアイデアはまだあります。次のシーラ先生の提案は、文字に興味を持つようになった子ども向けのものです。

シーラ	子どもたちがあきずにできることがもう一つあるけど、わかる？
マナブ	うーん、そうですね、……。パズルで遊ぶとかでしょうか？
シーラ	その通り。パズルって、すごい力があるのよ。子どもたちはパズルに熱中した結果、英語そのものの形とか構造に向き合っているのよね。
マナブ	普通であれば、子どもたちにとっては、難しくてつまらないかもしれないことでも、楽しく取り組ませることができてしまう、ということですか？
シーラ	そうよ。実生活でも、パズルはよくする遊びで、パズルを解くこと自体がとても楽しいことなの。それを活用するわけね。
マナブ	それで、英語学習のためというような、子どもにとっては、あまり切実ではない目的を意識しなくても、十分に魅力を感じて取り組めるというわけですね。
シーラ	そうなの。ただ、パズルには、多かれ少なかれ、書きことばが使われる

> から，ある程度読み書きに取り組ませているレベルの子どもたち向けね。多くのパズルは，つづりとか，単語や短い語句の意味など，英語の断片的な事柄を扱っているけれど，文やまとまった短い文章を理解させるようなパズルを作ることも可能なのよ。
>
> **マナブ** 子どもたちに，そこまでさせることなんて，できるんですか？
>
> **シーラ** たとえば，伝統的な穴埋め問題などは，子どもたちの反応も悪いと思うわ。でも，本質的には同じような活動内容であっても，ボロボロの古い秘密の手紙の欠けている単語を発見したり，海賊の宝の地図に書かれた暗号を解読したりするという活動に設定を変えるだけで，子どもたちはとても興味を持って，やりとげたいという気持をかき立てることができるものよ。
>
> **マナブ** なるほど。そのようなパズルを使って子どもたちが文字に親しむようにすれば，小学校から中学校への英語学習の橋渡しの助けにもなりそうですね。もっとたくさん，具体的な例を教えてもらえませんか？
>
> **シーラ** 実際にパズルを紹介する前に，パズルを使用するときに，気をつけることについて話しておいたほうがいいわね。

　こう言って，先生は，例の「講義ノート」を取り出し，「パズルを上手に使うポイント」という見出しの付いたページを開きます。そこには，以下の6つのポイントがまとめてあります。

シーラ先生の講義ノート
パズルを上手に使う6つのポイント

1) パズルの使用法

　パズルには，既習の内容を補強したり，復習したりすることに効果的に利用できるものがあります。また，このタイプとは別に，新しいことを導入するのによいパズルもあります。

2) パズルを始める前にすること

　子どもたちが，初めてパズルを体験する場合は，まず，やり方を見せる必要があります。この節で紹介するものは，だいたい日常的によく知られているものですが，それでも，最初に遊び方を見せてから始めたほうがよいでしょう。

3) パズルをする時間

　パズルを解くのに要する時間は，子どもによって異なるので，授業の主活動としては適しませんが，授業の最後に行えば，終わらなかった子どもには，家で完成するように指示することができます。また，授業で何か作業をするときに，ほかの子よりも早く終えた子どものためにパズルを用意しておいて，やらせるのにも便利です。学校の自立学習センター（self-access center）や教室の中の学習コーナー（study corner）などに，教材として置くのが実用的でしょう。

4) パズルの保管方法

　パズルは，一人に1つずつ用意する必要があります。また，解くときには，文字や線などを書き込むことになるので，基本的に，一度使用したパズルを何度も使うことはできません。そうなると，指導者がいつも補充しておかな

ければなりませんが，それでは費用がかさみますし，いつも気にかけて管理しておくのは指導者にとっても負担です。もし，自立学習センターにパズルを保管するのであれば，同じパズルを多量にコピーして，箱やファイルに入れておくと，子どもたちが各自必要に応じて使うことができます。これよりも良い方法としては，丈夫なカードでパズルを作り，ラミネートをしておくと，水溶性のペンを使えば答えを消して，同じパズルを何人もの子どもがくり返し使用できます。ただ，小さな子どもは，作業途中にインクだらけになってしまう可能性もあるので，対象の子どもの年齢も考慮に入れたほうがよいでしょう。

5) 解答の提示の仕方

パズルは，解き終えたらすぐに答えを確認できるようにしておかないと，子どもたちが欲求不満になってしまいます。そうかといって，答えをパズルの裏側に載せておくのは，子どもにとって誘惑が大きすぎるかもしれませんし，全員が終わるまで，ずっと待たせてから答え合わせをするかどうかなどといった点もよく考えなければなりません。「秘密のことば（mystery word）」を探すパズルでは，パズルを正しく解いていかないと「秘密のことば」に到達できないので，解いた後に正解が自然と明らかになりますが，一応，答えは確認させましょう。

6) オリジナルのパズル

もし，子どもたちに，とくにお気に入りのパズルがあれば，子どもたちは，同じようなパズルを作りたくなるものです。そうなれば，子どもたちは，自分の作品をよくするために，つづりや正しい表現などに注意して試行錯誤することになって，とても有意義な活動になります。もし，子どもたちが自由に利用できる「アクティビティ・ボックス」を教室内に設置できる場合は，子どもたちに，友だちが解くためのパズルを作らせ，自分の傑作には"I bet you can't do this one!"（あなたには，これは絶対解けません！）というメッセージや，"The Greatest Puzzle"（最高のパズル）などという題名を書かせたりするのも楽しいものです。子どもたちがパズルを作れば，先生の時間を節約できるばかりでなく，子どもたちのやる気や達成感にもつながります。

これらの6つのポイントを参考に，いろいろなパズルについて，自分の授業で効果的に使うにはどうすべきかなどを判断してください。

では，ここで4つのパズルを紹介します。

a) ワードサーチ（Word Searches）

次ページのような「ワードサーチ」は，いろいろな国で，子どもにも大人にも人気があります。

Q: 飲んだり食べたりできるものを15個見つけなさい。3分で全部探せますか？

I	s	A	n	d	w	i	c	h	e	s	b	u	O
C	u	G	u	c	h	e	e	s	e	k	i	j	W
E	d	G	t	e	a	c	o	l	a	l	s	u	A
C	j	W	s	c	o	f	f	e	e	j	c	i	T
R	b	R	e	a	d	p	i	z	z	a	u	c	E
E	g	G	s	k	g	f	r	u	i	t	i	e	R
A	p	P	l	e	s	o	n	a	d	e	t	i	H
M	h	R	e	s	a	u	s	a	g	e	s	l	E

見つけたことばを下に書き，それぞれのことばに合う絵も描きなさい。
〔解答は本節末（p. 319ページ）を参照のこと〕

食べ物	飲み物

　指導者側から見て，上のような「ワードサーチ」の良い点は，それほど時間をかけずに作ることができ，しかも，見かけもよく，子どもたちが面白がって取り組むので，語彙力を強化するのに良い方法であることです。雑誌などに載っているワードサーチは，すべて大文字であることが多いのですが，日常的に見る単語は小文字で書かれていることが多いので，子どもたちに，本来の単語の形を見る機会を与えるために，ここでは小文字も使っています。上のパズルには「食べ物・飲み物」という特定のテーマがあるので，子どもたちが答えるときに，単語を探す助けになります。もし，活動の時間を制限したい場合は，3分から5分くらいに設定して，始める前に，時間内になるべく多く探すことが目標であることを告げます。

　単語のつづりの一部や音声的な構成要素ではなく，単語全体の形（whole word）に焦点を当てて認識させる練習をしたい場合は，パズルをする前に，まず，テーマに合った既習の単語を聞き出す活動から始めます。先生がヒントを出しながら，探し出すべき単語を子どもたちから引き出し，つづりを確認してからパズルを始めます。上のワードサーチの場合は，知っている飲み物や食べ物をすべて聞き出し，ポスターなどを利用してつづりを確認するところまでをまず行っておくわけです。こうしておくと，辞書に頼らなくても，単語やつづりを調べる方法も体験的に身に付きます。パズルは，ペア活動やグループ活動としてもできますが，クラス全体で時間を競わせることもできます。その場合は，子どもたちに，すべての単語を見つけたら手を挙げるように指示してから始めます。ただ，ほかの子どもたちにもチャンスを与えるためには，一番に手を挙げた子どもが出たところで終了してはいけません。そうかといって，待たせすぎると，早く終わった子どもたちが辛抱できなく

なって，動き回ったり，おしゃべりを始めたり，かえってゲームに負けた子よりも始末が悪くなってしまうことがあるので，最後の一人ができるまで待つのも考えものです。制限時間を決めてもいいですし，「トップ10までの人が見つけたら終了」などといったルールを決めて行ってもよいでしょう。"Can I have some hints, please?" などの表現を決めて，使わせ，ある程度の時間が過ぎたらヒントを得られるというルールを決めておくのも一案です。答え合わせは，全員が終わった後であれば，クラスのみんなで一緒にすることもできますが，時間中にできなかった子どもがいるようであれば，後で教室に掲示するなどのシステムを作っておくと便利です。

b) 単語のヘビ・単語の輪（Word Snake / Word Chain）

もう一つ，すぐに作れるパズルを紹介しましょう。ヘビのように，長く単語をつなげた「単語のヘビ」（word snake）と，数珠（じゅず）のように，丸く単語をつなげた「単語の輪」（word chain）です。子どもたちはひと続きの文字列から，1つずつ単語を見つけ出し，丸で囲みます。

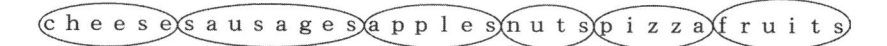

例：

(cheese)(sausages)(apples)(nuts)(pizza)(fruits)

1つの単語の終わりと，次の単語の初めを重ねて作ることもできますが，丸くつながるようにするには，少し手間がかかります。

例：

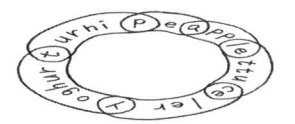

ここでも，パズルをする前に，「食べ物」などのテーマを与えて，子どもたちに思いつく単語を言わせ，復習をしてからパズルをさせると効果的です。たとえば，"What's your favorite food?"（食べ物で好きなものは何？）と聞いて，子どもたちに単語を言わせ，"How do you spell it?" とスペリングを確認させたり，"Let's say one favorite food." と言って，一つずつ好きな食べ物を，リレーのように順番に言わせてからパズルをすることもできます。

c) クロスワード（Cosswords）

「クロスワード」は，自分で作るとなると，単語とそれに合う適切なヒントの文を考えることから始まり，完成させるのにたいへんな時間と労力がかかります。しかし，そのわりに，子どもたちは興味を持たなかったり，作り手が思うほど簡単には解けなかったりすることもあり，時間の無駄になる危険性があります。クロスワードをしたいという子どもがいるかどうかをまず調べてみて，もし，あなたのクラスがクロスワードを解くことに情熱を持って取り組む子どもたちであれば，時間を費やして作って，「アクティビティ・ボックス」に入れておくのもよいでしょう。そのときは，無料でクロスワードを作れるサイトなどを利用することもできます。単語やヒントの文は自分

で作らなければなりませんが，それを入力すると自動的にクロスワードの形に枠を作れるプログラムが利用できるので，本節末（p. 319）にいくつか紹介しておきます。

d) 秘密のことば探し（Secret Word Puzzles）

これも作るのに時間がかかりますが，作り上げると達成感があります。その気になれば，バスや電車の中，公園のベンチでなど，どこででもメモを走らせて作ることができます。このパズルも，既習の単語を使用して，テーマやトピックに沿った単語を使います。たとえば，animals（動物）というテーマで bear, camel, chimpanzee, cow, elephant, fox, giraffe, goat, gorilla, hippopotamus, horse, kangaroo, lion, monkey, panda, rabbit, rhinoceros, sheep, tiger, zebra などを学んだ後，下のようなパズルを作ることができます。

例：

		p	a	n	d	a		
	m	o	n	k	e	y		
			g	i	r	a	f	f	e
		c	a	m	e	l		
			r	a	b	b	i	t
		e	l	e	p	h	a	n	t
h	o	r	s	e				

これは解答になるわけですから，単語の文字がそれぞれ1文字入るように空白のボックスを作り，パズルを完成させることになります。秘密のことばが入る縦枠だけは，わかりやすく太線にしておきます。別のところに，秘密の単語以外のすべての単語のリストを書いておき，子どもたちに，全部の単語を枠の中に書き入れさせて，秘密の単語を見つけるように指示します。リストに挙げた単語の中には，文字数が同じものや，同じ文字が入ったものも，いくつかあるはずですから，子どもたちは正答を出すのに，いろいろと当てはめて試行錯誤をすることになります。まず，このパズルを例として，全体で取り組んでから，あなたが作るオリジナルのパズルを子どもたちに取り組ませてみてください。子どもたちが慣れてきたら，下の例のように1つ余分に解答以外の単語をリストに加えて，ハードルを上げることもできます。

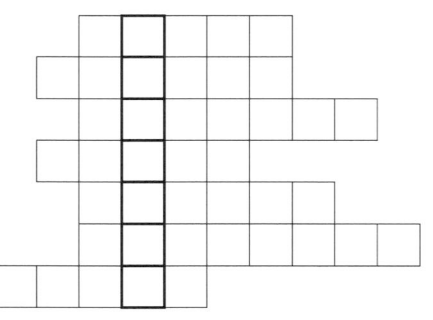

例：

camel, elephant, giraffe, horse, monkey, panda, rabbit, zebra

パズルは，個人の活動としてもできますが，学級全体で取り組む活動としてアレンジすることも可能です。黒板に大きなパズルを出して，列ごとにチームを組み，それぞれの代表が順番に解答権を得て答えていくこともできます。また，解答確認については，どこかに書いておくこともできますが，早めに正解した子どもたちをリーダーにして，時間がかかる子どもたちにヒントを出させて補助をさせたり，正解を教えておいて，クイズマスター（quizmaster）という，クイズ番組の司会者のような役割を与えるのもよいでしょう。この節（7.4）の初めにシーラ先生も話していた通り，子どもたちの好奇心をかき立てるアイデアは，それを実施する際に必然的に生じるやりとりや，コミュニケーションに価値があり，また，学級経営と指導方法の工夫が成功の鍵です。学級のレベルとニーズを見きわめて，賢く授業に取り入れるとよいでしょう。

　さて，ここまで長い間続いてきた，マナブとシーラ先生のチュートリアルも，今回が最後になります。回を重ねてきたチュートリアルを振り返ると，先生の話は，まず，子どもたちへの外国語教育の目的や，学習者としての子どもたちに対する理解など，外国語活動の指導において，あらゆる意思決定の出発点となる知識や考え方についての話から始まりました。

　次に，そのような教育理念に沿って，外国語活動を進めるためのさまざまな教授法へと進み，そして，最後には，教室で実際に子どもたちを指導するための手順といろいろな仕掛けや工夫にまで及びました。このようにして，理論から実践へと展開されてきたチュートリアルの最後に，日本に帰るマナブに対して，先生から贈ることばはどのようなものでしょうか？

シーラ	さあ，マナブ。今日で，私とのチュートリアルは，おしまいよ。
マナブ	ええ。なんだか，あっという間でしたね。まだ，いろいろと伺いたいこともあったのですが，……。
シーラ	基本的なポイントは，すべて話し合えたと思うわ。ここで学んだことを基に，日本に帰って，子どもたちと英語に取り組むことで，また次の課題が見えてくるでしょう。
マナブ	あとは，実践あるのみということですか？
シーラ	その通りね。完璧に準備するなんて不可能なのよ。考えているだけでは，何も始まらないわ。子どもたちは，同じ学校の中でも学級によって違うものだし，日本の中でも地域によって環境や状況が変わってくるでしょう？　子どもたちとの英語活動を，マナブには，ぜひ，ここで学んだことを上手に取り入れて，進めていってほしいの。そして，何か課題が出てきたときには，基本的な知識を持って，自分の教育理念や信念に基づいて対処していけば，必ず良い方向に進むと思うわ。
マナブ	僕も，そう信じたいですね。
シーラ	最後に，マナブに，忘れないでほしいことがあるの。
マナブ	何でしょうか？
シーラ	指導者は，「あれを教えたいし，これもしたい」と，どうしても教えることを中心に考えがちになるけれど，それは違うと思うの。まず，子どもたちの環境や状況，レベルをよく見きわめて，子どもたちは何を学ぶ

> べきか，どう学ぶのがよいのか，いつも子どものことを考えてほしいの。そして，どのようなときも，子どもたちを信じてあきらめないこと。たとえ，あるとき，指導が難しいと感じることがあったとしても，先生があきらめてしまったら，子どもたちの可能性も閉じてしまうことになるでしょう？　それからもう一つ。ひとりの指導者ができることは限られているわ。でも，ほかの教師と一緒に研究し合い，コミュニケーションをとり合って，切磋琢磨し，協力して教育に取り組めば，学校全体，地域全体にまで，その成果が波及するのよ。素晴らしいと思わない？
>
> **マナブ**　はい，教えていただいたことを一つひとつ実現できるように，がんばります。先生，本当に長い間，ありがとうございました。

　こうして，マナブは，シーラ先生との最後のチュートリアルを終えて日本へ帰ります。そして，またどこかの小学校で，子どもたちと，毎日，楽しく外国語活動をくり広げることでしょう。先生が，毎回のチュートリアルを通してマナブに伝えてきたことは，いろいろな国で長年にわたって積み重ねられてきた，経験豊富な指導者たちの実践や外国語教育の研究者の発見からわかったことです。帰国後，マナブは，このチュートリアルのノートをくり返し振り返ることで，子どもたちへの英語指導をより効果的なものにしていくことができるでしょう。

　シーラ先生が，マナブに教えたさまざまな活動例は，すべてが目新しい，革新的なものというわけではありません。先生はマナブに，具体的なアイデアそのものばかりでなく，その背後に存在する理念，つまり，なぜ，ある活動が子どもたちを相手にしたレッスンの中でうまくいくのか？　なぜ，その活動を「子どもにやさしい活動」と呼ぶことができるのか？という観点からそれぞれの活動を吟味する「目」を持ってほしかったのです。はたして，日本に帰ってからのマナブは，シーラ先生の大きな期待に応えることができるのでしょうか？　長い目で見守ってあげることにしましょう。マナブばかりでなく，ここまで，この本を読んでくださった皆さん一人ひとりが，それぞれの学校や地域における「マナブ」となり，各地域の実態に即した外国語活動の展開を考え，さらに，ほかの「マナブ」たちと意見の交換をしていただけるならば，きっと，日本全体の子どもたちに良質な外国語教育を体験させることにつながるでしょう。

＊　　　　　＊　　　　　＊

≪「なぞなぞ」（p. 302）の答え≫
"What walks on four legs in the morning, two at noon, and three in the evening?"（朝は四本足，昼は二本足，そして夕方は三本足で歩くものは，何んだ？）――答えは"Man."（人）。ギリシア神話のスフィンクスによるなぞかけである。スフィンクスは，頭は女性でライオンの身体をした，翼のある怪物であり，通りかかる旅人にこのなぞをかけて解けなかった者を殺していたが，オイディプス（Oedipus）になぞを解かれてしまうと，おのが身を絶壁から投じて死んだ。このオイディプスこそ，かのテーベの英雄であり，

知らないで父を殺し，母を妻とした男である。

≪「ワードサーチ」（p. 314）の答え≫
・食べ物：icecream, sandwiches, cheese, biscuits, apple, sausages, eggs, pizza, fruit, nuts
・飲み物：tea, cola, juice, coffee, water

≪自動的にクロスワードの形に枠を作れるプログラム≫
・Crossword Puzzle Games（http://www.crosswordpuzzlegames.com/create.html）
・Discovery Education Puzzlemaker（http://puzzlemaker.discoveryeducation.com/WordSearchSetupForm.asp）
・Instant Online Crossword Puzzle Maker（http://www.puzzle-maker.com/CW/）
・Edhelper Com（http://edhelper.com/crossword_free.htm）

注　釈

[1] このくだりの議論は，JACET（大学英語教育学会）関東支部大会（2007年6月24日）の「小学校英語活動の目指すところは何か」と題するシンポジウムにおける質疑応答の際に，会場にいた岡秀夫氏（現目白大学）の発言に基づくものである。

[2] このくだりの「言語操作ゲーム」と「コミュニケーション・ゲーム」の解説は，リクソンによる *How to Use Games in Language Teaching*（Rixon, 1981）の記述を参考とした。なお，日本の研究者では，たとえば，高橋（2010）は，この2つの活動タイプの概念を，それぞれ，「意味と場面を伴った楽しいドリル的な定着活動」と「やりがいのある学習者中心の発展的な表現・発表活動」（p. 41）と表現し，簡潔で明解な説明を提供している。

[3] 日本の保育士養成のためのあるガイドブックでは，絵本の種類と定義を挙げている。それによると，(1) 事物の絵本（事物の名称や音と直結し，子どもが追体験ができるもの），(2) 生活絵本（絵本を楽しみながら，しつけや自立心を養うもの），(3) 物語絵本（民話や名作，創作絵本などを通して人とのつながり，人情などを教えるもの），(4) 科学・知識絵本（「なぞなぞ」など子どもの好奇心，知識欲を満たすもの），(5) その他がある（『保育・教育ネオシリーズ 20』同文書院，2006年）。

[4] 「言い直し（recast）」は，指導者が学習者の発話の一部ないしは全体を正しい形に修正する行為で，Lightbown & Spada（2010）は次のような例を挙げている。

　　Student 1: Why you don't like Marc?
　　Teacher: Why don't you like Marc?

[5] 「自己中心化」と「脱中心化」：スイスの児童心理学者ピアジェ（Jean Piaget）の用語で，とくに幼児では，自他が未分化なため，自分の視点や経験に中心化してものごとを捉え，他人の視点に自分が立ったり，自分と対象の間の相関関係を判断したり行動することが難しい，とした。そして，やがて，「自己中心化」から徐々に脱し，柔軟な視点が取れるようになることを「脱中心化（decentralization）」と呼んだ（『発達心理学辞典』ミネルヴァ書房，1995年）。

[6] たとえば，日本でおなじみの『桃太郎』では，「鬼が島」に向かう桃太郎は道中で犬，猿，きじに出会い，その度に同じフレーズがくり返される。「桃太郎さん，桃太郎さん，おこしにつけたきびだんご，一つください。くれたら家来になるよ」（『まんが　日本むかしばなし 101』川内彩友美編，講談社，1997年）。第2節の「物語と子どもたちの外国語教育」でも触れたように "Hi, friends!"②の Lesson 7（We are good friends.）でも『桃太郎』が取り上げられており，くり返し同じ表現や語彙を聞いたり言ったりして，慣れ親しませることもねらいとしている。

[7] Ellis & Brewster（2002）の *Tell it Again!* の日本語版『先生，英語のお話を聞かせて！』（玉川大学出版部，2008年）では，エリック・カールの『はらぺこあおむし（*The Very Hungry Caterpillar*）』を6時間で教えるための具体的な指導案を提示している。それによると，同じストーリーを毎回，4回分に分けて読み聞かせをしながら，第1課では，まず，チョウの一生について学ぶ。第2課では，果物に関する単語を導入し，ワークシートで色に関する語彙を学習する。第3課では，食べ物の単語を導入し，"Do you like ～?" — "Yes, I do." / "No, I don't." を使って，インタラクションをさせる。第4課でストーリー全体の読み聞かせを終え，さらに「調べ学習」として世界のチョウについて発表をさせる。5回目の授業で，子どものレベルや興味などに適合したさまざまなアクティビティをし，そして，最後の6回目の授業では，これまでに学習した語彙，構文の復習として，「すごろく」などのゲームをする。

[8] 前出の『先生，英語のお話を聞かせて！』（玉川大学出版，2008年）で読み聞かせの授業における母語の使用について，物語の展開，語彙，文化的背景などを教えるときには，母語をそのツールとして大いに活用することを奨励し，「仮に，教師が子どもたちに母語を使うことを禁止するようなことをすれば，たいへん重要なストラテジーを子どもたちから奪うことになる」と述べている。

[9] 物語以外の素材を使って，小学校で学習される他教科の内容を英語の授業に持ち込む方法については，第5章第2節「教科の垣根を越えて内容を中心に指導する」を参照されたい。

[10] 日本では，小学校英語での「読み聞かせ」は必ずしも一般的であるとは言えないが，日本語での「読み聞かせ」は，保育園，幼稚園，小学校において頻繁に行われている。保育士や小学校教員のための「読み聞かせ」のガイドとなるようなホームページも多い。なかでも，JPIC（財団法人出版文化振興事業振興財団）の公式ホームページ http://www.jpic.or.jp/about/index.html は，各種絵本の紹介から「読み聞かせ」のアドバイスに至るまで幅広く情報を提供している。これらの具体的なアドバイスは，子どもたちに外国語を教える場合にも役に立つ。

[11] このような現象を，精神医学では「反響様言語模倣（echolalia）」と呼んでいる（Stengel, 1939）。

[12] Kolsawalla は，Moore と Wright による『*Granny*

Stickleback（スティクルバック婆さん）』という物語の内容を基にして，研究のための物語を用意した。
[13] ここで「行 (line)」と呼んでいるものは，厳密には「ひと続きの発話 (spoken phrase)」にあたる。
[14] この「S」の記号は，「サイレント・ストレス」を意味する。実際の発話はないが，リズムの規則性を保つためにストレス1つ分の拍を置くところ。強勢の位置に合わせて手拍子などをとるときには，ここも数えていくようにする。
[15] マザーグースをチャンツの形で録音した CD 付きの練習素材としては，以下のものが出版されている。
- 原岡笙子. 1994.『マザーグースで身につける英語の発音とリズム』NHK 出版.
- 深澤俊昭. 2000.『英語の発音パーフェクト学習辞典』アルク.（この教材には，「特別講座 マザー・グースで英語のリズムをマスター！」という章が含まれている）
- Graham, C. 1994. *Mother Goose Jazz Chants*.

Oxford University Press.
[16] ライム（rhyme）の持つ2番目の意味，つまり，脚韻効果を作り出す音節構造を説明するために，音韻論では 'rime' という発音は同じだがつづりの異なる用語が用いられる。
[17] この点に関しては，マナブは，まだまだ勉強不足のようである。日本でも "The Green Bottles" を "Ninety-nine Bottles of the Beer on the Wall" という題名で収録している歌とチャンツの教材集（松香, 2003）などが，CD 付きで発売されている。
[18] たとえば，日本の代表的な「手遊び歌（手合わせ唄）」の一つ，「げんこつ山のタヌキさん」の身振りをことばで説明しようとすると，「ゲンコツとゲンコツを右手と右手，左手と左手で交互にかるく打ち合せ，（オッパイのんで）からはそれぞれの身振りをし，終わりにジャンケンをします」（尾原昭夫（編著）『日本のわらべ歌（室内遊戯編）』（社会思想社, 1975 年））のようになる。

資 料

1
『英語ノート』vs "Hi, friends!"
（改訂のポイント）

2
小学校学習指導要領
外国語活動　日本語・英語版

3
中学校学習指導要領
外国語（英語）　日本語・英語版

資料 1

『英語ノート』vs "Hi, friends!"
（改訂のポイント）

　2009（平成 21）年度から 3 年間にわたって使用された『英語ノート』に代わって，2012（平成 24）年度から『英語ノート』の改訂版とも言える"Hi, friends!"が使用されることになった。2012 年 1 月に，文部科学省が発表した「新たな外国語活動教材，"Hi, friends!"の作成について」では，新しい教材"Hi, friends!"の特色として，

- 『英語ノート』からの変更点
    - ・児童同士のコミュニケーションが活発になるように活動内容を見直し（ペアワーク，グループワークの増加）
    - ・デジタル教材を充実（ネイティブ・スピーカーの口元映像，豊富な現地映像，教員の創意工夫を促すワークシートや絵カードの充実）
    - ・他教科・他分野に関わる内容（社会科や家庭科など）を盛り込む
- 『英語ノート』から継承している点
    - ・語彙や単元のねらい，題材，表現など
    - ・附属の絵カードを活用して活動を行う

としているが，ここでは実際に『英語ノート』と"Hi, friends!"を以下の順に沿って改訂のポイントを探ってみることにする。

　1）教材と附属品の比較
　2）全体構成の比較
　3）ページ構成の比較（5 年生用教材）
　4）ページ構成の比較（6 年生用教材）
　5）「年間指導計画」と「年間計画例」
　6）活動数の比較

1) 教材と附属品の比較

　文部科学省が，改めて各学校に配布した新教材"Hi, friends!"の「児童用教材・教師用指導書・デジタル教材」の内容は以下のようになっている。『英語ノート』と比べてみよう。

『英語ノート』

・児童用教材 1（5年生用）	80ページ
・児童用教材 2（6年生用）	80ページ
〔各児童に冊子で配布（1人につき1冊）〕	
・教師用指導資料 1	152ページ
・教師用指導資料 2	152ページ
〔各単元の目標や扱う表現，指導のポイントや教師用の年間指導計画や詳細な指導案を掲載。小学校第5・第6学年の学級担任にA4サイズの冊子で配布〕	
・音声教材（CD）	1枚
〔児童用教材に掲載されている音声CD。小学校第5・第6学年の学級担任に1枚ずつ配布〕	
・デジタル教材（CD-ROM）	1枚
〔児童用教材の誌面や歌・音声，絵カード，電子黒板用ソフトなどを収録。各小学校に必要な数（学年で1枚など）を配布〕	

"Hi, friends!"

・児童用教材 1（5年生用）	56ページ
・児童用教材 2（6年生用）	56ページ
〔各児童に冊子で配布（1人につき1冊）〕	
・教師用指導書 1	40ページ
・教師用指導書 2	40ページ
〔各単元の目標や扱う表現，指導のポイントなどを掲載。小学校第5・第6学年の学級担任にB5サイズの冊子で配布。年間指導計画や指導案例は文部科学省のHPに掲載されている。	
・デジタル教材（DVD-ROM）	1枚
〔児童用教材の誌面や歌・音声，ワークシートや絵カード，電子黒板用ソフトなどを収録。各小学校に必要な数（学年で1枚など）を配布。音声CDはなし〕	

2) 全体構成の比較

『英語ノート 1』

表紙	・登場人物の子どもたちが海岸で遊んでいるイラスト
表見返し	・みんな友だち（世界の子どもたちの写真） ・この本の登場人物
とびら	・表紙のイラストの部分
目次	・本文の単元を英語と日本語で表示
本文 p. 4 より	・Lesson 1〜9 ・Let's Enjoy 1〜3
付録	・いろいろな食事のしかた ・絵カード（4つのLessonに対応）
裏見返し	・もとはなに語かな？ ・いろいろなジェスチャー
総ページ	80ページ

"Hi, friends! 1"

表紙 表紙裏	・小学校の前で"Hi!"と言っている登場人物の子どもたちのイラスト ・目次（単元を英語と日本語で表示）
表見返し	
とびら	
本文 p. 2 より	・Lesson 1〜9
付録	・絵カード（5つのLessonに対応）
裏見返し	・どんなことを学びましたか。自由に書いてみましょう。
総ページ	56ページ

『英語ノート 2』

表紙	・世界のいろいろな子どもたちが地球のまわりで手をつないでいるイラスト
表見返し	・国連本部での「子どもフォーラム」の写真 ・世界の文字
とびら	・表紙のイラストの部分
目次	・本文の単元を英語と日本語で表示
本文 p.4 より	・Lesson 1～9 ・Letg's Enjoy 1～3
付録	・世界に発信する日本の文化 ・絵カード（5つの Lesson に対応）
裏見返し	・世界の物語いくつ知っていますか。 ・いろいろな国のお金 ・いろいろな標識
総ページ	80 ページ

"Hi, friends! 2"

表紙	・桃太郎たちと一緒に船に乗っている登場人物の子どもたちのイラスト ・目次（単元を英語と日本語で表示）
表見返し	
とびら	
本文 p.2 より	・Lesson 1～8
付録	・絵カード（5つの Lesson に対応）
裏見返し	・外国語を使ってどんなことがしてみたいですか。
総ページ	56 ページ

3）ページ構成の比較（5年生用教材）

『英語ノート1』　"Hi, friends! 1"　　　　　『英語ノート1』　"Hi, friends! 1"

表紙	表紙イラスト	表紙イラスト
見返し	みんな友だち	もくじ（表紙裏）
見返し	〃	
見返し	登場人物	

(ページ)			(ページ)		
1	とびら	もくじ	41		付録 cards（L4）
2	もくじ	L 1	42	Let's Enjoy 2	〃
3	もくじ	Hello!	43	〃	〃
4	L 1	世界のいろいろな言葉で	44	L 7	
5	Hello!	あいさつしよう	45	What's this?	付録 cards（L5）
6	世界の「こんにちは」を		46	クイズ大会をしよう	
7	知ろう		47		付録 cards（L6）
8		L 2　I'm happy.	48		〃
9		ジェスチャーをつけてあいさつ しよう	49		〃
10	L 2	L 3	50	L 8	
11	I'm happy.	How many?	51	I study Japanese.	付録 cards（L8）
12	ジェスチャーをしよう	いろいろなものを数えよう	52	時間割を作ろう	〃
13			53		付録 cards（L9）
14		L 4	54		〃
15		I like apples.	55		〃
16	L 3	好きなものを伝えよう	56	L 9	〃
17	How many?		57	What would you like?	
18	数で遊ぼう	L 5	58	ランチ・メニューを	
19		What do you like?	59	作ろう	
20		友だちにインタビュー	60		
21		しよう	61		
22	Let's Enjoy 1	L 6	62	Let's Enjoy 3	
23	〃	What do you want?	63		
24	L 4	アルファベットをさがそう	64	いろいろな国の食事の しかた	
25	I like apples. 自己紹介をしよう		65	付録 cards（L5）	
26			66	〃	
27		L 7	67	〃	
28		What's this?	68	〃	
29		クイズ大会をしよう	69	付録 cards（L6）	
30	L 5		70	〃	
31	I don't like blue.		71	〃	
32	いろいろな衣装を		72	〃	
33	知ろう	L 8	73	付録 cards（L8）	
34		I study Japanese.	74	〃	
35		「夢の時間割」を作ろう	75	〃	
36	L 6	L 9	76	〃	
37	What do you want?	What would you like?	77	付録 cards（L9）	
38	外来語を知ろう	ランチメニューを作ろう	78	〃	
39			79	〃	
40			80	〃	

見返し	もとはなに語かな？	奥付
見返し	いろいろなジェスチャー	
見返し	〃・奥付	

"Hi, friends! 1" で削除された Let's Enjoy の活動：

Let's Enjoy 1
Let's Sing ♪ Head, Shoulders, Knees and Toes ♪; Let's Play「サイモン・セズ・ゲーム」

Let's Enjoy 2
かくれている動物をさがしてみよう。

Let's Enjoy 3
英語コミュニケーションすごろく

4) ページ構成の比較（6年生用教材）

	『英語ノート2』	"Hi, friends! 2"
表紙	表紙イラスト	表紙イラスト
見返し	世界で活躍する子どもたち	もくじ（表紙裏）
見返し	〃	
見返し	世界の文字	

(ページ)	『英語ノート2』	"Hi, friends! 2"
1	とびら	もくじ
2	もくじ	L1 Do you have "a"? アルファベットクイズを作ろう
3	もくじ	
4	L1 That's right. アルファベットで遊ぼう	
5		
6		L2 When is your birthday? 友だちの誕生日を調べよう
7		
8		
9		
10	L2 Aa Bb Cc いろいろな文字があることを知ろう	L3 I can swim. できることを紹介しよう
11		
12		
13		
14		L4 Turn right. 道案内をしよう
15		
16	L3 When is your birthday? 友だちの誕生日を知ろう	
17		
18		L5 Let's go to Italy. 友だちを旅行にさそおう
19		
20		
21		
22	Let's Enjoy 1	L6 What time do you get up? 一日の生活を紹介しよう
23	〃	
24	L4 I can swim. できることを紹介しよう	
25		
26		L7 We are good friends. オリジナルの物語を作ろう〔桃太郎〕
27		
28		
29		
30	L5 Turn right. 道案内をしよう	
31		
32		
33		
34		
35		
36	L6 I want to go to Italy. 行ってみたい国を紹介しよう	
37		
38		L8 What do you want to be? 「夢宣言」をしよう
39		
40		

(ページ)	『英語ノート2』	"Hi, friends! 2"
41		付録 cards (L1)
42	Let's Enjoy 2	〃
43	〃	〃
44	L7 What time do you get up? 自分の一日を紹介しよう	付録 cards (L2)
45		〃
46		付録 cards (L4)
47		〃
48		
49		
50	L8 Please help me. オリジナルの劇をつくろう〔大きなかぶ〕	付録 cards (L6)
51		
52		付録 cards (L8)
53		
54		〃
55		
56	L9 I want to be a teacher. 将来の夢を紹介しよう	
57		
58		
59		
60		
61		
62	Let's Enjoy 3	
63		
64	世界に発信する日本の文化	
65	付録 cards (L1)	
66	〃	
67	〃	
68	〃	
69	付録 cards (L2)	
70	〃	
71	〃	
72	〃	
73	付録 cards (L5)	
74	〃	
75	付録 cards (L6)	
76	〃	
77	付録 cards (L8)	
78	〃	
79	付録 cards (L9)	
80	〃	

	『英語ノート2』	"Hi, friends! 2"
見返し	もとはなに語かな？	奥付
見返し	いろいろなジェスチャー	
見返し	〃・奥付	

"Hi, friends! 2" で削除された Let's Enjoy の活動：

Let's Enjoy 1
Let's Sing ♪ Happy Birthday to You ♪；誕生日カードを作ってみよう。

Let's Enjoy 2
世界遺産を知ろう。

Let's Enjoy 3
いろいろな職業の言い方を知ろう。

5.1)『英語ノート1』の「年間指導計画」[35時間]

単元	タイトル	指導内容 第1時	指導内容 第2時
Lesson 1	世界の「こんにちは」を知ろう	世界には様々な挨拶があることを知る。	挨拶のマナーを知り,積極的に挨拶し,自分の名前を言う。
Lesson 2	ジェスチャーをしよう	様々な感情や様子を表す語を知り,そのジェスチャーをする。	ジェスチャーの大切さを知り,ジェスチャーを付けて思いを伝える。
Lesson 3	数で遊ぼう	世界には様々なジェスチャーがあることを知るとともに,1～10までの数を言う。	世界には様々なジェスチャーがあることを理解し,1～20までの数を言う。
Lesson 4	自己紹介をしよう	好き嫌いについて聞き取る。	自分の好き嫌いを相手に伝える。
Lesson 5	いろいろな衣装を知ろう	世界には様々な衣服があることを知るとともに,衣服の言い方を知る。	自分の意見をはっきり言うことの大切さに気付くとともに,衣服を買う時の表現を知る。
Lesson 6	外来語を知ろう	外来語とその由来の語との発音の違いに気付き,注意して発音する。	相手から尋ねられた際,自分の欲しいものを相手に頼む。
Lesson 7	クイズ大会をしよう	英語と日本語の違いを通して,漢字の成り立ちの面白さに気付く。	"What's this?" の質問に対して,何について尋ねられているか理解し,答える。
Lesson 8	時間割を作ろう	外国の小学校では,どのようなものが学習されているか知るとともに,教科の言い方を知る。	教科名や曜日を扱ったゲームを積極的にする。
Lesson 9	ランチ・メニューを作ろう	日本と外国とでは,朝食時に食べるものが異なっていることを知る。	食べ物や料理を表す語を知る。

『小学校外国語活動 研修ガイドブック』より

指導内容		使用表現等
第3時	第4時	
友だちと挨拶をし，作成した名刺を交換する。		What's your name? My name is Ken. Nice to meet you. 等
ジェスチャーを付けて，進んで相手に挨拶をする。	感情や様子を，ジェスチャーを付けて表現し，伝える。	How are you? I'm happy. 等
幾つか尋ねたり，1～20の数で答えたりする。	数を扱ったゲームを友だちと行う。	How many? Five. 等
友だちに好き嫌いを尋ねる。	自分の好きなものを含めて，自己紹介する。	Do you like apples? Yes, I do./No, I don't. I like bananas. Thank you. 等
好みをはっきり言ったり，相手が気持ちよく買物できるように声をかける。	聞き手に自分が買ったものが正しく伝わるように発表する。	I don't like blue. 等
欲しいものを尋ねたり要求したりして，友だちのフルーツ・パフェを作る。	作ったフルーツ・パフェを紹介する。	What do you want? Melon, please. 等
"What's this?" を使って尋ねる。	友だちと互いに尋ねたり答えたりして，クイズ大会を楽しむ。	What's this? It's a pencil. 等
作成した自分のオリジナル曜日時間割を友だちに伝える。	グループで作成した時間割を発表する。	I study Japanese. 等
丁寧な表現で尋ねたり，自分の欲しいものを伝えたりする。	グループで作成したオリジナル・ランチ・セットを紹介する。	What would you like? I'd like juice. 等

5.2)『英語ノート2』の「年間指導計画」[35時間]

単元	タイトル	指導内容	
		第1時	第2時
Lesson 1	アルファベットで遊ぼう	アルファベットの大文字の読み方を知る。	アルファベットの文字の読み方を聞いて, 大文字を認識する。
Lesson 2	いろいろな文字があることを知ろう	世界の様々な文字に興味を持ち, アルファベットには小文字もあることを知るとともに, 21以上の数を言う。	アルファベットの小文字に興味を持ち, 小文字を認識する。
Lesson 3	友だちの誕生日を知ろう	日本の季節の行事や特徴を伝え, 英語での月の言い方を知る。	自分の誕生月を言う。
Lesson 4	できることを紹介しよう	相手の話を積極的に聞き, 何ができ, 何ができないかを理解する。	どのようなことができるかを友だちに尋ねたり, 答えたりする。
Lesson 5	道案内をしよう	町中にある様々な建物の言い方に興味を持ち, 理解する。	方向や動きを指示する表現を聞いて, 理解する。
Lesson 6	行ってみたい国を紹介しよう	世界には様々な英語があることを知る。	行きたい国とその理由について聞き, 概要を理解する。
Lesson 7	自分の一日を紹介しよう	世界には時差があることを知るとともに, 時間についての表現を知る。	先生の一日の生活について話を聞き, その概要を理解する。
Lesson 8	オリジナルの劇をつくろう	世界には様々な民話や物語があることを知り, それらを興味を持って聞く。	「大きなかぶ」の面白さを知り, グループで登場人物を変え, オリジナル「大きなかぶ」をつくる。
Lesson 9	将来の夢を紹介しよう	様々な職業の言い方を知る。	将来つきたい職業について話されていることを聞いて理解する。

『小学校外国語活動 研修ガイドブック』より

指導内容		使用表現等
第3時	第4時	
自らアルファベットの大文字を読み，大文字とその読み方とを一致させる。		What's this? It's ～． A ～ Z 等
自らアルファベットの小文字を読み，小文字とその読み方とを一致させる。	身の回りにあるアルファベット表示に興味を持ち，アルファベットの大文字と小文字とを書き写し紹介し合う。	What's this? a ～ z 等
誕生日について，まとまった話を聞いて，その概要を理解する。	自分や友だちの誕生日について尋ねたり，答えたりする。	When is your birthday? My birthday is March 3rd. 等
友だちとどのようなことができるかを，尋ねたり答えたりする。	自分のできることを発表したり，友だちの発表を理解したりする。	Can you swim? Yes, I can. / No, I can't. I can swim. I can't swim. 等
方向や動きを指示する表現を使って，相手に目的の場所を教える。	実際に道案内をしたり，案内に従って目的地に行ったりする。	Where is the flower shop? Go straight. Turn right/left. Stop. 等
行きたい国を尋ねたり答えたりする。	行きたい国を理由とともに言ったり，相手の行きたい国と理由とを理解したりする。	I want to go to Italy. Let's go. 等
自分の生活に関する表（生活表）を作成する。	作成した生活表をもとに，自分の一日を紹介する。	What time do you get up? At 7:00. I go to bed. 等
グループでオリジナルの物語を創作し，劇の練習をする。	オリジナル物語を発表したり，他のグループの発表を聞いて理解したりする。	Please help me. What's the matter? 等
将来つきたい職業について，尋ねたり答えたりする。	スピーチ・メモをもとに，理由を含め自分の夢を紹介する。	What do you want to be? I want to be a teacher. 等

5. 3）"Hi, friends! 1"の「年間計画例」［35 時間］

単元名 時数 題材	表現例・語彙例		単元目標	活　動　例
	表現	語彙		1
Lesson 1 **Hello!** ② 言語 挨拶	Hello. What's your name? My name is .... Thank you. Goodbye.	hello, name, what, your, my, is, you, thank, good-bye	・積極的に挨拶をしようとする。 ・英語での挨拶や自分の名前の言い方に慣れ親しむ。 ・世界には様々な言語があることを知る。	◆英語での挨拶や自分の名前の言い方に慣れ親しむ。 【Let's Listen 1】「（　）に名前を書こう。」 ○「あいさつしよう。」 ○「指導者とあいさつしよう。」 ○「列ごとにあいさつしよう。」 【Let's Chant】チャンツ "Hello" 【Let's Play】「あなたの名刺を作ろう。」
Lesson 2 **I'm happy.** ② ジェスチャー 感情・様子	How are you? I'm fine/happy.	happy, fine, sleepy, hungry, how, are, I, am, (I'm)	・表情やジェスチャーをつけて相手に感情や様子を積極的に伝えようとする。 ・感情や様子を表したり尋ねたりする表現に慣れ親しむ。 ・表情やジェスチャーなどの言葉によらないコミュニケーションの大切さや，世界には様々なジェスチャーがあることに気付く。	◆感情や様子を表したり尋ねたりする表現に慣れ親しむ。 ○「あいさつしよう。」 【Let's Listen】「だれがどんな様子か，線で結ぼう。」 ○「ミッシングゲーム」 ○「ジェスチャークイズ」 ○「ジェスチャーをつけて答えよう」 【Let's Sing】歌 "Hello Song"
Lesson 3 **How many?** ④ 数 身の回りの物	How many pencils/dogs/cats? One, two, three, ..., twenty.	how, many, one ～ twenty, cat(s), dog(s), pencil(s), apple(s)	・積極的に数を数えたり，尋ねたりしようとする。 ・1～20 の数の言い方や数の尋ね方に慣れ親しむ。 ・言語には，それぞれの特色があることを知る。	◆英語での物の数え方の特色を知り，1～10 の数の言い方に慣れ親しむ。 【Let's Play 1】「じゃんけんゲーム」 【Let's Listen】「どこの国の数の言い方か，□に番号を書こう。」 【Let's Play 2】「いくつあるか，数えよう。」 【Let's Chant】チャンツ "How many balls?" ○「キーナンバーゲーム」

文部科学省ホームページ (http://www.mext.go.jp/a_menu/kokusai/gaikokugo/1314837.htm) より

活　動　例（【　】：Hi, friends! に記載されている活動，○：Hi, friends! に記載されていない活動）			
2	3	4	5
◆世界には様々な挨拶があることを知り，積極的に英語で名前を言って挨拶をしようとする。 【Let's Chant】チャンツ "Hello" 【Let's Listen 2】「どの国のあいさつか，考えよう。」 【Let's Listen 3】「（　）に名前を書こう。」 【Activity】「友だちと名刺をこうかんしよう。」			
◆表情やジェスチャーなどの大切さや世界には様々なジェスチャーがあることを知り，表情やジェスチャーをつけて感情や様子を積極的に伝えようとする。 ○「指導者とあいさつしよう。」 【Let's Sing】歌 "Hello Song" 【Let's Play】「どんなことを表しているか，□に番号を書こう。」 【Activity】「ジェスチャーをつけてあいさつをしよう」●友だちはどんな様子か，友だちの名前を書こう。			
◆数の尋ね方や11〜20の数の言い方を知る。 【Let's Play 1】「じゃんけんゲーム」〜何回勝てるかな？ 【Let's Chant】チャンツ "How many balls?" ○「キーナンバーゲーム」 ○「ビンゴゲーム」 ○「ステレオゲーム」	◆数の尋ね方や1〜20の数の言い方に慣れ親しむ。 【Let's Chant】チャンツ "How many balls?" ○「キーナンバーゲーム」 【Activity 1】「How many? クイズを作ろう。」 【Activity 2】「りんごがいくつあるかたずねよう。」 ●あなたと同じ数のりんごを持っている友だちの名前を書こう。	◆積極的に数を数えたり，尋ねたりしようとする。 【Let's Chant】チャンツ "How many balls?" 【Activity 1】「How many? クイズを作ろう。」 ○「クイズを出し合おう。」	

単元名 時数 題材	表現例・語彙例		単元目標	活 動 例
	表現	語彙		1
Lesson 4 I like apples. ⑤ 果物 動物 食べ物 スポーツ	I like apples. I don't like bananas. Do you like baseball? Yes, I do./No, I don't.	I, you, like, do, yes, no, not apple(s), strawberry(ies), cherry(ies), peach(es), grape(s), kiwi, fruit(s), lemon(s), banana(s), pineapple(s), orange(s), melon(s), ice cream, milk, juice, baseball, soccer, swimming, basketball, bird(s), rabbit(s), dog(s), cat(s), spider(s)	・好きなものや嫌いなものについて，積極的に伝えようとする。 ・好きなものや嫌いなものを表したり尋ねたりする表現に慣れ親しむ。 ・日本語と英語の音の違いに気付く。	◆日本語と英語の音の違いに気付き，好きなものや嫌いなものを表す表現を知る。 ○「先生の好きなもの・嫌いなものを知ろう。」 【Let's Play 1】「おはじきゲーム」～おはじきを使ってやってみよう。 ○「ミッシングゲーム」 ○「キーワードゲーム」 【Let's Chant 1】チャンツ"I like apples."
Lesson 5 What do you like? ④ 色 形	What do you like? What animal/color/fruit/sport do you like? I like rabbits/red/bananas/soccer.	I, like, you, do, yes, no, don't, red, blue, yellow, pink, green, brown, orange, purple, black, white, T-shirt, heart, star, circle, triangle, animal, color, fruit, sport	・好きなものについて，積極的に尋ねたり答えたりしようとする。 ・色や形，好きなものは何かを尋ねる表現に慣れ親しむ。 ・日本語と英語の音の違いに気付く。	◆日本語と英語の音の違いに気付き，色や形の言い方に慣れ親しむ。 【Let's Listen 1】「何番のTシャツか，考えよう。」 【Let's Listen 2】「だれが何番のTシャツが好きか，○に番号を書こう。」 ○「おはじきゲーム」 【Let's Chant】チャンツ"What color do you like?"
Lesson 6 What do you want? ⑤ アルファベットの大文字 身の回りの物	What do you want? The 'A' card, please.	アルファベット A～Z one～thirty what, do, you, want, please	・積極的にアルファベットの大文字を読んだり，欲しいものを尋ねたり答えたりしようとする。 ・アルファベットの文字とその読み方とを一致させ，欲しいものを尋ねたり答えたりする表現に慣れ親しむ。 ・身の回りにはアルファベットの大文字で表現されているものがあることに気付く。	◆身の回りには様々なところにアルファベットの大文字が使われていることに気付くとともに，アルファベットの大文字とその読み方を知る。 ○「何を表しているか考えよう。」 【Let's Play 1】「アルファベットの大文字をさがそう。」 【Let's Play 2】「ポインティングゲーム」 【Let's Chant】チャンツ"Alphabet Chant" ○「キーアルファベットゲーム」

文部科学省ホームページ (http://www.mext.go.jp/a_menu/kokusai/gaikokugo/1314837.htm) より

活　動　例（【　】：Hi, friends! に記載されている活動，○：Hi, friends! に記載されていない活動）			
2	3	4	5
◆好きなものや嫌いなものを表す表現に慣れ親しむ。 【Let's Chant 1】チャンツ "I like apples." ○「キーワードゲーム」 ○「ジェスチャーゲーム」 ○「集中力ゲーム」 【Let's Listen 1】「だれが何を好きなのか，線で結ぼう。」	◆好きなものを尋ねる表現に慣れ親しむ。 ○「好きか嫌いか答えよう。」 【Let's Chant 2】チャンツ "Do you like apples?" 【Let's Lsten 2】「好きなものには○を，きらいなものには×を書いて，表を完成しよう。」 ○「○×クイズ」 ○「だれが好きか予想しよう。」	◆積極的に好きなものや嫌いなものを尋ねたり答えたりしようとする。 【Let's Chant 2】チャンツ "Do you like apples?" ○「ステレオゲーム」 【Activity】「友だちの好ききらいを予想して，インタビューしよう。」 ○「仲間を見つけよう。」	◆自分の好きなものや嫌いなものについて積極的に伝え合おうとする。 【Let's Chant 2】チャンツ "Do you like apples?" ○「仲間を見つけよう。」 ○「Who am I? クイズ」
◆どのようなものが好きか尋ねる表現に慣れ親しむ。 ○「ポインティングゲーム」 ○「ミッシングゲーム」 【Let's Chant】チャンツ "What color do you like?" ○「ラッキーカードゲーム」	◆どのようなものが好きか尋ねる表現に慣れ親しむ。 【Let's Chant】チャンツ "What color do you like?" 【Let's Listen 3】「さくらとたくのTシャツは何番か，考えよう。」 【Let's Play】「友だちにTシャツを作ろう」 ○「カテゴリー分け」	◆好きなものについて，積極的にを尋ねたり答えたりしようとする。 【Let's Chant】チャンツ "What color do you like?" 【Activity】「友だちに何が好きか，インタビューしよう。」	
◆アルファベットの大文字とその読み方を一致させるとともに，欲しいものを尋ねたり答えたりする表現に慣れ親しむ。 【Let's Chant 1】チャンツ "Alphabet Chant" 【Let's Play 2】「ポインティングゲーム」 【Let's Listen 1】「アルファベットの大文字や数を線で結ぼう。」 ○「何のアルファベットの大文字かな？」 ○「ビンゴ・ゲーム」 【Let's Chant】チャンツ "What do you want?"	◆アルファベットの大文字とその読み方とを一致させるとともに，欲しいものを尋ねたり答えたりする表現に慣れ親しむ。 【Let's Chant 1】チャンツ "Alphabet Chant" 【Let's Chant 2】チャンツ "What do you want?" ○「ラッキーカード・ゲーム」 【Let's Play 3】「カード集めゲーム」 【Activity】「見つけたアルファベット大文字を書こう。」	◆積極的に欲しいものを尋ねたり答えたりしようとする。 【Let's Chant 1】チャンツ "Alphabet Chant" 【Let's Chant 2】チャンツ "What do you want?" 【Let's Play 3】「ほしいアルファベットの大文字カードを集めよう。」 ○「アルファベット辞典を作ろう。」	◆積極的にアルファベットの大文字を読もうとし，欲しいものを尋ねたり答えたりしようとする。 【Let's Chant 1】チャンツ "Alphabet Chant" 【Let's Chant 2】チャンツ "What do you want?" ○「アルファベット辞典を作ろう。」

単元名 時数 題材	表現例・語彙例		単元目標	活 動 例
	表現	語彙		1
Lesson 7 What's this? ④ 身の回りの物	What's this? It's a piano.	what, is, this, it, cat, mat, cap, tomato, pinapple, guitar, banana, piano, baseball	・ある物について積極的にそれが何かと尋ねたり，答えたりしようとする。 ・ある物が何かと尋ねたり，答えたりする表現に慣れ親しむ。 ・日本語と英語の共通点や相違点から，言葉のおもしろさに気付く。	◆様々なものの言い方から，言葉の面白さに気付くとともに，身の回りの語に慣れ親しむ。 【Let's Listen】「□の中は何か，考えよう。」 【Let's Play】「ポインティングゲーム」 【Let's Chant】チャンツ "What's this?"
Lesson 8 I study Japanese. ⑤ 教科 曜日	I study math on Monday. What do you study on Tuesday?	Sunday ~ Saturday, Japanese, English, math, social studies, science, music, P.E., arts and crafts, home economics, calligraphy, study, on, I, you, what, do	・時間割について積極的に尋ねたり答えたりしようとする。 ・時間割についての表現や尋ね方に慣れ親しむ。 ・世界の小学校の学校生活に興味をもつ。	◆曜日や教科などの言い方を知る。 【Let's Play 1】「スリーヒントクイズ」 ○「ポインティングゲーム」 【Let's Play 2】「キーワードゲーム」 【Let's Listen 1】「今日の時間割は何か，考えよう。」
Lesson 9 What would you like? ④ 料理	What would you like? I'd like a hamburger.	would, I, you, like, what, hamburger, omelet, hamburger steak, salad, cake, spaghetti, hotdog, pizza, ice cream, yogurt, pudding, orange juice, parfait, *sushi*, sausages, fried chicken, green tea, *natto*, *miso* soup, rice, bread, French fries, apple, banana, pinapple, peach, cherry, grape, lemon, kiwi fruit, strawberry, melon	・欲しいものについて丁寧に積極的に尋ねたり答えたりしようとする。 ・欲しいものについての丁寧な表現の仕方や尋ね方に慣れ親しむ。 ・世界の料理に興味をもち，欲しいものを尋ねたり言ったりする際，丁寧な表現があることに気付く。	◆丁寧な言い方で欲しいものを尋ねたり，答えたりする表現を知る。 【Let's Listen 1】「さくらとたくのフルーツパフェはどれか考えよう。」 【Let's Play】「友だちにフルーツパフェを作ろう。」 ○「ビンゴゲーム」 【Let's Listen 2】「だれが何を注文したのか考えよう。」

文部科学省ホームページ (http://www.mext.go.jp/a_menu/kokusai/gaikokugo/1314837.htm) より

活　　動　　例（【　】：Hi, friends! に記載されている活動，○：Hi, friends! に記載されていない活動）			
2	3	4	5
◆あるものが何かを尋ねたり答えたりする表現に慣れ親しむ。 【Let's Chant】チャンツ "What's this?" 【Activity】「クイズ大会をしよう」 ①シルエットクイズ ②漢字クイズ ③スリーヒントクイズ ④パズルクイズ	◆あるものが何かを尋ねたり答えたりする表現に慣れ親しむ。 【Let's Chant】チャンツ "What's this?" ○「ブラックボックスクイズ」 ○「背中の絵は何？」 ○「クイズ大会をしよう！」	◆積極的にある物が何かを尋ねたり答えたりしようとする。 【Let's Chant】チャンツ "What's this?" ○「クイズ大会をしよう！」	
◆曜日や教科などの言い方に慣れ親しむとともに，外国の小学校と自分たちの学校生活の共通点や相違点に気付く。 【Let's Sing】歌 "Seven Days" ○「カルタゲーム」 ○「ビンゴゲーム」 【Let's Chant】チャンツ "What do you study?" 【Let's Listen 2】「どんな学校生活か，分かったことを書こう。」	◆時間割について尋ねたり答えたりする表現に慣れ親しむ。 【Let's Sing】歌 "Seven Days" 【Let's Chant】チャンツ "What do you study?" 【Let's Play 3】「あなたの好きな教科名とその理由を書こう。」 ○「時間割を聞き取ろう」 ○「仲間をさがそう。」	◆時間割について，積極的に尋ねたり答えたりしようとする。 【Let's Chant】チャンツ "What do you study?" ○「ペアで伝え合って時間割を完成させよう。」 【Activity】「『夢の時間割』を作ろう。」 ●さくらとたくの夢の時間割を聞いて書こう。	◆時間割について，積極的に伝え合おうとする。 【Let's Chant】チャンツ "What do you study?" ○「グループで『夢の時間割』を作ろう。」 ○「作った『夢の時間割』を紹介しよう。」
◆丁寧な言い方で欲しいものを尋ねたり，答えたりする表現に慣れ親しむ。 【Let's Listen 2】「だれが何を注文したのか考えよう。」 【Let's Chant】チャンツ "What would you like?" ○「ビンゴゲーム」 ○「仲間さがしゲーム」	◆積極的に丁寧な言い方で欲しいものを尋ねたり，答えたりしようとする。 【Let's Chant】チャンツ "What would you like?" 【Activity 1】「ランチメニューを作ろう。」	◆世界には様々な料理があることを知り，相手意識をもって丁寧な言い方で欲しいものを尋ねたり答えたりしようとする。 【Let's Chant】チャンツ "What would you like?" 【Activity 2】「どこの国の給食か，□に番号を書こう。オリジナル給食を作り合おう。」 ○「スペシャルランチを作ろう」	

資料1　339

5. 4) "Hi, friends! 2" の「年間計画例」[35時間]

単元名 時数 題材	表現例・語彙例		目 標	活 動 例 1
	表現	語彙		
Lesson 1 Do you have "a"? ④ 言語 文字	Do you have "a"? Yes, I do. / No, I don't.	アルファベット a ～ z do, you, I, have, yes, no, don't, one ～ thirty, fourty, fifty, sixty, seventy, eighty, ninety, hundred	・積極的にある物を持っているかどうかを尋ねたり答えたりしようとする。 ・31～100の数の言い方やアルファベットの小文字, あるかどうかを尋ねる表現に慣れ親しむ。 ・世界には様々な文字があることを知る。	◆世界には様々な文字があることや, 31～100の数の言い方を知る。 【Let's Play】「動物の数を数えよう。」 ○「教室の中の物を数えよう。」 【Let's Chant】チャンツ "How many penguins?" 【Let's Listen】「どの動物を表わす文字か, 考えよう。」 ○「アルファベットの小文字と大文字をつなげよう。」
Lesson 2 When is your birthday? ④ 行事 月 日付	When is your birthday? My birthday is March eighteenth.	when, is, your, birthday, my, January, February, March, April, May, June, July, August, September, October, November, December, 序数(自分の誕生日)	・積極的に誕生日を尋ねたり, 誕生日を答えたりしようとする。 ・英語での月の言い方や, 誕生日を尋ねたり答えたりする表現に慣れ親しむ。 ・世界と日本の祭りや行事に興味をもち, 時期や季節の違いに気付く。	◆日本の季節の行事や特徴を伝え, 月の言い方を知る。 【Let's Play 1】「日本の行事と月を線で結ぼう。」 ○「キーワードゲーム」 【Let's Listen 1】「世界の行事と月を線で結ぼう。」 【Let's Chant】チャンツ "Twelve Months"
Lesson 3 I can swim. ④ スポーツ 動作	I can/can't swim. Can you cook? Yes, I can. / No, I can't.	can, can't (can not), play, swim, cook, ride, unicicle, table tennis, badminton, basketball, soccer, baseball, recorder, piano, a, the	・積極的に友達に「できること」を尋ねたり, 自分の「できること」や「できないこと」を答えたりしようとする。 ・「できる」「できない」という表現に慣れ親しむ。 ・言語や人, それぞれに違いがあることを知る。	◆「できる」「できない」や動作を表す表現を知る。 ○「できること・できないことを聞こう。」 【Let's Play 1】「ポインティングゲーム」～どこにあるかわかるかな？ ○「ジェスチャーゲーム」 【Let's Listen 1】「どんなことができるか, できることは○で, できないことは△で囲もう。」
Lesson 4 Turn right. ④ 建物 道案内	Where is the station? Go straight. Turn right/left.	turn, right, left, go, straight, stop, to, where, park, school, flower, shop, hospital, book, store, restaurant, supermarket, fire, station, police, convenience, department, post, office, station	・積極的に道を尋ねたり, 道案内しようとする。 ・目的地への行き方を尋ねたり言ったりする表現に慣れ親しむ。 ・英語と日本語とでは, 建物の表し方が違うことに気付く。	◆町中にある様々な建物などの言い方に興味をもち, 理解しようとする。 ○「何の建物か考えよう。」 【Let's Play】「おはじきゲーム」 ○「メモリーゲーム」 【Let's Listen】「どこに行くのかを書こう。」 【Let's Chant】チャンツ "Where is the station?"

文部科学省ホームページ (http://www.mext.go.jp/a_menu/kokusai/gaikokugo/1314837.htm) より

活　動　例（【　】：Hi, friends! に記載されている活動，○：Hi, friends! に記載されていない活動）

2	3	4	5
◆アルファベットの小文字とその読み方とを一致させる。 【Let's Chant】チャンツ "How many penguins?" ○「ミッシングゲーム１」 【Let's Chant】チャンツ "Alphabet Chant" ○「アルファベットの小文字をならべよう。」 ○「ラッキーカードゲーム」 ○「伝言ゲーム１」	◆アルファベットの小文字とその読み方とを一致させるとともに，あるかどうかを尋ねたり答えたりする表現に慣れ親しむ。 【Let's Chant】チャンツ "How many penguins?" 【Let's Chant】チャンツ "Alphabet Chant" ○「Make pairs ゲーム」 【Activity 1】「見たことがあるアルファベット表示を書き写そう。」 ○「選んだアルファベット表示を予想しよう。」	◆積極的にあるかどうかを尋ねたり，数を数えたりしようとする。 【Let's Chant】チャンツ "How many penguins?" 【Let's Chant】チャンツ "Alphabet Chant" ○「ゴーフィッシュゲーム」 【Activity 2】「見つけたアルファベットを，クイズ形式で紹介しよう。」	
◆日にちの言い方を知り，自分の誕生日の言い方に慣れ親しむ。 【Let's Chant】チャンツ "Twelve Months" ○「ミッシングゲーム」 【Let's Play 2】「日付と何の日かを書こう。」 ○「誕生日を言ってみよう。」 ○「ステレオゲーム」	◆誕生日の尋ね方や答え方に慣れ親しむ。 【Let's Chant】チャンツ "Twelve Months" 【Let's Listen 2】「誕生日はいつか，線で結ぼう。」 ○「カレンダービンゴ」 ○「誕生日の友だちを探そう。」 ○「バースデーカードを交換しよう。」	◆積極的に自分や相手の誕生日について尋ねたり答えたりする。 【Activity】「友だちの誕生日を調べよう。」 ●友だちの誕生日はいつか，友だちの名前と日付を書こう。 ○「誕生月カレンダーを作ろう。」	
◆「できること」や「できないこと」を尋ねたり答えたりする表現を知る。 【Let's Play 1】「ポインティングゲーム」 【Let's Play 2】「Who am I? クイズを作ろう。」 【Let's Chant】チャンツ "Can you swim?" 【Activity 1】「友だちのできること・できないことを予想してインタビューしよう。」	◆「できること」「できないこと」を尋ねたり答えたりする表現に慣れ親しむとともに，人それぞれに違いがあることを知る。 【Let's Chant】チャンツ "Can you swim?" ○「Who am I? クイズ」 ○「○×クイズ」 【Activity 2】「サインをもらおう。」 ○「自分ができることをかいて紹介しよう。」	◆自分ができることを考え，友達と積極的に交流しようとする。 【Let's Chant】チャンツ "Can you swim?" 【Activity 3】「自己紹介をしよう。」	
◆方向や動きを指示する表現を聞いて，理解する。 ○「何の建物か考えよう。」 ○「サイモンセズゲーム」 【Let's Chant】チャンツ "Where is the station?" ○「仲間探しゲーム」	◆方向や動きを指示する英語を使って，相手に目的地を伝える。 【Let's Chant】チャンツ "Where is the station?" ○「サイモンセズゲーム」 ○「地図を作ろう。」 ○「ペアで道案内をしよう。」 【Activity】「ペアで情報を伝え合いながら，同じ町を作ろう。」	◆相手意識をもって道を尋ねたり，道案内をしたりしようとする。 【Let's Chant】チャンツ "Where is the station?" ○「ペアで地図を作ろう。」 ○「友だちを案内しよう。」	

単元名 時数 題材	表現例・語彙例		目標	活動例
	表現	語彙		1
Lesson 5 Let's go to Italy. ④ 世界の国々 世界の生活	I want to go to France. Where do you want to go? Let's go.	I, you, do, like, want, to, go, where, play, see, eat, Italy, Japan, China, Korea, Brazil, Egypt, Australia, France, India, America, Spain	・自分の思いがはっきり伝わるように，おすすめの国について発表したり，友達の発表を積極的に聞いたりしようとする。 ・行きたい国について尋ねたり言ったりする表現に慣れ親しむ。 ・世界には様々な人たちが様々な生活をしていることに気付く。	◆世界では，様々な人々が様々な生活をしていることを知り，世界に興味をもつ。 【Let's Play 1】「（　）に国名を書こう。」 【Let's Listen 1】「どの国の世界遺産か，考えよう。」 【Let's Play 2】「「国旗クイズ」を作ろう。」 ○「先生の行きたい国はどこかな？」 ○「キーワードゲーム」
Lesson 6 What time do you get up? ⑤ 世界の国々 世界の生活	I get up at seven. What time do you go to bed?	I, you, do, get, up, eat, lunch, breakfast, dinner, take, a, bath, go, to, bed, home, watch, clean, TV, play, piano, study, what, time	・積極的に自分の一日を紹介したり，友達の一日を聞き取ったりしようとする。 ・生活を表す表現や，一日の生活についての時刻を尋ねる表現に慣れ親しむ。 ・世界には時差があることに気付き，世界の様子に興味をもつ。	◆生活を表す表現や，時刻の言い方，尋ね方を知る。 【Let's Play 1】「ナンバーゲーム」 ○「何時か当てよう。」 【Let's Listen 1】「何時かな？　時計に針や数字を書こう。」 【Let's Play 2】「おはじきゲーム」 ○「ジェスチャーゲーム」 【Let's Chant】チャンツ "What time do you get up?"
Lesson 7 We are good friends. ⑥ 世界の童話 日本の童話	We are good friends. We are storng and brave.	peach, boy, monkey, dog, bird, friend(s), strong, brave, good, fine, happy, hello, let's (let us), go, we, are, I, am, how, you, please, here, see, OK	・積極的に英語で物語の内容を伝えようとする。 ・まとまった英語の話を聞いて，内容がわかり，場面にあったセリフを言う。 ・世界の物語に興味をもつ。	◆世界には様々な物語があることを知るとともに，世界の物語に興味をもつ。 【Let's Play】「だれがかくれているか，さがそう。」 【Let's Listen】「お話を聞こう。」 1回目 2回目
Lesson 8 What do you want to be? ④ 職業 将来の夢	I want to be a singer. What do you want to be?	I, you, what, do, want, to, be, a(an), teacher, doctor, pastry chef, farmer, florist, singer, fire fighter, soccer player, bus driver, cabin attendant, vet, zookeeper, comedian, baker, dentist, artist	・積極的に自分の将来の夢について交流しようとする。 ・どのような職業に就きたいかを尋ねたり，答えたりする表現に慣れ親しむ。 ・世界には様々な夢をもった同年代の子どもがいることを知り，英語と日本語での職業を表す語の成り立ちを通して，言語の面白さに気付く。	◆様々な職業の言い方を知る。 ○「先生の夢は何かな？」 ○「ジェスチャークイズ」 ○「ポインティングゲーム」 ○「キーワードゲーム」 ○「ラッキーカードゲーム」

文部科学省ホームページ (http://www.mext.go.jp/a_menu/kokusai/gaikokugo/1314837.htm) より

活　　動　　例（【　】：Hi, friends! に記載されている活動，○：Hi, friends! に記載されていない活動）			
2	3	4	5
◆行きたい国を尋ねたり，答えたりする表現に慣れ親しむ。 ○「ミッシングゲーム」 ○「キーワードゲーム」 ○「ステレオゲーム」 ○「ラッキーカードゲーム」 【Let's Chant】チャンツ "Let's go to Italy."	◆行きたい国を尋ねたり，答えたりする表現に慣れ親しむ。 【Let's Chant】チャンツ "Let's go to Italy." ○「メモリーゲーム」 【Let's Play 3】「友だちに行きたい国を，インタビューしよう。」 【Let's Listen 2】「わかったことを書こう。」 【Let's Chant】チャンツ "Let's go to Italy." 【Activity】「おすすめの国を紹介しよう。」	◆相手にはっきり伝わるように自分の行きたい国とその理由を伝えようとする。 【Activity】「おすすめの国を紹介しよう。」	
◆動作を表す言葉や時刻を表す表現に慣れ親しむ。 【Let's Play 1】「ナンバーゲーム」 【Let's Listen 2】「（　）に時刻を書いて，さくらとあなたの一日を比べよう。」 【Let's Play 2】「おはじきゲーム」 【Activity 1】「先生の一日を予想して，インタビューしよう。」 【Let's Chant】チャンツ "What time do you get up?"	◆一日の生活についての時刻を表す表現に慣れ親しみ，時差があることを知る。 【Let's Chant】チャンツ "What time do you get up?" 【Let's Listen 3】「世界の時刻を□に書こう。地図の都市と絵を線で結ぼう。」 ○「仲間探しゲーム」	◆一日の生活についての時刻を尋ねる表現に慣れ親しむ。 【Let's Chant】チャンツ "What time do you get up?" 絵カードを見ながらチャンツを言う。 ○「先生の１日を聞いて，ニューヨークの時刻とつなげよう。」 ○「友だちの生活の時刻を聞こう」	◆相手に伝わるように自分の生活を紹介しようとする。 【Let's Chant】チャンツ "What time do you get up?" 【Activity 2】「あなたの１日を紹介しよう。」
◆物語の筋がわかり，様子を尋ねたり表したり，行動するよう促す表現に慣れ親しむ。 【Let's Listen】「お話を聞こう。」 3回目 4回目 【Let's Chant】チャンツ "We are good friends!" 【Activity】「オリジナルの「桃太郎」をつくって演じよう。」	◆様子を尋ねたり表したり，行動するよう促す表現に慣れ親しむ。 【Let's Listen】「お話を聞こう。」 5回目 【Let's Chant】チャンツ "We are good friends!" 【Activity】「オリジナルの物語をつくって演じよう。」	◆様子を尋ねたり表したり，行動するよう促したり，要求したりする表現に慣れ親しむ。 【Let's Listen】「お話を聞こう。」 6回目 【Let's Chant】チャンツ "We are good friends!" 【Activity】「オリジナルの「桃太郎」をつくって演じよう。」	5・6時間目 ◆積極的に英語を使って，考えた物語の筋を伝えたり聞こうとする。 【Let's Chant】チャンツ "We are good friends!" 【Activity】「オリジナルの「桃太郎」をつくって演じよう。」 ①グループごとにオリジナルの「桃太郎」の発表の練習をする。 ②グループごとにオリジナル版「桃太郎」の発表をする。
◆様々な職業の言い方に慣れ親しみ，職業を表す語彙を通して英語と日本語の共通点に気付く。 ○「カード取りゲーム」 ○「ビンゴゲーム」 【Let's Listen】「だれの夢か，考えよう。」 【Let's Chant】チャンツ "What do you want to be?" ○「ミッシングゲーム」	◆将来就きたい職業について，答えたり，尋ねたりする。 【Let's Chant】チャンツ "What do you want to be?" ○「ステレオゲーム」 ○「チェーンゲーム」 【Let's Play】「友だちに夢をインタビューしよう。」 【Activity】「あなたの「夢宣言」をしよう。」	◆世界にはその環境によって様々な夢をもつ同年代の子どもがいることを知り，相手意識をもって自分の夢を交流しようとする。 【Let's Chant】チャンツ "What do you want to be?" ○「インタビューをしよう」 ○「Who am I? クイズ」 【Activity】「あなたの「夢宣言」をしよう。三人の「夢宣言」を聞いてメモをとり，参考にしよう。」	

6. 1) 活動数の比較（5年生用教材）

『英語ノート1』の活動数

ページ	単元	Let's Listen	Let's Play	Let's Sing	Let's Chant	Activity	ページ
4							4
5	1	Let's Listen	Let's Play		Let's Chant		5
6						Activity 1	6
7						Activity 2	7
8		Let's Listen				Activity 1	8
9						Activity 2	9
10	2	Let's Listen	Let's Play				10
11				Let's Sing		Activity	11
12			Let's Play 1 / Let's Play 2				12
13						Activity	13
14		Let's Listen				Activity 1	14
15						Activity 2	15
16	3		Let's Play				16
17		Let's Listen		Let's Sing			17
18		Let's Listen	Let's Play 1	Let's Sing			18
19			Let's Play 2				19
20			Let's Play 1 / Let's Play 2				20
21						Activity	21
22	Let's Enjoy 1			Let's Sing			22
23			Let's Play				23
24	4	Let's Listen					24
25			Let's Play		Let's Chant		25
26		Let's Listen					26
27						Activity	27
28						Activity 1	28
29						Activity 2	29
30	5	Let's Listen					30
31					Let's Chant		31
32						Activity	32
33		Let's Listen					33
34						Activity 1	34
35		Let's Listen				Activity 2	35
36	6	Let's Listen	Let's Play 1 / Let's Play 2			Activity	36
37					Let's Chant		37
38		Let's Listen 1					38
39		Let's Listen 2					39
40						Activity 1	40
41						Act 2 / Act 3	41
42	Let's Enjoy 2						42
43							43
44	7					Activity	44
45					Let's Chant		45
46						Activity 1	46
47						Activity 2	47
48			Let's Play				48
49						Activity	49
50	8	Let's Listen				Act 1 / Act 2	50
51							51
52		Let's Listen	Let's Play 1 / Let's Play 2	Let's Sing			52
53		Let's Listen					53
54							54
55						Activity	55
56	9					Activity	56
57		Let's Listen	Let's Play				57
58			Let's Play		Let's Chant		58
59						Activity	59
60						Activity 1	60
61						Activity 2	61
62	Let's Enjoy 3						62
63							63
		18	18	5	6	30	

*LE 1 の Let's Sing 含む

344　資　料 1

"Hi, friends 1" の活動数

ページ	単元	Let's Listen	Let's Play	Let's Sing	Let's Chant	Activity	ページ
2	1						2
3		Let's Listen 1					3
4		Let's Listen 2					4
5							5
6		Let's Listen 3					6
7			Let's Play		Let's Chant	Activity	7
8	2	Let's Listen		Let's Sing			8
9			Let's Play			Activity	9
10	3	Let's Listen	Let's Play 1				10
11			Let's Play 2				11
12					Let's Chant	Activity 1	12
13						Activity 2	13
14	4		Let's Play				14
15							15
16		Let's Listen 1			Let's Chant 1		16
17		Let's Listen 2			Let's Chant 2	Activity	17
18	5						18
19		Let's L 1 / Let's L 2					19
20		Let's Listen 3	Let's Play		Let's Chant		20
21						Activity	21
22	6		Let's Play 1				22
23			Let's Play 2				23
24		Let's Listen			Let's Chant 1		24
25			Let's Play 3		Let's Chant 2	Activity	25
26	7						26
27		Let's Listen					27
28			Let's Play				28
29							29
30					Let's Chant	Activity	30
31							31
32	8		Let's Play 1				32
33		Let's Listen 1	Let's Play 2				33
34		Let's Listen 2		Let's Sing	Let's Chant		34
35			Let's Play 3			Activity	35
36	9	Let's Listen 1	Let's Play				36
37		Let's Listen 2			Let's Chant		37
38						Activity 1	38
39							39
40						Activity 2	40
		16	14	2	10	11	

資料 1　345

6.2）活動数の比較（6年生用教材）

『英語ノート2』の活動数

ページ	単元	Let's Listen	Let's Play	Let's Sing	Let's Chant	Activity	ページ
4	1					Activity	4
5				Let's Sing			5
6		Let's Listen	Let's Play 1				6
7			Let's Play 2				7
8			Let's Play 1 / Let's Play 2				8
9						Activity	9
10	2					Activity	10
11				Let's Sing			11
12		Let's Listen					12
13			Let's Play				13
14						Activity 1	14
15						Activity 2	15
16	3					Activity	16
17		Let's Listen			Let's Chant		17
18			Let's Play			Activity	18
19		Let's Listen					19
20						Activity 1	20
21						Activity 2	21
22		Let's Enjoy 1					22
23							23
24	4	Let's Listen 1					24
25		Let's Listen 2					25
26					Let's Chant		26
27						Activity 1	27
28						Activity 2	28
29						Activity	29
30	5	Let's Listen	Let's Play 1 / Let's Play 2		Let's Chant		30
31							31
32		Let's Listen	Let's Play			Activity	32
33							33
34						Activity 1	34
35						Activity 2	35
36	6	Let's Listen 1				Activity	36
37		Let's Listen 2					37
38		Let's Listen 1	Let's Play		Let's Chant		38
39		Let's Listen 2					39
40		Let's Listen					40
41						Act 1 / Act 2	41
42		Let's Enjoy 2					42
43							43
44	7		Let's Play		Let's Chant		44
45		Let's Listen					45
46		Let's Listen				Activity	46
47			Let's Play 1 / Let's Play 2				47
48						Activity 1	48
49						Activity 2	49
50	8	Let's Listen 1				Act 1 / Act 2	50
51		Let's L 2 / Let's L 3			Let's Chant		51
52		Let's Listen					52
53						Activity	53
54						Activity 1	54
55						Activity 2	55
56	9	Let's Listen					56
57			Let's Play		Let's Chant		57
58		Let's Listen					58
59			Let's Play			Activity	59
60						Activity 1	60
61						Activity 2	61
62		Let's Enjoy 3					62
63							63
		21	**15**	**2**	**7**	**29**	

346　資　料 1

"Hi, friends 2" の活動数

ページ	単元	Let's Listen	Let's Play	Let's Sing	Let's Chant	Activity	ページ
2	1		Let's Play				2
3		Let's Listen			Let's Chant		3
4						Activity 1	4
5						Activity 2	5
6	2		Let's Play 1				6
7		Let's Listen 1					7
8		Let's Listen 2	Let's Play 2		Let's Chant		8
9						Activity	9
10	3		Let's Play 1			Activity 1	10
11		Let's Listen	Let's Play 2				11
12					Let's Chant	Activity 2	12
13						Activity 3	13
14	4		Let's Play				14
15		Let's Listen					15
16					Let's Chant	Activity	16
17							17
18	5		Let's Play 1				18
19		Let's Listen 1	Let's Play 2				19
20		Let's Listen 2	Let's Play 3				20
21					Let's Chant	Activity	21
22	6	Let's Listen 1	Let's Play 1 / Let's Play 2				22
23		Let's Listen 2				Activity 1	23
24		Let's Listen 3			Let's Chant		24
25						Activity 2	25
26	7						26
27		Let's Listen	Let's Play				27
28							28
29							29
30							30
31							31
32							32
33							33
34							34
35							35
36							36
37					Let's Chant	Activity	37
38	8	Let's Listen					38
39							39
40			Let's Play		Let's Chant	Activity	40
		12	13	0	8	12	

資料1　347

6.3）活動数とその増減比

	『英語ノート1』	"Hi, friends! 1"	増減
Let's Listen	18	16	− 2
Let's Play	18	14	− 4
Let's Sing	5	2	− 3
Let's Chant	6	10	+ 4
Activity	30	11	− 19

	『英語ノート2』	"Hi, friends! 2"	増減
Let's Listen	21	12	− 9
Let's Play	15	13	− 2
Let's Sing	2	0	− 2
Let's Chant	7	8	+ 1
Activity	29	12	− 17

6.4)「まとめ」にかえて

　左ページの「活動数とその増減比」を見ると，Activity が "Hi, friends! 1" では 19, "Hi, friends! 2" では 17 減ったことがわかる。"Hi, friends!" が『英語ノート』に比べて5年生用（1），6年生用（2）ともにそれぞれ24ページ減り，全体のページ数が3分の2程度になったことによるものだと思われるが，一方でわずかではあるが Let's Chant は，5年生用（1）で4, 6年生用（2）で1と増えている。文部科学省が考えた『英語ノート』の改訂の意図はこのへんにあるように思われる。

　2007（平成19）年度から作成を開始し，翌2008年には「試作版」を完成，さまざまな調査を経て2009年に最終版を全国の小学校に配布した『英語ノート』に比べて，"Hi, friends!" は改訂版ということもあってか，その制作期間が短いことも事実である。文部科学省が2012（平成24）年の1月に発表した「新たな外国語活動教材，"Hi, friends!" の作成について」では，"Hi, friends!" の作成の経緯として，以下のような記述をしている。

> 　平成23年度より，小学校学習指導要領が全面実施され，第5・6学年において，週1コマの外国語活動が導入された。
> 　外国語活動は，教科としては位置づけられておらず教科書が存在しないが，教育の機会均等，中学校との円滑な接続，外国語活動の質的水準の担保等の観点から，文部科学省において学習指導要領に沿った共通教材として「英語ノート」を作成し，希望する小学校等に配布してきた。（平成21～23年度）
> 　このたび，「英語ノート」の活用実績や使用する中で出てきた課題等を踏まえ，外国語活動の一層の充実を図るため，文部科学省において，平成24年度以降に使用する新たな外国語活動教材，"Hi, friends!" を作成し，希望する小学校等に配布することとした。

　文部科学省が，「『英語ノート』の活用実績や使用する中で出てきた課題等を踏まえ」，「外国語活動の一層の充実を図るため」に，「"Hi, friends!" を作成し」た旨の説明である。

　指導に要する総時間数は，第5・6学年とも週1コマ（35時間）のままであるので，"Hi, friends!" では『英語ノート』より数の少なくなった活動を，時間をかけてじっくり取り組むように求められているわけである。また時間配分も『英語ノート』では，各巻とも最初は3時間で，あとはすべて4時間ずつ配分してあったものが，"Hi, friends!" では5年生用の1の最初の2単元だけを2時間ずつ，あとは4時間ないし5時間で配分してあるなど，ここでもいままで以上に，外国語活動の一層の充実を図り，児童同士のコミュニケーションが活発になるような，指導者の指導力が問われることになるであろう。

　ただ根本的には，上の "Hi, friends!" の作成の経緯や，本書でも触れているように，『英語ノート』同様，"Hi, friends!" も，あくまでも「学習指導要領に沿った共通教材」いわゆる「準教科書」であって，単元や活動の取捨選択を含めた指導者の使い方が重要となるということである。『英語ノート』と "Hi, friends!" の両方をお持ちの方は，この機会にぜひとも両者を見比べてみることをお勧めしたい。

資料2

小学校学習指導要領
外国語活動

第1　目標

外国語を通じて，言語や文化について体験的に理解を深め，積極的にコミュニケーションを図ろうとする態度の育成を図り，外国語の音声や基本的な表現に慣れ親しませながら，コミュニケーション能力の素地を養う。

第2　内容

〔第5学年及び第6学年〕

1　外国語を用いて積極的にコミュニケーションを図ることができるよう，次の事項について指導する。
　(1)　外国語を用いてコミュニケーションを図る楽しさを体験すること。
　(2)　積極的に外国語を聞いたり，話したりすること。
　(3)　言語を用いてコミュニケーションを図ることの大切さを知ること。
2　日本と外国の言語や文化について，体験的に理解を深めることができるよう，次の事項について指導する。
　(1)　外国語の音声やリズムなどに慣れ親しむとともに，日本語との違いを知り，言葉の面白さや豊かさに気付くこと。
　(2)　日本と外国との生活，習慣，行事などの違いを知り，多様なものの見方や考え方があることに気付くこと。
　(3)　異なる文化をもつ人々との交流等を体験し，文化等に対する理解を深めること。

第3　指導計画の作成と内容の取扱い

1　指導計画の作成に当たっては，次の事項に配慮するものとする。
　(1)　外国語活動においては，英語を取り扱うことを原則とすること。
　(2)　各学校においては，児童や地域の実態に応じて，学年ごとの目標を適切に定め，2学年間を通して外国語活動の目標の実現を図るようにすること。

Supplement 2

COURSE OF STUDY for Elementary Schools Foreign Language Activities

I. OVERALL OBJECTIVES
To form the foundation of pupils' communication abilities through foreign languages while developing the understanding of languages and cultures through various experiences, fostering a positive attitude toward communication, and familiarizing pupils with the sounds and basic expressions of foreign languages.

II. CONTENTS
[Grade 5 and Grade 6]
1. Instructions should be given on the following items in order to help pupils actively engage in communication in a foreign language:
   (1) To experience the joy of communication in the foreign language.
   (2) To actively listen to and speak in the foreign language.
   (3) To learn the importance of verbal communication.
2. Instructions should be given on the following items in order to deepen the experiential understanding of the languages and cultures of Japan and foreign countries:
   (1) To become familiar with the sounds and rhythms of the foreign language, to learn its differences from the Japanese language, and to be aware of the interesting aspects of language and its richness.
   (2) To learn the differences in ways of living, customs and events between Japan and foreign countries and to be aware of various points of view and ways of thinking.
   (3) To experience communication with people of different cultures and to deepen the understanding of culture.

III. LESSON PLAN DESIGN AND TREATMENT OF THE CONTENTS
1. In designing the syllabus, consideration should be given to the following:
   (1) In principle English should be selected for foreign language activities.
   (2) Taking into account the circumstances of pupils and the local community, each individual school should establish objectives of foreign language activities for each grade in an appropriate manner and work to realize them over the period of two school years.

(3) 第2の内容のうち，主として言語や文化に関する2の内容の指導については，主としてコミュニケーションに関する1の内容との関連を図るようにすること。その際，言語や文化については体験的な理解を図ることとし，指導内容が必要以上に細部にわたったり，形式的になったりしないようにすること。

(4) 指導内容や活動については，児童の興味・関心にあったものとし，国語科，音楽科，図画工作科などの他教科等で児童が学習したことを活用するなどの工夫により，指導の効果を高めるようにすること。

(5) 指導計画の作成や授業の実施については，学級担任の教師又は外国語活動を担当する教師が行うこととし，授業の実施に当たっては，ネイティブ・スピーカーの活用に努めるとともに，地域の実態に応じて，外国語に堪能な地域の人々の協力を得るなど，指導体制を充実すること。

(6) 音声を取り扱う場合には，CD，DVDなどの視聴覚教材を積極的に活用すること。その際，使用する視聴覚教材は，児童，学校及び地域の実態を考慮して適切なものとすること。

(7) 第1章総則の第1の2及び第3章道徳の第1に示す道徳教育の目標に基づき，道徳の時間などとの関連を考慮しながら，第3章道徳の第2に示す内容について，外国語活動の特質に応じて適切な指導をすること。

2 第2の内容の取扱いについては，次の事項に配慮するものとする。

(1) 2学年間を通じ指導に当たっては，次のような点に配慮するものとする。

　ア　外国語でのコミュニケーションを体験させる際には，児童の発達の段階を考慮した表現を用い，児童にとって身近なコミュニケーションの場面を設定すること。

　イ　外国語でのコミュニケーションを体験させる際には，音声面を中心とし，アルファベットなどの文字や単語の取扱いについては，児童の学習負担に配慮しつつ，音声によるコミュニケーションを補助するものとして用いること。

　ウ　言葉によらないコミュニケーションの手段もコミュニケーションを支えるものであることを踏まえ，ジェスチャーなどを取り上げ，その役割を理解させるようにすること。

　エ　外国語活動を通して，外国語や外国の文化のみならず，国語や我が国の文化についても併せて理解を深めることができるようにすること。

(3) With respect to the instructions on the contents mainly concerning language and culture listed in Section II-2, teachers should make them link with the contents mainly concerning communication listed in Section II-1. In doing so, teachers should try to have pupils understand language and culture experientially, avoiding giving too detailed explanations or engaging pupils in rote learning.

(4) The instructions on the contents and activities should be in line with pupils' interest. Efforts should be made to increase the effectiveness of teaching by, for example, taking advantage of what pupils have learned in other subjects, such as the Japanese language, music and arts and handicrafts.

(5) Homeroom teachers or teachers in charge of foreign language activities should make teaching programs and conduct lessons. Efforts should be made to get more people involved in lessons by inviting native speakers of the foreign language or by seeking cooperation from local people who are proficient in the foreign language, depending on the circumstances of the local community.

(6) When dealing with sounds, teachers should make active use of audio-visual materials such as CDs and DVDs. The audio-visual materials should be selected according to the actual circumstances of the pupils, school and local community.

(7) Based on the objectives of moral education listed in Sections I and II of Chapter 1 "General Provisions" and in Section I of Chapter 3 "Moral Education", instructions concerning the content listed in Section II of Chapter 3 "Moral Education" should be given appropriately. The instructions should be in accordance with the characteristics of foreign language activities and should be related to moral education classes.

2. In teaching the contents listed in Section II, consideration should be given to the following:
   (1) Consideration should be given to the following points when giving instructions over the period of two school years:
      A. When giving pupils opportunities to experience communication in the foreign language, teachers should select appropriate expressions, giving consideration to the developmental stages of the pupils and set communication situations familiar to them.
      B. When giving pupils opportunities to experience communication in the foreign language, teachers should focus on the foreign language sounds and use letters of the alphabet and words as supplementary tools for oral communication, in an effort not to give too much burden to pupils.
      C. Since non-verbal communication is also an essential means of communication, teachers should adopt gestures etc. and help pupils understand their functions.
      D. Teachers should enable pupils to deepen their understanding not only of the foreign language and culture, but also of the Japanese language and culture through foreign language activities.

オ　外国語でのコミュニケーションを体験させるに当たり，主として次に示すようなコミュニケーションの場面やコミュニケーションの働きを取り上げるようにすること。
〔コミュニケーションの場面の例〕
(ｱ)　特有の表現がよく使われる場面
・あいさつ　　・自己紹介　　・買物
・食事　　　　・道案内　など
(ｲ)　児童の身近な暮らしにかかわる場面
・家庭での生活　　・学校での学習や活動
・地域の行事　　　・子どもの遊び　など
〔コミュニケーションの働きの例〕
(ｱ)　相手との関係を円滑にする
(ｲ)　気持ちを伝える
(ｳ)　事実を伝える
(ｴ)　考えや意図を伝える
(ｵ)　相手の行動を促す

(2)　児童の学習段階を考慮して各学年の指導に当たっては，次のような点に配慮するものとする。
ア　第5学年における活動
　　外国語を初めて学習することに配慮し，児童に身近で基本的な表現を使いながら，外国語に慣れ親しむ活動や児童の日常生活や学校生活にかかわる活動を中心に，友達とのかかわりを大切にした体験的なコミュニケーション活動を行うようにすること。
イ　第6学年における活動
　　第5学年の学習を基礎として，友達とのかかわりを大切にしながら，児童の日常生活や学校生活に加え，国際理解にかかわる交流等を含んだ体験的なコミュニケーション活動を行うようにすること。

E. When giving pupils opportunities to experience communication in the foreign language, teachers should mainly set the communication situations and functions listed in the following examples:

[Examples of Communication Situations]
(a) Situations where fixed expressions are often used
　・Greeting　　　　・Self-introduction　　　・Shopping
　・Having meals　　・Asking and giving directions
　etc.
(b) Situations that are likely to occur in pupils' lives
　・Home life　　　　・Learning and activities at school
　・Local events　　 ・Childhood play
　etc.

[Examples of Functions of Communication]
(a) Improving the relationship with a communication partner
(b) Expressing emotions
(c) Communicating facts
(d) Expressing opinions and intentions
(e) Stimulating a communication partner into action

(2) Consideration should be given to the following points when giving instructions to each grade, taking the learning level of pupils into account:

A. Activities in Grade 5
　Considering that pupils learn the foreign language for the first time, teachers should introduce basic expressions about familiar things and events and engage pupils in communication activities where they experience interactions with one another. Teachers should engage pupils mainly in the activities where the pupils may become familiar with the foreign language or in the activities which are related to their daily lives or school lives.

B. Activities in Grade 6
　Based on the learning in Grade 5, teachers should engage pupils in communication activities, focused on interactions with one another, including intercultural exchange activities, in addition to activities related to pupils' daily lives or school lives.

資料3

中学校学習指導要領
外国語（英語）

第1　目標
　外国語を通じて，言語や文化に対する理解を深め，積極的にコミュニケーションを図ろうとする態度の育成を図り，聞くこと，話すこと，読むこと，書くことなどのコミュニケーション能力の基礎を養う。

第2　各言語の目標及び内容等
　英　語
　1　目　標
　　(1)　初歩的な英語を聞いて話し手の意向などを理解できるようにする。
　　(2)　初歩的な英語を用いて自分の考えなどを話すことができるようにする。
　　(3)　英語を読むことに慣れ親しみ，初歩的な英語を読んで書き手の意向などを理解できるようにする。
　　(4)　英語で書くことに慣れ親しみ，初歩的な英語を用いて自分の考えなどを書くことができるようにする。

　2　内　容
　　(1)　言語活動
　　　　英語を理解し，英語で表現できる実践的な運用能力を養うため，次の言語活動を3学年間を通して行わせる。
　　　ア　聞くこと
　　　　　主として次の事項について指導する。
　　　　(ｱ)　強勢，イントネーション，区切りなど基本的な英語の音声の特徴をとらえ，正しく聞き取ること。
　　　　(ｲ)　自然な口調で話されたり読まれたりする英語を聞いて，情報を正確に聞き取ること。
　　　　(ｳ)　質問や依頼などを聞いて適切に応じること。
　　　　(ｴ)　話し手に聞き返すなどして内容を確認しながら理解すること。
　　　　(ｵ)　まとまりのある英語を聞いて，概要や要点を適切に聞き取ること。

Supplement 3

COURSE OF STUDY for Junior High Schools Foreign Languages (English)

I. OVERALL OBJECTIVES
To develop students' basic communication abilities such as listening, speaking, reading and writing, deepening their understanding of language and culture and fostering a positive attitude toward communication through foreign languages.

II. OBJECTIVES AND CONTENTS FOR EACH LANGUAGE
  English
  1. Objectives
   (1) To enable students to understand the speaker's intentions when listening to English.
   (2) To enable students to talk about their own thoughts using English.
   (3) To accustom and familiarize students with reading English and to enable them to understand the writer's intentions when reading English.
   (4) To accustom and familiarize students with writing in English and to enable them to write about their own thoughts using English.

  2. Contents
   (1) Language Activities
     The following language activities should be conducted over the period of three years in order to develop a practical command of English which would allow students to understand English and express themselves in English.
     A. Listening
       Instruction should be given mainly on the following items:
       (a) To follow the basic characteristics of English sounds such as stress, intonation and pauses and listen to English sounds correctly.
       (b) To listen to English, spoken or read in a natural tone, and accurately understand the information.
       (c) To listen to questions and requests and respond appropriately.
       (d) To understand the content, confirming what has been said by, for example, asking the speaker to repeat it.
       (e) To listen to coherent English and properly understand its outline or important points.

イ　話すこと
　　主として次の事項について指導する。
　(ｱ)　強勢，イントネーション，区切りなど基本的な英語の音声の特徴をとらえ，正しく発音すること。
　(ｲ)　自分の考えや気持ち，事実などを聞き手に正しく伝えること。
　(ｳ)　聞いたり読んだりしたことなどについて，問答したり意見を述べ合ったりなどすること。
　(ｴ)　つなぎ言葉を用いるなどのいろいろな工夫をして話を続けること。
　(ｵ)　与えられたテーマについて簡単なスピーチをすること。

ウ　読むこと
　　主として次の事項について指導する。
　(ｱ)　文字や符号を識別し，正しく読むこと。
　(ｲ)　書かれた内容を考えながら黙読したり，その内容が表現されるように音読すること。
　(ｳ)　物語のあらすじや説明文の大切な部分などを正確に読み取ること。
　(ｴ)　伝言や手紙などの文章から書き手の意向を理解し，適切に応じること。
　(ｵ)　話の内容や書き手の意見などに対して感想を述べたり賛否やその理由を示したりなどすることができるよう，書かれた内容や考え方などをとらえること。

エ　書くこと
　　主として次の事項について指導する。
　(ｱ)　文字や符号を識別し，語と語の区切りなどに注意して正しく書くこと。
　(ｲ)　語と語のつながりなどに注意して正しく文を書くこと。
　(ｳ)　聞いたり読んだりしたことについてメモをとったり，感想，賛否やその理由を書いたりなどすること。
　(ｴ)　身近な場面における出来事や体験したことなどについて，自分の考えや気持ちなどを書くこと。
　(ｵ)　自分の考えや気持ちなどが読み手に正しく伝わるように，文と文のつながりなどに注意して文章を書くこと。

(2)　言語活動の取扱い
　ア　3学年間を通じ指導に当たっては，次のような点に配慮するものとする。
　　(ｱ)　実際に言語を使用して互いの考えや気持ちを伝え合うなどの活動を行うとともに，(3)に示す言語材料について理解したり練習したりする活動を行うようにすること。
　　(ｲ)　実際に言語を使用して互いの考えや気持ちを伝え合うなどの活動においては，具体的な場面や状況に合った適切な表現を自ら考えて言語活動ができるようにすること。

B. Speaking
   Instruction should be given mainly on the following items:
   (a) To become familiar with the basic characteristics of English sounds such as stress, intonation and pauses and pronounce English sounds correctly.
   (b) To speak accurately to the listener(s) about one's thoughts and feelings, or facts.
   (c) To carry on a dialogue or exchange views regarding what students have listened to or read.
   (d) To speak continuously using various techniques such as linking words.
   (e) To give a simple speech on a provided theme.
C. Reading
   Instruction should be given mainly on the following items:
   (a) To distinguish letters or symbols and read English correctly.
   (b) To read silently while thinking about the written content, and read aloud so that the meaning of the content is expressed.
   (c) To accurately understand the general outline of stories or the important parts of descriptive texts.
   (d) To understand the writer's intentions in texts such as messages and letters and respond appropriately.
   (e) To grasp the written content or the writer's viewpoints so as to be able to express one's impressions or state agreement/disagreement and reasons for it with regard to the content or viewpoints.
D. Writing
   Instruction should be given mainly on the following items:
   (a) To distinguish letters or symbols and write correctly with due attention to the spaces between words.
   (b) To correctly write a sentence with due attention to the connections between words.
   (c) To take notes or write one's impressions or statements of agreement/disagreement and reasons for it with regard to what students have listened to or read.
   (d) To write about one's thoughts and feelings with regard to issues like what has happened or what one has experienced in everyday situations.
   (e) To write a composition with due attention to the connections between sentences so as to accurately convey one's thoughts and feelings to the reader(s).
(2) Treatment of the Language Activities
  A. In instruction over the period of three school years, consideration should be given to the following points:
   (a) Activities in which, for example, students actually use language to share their thoughts and feelings with each other should be carried out. At the same time, teachers should undertake activities for students to understand and practice the language elements indicated in (3).
   (b) In activities in which, for example, students actually use language to share their thoughts and feelings with each other, they should be able to perform language activities in which they have to think about how to express themselves in a way appropriate to a specific situation and condition.

(ｳ) 言語活動を行うに当たり，主として次に示すような言語の使用場面や言語の働きを取り上げるようにすること。
〔言語の使用場面の例〕
a 特有の表現がよく使われる場面
・あいさつ　　　・自己紹介
・電話での応答　・買物
・道案内　　　　・旅行
・食事　など
b 生徒の身近な暮らしにかかわる場面
・家庭での生活　・学校での学習や活動
・地域の行事　など

〔言語の働きの例〕
a コミュニケーションを円滑にする
・呼び掛ける　　・相づちをうつ　　・聞き直す
・繰り返す　など
b 気持ちを伝える
・礼を言う　　　・苦情を言う　　　・褒める
・謝る　など
c 情報を伝える
・説明する　　　・報告する　　　　・発表する
・描写する　など
d 考えや意図を伝える
・申し出る　　　・約束する　　　　・意見を言う
・賛成する　　　・反対する　　　　・承諾する
・断る　など
e 相手の行動を促す
・質問する　　　・依頼する　　　　・招待する　など

イ 生徒の学習段階を考慮して各学年の指導に当たっては，次のような点に配慮するものとする。
(ｱ) 第1学年における言語活動
小学校における外国語活動を通じて音声面を中心としたコミュニケーションに対する積極的な態度などの一定の素地が育成されることを踏まえ，身近な言語の使用場面や言語の働きに配慮した言語活動を行わせること。その際，自分の気持ちや身の回りの出来事などの中から簡単な表現を用いてコミュニケーションを図れるような話題を取り上げること。

(c) In conducting language activities, teachers should focus on the following language-use situations and functions of language.

[Examples of Language-use Situations]
  a. Situations where fixed expressions are often used:
    · Greetings   · Self-introductions
    · Talking on the phone   · Shopping
    · Asking and giving directions   · Traveling
    · Having meals
    etc.
  b. Situations that are likely to occur in students' lives:
    · Home life   · Learning and activities at school
    · Local events
    etc.

[Examples of Functions of Language]
  a. Facilitating communication:
    · Addressing   · Giving nods   · Asking for repetition
    · Repeating
    etc.
  b. Expressing emotions:
    · Expressing gratitude   · Complaining   · Praising
    · Apologizing
    etc.
  c. Transmitting information:
    · Explaining   · Reporting   · Presenting
    · Describing
    etc.
  d. Expressing opinions and intentions:
    · Offering   · Promising   · Giving opinions
    · Agreeing   · Disagreeing   · Accepting
    · Refusing
    etc.
  e. Stimulating a communication partner into action:
    · Asking questions   · Requesting   · Inviting
    etc.

B. In instruction to each grade, consideration should be given to the following points, with the students' level of learning taken into account:
  (a) Language activities in Grade 1
    A certain extent of the foundation of communication abilities, such as a positive attitude toward communication focusing on speech sounds, is formed through foreign language activities in elementary schools. In light of this, language activities should be carried out with familiar language-use situations and functions of language taken into account. At this stage of learning, topics should be taken up that draw on communication using simple expressions taken from students' own feelings and everyday events.

(イ) 第2学年における言語活動

第1学年の学習を基礎として，言語の使用場面や言語の働きを更に広げた言語活動を行わせること。その際，第1学年における学習内容を繰り返して指導し定着を図るとともに，事実関係を伝えたり，物事について判断したりした内容などの中からコミュニケーションを図れるような話題を取り上げること。

(ウ) 第3学年における言語活動

第2学年までの学習を基礎として，言語の使用場面や言語の働きを一層広げた言語活動を行わせること。その際，第1学年及び第2学年における学習内容を繰り返して指導し定着を図るとともに，様々な考えや意見などの中からコミュニケーションが図れるような話題を取り上げること。

(3) 言語材料

(1)の言語活動は，以下に示す言語材料の中から，1の目標を達成するのにふさわしいものを適宜用いて行わせる。

ア 音声
 (ア) 現代の標準的な発音
 (イ) 語と語の連結による音変化
 (ウ) 語，句，文における基本的な強勢
 (エ) 文における基本的なイントネーション
 (オ) 文における基本的な区切り

イ 文字及び符号
 (ア) アルファベットの活字体の大文字及び小文字
 (イ) 終止符，疑問符，コンマ，引用符，感嘆符など基本的な符号

ウ 語，連語及び慣用表現
 (ア) 1,200語程度の語
 (イ) in front of, a lot of, get up, look for などの連語
 (ウ) excuse me, I see, I'm sorry, thank you, you're welcome, for example などの慣用表現

エ 文法事項
 (ア) 文
  a 単文，重文及び複文
  b 肯定及び否定の平叙文
  c 肯定及び否定の命令文
  d 疑問文のうち，動詞で始まるもの，助動詞（can, do, may など）で始まるもの，or を含むもの及び疑問詞（how, what, when, where, which, who, whose, why）で始まるもの
 (イ) 文構造
  a ［主語＋動詞］
  b ［主語＋動詞＋補語］のうち，

(b) Language activities in Grade 2

Language activities set with a wider range of language-use situations and functions of language should be carried out on the basis of what was learned in Grade 1. At this stage of learning, teachers should provide repeated instruction on what was learned in Grade 1 and have it take root in students' minds. In addition, such topics as those under which students are engaged in communication that involves conveying factual information or making judgments should be taken up.

(c) Language activities in Grade 3

Language activities set with an even wider range of language-use situations and functions of language should be carried out on the basis of what was learned in Grade 1 and 2. At this stage of learning, teachers should provide repeated instruction on what was learned in Grade 1 and 2 and have it take root in students' minds. In addition, such topics as those under which students are engaged in communication that involves expressing various thoughts and opinions should be taken up.

(3) Language Elements

In carrying out the language activities stated in (1), language elements suitable for the attainment of the objectives stated in "I. Objectives" should be chosen from among those indicated below.

A. Speech sounds
  (a) Contemporary standard pronunciation
  (b) Sound changes that result from the linking of words
  (c) Basic stresses in words, phrases and sentences
  (d) Basic sentence intonations
  (e) Basic pauses in sentences

B. Letters and symbols
  (a) Uppercase and lowercase printed letters of the alphabet
  (b) Basic symbols such as periods, question marks, commas, quotation marks, exclamation marks, etc.

C. Words, collocations and common expressions
  (a) Approximately 1,200 words
  (b) Collocations such as "in front of," "a lot of," "get up," "look for," etc.
  (c) Common expressions such as "excuse me," "I see," "I'm sorry," "thank you," "you're welcome," "for example," etc.

D. Grammatical items
  (a) Sentences
    i. Simple, compound and complex sentences
    ii. Affirmative and negative declarative sentences
    iii. Affirmative and negative imperative sentences
    iv. Interrogative sentences that begin with a verb or an auxiliary verb (such as "can," "do," "may," etc.), that contain "or" and that begin with an interrogative (such as "how," "what," "when," "where," "which," "who," "whose" and "why")
  (b) Sentence structures
    i. [Subject + Verb]
    ii. [Subject + Verb + Complement]

(a) 主語 + be 動詞 + $\begin{Bmatrix} 名詞 \\ 代名詞 \\ 形容詞 \end{Bmatrix}$

(b) 主語 + be 動詞以外の動詞 + $\begin{Bmatrix} 名詞 \\ 形容詞 \end{Bmatrix}$

c ［主語 + 動詞 + 目的語］のうち,

(a) 主語 + 動詞 + $\begin{Bmatrix} 名詞 \\ 代名詞 \\ 動名詞 \\ to 不定詞 \\ how （など） to 不定詞 \\ that で始まる節 \end{Bmatrix}$

(b) 主語 + 動詞 + what などで始まる節

d ［主語 + 動詞 + 間接目的語 + 直接目的語］のうち,

(a) 主語 + 動詞 + 間接目的語 + $\begin{Bmatrix} 名詞 \\ 代名詞 \end{Bmatrix}$

(b) 主語 + 動詞 + 間接目的語 + how（など）to 不定詞

e ［主語 + 動詞 + 目的語 + 補語］のうち,

(a) 主語 + 動詞 + 目的語 + $\begin{Bmatrix} 名詞 \\ 形容詞 \end{Bmatrix}$

f その他

(a) There + be 動詞 + ～

(b) It + be 動詞 + ～（+ for ～）+ to 不定詞

(c) 主語 + tell, want など + 目的語 + to 不定詞

(ウ) 代名詞
  a 人称, 指示, 疑問, 数量を表すもの
  b 関係代名詞のうち, 主格の that, which, who 及び目的格の that, which の制限的用法

(エ) 動詞の時制など
　　現在形, 過去形, 現在進行形, 過去進行形, 現在完了形及び助動詞などを用いた未来表現

(オ) 形容詞及び副詞の比較変化

(カ) to 不定詞

(キ) 動名詞

(ク) 現在分詞及び過去分詞の形容詞としての用法

(ケ) 受け身

(4) 言語材料の取扱い

ア 発音と綴(つづ)りとを関連付けて指導すること。

イ 文法については, コミュニケーションを支えるものであることを踏まえ, 言語活動と効果的に関連付けて指導すること。

a　Subject + *be* + $\begin{Bmatrix} \text{noun} \\ \text{pronoun} \\ \text{adjective} \end{Bmatrix}$

　　　b　Subject + non-*be* + $\begin{Bmatrix} \text{noun} \\ \text{adjective} \end{Bmatrix}$

　　iii.　[Subject + Verb + Object]

　　　a　Subject + verb + $\begin{Bmatrix} \text{noun} \\ \text{pronoun} \\ \text{gerund} \\ \textit{to}\text{-infinitive} \\ \textit{how}\ (\text{etc.}) + \textit{to}\text{-infinitive} \\ \text{clause beginning with } \textit{that} \end{Bmatrix}$

　　　b　Subject + verb + clause beginning with *what* etc.
　　iv.　[Subject + Verb + Indirect Object + Direct Object]

　　　a　Subject + verb + indirect object + $\begin{Bmatrix} \text{noun} \\ \text{pronoun} \end{Bmatrix}$

　　　b　Subject + verb + indirect object + *how* (etc.) + *to*-infinitive
　　v.　[Subject + Verb + Object + Complement]

　　　a　Subject + verb + object + $\begin{Bmatrix} \text{noun} \\ \text{adjective} \end{Bmatrix}$

　　vi.　Other sentence structures
　　　a　*There* + *be* + ~
　　　b　*It* + *be* + ~ (+ *for* ~) + *to*-infinitive
　　　c　Subject + *tell, want,* etc. + object + *to*-infinitive
　(c)　Pronouns
　　i.　Personal, demonstrative, interrogative and quantitative pronouns
　　ii.　Restrictive use of the relative pronouns "that," "which" and "who" used in the nominative case, and "that" and "which" used in the objective case
　(d)　Verb tenses, etc.
　　Present, past, present progressive, past progressive, present perfect and future formed with, for example, auxiliary verbs
　(e)　Comparative forms of adjectives and adverbs
　(f)　*to*-infinitives
　(g)　Gerunds
　(h)　Adjectival use of present and past participles
　(i)　Passive voice
(4)　Treatment of the Language Elements
　A.　For spelling instruction, both the letters and the corresponding pronunciation should be taken up.
　B.　Language activities should be conducted in such a way as grammar is effectively utilized for communication, based on the idea that grammar underpins communication.

ウ　(3)のエの文法事項の取扱いについては，用語や用法の区別などの指導が中心とならないよう配慮し，実際に活用できるように指導すること。また，語順や修飾関係などにおける日本語との違いに留意して指導すること。
　　エ　英語の特質を理解させるために，関連のある文法事項はまとまりをもって整理するなど，効果的な指導ができるよう工夫すること。

3　指導計画の作成と内容の取扱い
(1)　指導計画の作成に当たっては，次の事項に配慮するものとする。
　　ア　各学校においては，生徒や地域の実態に応じて，学年ごとの目標を適切に定め，3学年間を通して英語の目標の実現を図るようにすること。
　　イ　2の(3)の言語材料については，学習段階に応じて平易なものから難しいものへと段階的に指導すること。
　　ウ　音声指導に当たっては，日本語との違いに留意しながら，発音練習などを通して2の(3)のアに示された言語材料を継続して指導すること。
　　　　また，音声指導の補助として，必要に応じて発音表記を用いて指導することもできること。
　　エ　文字指導に当たっては，生徒の学習負担に配慮し筆記体を指導することもできること。
　　オ　語，連語及び慣用表現については，運用度の高いものを用い，活用することを通して定着を図るようにすること。
　　カ　辞書の使い方に慣れ，活用できるようにすること。
　　キ　生徒の実態や教材の内容などに応じて，コンピュータや情報通信ネットワーク，教育機器などを有効活用したり，ネイティブ・スピーカーなどの協力を得たりなどすること。
　　　　また，ペアワーク，グループワークなどの学習形態を適宜工夫すること。

C. For the treatment of "(3) D. Grammatical items," consideration should be given so that instruction does not center on issues like explaining grammatical terms or differentiating between usages, but on actual use of grammatical items. At the same time, instruction should be provided in the awareness of the differences between English and Japanese in terms of word order, modification relation and other aspects.
D. Effective instruction should be devised in order to have students understand the unique features of English, such as organizing mutually related grammatical items in a cohesive manner.

3. **Lesson Plan Design and Treatment of the Contents**
(1) In designing the syllabus, consideration should be given to the following points:
A. Taking into account the circumstances of students and the local community, each individual school should establish objectives of foreign languages for each grade in an appropriate manner and work to realize them over the period of three school years.
B. "II. (3) Language Elements" should be taught in a stepwise fashion from easy to difficult, according to the learning stage.
C. For pronunciation instruction, continuous instruction of the language elements indicated in "II. (3) A. Pronunciation" should be given through activities like pronunciation practice while taking heed of the differences between English and Japanese. Instruction using phonetic notation can also be provided as a supplement to pronunciation instruction as the need arises.
D. In teaching the alphabet, it is also possible to teach cursive writing, giving consideration to the students' study burden.
E. For instruction of words, collocations and common expressions, frequently-used items should be chosen so that they take root in students' mind through being actually used.
F. Students should familiarize themselves with how to use dictionaries in order to make good use of them.
G. In accordance with the circumstances of students and the contents of teaching materials, tools like computers, communication networks and educational aids should be used effectively and the cooperation of native speakers of English should be sought. Teachers should innovate various learning formats, incorporating pair work, group work and so on as appropriate.

(2) 教材は，聞くこと，話すこと，読むこと，書くことなどのコミュニケーション能力を総合的に育成するため，実際の言語の使用場面や言語の働きに十分配慮したものを取り上げるものとする。その際，英語を使用している人々を中心とする世界の人々及び日本人の日常生活，風俗習慣，物語，地理，歴史，伝統文化や自然科学などに関するものの中から，生徒の発達の段階及び興味・関心に即して適切な題材を変化をもたせて取り上げるものとし，次の観点に配慮する必要がある。

　ア　多様なものの見方や考え方を理解し，公正な判断力を養い豊かな心情を育てるのに役立つこと。
　イ　外国や我が国の生活や文化についての理解を深めるとともに，言語や文化に対する関心を高め，これらを尊重する態度を育てるのに役立つこと。
　ウ　広い視野から国際理解を深め，国際社会に生きる日本人としての自覚を高めるとともに，国際協調の精神を養うのに役立つこと。

その他の外国語

　その他の外国語については，英語の目標及び内容等に準じて行うものとする。

第3　指導計画の作成と内容の取扱い

1　小学校における外国語活動との関連に留意して，指導計画を適切に作成するものとする。
2　外国語科においては，英語を履修させることを原則とする。
3　第1章総則の第1の2及び第3章道徳の第1に示す道徳教育の目標に基づき，道徳の時間などとの関連を考慮しながら，第3章道徳の第2に示す内容について，外国語科の特質に応じて適切な指導をすること。

(2) With regard to teaching materials, teachers should give sufficient consideration to actual language-use situations and functions of language in order to comprehensively cultivate communication abilities such as listening, speaking, reading and writing. Teachers should take up a variety of suitable topics in accordance with the level of students' development, as well as their interest, covering topics that relate to issues like the daily lives, manners and customs, stories, geography, history, traditional cultures and natural science of the people of the world, focusing on English-speaking people and the Japanese people. Consideration should be given to the following perspectives:
  A. Materials should be useful in enhancing the understanding of various ways of viewing and thinking, fostering the ability to make impartial judgments and cultivating a rich sensibility.
  B. Materials should be useful in deepening the understanding of the ways of life and cultures of foreign countries and Japan, raising interest in language and culture and developing respectful attitudes toward these.
  C. Materials should be useful in deepening the international understanding from a broad perspective, heightening students' awareness of being Japanese citizens living in a global community and cultivating a spirit of international cooperation.

Other Foreign Languages
Instruction for foreign languages other than English should follow the objectives and contents of English instruction.

III. LESSON PLAN DESIGN AND TREATMENT OF THE CONTENTS
1. The syllabus should be designed in an appropriate manner with due heed paid to the connection with Foreign Language Activities at elementary schools.
2. For foreign language instruction, English should be selected in principle.
3. Teachers should provide proper instruction suited to the special characteristics of foreign language classes based on the content indicated in "Chapter 3. Moral Education II." while taking into consideration its connection with periods for Moral Education and the like. This is to be based on the objectives for Moral Education denoted in "Chapter 1. General Provisions I. 2." and "Chapter 3. Moral Education I."

参考文献・参考資料

Bernstein, B. 1964. "Elaborated and restricted codes: their social origins and some consequences," *American Anthropologist* 66: 55–69.
Bialystok, E. 1985. "The compatibility of teaching and learning strategies," *Applied Linguistics* 6/3: 255–262.
Birdsong, D. (ed.) 1999. *Second Language Acquisition and the Critical Period Hypothesis*. Mahwah, N. J.: Lawrence Erlbaum.
Bongaerts, T. 1999. "Ultimate attainment in L2 pronunciation: The case of very advanced late L2 learners," in Birdsong, D. (ed.) *Second Language Acquisition and the Critical Period Hypothesis*. 133–159. Mahwah, N.J.: Lawrence Erlbaum.
Bowler, B. and S. Parminter, 2001. *Happy Earth*, 1. Oxford: Oxford University Press.
Brewster, J. and G. Ellis. 2002. *The Primary English Teacher's Guide*, Second Edition. Harlow: Pearson Education.〔佐藤久美子（編訳），大久保洋子，杉浦正好，八田玄二（訳）．2005.『「小学校英語」指導法ハンドブック』東京：玉川大学出版部〕
Bruner, J. S. 1960. *The Process of Education*. Harvard: Harvard University Press.
────── 1984. *Child's Talk: Learning to Use Language*. Oxford: Oxford University Press.
Chamot, A. U. and P. B. El-Dinary. 1999. "Children's learning strategies in language immersion classrooms," *The Modern Language Journal* 83/3: 319–338.
Chesterfield, R. and K. B. Chesterfield. 1985. "Natural order in children's use of second language learning strategies," *Applied Linguistics* 6/1: 45–59.
Clift, M. 1976. "Teaching Observed," *Educational Broadcasting International* 9/2: 77–80.
Council of Europe. 2001. *Common European Framework of References for Languages: Learning, Teaching, Assessment*. Cambridge: Cambridge University Press.〔吉島茂，大塚理枝（訳）．2004.『外国語教育〈2〉外国語の学習，教授，評価のためのヨーロッパ共通参照枠』東京：朝日出版〕
Donaldson, M. 1978. *Children's Minds*. Glasgow: Fontana Press.
Donato, R. 1994. "Collective scaffolding in second language learning," in Lantolf, J. and G. Appel (eds.) *Vygotskian Approaches to Second Language Research*. 33–56. Norwood, N.J.: Ablex.
Doughty, C. and T. Pica. 1986, "Information-gap tasks: Do they facilitate second language acquisition?" *TESOL Quarterly* 20/2: 305–326.
Ellis, G. 1999. "Developing children's metacognitive awareness," in Kennedy, C. (ed.) *Innovation and Best Practice*. Longman in association with the British Council.
────── and J. Brewster . 2002. *Tell it Again! The New Storytelling Handbook for Primary Teachers*, Second Edition. Harlow: Pearson Education.〔松香洋子（監訳），八田玄二，加藤佳子（訳）．2008.『先生，英語のお話を聞かせて！』東京：玉川大学出版部〕

Gass, S. and C. Madden (eds.) 1985. *Input in Second Language Acquisition*. Cambridge, M.A.: Newbury House.

Giovanazzi, A. 1998. "Coherence and continuity: First steps towards a national policy," *Language Learning Journal* 17: 81–86.

Graham, C. 1979. *Jazz Chants for Children*. Oxford: Oxford University Press.

────── 1988. *Jazz Chants Fairy Tales*. Oxford: Oxford University Press.

────── 1994. *Mother Goose Jazz Chants*. Oxford: Oxford University Press.

Guinness World Records. 2011. *Guinness World Records, 2012*. London: Guinness World Records.

Halliwell, S. 1992. *Teaching English in the Primary Classroom*. Harlow: Longman.

Hasselgren, A. 2005. "Assessing the language of young learners," *Language Testing* 22/3: 337–354.

Hedge, T. 1988. *Writing*. Oxford: Oxford University Press.

────── 2000. *Teaching and Learning in the Language Classroom*. Oxford: Oxford University Press.

Hinson, M. and P. Smith. 1993. *Phonics and Phonic Resources*. Tamworth: Nasen Publication.

Imbert, H. and S. Rixon. 1994. *Green Light: Songs for English*. London: Macmillan.

Jenkins, J. 2000. *The Phonology of English as an International Language: New Models, New Norms, New Goals*. Oxford: Oxford University Press.

Kennedy, C. (ed.) 1999. *Innovation and Best Practice*. Longman in association with the British Council.

Kolsawalla, H. 1999. "Teaching vocabulary through rhythmic refrains in stories," in Rixon, S. (ed.) *Young Learners of English: Some Research Perspectives*. Harlow: Longman.

Krashen, S. D. 1981. *Second Language Acquisition and Second Language Learning*. Oxford: Pergamon.

Lantolf, J. and G. Appel (eds.) 1994. *Vygotskian Approaches to Second Language Research*. Norwood, N.J.: Ablex.

Lee, W. R. 1979. *Language Teaching Games and Contests*. Oxford: Oxford University Press.

Lewis, A. and G. Lindsay. (eds.) 2000. *Researching Children's Perspectives*. Buckingham: Open University Press.

Lightbown, P. M. and N. Spada. 2006. *How Languages Are Learned*, Third Edition. Oxford: Oxford University Press.

Long, M. H. 1983. "Native speaker/non-native speaker conversation and the negotiation of comprehensible input," *Applied Linguistics* 4/2: 126–141.

Longman. 2009. *Longman Dictionary of Contemporary English: The Living Dictionary*, Fifth Edition. Harlow: Pearson Education.

Mckay, P. 2006. *Assessing Young Language Leaners*. Cambridge: Cambridge University Press.

Miyamoto, Y. 2003. "Mother Goose reconsidered," *Modern English Teacher* 12/4: 35–40.

Mohamed, S. 1999. *Smile*, 5. Oxford: Macmillan Heinemann.

Moore, J. and M. Wright. 1981. *Granny Stickleback*. London: Hamish Hamilton.

O'Malley, J. M., A. U. Chamot, G. Stewner-Manzanares, L. Kupper, and R. P. Russo. 1985. "Learning strategies used by beginning and intermediate students," *Language Learning* 35/1: 21–46.

Oxford, R. 1990. *Language Learning Strategies: What Every Teacher Should Know*. New York: Newbury House.
Oyama, S. 1976. "A sensitive period for the acquisition of a non-native phonological system," *Journal of Psycholinguistic Research* 5: 261–284.
Piaget, J. 1926. *The Language and Thought of the Child*. London: Routledge and Kegan Paul.
Pinter, A. 1999. "Investigations into task-related strategy use with young learners of English," in Rixon, S. (ed.) *Young Learners of English: Some Research Perspectives*. 1–17. Harlow: Longman.
――― 2001. "Explorations into task-based interaction with non-proficient learners of English." Unpublished Ph.D thesis, University of Warwick.
――― 2006. *Teaching Young Language Learners*. Oxford: Oxford University Press.
――― 2011. *Children Learning Second Languages*. Basingstoke: Palgrave Macmillan.
Richards, J.C. and R. Schmidt. 2010. *Longman Dictionary of Language Teaching & Applied Linguistics*, Fourth Edition. Harlow: Pearson Education.
Rixon, S. 1981. *How to Use Games in Language Teaching*. Basingstoke: Macmillan.
――― 1990. *Tip Top*, 1. London: Macmillan.
――― 1992. "State of the art article: English and other languages for younger children: practice and theory in a rapidly changing world," *Language Learning* 25/1: 73–93.
――― 1999. "Where do the words in EYL textbooks come from?" in Rixon, S. (ed.) *Young Learners of English: Some Research Perspectives*. Harlow: Longman.
――― (ed.) 1999. *Young Learners of English: Some Research Perspectives*. Harlow: Longman.
――― 2000. "Worldwide survey of primary ELT—Teaching English to young learners—EYL website for the British Council," retrieved May 23, 2011 from http://www.britishcouncil.org/worldwide_survey_of_ primary_elt.pdf
―――, J. Moates, H. Imbert, and J. Olearski. 1994. *Tip Top*, 4. Harlow: Prentice-Hall.
Sharpe, K. 2001. *Modern Foreign Languages in the Primary School*. London: Kogan Page.
Slattery, M. and J. Wills. 2001. *English for Primary Teachers*.〔外山節子（日本語版監修）．2003.『子ども英語指導ハンドブック』　オックスフォード大学出版局・旺文社〕
Stengel E. 1939. "On learning a new language," *International Journal of Psycho-Analysis* 20: 471–479.
Swain, M. 1985. "Communicative competence: Some roles of comprehensible input and comprehensible output in its development," in Gass, S. and C. Madden (eds.) *Input in Second Language Acquisition*. 235–253. Cambridge, MA: Newbury House.
Ur, P. 1985. "Survey review: Courses for younger learners," *English Language Teaching Journal* 39/4: 282–288.
Vaughan-Rees, M. 1994. *Rhymes and Rhythm*. London: Macmillan.
Vygotsky, L. 1962. *Thought and Language*. Cambridge, MA: MIT Press.
――― 1978. *Mind in Society: The Development of Higher Psychological Processes*. Cambridge, MA: Harvard University Press.
Webster, D. 1987. *Muzzy in Gondoland: A Video English Course for Children*. BBC English.
Wells, G. 1981. *Learning through Interaction: The Study of Language Development*. Cambridge: Cambridge University Press.

Wenden, A. L. 1985. "Leaner strategies," *TESOL Newsletter* Vol. XIX: 5.
アルクキッズ英語編集部（編）．2000．『うたおう！ マザーグース 上：家庭で，教室で楽しむ英語のあそびうた』 東京：アルク．
―――（編）．2000．『うたおう！ マザーグース 下：家庭で，教室で楽しむ英語のあそびうた』 東京：アルク．
石川奈緒美，国嶋信，佐藤裕之，吉澤寿一．2000．『総合的な学習や国際理解教育に生かす英語の歌とゲーム・活動アイディア集』 東京：小学館．
大久保洋子（監修）．2003．『児童英語キーワードハンドブック』東京：ピアソン・エデュケーション．
大津由紀雄（編）．2004．『小学校での英語教育は必要か』 東京：慶応義塾大学出版会．
―――他．2008．『ことばの力を育む』東京：慶応義塾大学出版会．
岡秀夫，金森強（編著）．2011．『小学校英語教育の進め方――「ことばの教育」として―― 改訂版』 東京：成美堂．
岡本夏木他（編）．1995．『発達心理学辞典』 京都：ミネルヴァ書房．
尾原昭夫（編著）．1975．『日本のわらべ歌（室内遊戯編）』 東京：社会思想社．
川内彩友美（編）．1997．『まんが 日本むかしばなし101』 東京：講談社．
久埜百合（監修），永井淳子，粕谷恭子（著）．2000．『うたって遊ぼう小学生の英語の歌』 東京：小学館．
小泉清裕．2002．『みんなあつまれ！ 小学生のえいごタイム（小学校4-6年編）』 東京：アルク．
―――．2009．『子どもと親と先生に伝えたい 現場発！小学校英語』 岐阜：文溪堂．
小西友七他．1980．『小学館プログレッシブ英和中辞典』 東京：小学館．
小林美代子，宮本弦．2007．「小学校における英語指導の課題と研修――公立小学校教員への意識調査より――」小林美代子（編）『早期英語教育指導者の養成および研修の実態と将来像に関する総合的研究』平成16～18年度科学研究費補助金基盤研究(B)(2)平成18年度研究成果報告書，pp. 37-86．
―――，宮本弦，森谷浩士．2010．「英語運用能力向上研修に対する公立小学校教員の意識を探る――意識調査の詳細分析結果報告――」小林美代子（編）『早期英語教育の指導者養成と研修に関する総合的研究』平成19～21年度科学研究費補助金基盤研究(B)(2)平成21年度研究成果報告書，pp. 3-165．
佐藤久美子（編訳），大久保洋子，杉浦正好，八田玄二（訳）．2005．『「小学校英語」指導法ハンドブック』 東京：玉川大学出版部．
佐藤令子．2002．『みんなあつまれ！ 小学生の英語タイム（小学校1-3年生編）』 東京：アルク．
ジオス．2000．『親子でできる！ 英語のゲーム』 東京：ジオス出版．
塩美佐枝他．2006．『保育・教育ネオシリーズ20』 東京：同文書院．
白畑知彦他．2009．『英語教育用語辞典・改訂版』 東京：大修館書店．
末岡敏明．2009．「実践報告2 自分の声に耳を澄まそう」慶應義塾大学言語教育シンポジウム予稿集『「ことばの力を育む」授業の展開――みんなで探ろう、小学校英語活動への対処法――』 pp. 16-17．慶応義塾大学グローバルCOEプログラム「論理と感性の先端的教育研究拠点形成」
高橋一幸．2010．「学習指導要領と外国語活動指導のポイント（第3章第1節）」樋口忠彦他（編）『小学校英語教育の展開 よりよい英語活動への提言』pp. 36-44．東京：研究社出版．
東後勝明他（編）．2004．*Junior Columbus 21, 2*．東京：光村図書．
外山節子（監修）．2007．『子ども英語指導ハンドブック』 旺文社・オックスフォード大学出版局．
中本幹子．2003．『実践家からの児童英語教育法 実践編AB』 東京：アプリコット．
原岡笙子．1994．『マザーグースで身につける英語の発音とリズム』 東京：NHK出版．

広島市教育委員会．2010．『英語科5・6年 45分授業指導資料集』
深澤俊昭．2000．『英語の発音パーフェクト学習辞典』 東京：アルク．
本名信行．2003．『世界の英語を歩く』 東京：集英社．
─── 2006．『英語はアジアを結ぶ』 東京：玉川大学出版部．
増尾美恵子．2001．『子どもを夢中にさせる英語のレッスンプラン』 東京：ピアソン・エデュケーション．
松香洋子．2003．『通じる英語はリズムから Mary had a little lamb』 東京：松香フォニックス研究所（mpi）．
───（監訳），八田玄二，加藤佳子（訳）．2008．『先生，英語のお話を聞かせて！』 東京：玉川大学出版部．
松香フォニックス研究所（mpi）．2000．『MPIベストセレクション 歌とチャンツのえほん』 東京：松香フォニックス研究所（mpi）．
松川禮子．2004．『明日の小学校英語教育を拓く』 東京：アプリコット．
宮本弦．2009．「小学校指導者の英語運用練習──チャンツ集を利用した研修試案──」*Scientific Approaches to Language*（神田外語大学言語科学研究センター紀要）8. pp. 147-173.
望月昭彦（編著）．2001．『新学習指導要領に基づく英語科教育法』東京：大修館書店．
───（編著）．2010．『新学習指導要領に基づく英語科教育法・改訂版』東京：大修館書店．
文部科学省．1998．『小学校学習指導要領』 東京：大蔵省印刷局．
─── 2008a．『小学校学習指導要領』 東京：東京書籍．
─── 2008b．『中学校学習指導要領』 京都：東山書房．
─── 2009a．『英語ノート』① 東京：教育出版．
─── 2009b．『英語ノート』② 東京：教育出版．
─── 2009c．『小学校外国語活動 研修ガイドブック』 東京：旺文社．
─── 2009d．『高等学校学習指導要領』京都：東山書房．
─── 2012a．"Hi, friends!"① 東京：東京書籍．
─── 2012b．"Hi, friends!"② 東京：東京書籍．

キーワード解説

・1.2 p.30 は，第1章第2節の本文の30ページを示します。
・⇒ は参照項目を示します。

足場組み　scaffolding　1.2 p.30
学習者が，自分より有能な人，または知識のある人から受けるサポートのこと。親や保護者，教師などは，学習者のレベルを見極め，課題をいくつかの小さな段階に分割することによって，学習者が一歩ずつ進んでいけるように仕組む。この足場組みによって，学習者は，一人で課題に取り組む場合よりも多くのことを達成することができることとなる。⇒ **最近接発達領域**

イマージョン教育　immersion education　1.2 p.43
イマージョン教育では，学習者は一日のほとんど，ないしはその一部を目標言語に囲まれて過ごし，外国語以外の教科を学ぶときや，学校内の一般的なコミュニケーションの場面でも目標言語を使用する。

意味交渉　negotiation of meaning　1.2 p.27
話し手同士の間に，何を意味するか疑問が生じたときに起きる「相互交流」。自分の理解が正しいかどうかを確認したり，相手がどのように理解しているかをチェックしたり，あるいは正確に理解するために説明を求めたりすること。⇒ **インタラクション**

インタラクション　interaction　1.2 p.25
二人以上の人の間でなされる「コミュニケーションのやりとり」のこと。相互交流ともいう。インタラクションはことばだけでなく，非言語コミュニケーションがかかわることが多い。たとえば，母親が幼い子どもに何かを話しかけ，それに対して子どもが笑ったり，視線を返したりすることなどもインタラクションに含まれる。

イントネーション　intonation　4.4 p.151
発話の核となる音節から文の切れ目にかけて，声を上げ下げして音調の変化をさせることによって作り出される話しことばのメロディー。話の焦点・文法構造・話し手の心理・発話のスタイルなど，さまざまな情報を伝える働きを持つ。⇒ **トップダウンの発音指導**

インフォメーション・ギャップの活動　information gap activities　1.2 p.27 / 2.1 p.64
ペアやグループの学習者のそれぞれに，「一方だけしか知らない情報」を与え，手持ちの情報に格差を作ることによって，学習者の間で「意味交渉（negotiation of meaning）」を行う必要性を生み出すようなコミュニケーション活動。⇒ **意味交渉**

インプット　input　1.2 p.23 / 2.2 p.79
指導者が，学習者に文字や音声を通して導入する言語情報のこと。与えられるインプットが学習者に取り込まれる過程を「インテイク（intake）」と呼び，インプットとしばしば対比される。

オーディオリンガル・メソッド　　Audio-Lingual Method　　　　1.2 p. 37 / 2.1 p. 57
ことばは，主として，くり返しによる習慣化を図ることで身に付くという理念に基づいた教授法。指導者からの質問や合図によって，学習者が決められた方法でリピート練習やドリル練習をすることが典型的な活動である。オーディオリンガル・メソッドでは，誤りが習慣化しないように間違いはすぐに正すことが奨励される。指導プログラムには細かい段階が組まれており，それらを一段階ずつ積み重ねながら進む。⇒ **コミュニカティブ・ランゲージ・ティーチング，文法・訳読式教授法**

音韻論　　phonology　　　　4.1 p. 142
ある言語において，個々の「音素」が互いにどのように機能し，当該言語の体系を作り出しているのかという，「言語音」が持つ抽象的な側面を記述する研究領域。言い換えれば，母語話者がそれぞれの言語体系の中で，ある「音」をどのように意識しているかを研究する。

音質　　voice quality　　　　4.4 p. 151
発話のスピードや声の調子を変え，怒り・悲しみ・恐れといった気持ちを表現する音声特徴。物語の読み聞かせを行う際には，状況や登場人物に合わせて音質を巧妙に調整すれば，子どもたちを物語の世界へ引き込むことができる。⇒ **トップダウンの発音指導**

音声学　　phonetics　　　　4.1 p. 142
私たちが話すときに用いる実際の「音」を研究対象とする学問。舌や唇などの調音器官がどのように運動し，呼気の流れにさまざまな変化を与えて「言語音」を作り出すかなどを研究する学問。

音節拍言語　　syllable-timed language　　　　4.1 p. 143
日本語やイタリア語，スペイン語のように，すべての音節がほぼ同じ長さの言語。たとえば，日本語の音節は「子音＋短母音」の基本的単位（モーラ）によって構成されており，日本語話者はすべての音節（モーラ）に等量のエネルギーを費やし，均等な時間をかけて発音する傾向がある。⇒ **強勢拍言語**

音素　　phoneme　　　　2.2 p. 90
ten と pen の /t/ と /p/ のように，2つの単語の意味を区別する働きを持つ，言語音の最小単位。イギリスの「容認発音（RP）」には44の音素があり，そのうちの20が「母音」で，残りの24が「子音」である。⇒ **ボトムアップの発音指導，容認発音**

学習方略　　learning strategy　　　　1.2 p. 41 / 2.1 p. 58
言語学習で使われる用語で，学習者自身が学ぶために用いる「手だて」のこと。学習者は，さまざまな学習方略を用いて，「聞いたり（listening）」「話したり（speaking）」「読んだり（reading）」「書いたり（writing）」するときに，より難しいことに挑戦したり，問題を克服したり，回避しようとする。学習者が用いる「方略（ストラテジー）」には，自分の学習の仕方を振り返り，より効果的な方法を考えたり，わからないことがあったら，友だちや先生に聞いたりすることも含まれる。

カリキュラム　　curriculum　　　　5.3 p. 196
ある教科課程の，①目標，②内容，③教授法，④評価方法などを含む包括的な記述。「カリキュラム（curriculum）」と「シラバス（syllabus）」と

いう二つの用語の関係については，次の二通りの解釈が存在する（例：*Longman Dictionary of Language Teaching & Applied Linguistics*, Fourth Edition）。

1) カリキュラムとシラバスは同義である。
2) ある教科課程の，① 目標，② 内容，③ 教授法，④ 評価方法などを含む包括的な記述としてのカリキュラムのうち，二番目の「内容」の部分をシラバスと呼ぶ。

本書では，上の1）の解釈に立ち「カリキュラム」と「シラバス」を同じものとして扱っている。⇒ **指導プログラム案，シラバス**

環境文字	environmental print	5.3 p. 203

身の回り，とくに街中に見られる広告や看板，交通標識などに見られる英語表記。子どもたちがよく見知っている看板などにある単語を使って，読み方を教え始める指導者も多い。

機能語　⇒ 文法・機能語

教科横断的指導　cross-curricular teaching　5.2 p. 181

日本の小学校でいえば，社会や算数，理科，家庭科，外国語活動などの教科や活動を，それぞれ別々に扱うのではなく，複数の教科を横断して，知識・技術・情報などを総合的に教えること。例としては，子どもたちが住む地域の歴史について触れながら，どのように発展してきたかを地図で描いて見せたり，その土地にまつわる伝承を集めたり，創作したり，人口の統計を見せるような活動ができる。また，子どもたちの興味を引くような展示方法を企画・デザインすることも指導の中に含まれることがある。⇒ **内容と言語の統合学習**

教科概要　⇒ シラバス

教材評価　materials evaluation　5.1 p. 160

教材の教育的な側面の有益性について，一定の基準に基づき，系統的に評価をするプロセス。前書きや目次の記述の明解さ，あるいは，図表や挿絵の効果といった，教材を概観して判断できる「外的評価（external evaluation）」にはじまり，教材の中身を詳細に検討し，その教材を支配する言語観や構成原理，あるいは4技能の扱い方などといった側面を分析する「内的評価（internal evaluation）」の両方を総合して「総合的評価（overall evaluation）」を行うこととなる。

教授細目　⇒ シラバス

強勢　stress　4.1 p. 143 / 4.4 p. 151

英語では，名詞や動詞・形容詞・副詞などといった具体的な意味を持つ，「内容語」には強勢が置かれる。そして，強勢のある音節は「強く・長く・はっきり」と発音されることで，ほかの音節よりも際立つこととなる。⇒ **リズム，トップダウンの発音指導**

強勢拍言語　stress-timed language　4.1 p. 143

英語やドイツ語のような言語では，強勢のある音節の間に置かれる時間が，ほぼ等しくなる傾向がある。その結果，二つの強音節に挟まれる複数の弱音節は「弱く・短く」発音され，不明瞭な音となる。⇒ **音節拍言語**

形成的評価　formative assessment　6.3 p. 223 / 7.1 p. 257

指導課程の途中で，学習者がどのように学習しているかを見るために行う評価。学習者にとって最善のプログラムにするために，学習者からのフィードバックを取り入れながら，必要であれば，指導方法や教材の変更・調整を行う。教室でよく行われている小テストや授業中の観察などが，その一例である。⇒ 総括的評価

形態論　　　**morphology**　　　　　　　　　　　　　　　　　　　　3.2 p. 124
単語の構造や語形についての研究を指す。たとえば，名詞の複数形を作るときの -s, -es や規則動詞の語尾に -ed を付けて過去形を作ることなども形態論の範疇である。文の構造にかかわる「統語論（syntax）」とともに文法の中核をなす。⇒ 統語論

結束性　　　**cohesion**　　　　　　　　　　　　　　　　　　　　　1.2 p. 40
話されたり書かれたりした一連の文章の中の単語が，その文のほかの部分について言及し，それによって文章全体に関連性ができて筋道が通ること。たとえば，本書にもたびたび登場した『*Chicken Licken*（ひよこのリキン）』の物語中の "*Chicken Licken* had a *problem*: *he* thought that *the sky* was falling, but *it* wasn't really."（ひよこのリキンは困っていた。彼は，空が落ちてきたと思ったのだ。しかし，それは実際には落ちてきていなかった）という文章では，代名詞の he が Chicken Licken をさし，it は the sky を意味し，名詞の problem は Chiken Licken の身に起こることをさしている。これらはすべて，「結束性を持たせるための手段（cohesive devices）」であり，個々の文の間のつながりを作り出す働きをしている。⇒ 談話

言語形式重視の授業　　**form-focused instruction**　　　　　　　　　3.2 p. 126
学習者に正しく言語を習得させることに焦点を当て，「文法」「語彙」「スペリング」や「発音」を正確に身に付けることを目標にした指導法を指す。コミュニケーション重視の授業でも，文法の知識の必要性が再認識されてきており，必要に応じて，特定の言語形式に学習者の注意を向けさせ，重点的に指導することもあるが，意味やコンテクスト（文脈）を軽視しがちな伝統的な文法指導とは一線を画している。

言語材料の反復／再利用　　**recycling**　　　　　　　　　　　　　　3.1 p. 114
語彙や文法項目などの言語材料を，ある特定の課の中だけで集中的に扱うのではなく，一度履修したものをほかの課などでも再利用することをさす。英語コースの指導課程作成〔シラバス・デザイン〕にあたっては，学習者による習得を定着させるために，このように言語材料を適度に反復利用することが有効であると考えられる。⇒ シラバス

言語操作ゲーム　　**code-control game**　　　　　　　　　　　　　　7.1 p. 254
言語形式の定着を目的とするドリル的なゲーム。このタイプのゲームでは，参加者が文法的に正しい文を作ったり，きちんと聞き取って正しく反応することができると，優勢になったり，得点できたりする。典型的なゲーム形式としては，子どもたちが決まった単語や文を「ゲームことば」としてくり返して口にしたり，聞き取ったりする状況を設定することができる。⇒ コミュニケーション・ゲーム

言語の「学習（learning）」と「習得（acquisition）」　　　　　　　　　1.2 p. 20
応用言語学や外国語教育研究の分野では，言語の「学習」とは，学校での英

語の授業のように，あらかじめ用意された環境において，ことばを系統立てて学ぶことを意味する。一方，言語の「習得」とは，授業などで学習するのではなく，実生活の中で使うことによって生きたことばを身に付けていくこと。

| ことばへの気づき | **language awareness** | 1.1 p.8／3.2 p.132 |

好奇心や探究心を持ち，母語やその他の言語に関して，自分で何かを発見し，気づくこと。また，いろいろな方法でことばを創ることに対して関心を持つことも，「気づき」の重要なプロセスである。このように，子どもたちの言語に対する興味を刺激し，疑問を持つように仕向けるための具体的な指導例については，第3章第2節の注釈10（p.139）を参照のこと。

| コーパス | **corpus** | 3.1 p.116 |

実際の発話や，書かれたことばをデータとして集めた膨大な言語資料。このデータを分析して言語研究に役立てることができる。たとえば，使用頻度が高い単語を発見したり，特定の単語が使われることが多い文脈を明らかにしたりすることにも利用されている。コーパスは，教材やテキストの執筆者にとっても非常に実用的で，学習者に必要な単語やフレーズの優先順位を知ることができる。

コミュニカティブ・ランゲージ・ティーチング
Communicative Language Teaching: CLT　　　2.1 p.57

言語学習の主たる目的は，文の形式やルールを学ぶだけではなく，他者とのコミュニケーションができるようになることだという理念に基づいた指導法。文法・訳読式教授法（Grammar-Translation Method）は，文法・訳読の学習中心であるが，CLTは，現実社会で使用できる実践知識や常識とともに正しい文法を身に付けさせることを目指す。CLTは，習慣形成から言語は学習されるというオーディオリンガル・メソッド（Audio-Lingual Method）の説く仮説を否定する立場をとる。よって，学習者が犯す誤りについても，より肯定的にとらえ，学習者が言いたいことを表現しようと努力した結果，必然的に生じるものであると考える。⇒ オーディオリンガル・メソッド，文法・訳読式教授法

コミュニケーション・ゲーム　　**communication game**　　7.1 p.255

情報をうまく相手に伝えたり，あるいは，相手が話す内容をなんとか理解することによって勝利したり，ゴールに到達するゲーム。このタイプのゲームでは，文法的に間違いのない文を作るといった言語形式の正しさよりも，伝えようとする「内容（message）」を相手にうまく伝えることのほうが重要視される。⇒ 言語操作ゲーム

| 最近接発達領域 | **Zone of Proximal Development: ZPD** | 1.2 p.31 |

旧ソビエト連邦の心理学者ヴィゴツキー（Vygotsky）によって生み出された用語を英訳したもの。学習者が，自分より熟練した指導者から専門的なサポートを受けて進むことになる，発達および学習における「次の段階」のこと。⇒ 足場組み

| 最小対立ペア | **minimal pair** | 4.3 p.146 |

たとえば，sh*i*p [ʃíp] と sh*ee*p [ʃíːp]，mou*s*e [máus] と mou*th* [máuθ] などのように，同じ位置にある1個の「音素」だけが互いに異なる一組の

キーワード解説　381

単語。⇒ **音素**

産出語　**productive words/vocabulary**　2.2 p. 75 / 3.1 p. 112
産出語は会話の中で発音したり，文章に書いたり，実際に使用するレベルの語彙で，母語話者ばかりでなく，外国語学習者においても，産出できる語彙は「受容語（receptive words/vocabulary）」に比べて少ないといわれている。⇒ **受容語**

産出スキル〔技能〕　**productive skills**　2.2 p. 74
「聞くこと（listening）」「話すこと（speaking）」「読むこと（reading）」「書くこと（writing）」の4技能のうち，「話すこと（speaking）」と「書くこと（writing）」の二つの技能のこと。⇒ **受容スキル**

子音連結　**consonant cluster**　4.1 p. 143
音節の初めや，最後に位置する子音の連続。英語では，たとえば，strengths [stréŋkθs] のように最大限，音節の冒頭に3個（/s/+/t/+/r/），音節末尾に4個（/ŋ/+/k/+/θ/+/s/）までの子音が連続することがあり得る。それに対して，日本語は「子音＋短母音」の基本的単位（モーラ）によって構成されているため，原則として子音連結がない。このため，日本語話者にとって，子音連結は，英語の発音を習得する際の困難点の一つとなることが多い。

自己評価　**self-assessment**　6.3 p. 229
学習者自身が，自己の能力や学習の度合いを判定するために行う評価。学習内容や方法について反省したり，熟考させるのに有効な手段であり，自主性を養うことにもつながる。実際の方法として，たとえば，学習者にチェックリストを与え，自分で進歩の度合いを確認をさせることや，「振り返りシート」やアンケート調査なども有効な自己評価の手段である。

実用性　**practicality**　6.3 p. 225
実用性とは，あるテストを実施するにあたって，それに要する時間・労力・設備などの点で，現実的に可能かどうかを示す指標を表す。評価においては，「validity（妥当性）」「reliability（信頼性）」とともに考慮しなければならない点である。たとえば，学習者の話す能力を測る場合，少人数に課題を与えて観察評価をすれば，妥当な結果が得られると考えたとしても，グループごとにかかる時間や，ほかの学習者をどのように待たせておくかなどを考慮して，実用性の面から，より簡単な方法を採ることも考えられる。⇒ **信頼性**，**妥当性**

指導プログラム案　**course plan**　5.3 p. 197
一定期間にわたる外国語指導プログラムの構成概念と，指導の流れを詳細に示した一覧表で，教科書の執筆者による教材配列一覧や，現場の教師の手による年間指導計画などの下敷きとなるもの。公的な機関によって作成される学習項目の一覧「シラバス」（例：学習指導要領）とは違い，実際の指導の流れを具体的に示したものとなっている。⇒ **カリキュラム**，**シラバス**

集団基準準拠の評価〔相対評価〕　**norm-referenced assessment**　6.2 p. 218
ほかの学習者と比較して，ある個人が，集団の中でどのような位置にいるかを示す評価で，学習者に全体の中での順位などの情報が与えられる。合格者の定員が決められている入学選抜試験は，集団基準準拠の評価の典型的な例

である。このような「相対評価」においては，成績の順位や平均点が重要視される。⇒ **目標基準準拠の評価〔絶対評価〕**

受容語　　　receptive words/vocabulary　　　　　　　2.2 p. 75 / 3.1 p. 112
言語使用のコンテクスト（文脈）の中で，私たちが目や耳にすることを認識し，理解するために使われる語彙をさし，実際に，話したり・書いたりするときに使う「産出語（productive words/vocabulary）」と区別される。一般的に，母語話者でも外国語学習者でも，受容語の数は「産出語」に比べてはるかに多いとされている。⇒ **産出語**

受容スキル〔技能〕　receptive skills　　　　　　　　　　　　2.2 p. 74
「聞くこと（listening）」「話すこと（speaking）」「読むこと（reading）」「書くこと（writing）」の4技能のうち，「聞くこと（listening）」と「読むこと（reading）」の二つの技能のこと。⇒ **産出スキル**

使用頻度　　　frequency　　　　　　　　　　　　　　　　　3.1 p. 116
一つの単語が通常，どれだけくり返して使用されているかの「度合い」。使用頻度の高い語彙を多く知っていれば，コミュニケーションの場面では有効である。最近では，子ども用のコーパスもできていて，子どもにとって使用頻度の高い，より重要な語彙を使った教材も利用できるようになっている。

シラバス　　　syllabus　　　　　　　　　　　　　　　　　　5.3 p. 195
ある教科課程の「学習内容」と「項目配列」の一覧。現在，言語教育では，話題・機能・文法項目・言語技能・語彙など，さまざまな要素から成る多面的な構成のシラバスが使われている。本書の第5章の「子どもたちへの指導を計画する」を読む際には，学習項目の一覧としての「シラバス」と，実際の指導の流れを具体的に示した「指導プログラム案（course plan）」との区別に注意する必要がある。⇒ **カリキュラム，指導プログラム案**

信頼性　　　reliability　　　　　　　　　　　　　　　　　　6.3 p. 225
学習者の正しい学力や，潜在能力を公平に表している評価であるかどうか，評価の結果をどの程度信頼できるかを信頼性という。信頼性を高めるためには，学習者を評価する条件に偏りがないこと，どのような場合においても有利・不利が起きないことを確実にする必要がある。結果に誤差の少ないものが，信頼性の高いテストといえる。⇒ **実用性，妥当性**

ストラテジー　⇒ **学習方略**

制限練習　　　controlled practice　　　　　　　　　　2.2 p. 82 / 7.1 p. 255
特定の文法項目に焦点を当て，それらを体得させる目的で行う練習。学習者が決まった単語や文をくり返して口にしたり，聞き取ったりする「反復練習」や「ドリル練習」などが考えられる。

絶対評価　⇒ **目標基準準拠の評価**

全身反応教授法　Total Physical Response: TPR　　1.2 p. 24 / 2.2 pp. 66, 77
アメリカの心理学者ジェームス・アッシャー（James Asher）が開発した言語教授法。学習者は教師からの指示を聞き，口頭で応答するのではなく，理解したことを実演してみせる。たいていの場合，具体的で現実的な動作などを要求するので，学習者にとって意味があり学習を促進するものとなる。たとえば，教師が，"Go to the window and open it. Then go back to your seat and sit down." と指示すると，学習者はその通りに動かなけれ

ばならないが，自らが英語で発話する必要はない。

総括的評価 **summative assessment** 6.3 p. 224
一学期とか，一学年など，ある学習過程が終了した段階で実施される学習の達成度を測る評価。指導の過程で学習者を継続的に評価したり，指導者の指導方法や教材をチェックするために行う「形成的評価」と区別される。⇒ 形成的評価

早期英語教育 **Teaching English to Young Learners: TEYL** 1.1 p. 4
本書で「子ども（young learners）」と表現するときには，主に6歳～12歳，つまり小学校就学時期の子どもたちのことを念頭に置いている。そしてイギリスで，この年齢層の子どもたちを対象とし，公立・私立の小学校あるいは民間教育機関などさまざまな環境における英語活動や英語指導を総称する TEYL（Teaching English to Young Learners）の訳語として，「早期英語教育」を用いた。

相対評価 ⇒ 集団基準準拠の評価

脱中心化 **decentering** 1.2 p. 47
子どもたちが，実際の体験と行動の過程について分析し，説明を試みる過程を経て，より客観的に物事を見る能力を培っていくプロセスを表す。つまり，「自己中心的（egocentric）」な見方から脱却すること（第7章第2節，および注釈5参照）。言語学習においては，子どもたちがことばの持つ意味だけに反応する段階から一歩踏み出し，ことばを一つの対象としてとらえ，外から客観的に眺めて，それを学ぶことができるようになることをさす。

妥当性 **validity** 6.3 p. 225
ある評価の内容や評価方法が，判定したい能力を本当に測っているかどうかを判断するもの。たとえば，リスニングのテストが妥当であるためには，学習者に大量のリーディングやライティングを要求するような内容は不適当だと考えられる。⇒ 実用性，信頼性

談話 **discourse** 1.2 p. 40
単一の文のレベルを超えて一定のまとまりを持つ，一連の書きことばや話しことば。談話は，「意味的連結性（coherence）」や「結束性（cohesion）」によって，一つのまとまりを構成している。⇒ 結束性

チャンク **chunk** 1.2 p. 38
全体としてひとまとまりになっており，一つひとつの構成要素に切り分けて処理されることがないひと続きの「ことばの塊」。formulaic utterance（定型発話），あるいは pre-fabricated utterance（規格発話）などと呼ばれることもある。たとえば，"Never mind."（気にするな），"How are you?"（元気ですか？），"Many happy returns!"（誕生日おめでとうございます！）などのチャンクは，つねに変化しない。学習者の発話の多くは，このようによく使われるフレーズをそのまま用いたり，あるいは語彙交換の可能な箇所に必要に応じて適切な語彙をはめ込むことによって作られている（例："My name is ...", "My favorite ～ is ..."）。

中心構成原理 **Major Organising Principle: MOP** 5.3 p. 197
「指導プログラム」を構成する際に中心となる原理のこと。たとえば，MOPが「話題（topic）」であるなら，プログラムに含まれるユニットやレッスン

には，"At home（家で）"とか"Pets（ペットたち）"などの表題が設けられる。この場合，「語彙」や「文構造」「言語技能」などのほかの構成原理についての操作も同時に行うことが可能であるが，あくまでも中心となるのは「話題」で，ほかの構成原理は従属的な位置付けとなる。

調音　　　articulation　　　　　　　　　　　　　　　　4.1 p. 142
私たちが話をする際に，唇・歯・舌などの音声器官の筋肉が収縮して位置や形を変え，呼気の流れにさまざまな変化を与えて言語音を作り出すこと。

沈黙期　　silent period　　　　　　　　　　　　1.2 p. 23 / 2.2 p. 73
子どもが最初のことばを発するまでには，かなりの時間がかかる。その間，子どもたちは，自分からは何も言わなくても，たくさんのことばを耳から取り込んで，盛んに処理を行っている。この期間のことを沈黙期と呼ぶ。母語を習得するときの子どもたちに，このような時期があることを踏まえて，外国語の学習でも，まず，ことばの「インプット（input: 入力）」をふんだんに学習者に与え，そこで得られた情報が，目には見えない形で，じっくりと時間をかけて内在化されていく過程が重要だと考えられる。⇒ インプット

ティーチャー・トーク　teacher talk　　　　　　　　　　　　　2.1 p. 61
幼児が母語を習得する過程で，周囲にいる大人たち〔母親や父親など〕が，ほぼ無意識のうちにゆっくりと話したり，やさしいことばに言い換えたりするように，外国語の教師が学習者に対して話しかけるときにも，① 話すスピードを落とす，② 大きな声ではっきりと話す，③ 難しい語彙をやさしいことばに言い換える，④ 何度もくり返して言う，などの気配りをしている。このような教師の発話をティーチャー・トーク〔あるいはティーチャー・ランゲージ（教師ことば）〕という。

適用範囲　coverage　　　　　　　　　　　　　　　　3.1 p. 116
一つの単語で，どれくらい多くの異なったものをさし示すことができるかということ。このように，適用範囲が広く「汎用性」の高い語句として，'a kind of 〜' などがあり，この範疇内に含まれる意味はいろいろあるので利用価値が高くなる。たとえば，「ゾウ（elephant）」という名詞を知らなくても，'a kind of animal with a long nose' と言えば，なんとか相手に意味を通じさせることができる。

統語論　　syntax　　　　　　　　　　　　　　　　　3.2 p. 124
語と語が組み合わされ，特定の配列になることで，文型や構造ができる仕組みを研究する学問。語の構造や語形の変化についての研究である「形態論（morphology）」と区別される。⇒ 形態論

トップダウンの発音指導　top down approach　　　　　　　　　4.4 p. 151
まず，全体を十分に把握させてから，徐々に細部を指導するアプローチを発音指導に取り入れたもの。言語には，一つひとつの音のレベルを超えて，ある人の発話全体にわたって現れるような特徴がある。それは，英語においては，単語や発話の中の適切な場所に「強勢（stress）」を置くことで作り出される話しことばの「リズム（rhythm）」，文の切れ目などで声を上げ下げして話しことばのメロディーを作る「イントネーション（intonation）」，そして，怒り・悲しみ・恐れといった気持ちを表現する「音質（voice quality）」などである。歌やチャンツなどを素材とする発音練習は，このよ

うな発話全体にわたって現れる発音特徴，つまり，「英語らしさ」の習得を目的とするトップダウンの発音指導の代表例である。⇒ **ボトムアップの発音指導**

内容語 　　content words 　　　　　　　　　　　　　　　　　　　　3.1 p. 111

名詞・動詞・形容詞・副詞などのように具体的な意味を持つ単語をさし，lexical words ともいう。通常，発話においては内容語には強勢が置かれ，文中のほかの語に比べてはっきりと強調して発音される傾向がある。これに対して，冠詞・前置詞・接続詞などのように内容語を結び付ける働きをする「文法・機能語」は，通常，強勢が置かれないので，発話の際，速めで不明瞭に話されることが多い。⇒ **文法・機能語**

内容中心の学習法 　　content-based language learning 　　　　　　　5.2 p. 181

理科や算数や家庭科などの他教科の内容を外国語を用いて教え，その過程を通して，学習者の他教科の知識と外国語運用能力を総合的に伸ばそうとする教授法。教科知識の学習に焦点を当てるものから，外国語運用能力の向上に主眼を置くものまで，さまざまなプログラムを想定することができる。⇒ **教科横断的指導，内容と言語の統合学習**

内容と言語の統合学習 　　Content and Language Integrated Learning: CLIL 　　5.2 p. 181

外国語を使って，歴史や自然科学，音楽や体育などのさまざまな科目を教える学習方法。近年，ヨーロッパを中心として，世界的な拡がりを見せている。「教科横断的指導（cross-curricular teaching）」が，「他教科の内容を取り入れた外国語学習」であることに対して，CLIL は「英語を媒介とする教科学習」と定義される。つまり，CLIL においては，教科内容を学習することが第一の目的であり，そこで展開される外国語の使用は教科内容によって規定されることとなる。⇒ **教科横断的指導**

二重母音 　　diphthong 　　　　　　　　　　　　　　　　　　　　4.3 p. 150

一つの母音からほかの母音に，舌の位置を移動させながら調音する母音。発音の仕方からは2個の違う音の組合せのようにも思われるが，1個の音素として考えられている。イギリスの「容認発音（RP）」には8個の二重母音がある。⇒ **音素，母音，容認発音**

ニーズ分析 　　needs analysis 　　　　　　　　　　　　　　　　　　3.1 p. 115

学習者が，どのような目的で目標言語を学び，また，どのような状況で目標言語を使用することになるかなどの情報を得て分析すること。その結果に基づいて，伸ばすべき言語能力を決定し，必要な言語材料や教授法を選択することができる。たとえば，仕事で海外に赴任する人に対して，ニーズ分析の結果を利用して，その人独自の指導課程を組むことができる。

配分 　　dosing 　　　　　　　　　　　　　　　　　　　　　　　3.1 p. 113

学習者に提供する文法項目，語彙の分量や配分の仕方を表す用語。たとえば，新語の導入の際，それらを英語のコースや教科書のどこで導入し，ほかの課でどのようにくり返して使用するかなどについて，その配分方法を考慮することをさす。

波及効果 　　washback effect / backwash effect 　　　　　　　　　6.2 p. 220

評価の内容や方法が，指導や学習に及ぼす影響。たとえば，大学入試にリスニングが導入されたことによって，中学や高校の英語の授業でリスニングが

より重要視されるようになることをさす。同様に，読解問題に多くの配点がある場合，教師はリーディングの指導を重視して時間をかけることになるなど，その影響は良くも悪くもなり得る。

| 反復的〔累積的〕な物語 | cumulative/repetitive story | 7.2 p.265 |

話が進むにつれ，同一または似たような出来事がくり返し起こることによって，物語の中のフレーズや節全体が，何度もくり返される要素を持つ物語は反復的といえる。累積的とは，物語の中で，だんだんと登場人物や一連の出来事などが増えていく特徴がある物語のこと。本書でも何回か登場した『Chicken Licken（ひよこのリキン）』は，このタイプの物語といえる。

| フォニックス中心の指導 | phonics-based teaching | 2.2 p.93 |

学習者が自分の力で単語を発音できるように，「文字」と「音」との一致に着目し，系統立てて読み方を指導する。フォニックスは元来，母語話者に文字指導をするためのものであるが，現在では，外国語の授業でも広く使われている。

| 文法・機能語 | grammar/functional words | 3.1 p.111 |

「内容語（content words）」とは異なり，具体的な意味を持たない冠詞・前置詞・接続詞・代名詞・法助動詞など。働きは文中で「内容語」同士を連結させ，それらが文の中でどのようなつながりを持っているかを示す。発話の際，「機能語」には強勢が置かれないので「弱形（weak form）」とも呼ばれる。⇒ 内容語

| 文法・訳読式教授法 | Grammar Translation Method | 2.1 p.57 |

外国語教授法の一つで，「翻訳」〔母語から外国語へまたは外国語から母語へ置き換えること〕および「文法」〔ことばの規則を学びそれを適用すること〕を基本とする教授法。この教授法は，構造主義言語学と行動主義心理学を基盤として開発されたオーディオリンガル・メソッドなどとは異なり，ある人物によって提唱された特定の理論に基づくものではなく，中世ヨーロッパにおけるラテン語の訳読方式の教授法から発展したもので，現在でも，世界の多くの国で広く用いられている。その特徴は，文法と訳読の重視と母語による説明が中心となり，実際に目標言語を聞いたり，話したりすることは軽視されている。⇒ オーディオリンガル・メソッド，コミュニカティブ・ランゲージ・ティーチング

| 母音 | vowel | 4.1 p.143 |

肺から送られた空気が，喉頭（のどぼとけ）の内側にある声帯を振動させて声になり，その声が唇・歯・舌などで妨害されることなく，口から出る音。日本語には「アイウエオ」の5つの母音しかないが，これに対して，英語では,たとえば，イギリスの「容認発音（RP）」には20種類もの母音がある。
⇒ 容認発音

| ポートフォリオ評価 | portfolio assessment | 6.4 p.228 |

教科課程において，学習者が作成したものや経験したことや作業結果などのポートフォリオ〔集積記録（portfolio）〕を基に行う評価。ポートフォリオは，ファイルやホルダーにまとめられることが多い。教師は，各学習者の学習状況を把握でき，また学習者も自分のポートフォリオをときおり振り返って見ることによって，自分の学習内容を客観的に省みることができるように

キーワード解説　387

なる。

ボトムアップの発音指導　bottom up approach　　　　　　　　　　4.3 p. 146
細部を重点的に指導することで，全体的な力を付けさせようとするアプローチを発音指導に取り入れたもの。たとえば，英語の /th/ のように，日本の学習者の母語にはない「音（音素）」にねらいを定めて，念入りに練習をくり返す。⇒ トップダウンの発音指導

本物の本　real books　　　　　　　　　　2.2 p. 97
学校などで学ぶような教育的な目的で作られた「テキスト」や「物語」などではなく，たとえば，母語話者の子どもを対象とした「生の英語」で書かれた絵本やアニメなどの教材。このような「本物の本」では，語彙や文法項目が「生のまま」で提示され，統制されていないのが特徴である。

マインド・マップ〔話題連想図〕　mind map　　　　　　　　　　5.3 p. 205
ある「話題（topic）」を出発点とする連想のネットワークを表した図。まず，中心となる「話題」を図の中央に置き，その「話題」をきっかけとして頭に思い浮かぶ事柄を，周囲に次々と書き加えていくことによってでき上がる。とくに，「話題」中心の指導プログラムを立案する際には，マインド・マップを描いてみることが役立つ。

メタ認知意識　metacognitive awareness　　　　　　　　　　1.2 p. 44
自分の学習進度や弱点，得意な点をどのように学ぶか，自分にとって最善の学ぶ方法は何かなどについて学習者自身が意識をすること。「認知的気づき」ともいう。

目標基準準拠の評価〔絶対評価〕　criterion-referenced assessment　　　　　　　　　　6.2 p. 218
目標基準準拠の評価とは，ある課題や作業を成し遂げた場合，事前に定めた評価基準に従って，達成度に応じて評価する方法で，「絶対評価」とも呼ばれる。学習者同士を比較して下される「相対評価」ではないので，クラス全員が最高評価に達することも可能である。⇒ **集団基準準拠の評価〔相対評価〕**

容認発音　Received Pronunciation: RP　　　　　　　　　　2.2 p. 91 / 4.1 p. 143
イギリスでもっとも格式が高いとされている発音で，「BBC（英国放送協会）英語」と呼ばれることもある。英語音声の研究において，もっとも広い分析と記述の対象となってきた変種で，イギリス英語を学ぶコースの発音モデルとなっていることが多い。

ライム　rhyme/rime　　　　　　　　　　2.2 p. 95 / 7.3 p. 287
英語の音節は，中心音（核）となる「母音」とその前後にくる可能性のある「頭子音」および「尾子音」という3つの要素から成るが，音韻論では，「核＋尾子音」の緊密な関係に注目し，英語の基本的な音節構造を「頭子音＋（核＋尾子音）」という形でとらえ，この「核＋尾子音」の結び付きをライム（rhyme または rime）と呼んでいる。たとえば，sp*arrow* と *arrow*，c*at* と m*at* の組み合わせに見られるように，このライムにあたる部分が一致する単語同士は，互いに「韻」を踏むペアとして意識される。

リズム　rhythm　　　　　　　　　　4.4 p. 151
音楽においては，強弱の規則的なパターンのくり返しによってリズムが生まれる。話しことばでも，単語や発話の中の適切な場所に「強勢（stress）」を置くことで，強音節と弱音節の対比が生まれ，ことばのリズムが作り出さ

れる。言語の中にリズムが存在することによって,聞き手は,ひと続きの音の流れの中から,音声情報をリズムの固まりごとに切り取り,それぞれまとまりのある情報単位として処理することが可能になる。⇒ **強勢, トップダウンの発音指導**

累積的〔反復的〕な物語　⇒ 反復的〔累積的〕な物語
話題連想図　⇒ マインド・マップ

英‐和キーワード対照リスト

英	和	章節
acquisition/learning	言語の「学習（learning）」と「習得（acquisition）」	1.2 p.20
articulation	調音	4.1 p.142
Audio-Lingual Method	オーディオリンガル・メソッド	1.2 p.37 / 2.1 p.57
backwash effect	波及効果	6.2 p.220
bottom up approach	ボトムアップの発音指導	4.3 p.146
chunk	チャンク	1.2 p.38
code-control game	言語操作ゲーム	7.1 p.254
cohesion	結束性	1.2 p.40
communication game	コミュニケーション・ゲーム	7.1 p.255
Communicative Language Teaching: CLT	コミュニカティブ・ランゲージ・ティーチング	2.1 p.57
consonant cluster	子音連結	4.1 p.143
Content and Language Integrated Learning: CLIL	内容と言語の統合学習	5.2 p.181
content-based language learning	内容中心の学習法	5.2 p.181
content words	内容語	3.1 p.111
controlled practice	制限練習	2.2 p.82 / 7.1 p.255
corpus	コーパス	3.1 p.116
course plan	指導プログラム案	5.3 p.197
coverage	適用範囲	3.1 p.116
criterion-referenced assessment	目標基準準拠の評価〔絶対評価〕	6.2 p.218
cross-curricular teaching	教科横断的指導	5.2 p.181
cumulative/repetitive story	反復的〔累積的〕な物語	7.2 p.265
curriculum	カリキュラム	5.3 p.196
decentering	脱中心化	1.2 p.47
diphthong	二重母音	4.3 p.150
discourse	談話	1.2 p.40
dosing	配分	3.1 p.113
environmental print	環境文字	5.3 p.203
formative assessment	形成的評価	6.3 p.223 / 7.1 p.257
form-focused instruction	言語形式重視の授業	3.2 p.126
frequency	使用頻度	3.1 p.116
grammar/functional words	文法・機能語	3.1 p.111
Grammar Translation Method	文法・訳読式教授法	2.1 p.57
immersion education	イマージョン教育	1.2 p.43

information gap activities	インフォメーション・ギャップの活動	1.2 p. 27 / 2.1 p. 64
input	インプット	1.2 p. 23 / 2.2 p. 79
interaction	インタラクション	1.2 p. 25
intonation	イントネーション	4.4 p. 151
language awareness	ことばへの気づき	1.1 p. 8 / 3.2 p. 132
learning/acquisition	言語の「学習（learning）」と「習得（acquisition）」	1.2 p. 20
learning strategy	学習方略	1.2 p. 41 / 2.1 p. 58
Major Organising Principle: MOP	中心構成原理	5.3 p. 197
materials evaluation	教材評価	5.1 p. 160
metacognitive awareness	メタ認知意識	1.2 p. 44
mind map	マインド・マップ〔話題連想図〕	5.3 p. 205
minimal pair	最小対立ペア	4.3 p. 146
morphology	形態論	3.2 p. 124
needs analysis	ニーズ分析	3.1 p. 115
negotiation of meaning	意味交渉	1.2 p. 27
norm-referenced assessment	集団基準準拠の評価〔相対評価〕	6.2 p. 218
phoneme	音素	2.2 p. 90
phonetics	音声学	4.1 p. 142
phonics-based teaching	フォニックス中心の指導	2.2 p. 93
phonology	音韻論	4.1 p. 142
portfolio assessment	ポートフォリオ評価	6.4 p. 228
practicality	実用性	6.3 p. 225
productive skills	産出スキル〔技能〕	2.2 p. 74
productive words/vocabulary	産出語	2.2 p. 75 / 3.1 p. 112
real books	本物の本	2.2 p. 97
Received Pronunciation: RP	容認発音	2.2 p. 91
receptive skills	受容スキル〔技能〕	2.2 p. 74
receptive words/vocabulary	受容語	2.2 p. 75 / 3.1 p. 112
recycling	言語材料の反復／再利用	3.1 p. 114
reliability	信頼性	6.3 p. 225
rhyme/rime	ライム	2.2 p. 95 / 7.3 p. 287
rhythm	リズム	4.4 p. 151
scaffolding	足場組み	1.2 p. 30
self-assessment	自己評価	6.3 p. 229
silent period	沈黙期	1.2 p. 23 / 2.2 p. 73
stress	強勢	4.1 p. 143 / 4.4 p. 151
stress-timed language	強勢拍言語	4.1 p. 143
summative assessment	総括的評価	6.3 p. 224
syllable-timed language	音節拍言語	4.1 p. 143
syllabus	シラバス	5.3 p. 195
syntax	統語論	3.2 p. 124
teacher talk	ティーチャー・トーク	2.1 p. 61
Teaching English to Young Learners: TEYL	早期英語教育	1.1 p. 4
top down approach	トップダウンの発音指導	4.4 p. 151

Total Physical Response: TPR	全身反応教授法	1.2 p. 24 / 2.2 pp. 66, 77
validity	妥当性	6.3 p. 225
voice quality	音質	4.4 p. 151
vowel	母音	4.1 p. 143
washback effect	波及効果	6.2 p. 220
Zone of Proximal Development: ZPD	最近接発達領域	1.2 p. 31

索 引

アイ・コンタクト　26, 73
アクション・ソング　51, 299
足場組み　30, 60, 67, 75, 78, 83, 87, 131, 138, 377
RP（容認発音）　91, 143, 378, 386, 388
言い直し　261, 320
EFL（外国語としての英語）　81
ESP（成人のための特定の目的のための英語）　58
イマージョン教育　43, 377
意味　57, 60, 83, 127
意味交渉　27, 377
移民の子どものための英語教育（EAL）　29, 62
韻（ライム）　95, 282, 287, 321, 388
インタラクション（やりとり）　25, 53, 62, 78, 377
インタラクション・アクティビティ　78
イントネーション　151, 155, 174, 377
インフォメーション・ギャップ　27, 64, 256
インフォメーション・ギャップの活動　27, 39, 58, 64, 82, 377
インプット　23, 79, 377, 385
　　理解可能なインプット　67, 106
インプットのためのリスニング　79
Vygotsky, L.　31, 35, 54
歌　292
　　アクション・ソング　51, 299
　　手遊び歌〔手合わせ唄〕　299, 321
　　レッスン・ソングの記録例　297
埋め込み　212
運動的学習スタイル　60, 106
ALT（外国人指導助手）　145, 158
英語検定テスト　161, 221
英語専科の教師　61
『英語ノート』　10, 106, 116, 129, 139, 162, 195
英語の有用性　16
MOP（中心構成原理）　197, 384
L2（第二言語）　20, 133
欧州評議会　237
落ち着かせる活動　50, 300
オーディオリンガル・メソッド　37, 57, 106, 146, 378, 381, 387
音韻論　142, 378
音質　151, 153, 378
音声学　142, 378
音声言語　72
音節（シラブル）　90, 111
音節拍言語　143, 378
音素　90, 146, 378

音読　93, 270
外国語としての英語（EFL）　81
外国人指導助手（ALT）　145, 158
解読（ディコーディング）　89
外部評価　219
書きことば　70
（言語の）学習（learning）　20, 52, 380
学習コーナー　312
学習スタイル　60, 106
　　運動的学習スタイル　60, 106
　　視覚的学習スタイル　60, 106
　　聴覚的学習スタイル　60, 106
学習方略（ストラテジー）　5, 19, 41, 58, 86, 117, 378
課題（タスク）　98
学級担任　61, 106
活字体　100
活動　50
　　動きのある活動　50
　　落ち着かせる活動　50, 300
カード・ゲーム　46, 253
紙人形（ペープサート）　78, 149, 273
カリキュラム　196, 378
環境文字　203, 212, 379
擬声語　45
規則　58
機能　129
機能語　111, 124, 153, 386, 387
決まり文句（チャンク）　38, 39, 128
脚韻（ライム）　95, 282, 287, 321, 388
can-do リスト　237
教科横断的指導　181, 206, 379, 386
教科書〔教材〕　160
　　教材組み合わせ　180
　　教材補充　179
　　屈折的使用　179
　　焦点変更　179
　　選択的使用　178
　　国際的教材　160, 167
　　国内教材　161, 167
　　翻案した教材　162, 167
教材評価　160, 379
　　チェックリスト　169
教師　61
　　英語専科の教師　61

392　索　引

学級担任　61, 106
教師ことば　61, 62, 69, 385
教師用指導書　178
教室運営　48
教室英語　81, 82
教授法　13, 57
　オーディオリンガル・メソッド　37, 57, 106, 146, 378, 381, 387
　コミュニカティブ・ランゲージ・ティーチング（CLT）　57, 381
　サジェストペディア　106
　ストーリーに基づいたアプローチ　77
　全身反応教授法（TPR）　24, 66, 77, 248, 383
　人間性中心のアプローチ　58
　文法・訳読式教授法　57, 381, 387
　話題（トピック）に基づく教授法　111, 114, 204
　Whole language approach　97
強勢　111, 139, 143, 151, 379
強勢拍言語　139, 143, 379
競争　58
協力　58
クモの巣図　112
くり返し　263
CLIL（内容と言語の統合学習）　181, 193, 386
クロスワード　315, 319
「計画―実行―振り返り」モデル　45
形式（form）　57, 60, 127
形成的評価　223, 257, 379
形態論　124, 380
ゲーム　240, 258
　言語操作ゲーム　254, 320, 380
　コミュニケーション・ゲーム　255, 320, 381
　指導者にとって良いゲームの条件　253
　良いゲームの条件　248, 250
結束性（cohesion）　40, 58, 262, 380
言外の意味　65
言語学習に対する適正　126, 139
言語形式重視の授業　126, 380
言語材料（語彙と表現）　127, 139
　語彙の配分　113
　語彙の反復／再利用　114, 380
　文法項目の配列　127, 130
　文法項目の反復／再利用　127, 129, 380
言語操作ゲーム　254, 320, 380
言語能力　58
言語の文字体系　90
　音節文字　90
　単音文字　90
　表語文字　90
語彙　110
　階層関係　119
　対照関係　119
　機能語　111, 124, 153, 379, 386, 387
　産出語　75, 112, 115, 382, 383
　受容語　75, 112, 275, 382, 383
　内容語　111, 124, 294, 386
　文法語　111, 124, 153, 379, 386, 387

　語彙の指導　118
　語彙の選択基準　115, 177
　語彙のグループ分け　113
　語彙のネットワーク　123
　語彙の配分　113
　語彙の反復／再利用　114
　即興的に出てくる語彙　122
行動主義者　37
口頭練習　82
　足場組みに基づいた口頭練習　83, 87
　制限練習法に基づいた口頭練習　82
　くり返し　82
　制限練習法　82
　置換ドリル　82, 106
声のピッチ　156
国際語としての英語　145, 158
コースブック（教科書）　160
ことば遊び　12, 275, 302
　ジョーク　302
　なぞなぞ　302, 318
ことばの塊（チャンク）　38, 75, 87, 128, 300, 384
ことばへの気づき　8, 132, 139, 144, 381
ことばを視覚的に認識すること　97
コーパス　116, 381
コミュニカティブ・ランゲージ・ティーチング（CLT）　57, 381
　厳正な立場に立ったCLT　58
　早期英語教育との接点　60
コミュニケーション・ゲーム　255, 320, 381
コミュニケーション能力　85
コミュニケーション方略　86, 106
コンテクスト（文脈）　60, 92, 114, 124
コンピュータ教材　173

最近接発達領域（ZPD）　31, 54, 381
最小対立ペア　146, 149, 381
サイレント・ストレス　285, 321
サジェストペディア　106
産出　74
産出語　75, 112, 115, 382
産出スキル〔技能〕　74, 382
参照質問　106
子音　95
　子音連結　143, 382
視覚的学習スタイル　60, 106
識字教育　91, 93, 94
自己中心性　133, 139, 261, 320
自己評価　229, 382
自尊の気持ち　12
質疑応答　63
しつけ　48, 60
質問　64
　参照質問　106
　情報質問　57
　表示質問　57, 64, 106
　本当の質問　64
児童英語運用能力テスト　161, 221

指導プログラム　34
指導プログラム案　197, 208, 210, 382
　　作成用紙の例　202
　　立案の前提条件　199
ZPD（最近接発達領域）　31, 54, 381
自由英作文　102
習慣形成　58
集団基準準拠の評価〔相対評価〕　218, 382
（言語の）習得（acquisition）　20, 52, 380
授業内容（シラバス）　13, 195, 196, 379, 383
受容語　75, 112, 275, 382, 383
受容スキル〔技能〕　74, 383
小学校と中学校の連携　9, 91, 117
使用頻度　116, 131, 383
情報質問　57
情報のずれ　27
ジョーク　302
シラバス（授業内容）　13, 195, 196, 379, 383
シラブル（音節）　90, 111
自立学習センター　312
自立学習のための設備　58
自立した学習者　58, 60
自立した話し手　86
Skinner, B.　37, 54
スタディー・スキル　12
ストラテジー（学習方略）　5, 19, 41, 86, 117
ストーリー・テリング　75, 77
ストーリーに基づいたアプローチ　77
ストーリーを再現させる活動　136
ストレス・パターン　282, 285
スピーキング　81
　　くり返し　82
　　口頭練習　82
　　自立した話し手　86
　　制限練習法　82
　　置換ドリル　82, 106
スピーキング力の目標　219
制限練習　82, 255, 383
世間の常識　259
絶対評価〔目標基準準拠の評価〕　218, 221, 388
CEFR（ヨーロッパ言語共通参照枠）　237
全身反応教授法（TPR）　24, 66, 77, 248, 383
総括的評価　224, 384
早期英語教育（TEYL）　4, 60, 384
　　目的　5
　　問題点　5
　　さまざまな学習環境　7
　　フォニックスと早期英語教育　94
総合的な学習の時間　11, 76
相対評価〔集団基準準拠の評価〕　218, 382
（子どもたちの）素質　18

対照言語学的な分析　132
第二言語（L2）　20, 133
第二言語習得　26
タスク（課題）　98
脱中心化　47, 261, 320, 384

単語全体を視覚的に認識すること　96
談話　25, 40, 60, 75, 262, 384
知識の持ち主　29
チャンク（ことばの塊）　38, 75, 87, 128, 300, 384
　　固定型　38
　　適語補充型　39
　　場面順応型　38
チャンツ　152, 282
中心構成原理（MOP）　197, 384
調音　142, 385
聴覚的学習スタイル　60, 106
Chomsky, N.　37, 54
沈黙期　23, 73, 385
手遊び歌〔手合わせ唄〕　299, 321
TEYL（早期英語教育）　4, 384
ディコーディング（解読）　89
提示―練習―産出（PPP）　209
ティーチャー・トーク（教師ことば）　61, 62, 69, 385
適用範囲　116, 385
TPR（全身反応教授法）　24, 66, 77, 248, 383
伝承童謡　151, 212, 288
統括性（coherence）　58
動機付け　11
　　道具的動機　60, 106
統語論　124, 385
遠回し表現　88, 107, 116, 123
（成人のための）特定の目的のための英語（ESP）　58
読解力　97, 98
トップダウンの発音指導　151, 385
トリック　307

内部評価　219
ナーサリー・ライム（伝承童謡）　151, 288
内容語　111, 124, 294, 386
内容中心の学習法　181, 191, 193, 386
内容と言語の統合学習（CLIL）　181, 193, 386
なぞなぞ　302, 318
2語発話　110, 139
二重母音　150, 386
（学習者に特有の）ニーズ　58, 60
　　ニーズ分析　115, 386
人間性中心のアプローチ　58
認知的発達　12
認知発達段階　35
　　感覚運動期　35
　　具体的操作期　35
　　形式的操作期　35
　　前操作期　35
ネイティブ・スピーカー　21, 141

"Hi, friends!"　10, 106, 116, 129, 139, 162, 195
（言語材料の）配分　113, 127, 130, 386
波及効果　220, 386
パズル　311
　　クロスワード　315

上手に使うポイント　312
　　単語のヘビ　315
　　単語の輪　315
　　秘密のことば探し　316
　　ワードサーチ　313, 319
パターン・プラクティス　83, 106
発音　21, 91, 141
　　英語特有の音　143
　　児童英語発音記号　149
　　発音共通核　145
　　発音とつづりの関係　91
　　発音とつづりの「ズレ」　117
　　発音モデル　144
発音指導　145
　　トップダウンの発音指導　151, 385
　　ボトムアップの発音指導　146, 388
　　介入抑制タイプ　145
　　積極介入タイプ　145
　　発音指導活動例　146
発話　24
　　規格発話　38, 384
　　定型発話　38, 384
　　2語発話　110, 139
発話行為　65, 106, 139
話しことば　70
話し手　86
　　自立した話し手　86
反響様言語模倣　284, 320
（言語材料の）反復／再利用　114, 127, 129, 380
反復的／累積的な物語　265, 387
「汎用性」の高い語句　117, 123
Piaget, J.　35, 47, 54, 133, 139, 320
非言語的な反応　77
PC（ポリティカル・コレクトネス）　166
筆記体　101
筆記テスト　214, 230
　　組み合わせ問題　231
　　整序問題　235
　　聴解問題　234
　　読解問題　232
ビック・ブック　270
ビート（拍）　285
PPP（提示―練習―産出）　209
評価　6, 62, 214
　　評価の目的　216
　　子どもにやさしい評価　227
　　指導と評価の関係　221
　　影響の大きい評価　217
　　影響の小さい評価　217
　　集団基準準拠の評価〔相対評価〕　218, 382
　　目標基準準拠の評価〔絶対評価〕　218, 221, 383, 388
　　外部評価　219
　　内部評価　219
　　形成的評価　223, 257, 379
　　総括的評価　224, 384
　　実用性　225, 382
　　信頼性　225, 383
　　妥当性　225, 384
　　自己評価　229, 382
　　ポートフォリオ評価　228, 387
表示質問　57, 64, 106
フィードバック　69, 217, 224, 227, 380
フォーカスグループ　177
フォニックス　93, 94, 387
フォローアップ　64, 276, 278
複合的知能　60, 106
　　運動的学習スタイル　60, 106
　　視覚的学習スタイル　60, 106
　　聴覚的学習スタイル　60, 106
ブック・コーナー　278
フラッシュ・カード　96
振り返りシート　45
ブリティシュ・カウンシル　6, 44
Bruner, J.　29, 54
ブレイン・ストーミング　103, 107
フレームワーク（枠組み）　17
プロセス・ライティング　103, 107
文化の定義　10, 163
文法　111, 124, 135
　　文法の誤りへの対応　134
　　文法の指導計画　127
　　「発見型」の文法の授業　133
　　「文法に強い」ということ　125
　　文法項目の配列　127, 130
　　文法項目の反復／再利用　127, 129
文法アクティビティ　134
文法語　111, 124, 153, 379, 386, 387
文法・訳読式教授法　57, 381, 387
文脈（コンテクスト）　60, 92, 114, 124
ペープサート（紙人形）　78, 149, 273
母音　95, 143, 387
　　二重母音　150, 386
母語　22, 71, 73, 112
　　母語と外国語の対比　133
ポーズ（間）　285
ボディー・ランゲージ　73
ポートフォリオ（作品集）　12, 104, 228, 387
ポートフォリオ評価　228, 387
ボトムアップの発音指導　146, 388
ポリティカル・コレクトネス（PC）　166
本当の質問　64
本物の英語　58
本物の教材　58, 60
本物の本　93, 97, 388

間（ポーズ）　285
マインド・マップ（話題連想図）　45, 205, 388
マザーグース（伝承童謡）　212, 286
身近な現実（here and now）　22, 25, 65, 308
メタ認知意識　44, 388
メディア教材　172
黙読　93
目標基準準拠の評価〔絶対評価〕　218, 221, 383,

　　　　388
文字言語　72
文字指導　89, 100
文字の解読　88
文字の導入　76, 100
物語〔絵本〕　259, 280
　　反復的〔累積的〕な物語　265, 387
　　準反復的〔累積的〕な物語　265
　　短い寓話　265
　　良い物語の条件　260
　　物語の持つ可能性　277
　　物語に基づいた授業　127
モビール（動く人形）　123
モーラ（音節）　286, 289
モーラ拍言語　143

やりとり（インタラクション）　25, 52, 62, 78, 377
誘導英作文　101
容認発音（RP）　91, 143, 378, 386, 388
読み聞かせ　263, 270, 273, 320
　　非言語的なサポート　275
読み手　89
　　良い読み手　89, 97, 99
読むことの喜び　88
読む導入　106
ヨーロッパ言語共通参照枠（CEFR）　237
4技能　53, 55, 58, 70, 74
　　教える順番　76
　　リスニングの指導　76

スピーキングの指導　81
リーディングの指導　88
ライティングの指導　100

ライティング　100
　　書く導入　106
　　誤りの訂正の仕方　103
　　自由英作文　102
　　プロセス・ライティング　103, 107
　　誘導英作文　101
ライム（脚韻）　95, 282, 287, 321, 388
　　替え歌ライム　290
理解　74
理解可能なインプット　67, 106
リスニング　76
　　インプットのためのリスニング　79
リズム　139, 143, 151, 282, 388
リーディング　88
　　読む導入　106
　　音読　93, 270
　　黙読　93
　　読むことの喜び　88
　　読み手　89, 97, 99
リメリック　292

枠組み（フレームワーク）　17
話題（トピック）に基づく教授法　111, 114, 204
話題連想図（マインド・マップ）　45, 205, 388

編著者紹介

Shelagh Rixon（シーラ・リクソン）
前ウォーリック大学応用言語学研究センター准教授。ケンブリッジ大学卒業。エジンバラ大学修士課程修了。ウォーリック大学にて博士号を取得。1974年から1991年までブリティッシュ・カウンシルの語学教育担当官としてイタリアにおける初等英語教育の発展に尽力。1991年よりウォーリック大学修士課程の早期英語指導者養成プログラムの運営に携わるかたわら，ヨーロッパおよびアジア諸国の初等英語教育政策にかかわり，精力的に助言と指導を行う。主な著書：（小学校英語教科書）*Tip Top, 1〜6* (Macmillan), *How to Use Games in Language Teaching.* 1981年 (Macmillan), *Young Learners of English: Some Research Perspectives.*（編著）1999年（Longman）

小林美代子（こばやし みよこ）　　　　　　　　第6章担当
熊本大学大学院社会文化科学研究科教授。1995年に英国で博士号を取得後，7年間ウォーリック大学応用言語学研究センターにて研究指導及び評価プロジェクトに従事。2004年度より9年間にわたり，日本学術振興会科学研究費補助金（基盤研究（B））を得て，早期英語教育指導者養成に関する研究を実施。毎年度，研究成果について報告書を編纂するとともに複数の学会誌に論文を寄稿。主な著書：『聞ける！話せる！英語力3ヵ月トレーニング』2006年（研究社），*Hitting the Mark: how can text organization and response format affect reading comprehension performance?* 2009年（Peter Lang）

八田玄二（はった げんじ）　1.1節，第2章，第3章，7.2節担当
椙山女学園大学国際コミュニケーション学部名誉教授。愛知学芸大学を卒業（1963年）後，英国の Leeds（1975年），Reading（1986年），York（2004年）の各大学院で学ぶ。主な著訳書：『リフレクティブアプローチによる英語教師の養成』2000年（金星堂〔2001年度，JACET賞（実践賞）を受賞〕），『児童英語教育の理論と応用』2004年（くろしお出版），『「小学校英語」指導法ハンドブック』（共訳）2005年（玉川大学出版部），『先生，英語のお話を聞かせて！』（共訳）2008年（玉川大学出版部）。

宮本　弦（みやもと ゆづる）　　　　　　1.2節，第4章，第5章，7.1節，7.3節担当
白百合女子大学英語英文学科教授。東京外国語大学卒業。ウォーリック大学で MA（早期英語教育）および MA by research（英語教育研究）を修了。主な論文："Mother Goose reconsidered"（*Modern English Teacher* 12/4）2003年，「小学校英語指導者の養成と研修をめぐる課題」『日本児童英語教育学会研究紀要（第27号）』（共著）2008年，「小学校教員の英語学習ニーズの分析」『日本児童英語教育学会研究紀要（第30号）』（共著）2011年など。

山下千里（やました ちさと）　　　　　　　　7.4節，資料3担当
玉川大学リベラルアーツ学部助教。玉川大学文学部卒業。Saint Michael's College で MATESL を修了。松香フォニックス研究所（現 mpi）で20年にわたって小・中学生に英語を指導。主な著作物：『*We Can! Teacher's Guide*（指導書）Starter〜6』2009年（McGraw-Hill ELT），『*Kids Brown* 教師用指導書 Level 2』2010年（学校図書），「大学3年生が行うアクション・リサーチ――小学校外国語活動の実践より――」『玉川大学リベラルアーツ学部研究紀要（第5号）』2011年。

チュートリアルで学ぶ
新しい「小学校英語」の教え方

2013年3月25日　初版第1刷発行

編著者　───── シーラ・リクソン
　　　　　　　　　小林美代子
　　　　　　　　　八田玄二
　　　　　　　　　宮本　弦
　　　　　　　　　山下千里
発行者　───── 小原芳明
発行所　───── 玉川大学出版部
　　　　　　　〒194-8610　東京都町田市玉川学園6-1-1
　　　　　　　TEL 042-739-8935　FAX 042-739-8940
　　　　　　　http://www.tamagawa.jp/introduction/press/
　　　　　　　振替 00180-7-26665
装幀　───── 水橋真奈美（ヒロ工房）
図版作成　──── ひらめ
編集協力　──── 木田賀夫（K's Counter）
印刷・製本　─── 藤原印刷株式会社

乱丁・落丁本はお取り替えいたします。
Printed in Japan
ISBN978-4-472-40459-7 C3082 / NDC376